En couverture, photo de Bruce Davidson pour Magnum : marche aes droits civiques, Washington, août 1963.

LE XXe SIÈCLE AMÉRICAIN

The Twentieth Century
© 1980, 1984, 1998, 2003, Howard Zinn

Publié aux États-Unis par HarperCollins Publishers

© 2003, Agone (Marseille) - Lux (Montréal)
pour la traduction française
by arrangement with the Balkin Agency

ISBN FRANCE 2-7489-0001-4
ISBN QUÉBEC 2-89596-013-5

Howard Zinn

Le XXᵉ siècle américain
Une histoire populaire de 1890 à nos jours

Traduit de l'anglais par Frédéric Cotton

Les notes et les titres courants thématiques sont de l'éditeur ; édition établie par Michel Caïetti, Thierry Discepolo, Isabelle Kalinowski, Sébastien Mengin, Laure Mistral et Jérôme Pellissier.

Préface

Au moment où j'écris cette préface à l'édition française du *XXᵉ siècle américain*, les relations franco-américaines sont extrêmement tendues suite à la décision prise unilatéralement par les Américains d'attaquer et d'envahir l'Irak sans accord préalable du Conseil de sécurité de l'ONU et donc en complète violation de la Charte des Nations unies. Cette Charte ne permet d'attaquer un pays qu'en cas de légitime défense et, même alors, il faut obtenir l'accord du Conseil de sécurité. Souvenons-nous que l'une des principales accusations portées contre les dignitaires nazis lors des procès de Nuremberg était d'avoir mené une « guerre d'agression ». Cette expression qualifie très exactement la guerre engagée par les États-Unis contre l'Irak.

Le premier chapitre de ce livre, « L'empire et le peuple », évoque une situation comparable en bien des points à la guerre menée quelque cent ans plus tard en Irak. En 1898, déjà, la déclaration de guerre contre l'Espagne et l'invasion de Cuba avaient été justifiées par des mensonges.

L'Espagne avait été accusée d'être l'instigatrice de l'attentat contre le navire américain *Maine* à la Havane, mais aucune preuve ne vint jamais confirmer cette allégation, exactement comme l'invasion de l'Irak a pris pour prétexte la destruction des « armes de destruction massive » irakiennes dont l'existence n'est toujours pas prouvée.

Les États-Unis prétendaient à l'époque vouloir libérer Cuba de l'oppression espagnole, comme on prétend aujourd'hui libérer le peuple irakien de la tyrannie de Saddam Hussein. Pourtant, si les

Cubains furent effectivement débarrassés de la présence espagnole, ils durent subir la domination américaine comme l'Irak, débarrassé de Saddam Hussein par l'invasion américaine, s'est vu immédiatement occupé par l'armée américaine.

Les véritables motifs de ces invasions n'ont jamais été donnés à l'opinion publique américaine. Dans le cas de Cuba, la nation américaine occupant l'ensemble du territoire s'étendant entre l'Atlantique et le Pacifique, il s'agissait désormais de s'imposer dans les Caraïbes et dans la zone Pacifique. Quand l'Espagne fut expulsée, les entreprises américaines se ruèrent sur Cuba pour s'emparer des chemins de fer, des territoires et des banques.

Dans le cas de l'Irak, les avocats de la guerre eux-mêmes admettent aujourd'hui que le contrôle du pétrole irakien en fut l'une des principales causes, et des contrats incroyablement lucratifs furent accordés à des entreprises entretenant des liens très étroits avec l'administration Bush. Le *Boston Globe* du 11 avril 2003 titrait : « Selon un membre du Pentagone, une filiale du géant pétrolier Halliburton Co., auparavant présidé par le vice-président Dick Cheney, a remporté un contrat qui pourrait se monter à 7 milliards de dollars pour éteindre les incendies de puits de pétrole en Irak. »

Si Cuba ne devint pas officiellement une colonie américaine, elle fit partie intégrante de l'empire américain pendant près de soixante ans, jusqu'à la révolution castriste. Dans les faits, ce sont les États-Unis qui rédigèrent la Constitution cubaine de 1898 ; ils y insérèrent un article qui les autorisait à intervenir militairement s'ils le jugeaient nécessaire. De la même façon, les États-Unis ont chargé aujourd'hui leurs propres constitutionnalistes de concevoir un cadre légal pour l'Irak. Un comédien américain a suggéré dernièrement qu'il serait plus simple d'offrir notre Constitution aux Irakiens « puisque nous n'en avons plus besoin ». Il évoquait sans doute le fait que l'administration Bush violait la Constitution américaine – et, en particulier, la Déclaration des droits – par des lois et décrets administratifs portant atteinte aux libertés civiques des citoyens américains.

Il existe néanmoins une différence importante entre l'invasion de Cuba en 1898 et celle de l'Irak en 2003 : si la première rencontra une certaine opposition, elle n'eut pas l'ampleur des mouvements de protestation qui s'exprimèrent partout à travers les États-Unis avant, pendant et après l'agression contre l'Irak. D'une certaine façon, on peut dire que l'opposition à la guerre qui s'est exprimée en France et dans d'autres pays trouva son pendant chez nous dans les importantes manifestations qui ont rassemblé des centaines de milliers de personnes aussi bien dans les grandes cités que dans les plus petites villes du pays.

Ce livre traite, entre autres, de l'expansionnisme américain au XXᵉ siècle, de la guerre aux Philippines qui suivit immédiatement la guerre hispano-américaine et des innombrables interventions dans les Caraïbes au cours des décennies qui suivirent, jusqu'à l'expansion mondiale de la domination américaine après la Seconde Guerre mondiale. L'existence de l'Union soviétique servit d'excuse aux interventions des États-Unis en Amérique latine, au Moyen-Orient, en Afrique et en Asie, interventions qui culminèrent avec la guerre meurtrière du Vietnam.

Après la chute de l'Union soviétique, l'attentat terroriste du 11 septembre 2001 servit à son tour de prétexte pour justifier le bombardement de l'Afghanistan et la guerre contre l'Irak, bien que rien ne prouve que ces guerres qui ont fait des milliers de victimes civiles aient eu la moindre incidence sur la menace terroriste.

Dans les chapitres qui suivent, nous assistons également à la lutte incessante de citoyens américains contre la ségrégation raciale, l'exploitation économique, l'oppression des femmes, le contrôle du système politique, de l'économie et de la culture par de puissantes entreprises. Cette domination nationale de la classe la plus riche a atteint des sommets avec l'administration de Bush junior, qui accéda au pouvoir par une manœuvre judiciaire grossière après avoir perdu en termes de suffrages par un écart de 2 000 voix. Dans le dernier chapitre du livre, j'évoque cette élection et la fameuse « guerre au terrorisme » proclamée par Bush.

Au moment même où j'écris, en cet été 2003, on peut constater quelques fêlures au sein de l'empire américain, une méfiance certaine à l'égard de nos aventures militaires et une prise de conscience du fait qu'une poignée d'hommes tout dévoués au « marché » et aux intérêts des super-riches ont fait main basse sur ce pays. Le peuple américain doit se battre pour renverser la tendance. Les victoires remportées par les travailleurs dans les années 1930, par les Afro-Américains dans les années 1960 et par le mouvement pacifiste dans les années 1970 prouve que cela est parfaitement possible.

Une histoire populaire des États-Unis s'ouvre sur l'arrivée de Christophe Colomb et se ferme sur l'élection de George Bush junior et les conséquences immédiates des attentats du 11 septembre 2001 à New York. Ce livre-ci reprend la seconde moitié de cette histoire et s'adresse aux lecteurs qui souhaiteraient se focaliser sur les États-Unis du siècle dernier.

Mais il me faut tout d'abord expliciter mon point de vue. Point de vue évident dès les premières pages d'*Une histoire populaire des États-Unis*, quand, évoquant Christophe Colomb, je passais rapidement sur ses talents de navigateur et sur son obstination à découvrir la route de l'Ouest mais m'attardais sur le traitement cruel qu'il avait réservé aux Indiens qu'il rencontrait, les torturant et les exterminant pour satisfaire sa soif d'or et la nécessité dans laquelle il se trouvait d'en rapporter à ses commanditaires espagnols. Autrement dit, mon intérêt ne se porte pas sur les héros de l'histoire classique mais sur tous ces individus qui furent victimes de ce processus. Sur tous ceux qui souffrirent en silence ou rendirent bravement coup pour coup.

Mettre l'accent sur l'héroïsme de Christophe Colomb et de ses successeurs en tant que navigateurs et découvreurs, en évoquant en passant le génocide qu'ils ont perpétré, n'est pas une nécessité technique mais un choix idéologique. Et ce choix sert – involontairement – à justifier ce qui a été fait.

Je ne prétends pas qu'il faille, en faisant l'histoire, accuser, juger et condamner Christophe Colomb par contumace. Il est trop tard pour cette leçon de morale, aussi scolaire qu'inutile. Ce qu'il faut en revanche condamner, c'est la facilité avec laquelle on assume ces atrocités comme étant le prix, certes regrettable mais nécessaire, à payer pour assurer le progrès de l'humanité : Hiroshima et le Vietnam pour sauver la civilisation occidentale, Kronstadt et la Hongrie pour sauver le socialisme, la prolifération nucléaire pour sauver tout le monde. Nous avons appris à fondre ces atrocités dans la masse des faits comme nous enfouissons dans le sol nos containers de déchets radioactifs. Bref, nous avons appris à leur accorder exactement autant de place que celle qu'ils occupent dans les cours et les manuels d'histoire prescrits et écrits par les professeurs. Appliqué avec une apparente objectivité par les universitaires, ce relativisme moral nous paraît plus acceptable que s'il l'était par des politiciens au cours de conférences de presse. C'est pourquoi il est d'autant plus dangereux.

Le traitement des héros comme celui de leurs victimes, ainsi que l'acceptation tranquille de l'idée selon laquelle la conquête et le meurtre vont dans le sens du progrès humain, ne sont que des aspects particuliers de cette approche particulière de l'histoire, à travers laquelle le passé nous est transmis exclusivement du point de vue des gouvernants, des conquérants, des diplomates et des dirigeants. Comme si, à l'image de Christophe Colomb, ils méritaient une admiration universelle, ou comme si les Pères Fondateurs[1], ou Jackson, Lincoln, Wilson, Roosevelt, Kennedy et autres éminents membres du Congrès et juges célèbres de la Cour suprême incarnaient réellement la nation tout entière ; comme s'il existait réellement une entité appelée « États-Unis ». Une nation, certes sujette à des conflits et querelles occasionnels, mais qui n'en constituerait pas moins, au fond, un groupe d'individus partageant des intérêts communs. Cet « intérêt national », censé exister réellement et s'incarner aussi bien dans la Constitution, l'expansion territoriale, les lois votées par le Congrès, les décisions des cours de justice que dans le développement du capitalisme et la culture de l'éducation et des médias de masse.

« L'histoire est la mémoire des États », écrivait Henry Kissinger dans *A World Restored*, son premier livre, dans lequel il s'attachait à faire l'histoire du XXᵉ siècle européen du point de vue des dirigeants autrichiens et britanniques tout en passant à la trappe les millions d'individus qui avaient eu à souffrir de leurs politiques. Selon lui, la « paix » qui caractérisait l'Europe avant la Révolution française fut « restaurée » par l'activité diplomatique d'une poignée de dirigeants nationaux. Pourtant, pour les ouvriers anglais, les paysans français, les gens de couleur en Asie et en Afrique, les femmes et les enfants partout dans le monde excepté dans les classes sociales les plus favorisées, il s'agissait d'un monde de conquêtes, de violences, de famine et d'exploitation. Un monde plus désintégré que « restauré ».

Le point de vue qui est le mien, en écrivant cette histoire des États-Unis, est bien différent : la mémoire des États n'est résolument pas la nôtre. Les nations ne sont pas des communautés et ne l'ont jamais été. L'histoire de n'importe quel pays, présentée comme une histoire de famille, dissimule les plus âpres conflits d'intérêts (qui parfois éclatent au grand jour et sont le plus souvent réprimés) entre les conquérants et les populations soumises, les maîtres et les esclaves, les capitalistes et les travailleurs, les dominants et les dominés, qu'ils le soient pour des raisons de race ou de sexe. Dans un monde aussi conflictuel, où victimes et bourreaux s'affrontent, il est, comme le disait Albert Camus, du devoir des intellectuels de ne pas se ranger aux côtés des bourreaux.

Ainsi, puisque le choix de certains événements et l'importance qui leur est accordée signalent inévitablement le parti pris de

---

1. Inspirateurs et rédacteurs de la Constitution américaine. Les plus célèbres sont George Washington, Thomas Jefferson, Alexander Hamilton, James Madison et John Jay.

l'historien, je préfère tenter de dire l'histoire de la découverte de l'Amérique du point de vue des Arawaks, l'histoire de la Constitution du point de vue des esclaves, celle d'Andrew Jackson vue par les Cherokees, la guerre de Sécession par les Irlandais de New York, celle contre le Mexique par les déserteurs de l'armée de Scott, l'essor industriel à travers le regard d'une jeune femme des ateliers textiles de Lowell, la guerre hispano-américaine à travers celui des Cubains, la conquête des Philippines telle qu'en témoignent les soldats noirs de Lusón, l'Âge d'or par les fermiers du Sud, la Première Guerre mondiale par les socialistes et la suivante par les pacifistes, le New Deal par les Noirs de Harlem, l'impérialisme américain de l'après-guerre par les péons d'Amérique latine, etc. Tout cela, bien sûr, si tant est que quiconque – et quels que soient les efforts qu'il y consacre – puisse effectivement « voir » l'histoire en épousant le point de vue des autres.

Il n'est pas dans mon propos de me lamenter sur les victimes et de stigmatiser les bourreaux. Les larmes et la colère, lorsqu'elles ont pour objet les événements du passé, ne peuvent que nuire à la combativité qu'exige le présent. En outre, les frontières ne sont pas toujours clairement délimitées. Sur le long terme, l'oppresseur est aussi une victime. Sur le court terme (et jusqu'ici, semble-t-il, l'histoire de l'humanité n'a jamais été qu'une question de court terme), les victimes elles-mêmes, exaspérées et inspirées par la culture qui les opprime, se retournent contre d'autres victimes.

C'est pourquoi, étant donné la complexité du problème, ce livre se montrera radicalement sceptique à l'égard des gouvernements et de leurs tentatives de piéger, par le biais de la culture et de la politique, les gens ordinaires dans la gigantesque toile de la « communauté nationale » censée tendre à la satisfaction des intérêts communs. J'essaierai, en outre, de ne pas minimiser les violences que les victimes se font subir les unes aux autres, embarquées comme elles le sont dans la grande galère du système. Si je ne souhaite pas les idéaliser, je me souviens néanmoins (le paraphrasant un peu brutalement) d'un propos que j'ai lu quelque part : « La plainte du pauvre n'est pas toujours juste, mais si vous ne l'entendez pas vous ne saurez jamais ce qu'est vraiment la justice. »

Je n'entends pas inventer des victoires au bénéfice des mouvements populaires. Cependant, si écrire l'histoire se réduisait à dresser la liste des échecs passés, l'historien ne serait plus que le collaborateur d'un cycle infini de défaites. Une histoire qui se veut créative et souhaite envisager un futur possible sans pour autant trahir le passé devrait, selon moi, ouvrir de nouvelles possibilités en exhumant ces épisodes du passé laissés dans l'ombre et au cours desquels, même si ce fut trop brièvement, les individus ont su faire preuve de leur capacité à résister, à s'unir et parfois même à l'emporter. Je suppose – ou j'espère – que notre avenir sera plus à l'image de ces brefs moments de solidarité qu'à celle des guerres interminables.

Voilà, en toute honnêteté, ce que sera mon approche de l'histoire des États-Unis. Le lecteur devait la connaître avant de poursuivre sa lecture.

Chapitre I

L'empire et le peuple

« **E**NTRE NOUS, […] j'accueillerais avec plaisir n'importe quelle guerre tant il me semble que ce pays en a besoin. » Voilà ce que Theodore Roosevelt écrivait à un ami en 1897.

En 1890, l'année même du massacre de Wounded Knee[1], le Bureau du recensement avait déclaré close la Frontière intérieure La machine commerciale, suivant son penchant naturel à l'expansion, avait déjà commencé à regarder vers le large. La crise sévère qui éclata en 1893 vint conforter l'idée, développée par les élites politique et financière, que les marchés étrangers pourraient bien être la solution au problème de la sous-consommation des produits nationaux et permettre ainsi de prévenir des crises économiques comme celle qui avait entraîné la guerre des classes au cours des années 1890.

En outre, l'aventure étrangère ne pourrait-elle pas détourner vers un ennemi extérieur une part de l'énergie placée dans les grèves et autres mouvements protestataires ? Il ne s'agissait probablement pas d'un plan soigneusement concerté par l'ensemble de l'élite américaine, mais plutôt du développement quasi naturel des dynamiques jumelles du capitalisme et du nationalisme.

L'expansion outre-mer n'était certes pas une idée neuve. Bien avant que la guerre contre le Mexique ne permette aux États-Unis d'atteindre le Pacifique, la boussole de la « doctrine Monroe » indi-

---

1. Le 29 décembre 1890, l'armée américaine encercle un campement d'environ trois cents Indiens sioux, en majeure partie composé de femmes, d'enfants et de vieillards. Pendant que les soldats fouillent le camp et récupèrent les armes des Indiens, un coup de feu éclate. Aussitôt, l'armée ouvre le feu avec les mitrailleuses Hotchkiss installées tout autour du campement. Environ trois cents cadavres d'Indiens furent jetés, quelques jours plus tard, dans une fosse commune.

quait le sud, vers l'Amérique centrale et au-delà. Définie en 1823, alors que les pays d'Amérique latine prenaient leur indépendance vis-à-vis de l'Espagne, cette doctrine entendait faire clairement comprendre aux Européens que les États-Unis considéraient désormais l'Amérique latine comme relevant de sa sphère d'influence. Aussitôt, certaines personnalités américaines se mirent à rêver également au Pacifique : Hawaii, le Japon et les grands marchés chinois.

On fit d'ailleurs bien plus qu'y rêver. Les forces armées américaines avaient déjà fait quelques excursions outre-mer, comme le confirme un rapport rédigé en 1962 par le département d'État et présenté par le secrétaire d'État Dean Rusk devant un comité sénatorial afin de rappeler les divers précédents à l'intervention armée contre Cuba. Intitulé « Quelques exemples de l'usage de la force armée américaine à l'étranger : 1798-1945 », il rapporte cent trois opérations extérieures ayant eu lieu entre 1798 et 1895. Voici un extrait de cette liste avec les commentaires du département d'État lui-même :

> **1852-1853** – Argentine : les *marines* ont débarqué et se sont maintenus à Buenos Aires pendant une révolution afin de protéger les intérêts américains.
>
> **1853** – Nicaragua : protection des citoyens et intérêts américains pendant des troubles politiques.
>
> **1853-1854** – Japon : l'« ouverture du Japon » et l'expédition Perry. [Ici le département d'État ne donne pas plus de détails, mais cette intervention permit aux navires de guerre américains de forcer le Japon à ouvrir ses ports aux États-Unis.]
>
> **1853-1854** – Ryukyu et les îles Bonin : le contre-amiral Perry, en attente d'une réponse japonaise l'autorisant à se rendre au Japon, opéra dans cette zone une démonstration navale et débarqua par deux fois. Il finit par obtenir des autorités de Naha, sur l'île d'Okinawa, la gestion d'une concession minière. Perry fit également une démonstration de force dans les îles Bonin, toujours dans le dessein d'obtenir des facilités commerciales.
>
> **1854** – Nicaragua : San Juan del Norte [La ville de Greytown fut détruite pour venger une offense faite au ministre-résident américain en poste au Nicaragua].
>
> **1855** – Uruguay : les *marines* américaines et européennes y débarquèrent pour protéger les intérêts américains au cours d'une tentative de révolution à Montevideo.
>
> **1859** – Chine : intervention destinée à protéger les intérêts américains à Shanghai.
>
> **1860** – Angola - Afrique-Occidentale portugaise : pour assurer la sécurité des citoyens et des biens américains à Kissembo pendant une révolte indigène.

1893 – Hawaii : officiellement pour protéger les vies et les biens des Américains. En réalité pour mettre sur pied un gouvernement provisoire sous l'autorité de Sanford B. Dole. Cette intervention a été désavouée par les États-Unis.

1894 – Nicaragua : pour protéger les intérêts américains à Bluefields à la suite d'une révolution.

Il y avait donc déjà eu, avant les années 1890, bien des incursions et autres interventions dans les affaires intérieures de pays étrangers. L'idéologie expansionniste était largement répandue parmi les élites militaire, politique et commerciale américaines – ainsi que chez certains responsables du mouvement des fermiers qui pensaient que l'ouverture des marchés étrangers leur profiterait.

Theodore Roosevelt et de nombreux autres responsables américains avaient été largement influencés par le capitaine de la marine américaine A. T. Mahan, propagandiste populaire de l'idée expansionniste. Selon Mahan, les pays possédant les marines les plus puissantes hériteraient du monde entier. « Les Américains doivent à présent regarder vers l'extérieur. » Le sénateur du Massachusetts, Henry Cabot Lodge, écrivait dans la presse : « Dans l'intérêt de notre commerce [...], nous devrions construire le canal de Panamá et, pour protéger ce canal, comme pour assurer notre suprématie commerciale dans le Pacifique, nous devrions contrôler les îles Hawaii et conforter notre influence sur les Samoa. [...] En outre, lorsque le canal de Panamá sera construit, Cuba deviendra une nécessité. [...] Les grandes nations annexent rapidement, en vue d'assurer leur future expansion et leur sécurité, toutes les terres inoccupées du globe. C'est un mouvement qui va dans le sens de la civilisation et de l'avancement de la race. En tant que membre du cercle des grandes nations, les États-Unis ne peuvent pas ne pas suivre cette voie. »

À la veille de la guerre hispano-américaine, le *Washington Post* écrivait : « Un nouveau sentiment semble nous habiter : la conscience de notre propre force. Et, avec elle, un nouvel appétit : le désir d'en faire la démonstration. [...] Ambition, intérêt, appétits fonciers, fierté ou simple plaisir d'en découdre, quelle que soit la motivation, nous sommes habités par un sentiment nouveau. Nous sommes confrontés à un étrange destin. Le goût de l'empire règne sur chacun de nous comme le goût du sang règne sur la jungle. »

Ce drôle de goût dans la bouche du peuple américain reflétait-il une agressivité instinctive et inapaisable ou quelque intérêt bien compris ? Cet appétit (s'il existait) n'était-il pas plutôt fabriqué, encouragé, promu et avivé par les magnats de la presse, l'armée, le gouvernement et les universitaires obséquieux de l'époque? John Burgess, professeur de sciences politiques à la Columbia University, prétendait que les races teutonne et anglo-saxonne étaient « particulièrement dotées de la faculté d'édifier des États nationaux. [...] C'est à elles qu'a été confiée [...] la mission de construire l'organisation politique du monde moderne ».

Quelques années avant son élection à la présidence des États-Unis, William McKinley déclarait qu'il fallait « un marché extérieur pour écouler la surproduction » américaine. Le sénateur de l'Indiana, Albert Beveridge, affirmait également, début 1897 : « Les usines américaines produisent plus que ne peut consommer le peuple américain. Le sol américain produit également à l'excès. Le destin dicte notre conduite. Nous devons dominer le commerce mondial et nous le dominerons. » Le département d'État annonçait pour sa part en 1898 : « Il semble à peu près certain que tous les ans nous aurons à faire face à une surproduction croissante de biens qui devront être placés sur les marchés étrangers si nous voulons que les travailleurs américains travaillent toute l'année. L'augmentation de la consommation étrangère des biens produits dans nos manufactures et nos ateliers est, d'ores et déjà, devenue une question cruciale pour les autorités de ce pays comme pour le commerce en général. »

Ces militaires et politiciens expansionnistes entretenaient bien entendu des relations. L'un des biographes de Theodore Roosevelt nous apprend qu'« en 1890 Lodge, Roosevelt et Mahan procédaient à des échanges de vues », et qu'ils envisageaient de dégager Mahan de ses responsabilités dans la marine « afin qu'il puisse poursuivre son travail de propagande expansionniste à temps plein ». Un jour, Roosevelt adressa à Lodge la copie d'un poème de Rudyard Kipling en déclarant qu'il s'agissait d'une « poésie assez pauvre, certes, mais efficace d'un point de vue expansionniste ».

Lorsque les États-Unis renoncèrent à annexer Hawaii, après que quelques Américains (représentant la combinaison des intérêts missionnaire et agricole de la famille Dole) eurent installé sur place leur propre gouvernement, Roosevelt parla de « crime contre la civilisation blanche ». Lors d'une conférence donnée au Naval War College, il affirma que « toutes les races dominantes se sont toujours affrontées aux autres races. [...] Aucun triomphe obtenu par la paix n'est aussi glorieux qu'un triomphe obtenu par la guerre ».

Roosevelt méprisait souverainement les races et les peuples qu'il jugeait inférieurs. Lorsqu'une foule lyncha à La Nouvelle-Orléans des immigrants italiens, Roosevelt jugea que les États-Unis devaient offrir une compensation au gouvernement italien. Au même moment, il écrivait à sa sœur que ce lynchage était « plutôt une bonne chose », ajoutant qu'il en avait dit autant lors d'un dîner réunissant « une brochette de diplomates métèques [...] scandalisés par le lynchage ».

Le philosophe William James, qui fut l'une des personnalités anti-impérialistes les plus marquantes de son temps, écrit au sujet de Roosevelt qu'il « ne tarit pas d'éloges sur la guerre, qu'il considère comme un état idéal pour la société humaine par l'énergie virile qu'elle implique alors qu'il regarde la paix comme une ignominie graisseuse et boursouflée juste assez bonne pour les impotents pleurnichards qui évoluent dans une lumière blafarde en ignorant tout d'un état de vie supérieur ».

L'opinion de Roosevelt sur l'expansionnisme ne reposait pas uniquement sur la glorification de la virilité et de l'héroïsme. Il était également soucieux de « nos relations commerciales avec la Chine ». Lodge était pour sa part très réceptif à la séduction exercée par les marchés asiatiques sur l'industrie textile du Massachusetts. L'historienne Marilyn Young a souligné le travail effectué par l'American China Development Company pour étendre l'influence américaine en Chine dans un objectif essentiellement commercial, ainsi que les instructions données par le département d'État à l'émissaire américain en Chine afin qu'il « use des moyens les plus propres à l'extension des intérêts américains en Chine ». Elle affirme dans *The Rhetoric of Empire* que les discours sur l'importance des marchés chinois ne reflétaient pas les investissements effectifs de l'époque mais étaient néanmoins fort utiles dans la mesure où ils indiquaient la politique suivie par les États-Unis vis-à-vis de Hawaii, des Philippines et du reste de l'Asie.

Si 90 % des produits américains étaient vendus, en 1898, sur le marché intérieur, les 10 % restants rapportaient tout de même un milliard de dollars. Walter Lafeber écrit dans *The New Empire* qu'« en 1893 le commerce américain surpassait celui de n'importe quel autre pays au monde, excepté celui de la Grande-Bretagne. [...] Les produits agricoles dépendaient depuis longtemps des marchés extérieurs, en particulier dans les secteurs clefs du tabac, du coton et du blé ». Pendant les années 1875-1895, les capitaux américains investis à l'étranger atteignirent un milliard de dollars. En 1885, l'*Age Steel*, magazine de l'industrie sidérurgique, affirmait que le marché intérieur ne suffisait plus et que le problème de la surproduction industrielle « devrait être résolu et prévenu à l'avenir par la croissance du commerce extérieur ».

Ce fut au cours des années 1880-1890 que le pétrole devint un poste d'exportation essentiel. En 1891, l'entreprise familiale des

Rockefeller, la Standard Oil Company, comptait pour 90 % des exportations américaines en pétrole d'éclairage et contrôlait 70 % du marché mondial. Le pétrole arrivait désormais juste derrière le coton dans les produits d'exportation américains.

Comme l'a montré William Appleman Williams dans *The Roots of the Modern American Empire*, certains grands propriétaires de domaines agricoles, dont quelques leaders populistes, appelaient également de leurs vœux une politique expansionniste. En 1892, Jerry Simpson, représentant du Texas au Congrès, y déclara qu'au vu de l'énorme surproduction agricole les fermiers devaient « nécessairement rechercher des marchés étrangers ». Si ces personnes n'exigeaient pas explicitement une politique agressive ou de conquête, elles jugeaient les marchés étrangers si essentiels à la prospérité américaine que la politique expansionniste, même menée par les armes, ne pouvait à terme que les séduire.

Cette politique expansionniste serait encore plus séduisante si elle pouvait passer pour un acte de générosité, comme venir en aide aux rebelles souhaitant se débarrasser d'une domination étrangère – par exemple à Cuba. En 1898, les rebelles cubains luttaient depuis déjà trois ans pour leur indépendance. Il était encore possible à cette époque de créer un engouement national en faveur d'une intervention américaine.

Il semble qu'au départ les milieux d'affaires n'aient pas voulu d'une intervention militaire à Cuba. Tant qu'ils pouvaient obtenir le libre accès aux marchés extérieurs, les négociants américains n'avaient pas besoin de colonies ou de guerres de conquête. Cette idée de la « porte ouverte » devint au XXe siècle le thème dominant de la politique étrangère des États-Unis. Il s'agissait d'une approche de l'impérialisme certainement plus sophistiquée que la traditionnelle construction impériale pratiquée par les Européens. Selon Appleman Williams (*The Tragedy of American Diplomacy*), « ce débat national est généralement considéré comme une bataille entre les impérialistes, menés par Roosevelt et Lodge, et les anti-impérialistes, menés par William Jennings Bryan et Carl Schurtz. Pourtant, il serait plus juste et plus pertinent de considérer qu'il s'agissait d'un combat entre trois factions. Le troisième groupe était composé d'hommes d'affaires, d'intellectuels et de politiciens qui s'opposaient au colonialisme traditionnel et défendaient une politique de la porte ouverte à travers laquelle la puissance économique prépondérante de l'Amérique pénétrerait et dominerait toutes les régions sous-développées du globe. »

Néanmoins, cette préférence affichée par certains groupes d'affaires et quelques politiciens pour ce qu'Appleman Williams appelle l'« empire informel », sans guerre, était toujours sujette à révision. Si l'impérialisme pacifique s'avérait impossible, il devenait nécessaire d'avoir recours à l'intervention militaire.

Les événements qui eurent lieu en Chine entre la fin 1897 et le début 1898 en fournissent un bon exemple. La Chine sortant affaiblie de sa guerre contre le Japon, les Allemands occupèrent le port chinois de Qingdao, à l'embouchure de la baie de Kiao-tcheou. Ils exigèrent l'obtention d'une base navale ainsi que des droits sur l'exploitation du charbon et des facilités ferroviaires sur la péninsule voisine de Shandong. Dans les quelques mois qui suivirent, les autres puissances européennes s'installèrent également en Chine et entreprirent le partage du pays sans convier les États-Unis au festin.

C'est à ce moment-là que le *Journal of Commerce* de New York, auparavant ardent défenseur du développement pacifique du libre-échange, se mit à exiger vigoureusement le recours au colonialisme militaire classique. Julius Pratt, historien de l'expansionnisme américain, décrit ce revirement : « Ce journal, qui se caractérisait par son pacifisme et son anti-impérialisme [...], vit les fondements de son attitude crouler devant la menace de partition de la Chine. Arguant de ce que le libre accès au marché chinois, avec ses quelque 400 millions d'habitants, résoudrait en très grande partie le problème de la surproduction américaine, le *Journal of Commerce* en vint non seulement à réclamer vigoureusement une complète égalité des droits sur la Chine mais aussi à soutenir sans réserves la construction d'un canal isthmique, l'acquisition de Hawaii et l'augmentation du potentiel de la marine. Trois mesures qu'il avait jusque-là fermement combattues. Rien ne pouvait être plus révélateur que la manière dont ce journal s'etait converti en quelques semaines. »

Il y eut un revirement similaire, en 1898, dans l'attitude des milieux d'affaires vis-à-vis de Cuba. Les hommes d'affaires s'étaient intéressés dès le début à la révolte des Cubains contre l'Espagne à cause des conséquences qu'elle pourrait avoir sur le commerce dans cette région. Il existait déjà un intérêt économique considérable pour cette île, que le président Grover Cleveland avait résumé ainsi en 1898 : « On estime raisonnablement qu'au moins 30 à 50 millions de dollars de capitaux américains sont investis à Cuba dans les plantations, les chemins de fer, les mines et autres activités. Le volume des échanges commerciaux est passé de 64 millions de dollars en 1889 à environ 103 millions de dollars en 1893. »

Le soutien populaire à la révolution cubaine se fondait sur le sentiment que les Cubains, comme les Américains en 1776, luttaient pour leur libération. Pourtant, le gouvernement des États-Unis, produit conservateur d'une autre guerre révolutionnaire, avait essentiellement en tête le profit et le pouvoir lorsqu'il observait les événements cubains. Ni Cleveland, président des États-Unis pendant les premières années de la révolte cubaine, ni McKinley, son successeur, ne reconnurent officiellement les insurgés cubains comme des belligérants. Une telle reconnaissance légale aurait permis aux États-Unis d'apporter leur soutien aux rebelles sans pour autant envoyer l'armée. Il semble que l'on ait craint que les rebelles l'emportent seuls sans devenir redevables aux Américains.

Il semble qu'ait également existé une autre crainte. L'administration Cleveland affirmait que, puisque Cuba avait une population mélangée, une victoire cubaine risquait d'entraîner « la mise en place d'une république blanche et noire à Cuba ». Et la république noire pourrait bien s'avérer dominante. Cette crainte fut exprimée en 1896 dans un article de la *Saturday Review* par Winston Churchill, jeune et éloquent impérialiste dont la mère était américaine et le père anglais. Dans ce texte, tout en affirmant que la domination espagnole est une mauvaise chose en soi et que les insurgés bénéficient du soutien de la population, Churchill estime préférable que les Espagnols gardent le contrôle : « Un grave danger se présente. Deux cinquièmes des insurgés sur le terrain sont des nègres. Ces hommes […], en cas de victoire, demanderaient certainement une place prépondérante dans le gouvernement du pays. […] Il en résulterait, après des années de lutte, une autre république noire. »

L'« autre » république noire, c'est Haïti : son soulèvement contre la France en 1803 avait donné lieu à la première nation du Nouveau Monde dirigée par des Noirs. L'ambassadeur espagnol aux États-Unis écrivait au secrétaire d'État américain de l'époque : « Dans cette révolution, l'élément nègre joue le plus grand rôle. Les principaux meneurs sont des hommes de couleur, comme le sont également au moins les huit dixièmes de leurs partisans. […] L'issue de la guerre, si l'île devait accéder à l'indépendance, serait la sécession de l'élément noir et l'établissement d'une république noire. »

Comme Philip Foner l'affirme dans *The Spanish-Cuban-American War*, « l'administration McKinley formait des plans pour intervenir dans les événements cubains, mais l'indépendance de l'île n'entrait certes pas dans ces plans ». Il cite les instructions de l'administration à l'ambassadeur américain en Espagne, Stewart Woodford, lui demandant – sans mentionner toutefois les notions de liberté ou de justice pour les Cubains – d'essayer de trouver une solution à cette guerre car « elle affecte gravement le bon fonctionnement du commerce et tend à entraver les conditions de la prospérité ». Foner explique l'intervention subite de l'administration américaine – son ultimatum n'accordait que très peu de temps à l'Espagne pour négocier – par le fait que les États-Unis craignaient de voir, en attendant « trop longtemps, les forces révolutionnaires cubaines sortir victorieuses et remplacer l'autorité espagnole en déroute ».

En février 1898, le *Maine*, un navire de guerre américain qui se trouvait dans le port de La Havane pour signifier l'intérêt porté par les Américains aux événements cubains, fut détruit par une mystérieuse explosion et sombra avec deux cent soixante-huit hommes d'équipage. On ne put jamais fournir les raisons de cette explosion [1]. L'indignation s'étendit rapidement aux États-Unis et McKinley commença à envisager la guerre. Walter Lafeber affirme que « le Président ne voulait pas la guerre ; il avait sincèrement et sans relâche lutté pour sauvegarder la paix. À la mi-mars, pourtant, il commença à réaliser que, bien qu'il ne voulût pas la guerre, seule une guerre pouvait lui apporter ce qu'il souhaitait : la disparition de la terrible incertitude dans la vie politique et économique américaine, et une base solide pour l'édification du nouvel empire économique américain ».

Ce printemps-là, McKinley et les milieux d'affaires comprirent que leur objectif principal – expulser l'Espagne de Cuba – ne pourrait être atteint qu'en se lançant dans une guerre et que la réalisation de leur autre objectif – assurer l'influence économique et militaire des États-Unis sur Cuba – ne pouvait être confiée aux insurgés cubains. Le *Commercial Advertiser* de New York, au départ opposé à la guerre, exigea, le 10 mars 1898, une intervention à Cuba par « humanité, par amour de la liberté et, par-dessus tout, par désir de voir le commerce et l'industrie de tous les pays du monde se développer le plus librement possible dans l'intérêt général du monde ».

Quelque temps auparavant, le Congrès avait voté l'amendement Teller, par lequel les États-Unis s'engageaient à ne pas annexer Cuba. Cet amendement avait été introduit et soutenu par ceux qui souhaitaient l'indépendance de Cuba et rejetaient l'impérialisme américain, ainsi que par certains hommes d'affaires qui pensaient que la politique de la porte ouverte était suffisante et une intervention militaire inutile. Mais au printemps 1898, il semble

---

1. Sans preuves, le rapport officiel américain accusa immédiatement l'Espagne, laquelle proposa aussitôt de confier l'enquête à une commission mixte. Les États-Unis refusèrent. Il est intéressant de noter qu'il n'y eut aucun gradé parmi les victimes. Tous les officiers du *Maine*, ce soir-là, étaient à une réception en ville.

que les milieux d'affaires eurent soudain soif d'action. Le *Journal of Commerce* affirmait : « L'amendement Teller […] doit être interprété dans un sens quelque peu différent de celui que son rédacteur lui avait attribué. »

Certains intérêts spécifiques devaient tirer directement profit de la guerre. À Pittsburgh, cœur de l'industrie sidérurgique, la chambre de commerce exigeait l'usage de la force et le *Chattanooga Tradesman* annonçait que la probabilité d'une guerre avait « grandement stimulé l'activité sidérurgique ». Ce journal ajoutait qu'« une guerre accroîtrait très sérieusement l'activité des transports ». À Washington, on faisait remarquer qu'un « esprit belliciste » agitait le département à la Marine, encouragé par « les fournisseurs d'obus, matériel d'artillerie, munitions et autres produits, qui faisaient le siège du département depuis la destruction du *Maine* ».

Russell Sage, banquier, déclarait que si la guerre éclatait il n'était pas « besoin de préciser dans quel camp seraient les riches ». Une enquête menée auprès des hommes d'affaires révélait que John Jacob Astor, William Rockefeller et Thomas Fortune Ryan étaient « parfaitement d'accord » avec la guerre. J. P. Morgan, pour sa part, estimait que continuer à discuter avec les Espagnols ne servait plus à rien.

Le 21 mars 1898, Henry Cabot Lodge écrivit à McKinley une longue lettre, l'informant qu'il avait discuté avec « des banquiers, des agents de change, des hommes d'affaires, des patrons de presse, des ecclésiastiques et d'autres encore », à Boston, à Lynn et à Nahant. Et « tous », y compris « les plus conservateurs d'entre eux », souhaitaient que la question cubaine fût « résolue ». Lodge précisait que, de leur point de vue, « pour les affaires il valait mieux un bon choc et puis plus rien qu'une succession de spasmes tels que nous en aurons si cette guerre à Cuba continue ». Le 25 mars, un télégramme adressé par un conseiller de McKinley arrivait à la Maison-Blanche, annonçant : « Ici, les grandes entreprises croient à présent que nous aurons la guerre et elles l'accueilleront comme un soulagement après tout ce suspense. »

Deux jours après, McKinley lançait un ultimatum à l'Espagne, exigeant un armistice. Il n'évoquait pas l'indépendance de Cuba. Un porte-parole des insurgés cubains, membre de la communauté cubaine de New York, interpréta cela comme le signe que les États-Unis désiraient simplement prendre la place de l'Espagne. Il répondit à McKinley que « devant l'actuelle proposition d'intervention sans reconnaissance préalable de l'indépendance, il est nécessaire pour nous d'aller plus loin et d'affirmer que nous devons considérer une telle intervention – et c'est ce que nous faisons – comme ni plus ni moins une déclaration de guerre des États-Unis contre les révolutionnaires cubains ».

Et, en effet, lorsque McKinley proposa la guerre au Congrès, le 11 avril 1898, il ne reconnut pas les rebelles comme des belligérants et ne demanda pas l'indépendance de Cuba. Neuf jours plus tard, le Congrès réuni donnait à McKinley la permission d'intervenir. Lorsque les forces américaines débarquèrent à Cuba, les insurgés les accueillirent avec joie, pensant que l'amendement Teller garantirait l'indépendance de Cuba.

Nombreux sont les livres d'histoire sur la guerre hispano-américaine qui prétendent que l'« opinion publique » a poussé McKinley à déclarer la guerre à l'Espagne et à envoyer des troupes à Cuba. Effectivement, certains journaux influents avaient exercé une forte pression en ce sens, parfois même de manière hystérique. En outre, de nombreux Américains, croyant que l'objectif de l'intervention était l'indépendance de Cuba, en soutenaient l'idée. Mais McKinley se serait-il lancé dans une guerre pour satisfaire la presse et une partie de la population (il n'existait pas de sondages d'opinion à cette époque) si les milieux d'affaires ne l'avaient pas exigé ? Plusieurs années après, le responsable du bureau du Commerce extérieur au département au Commerce américain écrivait à propos de cette période : « À la base de ce sentiment populaire, qui aurait pu s'évanouir avec le temps et qui obligea les États-Unis à prendre les armes contre la domination espagnole à Cuba, se trouvaient nos relations économiques avec les Antilles et les républiques d'Amérique du Sud. [...] La guerre hispano-américaine n'était qu'un événement dans une dynamique générale d'expansion qui avait ses racines dans le changement d'environnement de nos capacités industrielles qui dépassaient de loin la capacité de consommation intérieure. Il était indispensable de trouver non seulement des acheteurs étrangers pour nos produits mais également les moyens de rendre l'accès à ces marchés extérieurs à la fois facile, économique et sûr. »

Les syndicats américains s'opposaient à l'expansionnisme. Les Chevaliers du travail et l'American Federation of Labor (AFL) avaient rejeté l'idée d'une annexion de Hawaii proposée par McKinley en 1897. Malgré la sympathie qu'ils éprouvèrent pour les rebelles cubains dès le début de l'insurrection contre l'Espagne, en 1895, ils rejetèrent donc à la convention de l'AFL une résolution réclamant l'intervention des États-Unis. Samuel Gompers, de l'AFL, écrivait à un ami : « La sympathie de notre mouvement pour Cuba est réelle, fervente et sincère, mais elle ne signifie pas que nous soyons liés à certains aventuriers qui souffrent apparemment d'hystérie. »

Lorsque l'explosion du *Maine*, en février 1898, inspira des discours enflammés en faveur de la guerre, le mensuel de l'Association internationale des mécaniciens reconnut qu'il s'agissait d'un véritable drame, mais souligna également que les accidents du travail entraînant la mort de travailleurs ne provoquaient pas une telle ferveur nationale. Le journal rappelait le massacre de Latimer du 10 septembre 1897, lors d'une grève des mineurs en Pennsylvanie. Des mineurs – Autrichiens, Hongrois, Italiens et Allemands importés à l'origine en tant que briseurs de grève mais qui s'étaient ensuite organisés – qui manifestaient sur la route menant à la mine Latimer refusèrent de se disperser. Aussitôt, le shérif et sa troupe avaient fait feu, tuant dix-neuf personnes, pour la plupart abattues dans le dos, sans que la presse ne s'en scandalise. Le journal ouvrier rappelait que « le carnage macabre qui a lieu chaque jour, chaque mois et chaque année dans le secteur industriel, les milliers de vies fichues, sacrifiées annuellement sur l'autel de la cupidité, le tribut de sang versé par le travail au capital n'inspirent aucun cri de vengeance et de réparation. [...] La mort vient, à des milliers d'occasions, réclamer ses victimes dans les usines et dans les mines, sans qu'aucune clameur populaire ne se fasse alors entendre ».

L'organe officiel de l'AFL du Connecticut, *The Crafstam*, se méfiait également de l'hystérie consécutive à l'explosion du *Maine* : « Un plan gigantesque [...] et machiavélique est ostensiblement mis en œuvre pour mettre les États-Unis au premier rang des puissances maritimes et militaires. La vraie raison est que les capitalistes ramasseront la mise et que les travailleurs qui oseront demander un salaire décent [...] seront abattus comme des chiens errants. »

Certains syndicats, le United Mine Workers par exemple, appuyèrent l'idée d'une intervention américaine après l'explosion du *Maine*. Mais la plupart s'opposaient à la guerre. Le trésorier de l'American Longshoremen's Union, Bolton Hall, rédigea un « Appel aux travailleurs en faveur de la paix » qui fut très largement diffusé : « S'il y a une guerre, c'est vous qui fournirez les cadavres et les impôts, et les autres récolteront la gloire. Les spéculateurs gagneront de l'argent grâce à cela – c'est-à-dire grâce à vous. Les soldats devront payer plus cher du matériel de mauvaise qualité, des bottes trouées, des vêtements mal foutus et des chaussures en carton-pâte. C'est vous qui paierez l'addition, et la seule satisfaction que vous en tirerez c'est le privilège de haïr votre camarade espagnol qui, en vérité, est votre frère et est aussi peu responsable des malheurs de Cuba que vous ne l'êtes vous-mêmes. »

Les socialistes refusaient la guerre, à l'exception du journal juif le *Daily Forward*. *The People*, journal du parti socialiste ouvrier, qualifiait la question de la liberté de Cuba de « prétexte » et déclarait que le gouvernement voulait la guerre pour « détourner l'attention des travailleurs de leur vrais problèmes ». L'*Appeal to Reason*, un autre journal socialiste, affirmait que la dynamique en faveur de la guerre était une des « méthodes favorites des dirigeants pour empêcher le peuple de combattre les injustices intérieures ». Un socialiste écrivait dans le *Voice of Labor* de San Francisco : « Il est terrible de penser que les pauvres travailleurs de ce pays pourraient être envoyés pour tuer et blesser les pauvres travailleurs d'Espagne simplement parce qu'une poignée de dirigeants les inciterait à le faire. »

Pourtant, comme le remarque Foner, une fois la guerre déclarée, « la majorité des syndicats succombèrent à la fièvre guerrière ». Samuel Gompers parla de guerre « juste et glorieuse » et prétendit que deux cent cinquante mille travailleurs syndiqués s'étaient déjà portés volontaires pour le service armé. Le United Mine Workers, remarquant que la hausse des prix du charbon était une conséquence de la guerre, annonçait que « les commerces du charbon et de l'acier n'avaient pas été aussi florissants depuis bien des années ».

La guerre entraîna des créations d'emplois et l'augmentation des salaires mais également une hausse des prix. Foner affirme que « non seulement le coût de la vie augmenta considérablement, mais en l'absence de tout impôt sur les revenus, le coût de la guerre fut supporté par les plus pauvres à travers l'augmentation des taxes sur le sucre, la mélasse, le tabac et autres produits du même type ». Gompers, qui soutenait officiellement la guerre, signalait néanmoins en privé qu'elle avait amputé de 20 % le pouvoir d'achat des travailleurs.

Le 1ᵉʳ mai 1898, à New York, les autorités interdirent la manifestation que le parti socialiste ouvrier organisait contre la guerre. Elles autorisèrent en revanche une autre manifestation, organisée le même jour par le journal juif *Daily Forward*, appelant les travailleurs juifs à soutenir la guerre. Le *Labor World* de Chicago déclara pour finir que cela avait été « une guerre de pauvres payée par les pauvres. Les riches, eux, en ont profité comme toujours ».

La Western Labor Union fut fondé à Salt Lake City le 10 mai 1898 parce que l'AFL ne s'occupait pas des travailleurs non qualifiés. Ce syndicat souhaitait réunir tous les travailleurs « sans distinction de profession, de nationalité, d'opinion ou de couleur » et « sonner le glas de toutes les entreprises et trusts qui ont privé le travailleur américain des fruits de son labeur ». L'organe de ce syndicat jugeait que l'annexion de Hawaii prouvait que « la guerre qui avait commencé sous prétexte de secourir les Cubains affamés s'était soudainement changée en guerre de conquête ».

La prédiction du docker Bolton Hall concernant la corruption et le mercantilisme en temps de guerre devait se révéler remarquablement pertinente. L'*Encyclopedia of American History* de Richard Morris fournit des données chiffrées effarantes : « Parmi les quelque deux cent quarante-sept mille officiers et simples soldats qui servirent au cours de la guerre hispano-américaine et pendant la période de démobilisation, cinq mille quatre cent soixante-deux sont morts sur différents théâtres d'opérations et dans les campements aux États-Unis. Seuls trois cent soixante-dix-neuf décès sont le fait des combats, les autres étant dus à la maladie ou à d'autre causes. »

Les mêmes chiffres sont étudiés par Walter Millis dans son livre *The Martial Spirit*. L'*Encyclopedia of American History* les présente sèchement et sans faire mention du « bœuf embaumé » (image utilisée par un général) vendu à l'armée par les abattoirs – de la viande conservée dans un mélange d'acide borique, de nitrate, de potassium et de colorants artificiels.

En mai 1898, Armour & Company, la plus grande entreprise d'abattage de Chicago, vendit à l'armée 500 000 livres de bœuf qui avaient été expédiées à Liverpool l'année précédente et en étaient revenues depuis. Deux mois plus tard, un inspecteur de l'armée, vérifiant la viande fournie par Armour, enregistrée et approuvée au préalable par un inspecteur du service vétérinaire de l'alimentation, trouva sept cent cinquante et une caisses contenant de la viande avariée. Dans les soixante premières caisses ouvertes, il découvrit quatorze conserves périmées, « dont le contenu putréfié s'était répandu partout ». Cette description provient du rapport de la Commission d'enquête sur le comportement du département à la Guerre pendant la guerre hispano-américaine, présenté au Sénat en 1900. Des milliers de soldats furent victimes d'intoxication alimentaire. Nous ne connaissons pas le nombre de ceux qui, parmi les quelque cinq mille morts de cette guerre, moururent de ces intoxications.

Les forces espagnoles furent battues après trois mois de ce que John Hay, le secrétaire d'État américain, qualifia de « jolie petite guerre ». Les autorités militaires américaines prétendirent que l'armée cubaine rebelle n'existait pas. Lorsque les Espagnols rendirent les armes, aucun Cubain ne fut autorisé à prendre part à la reddition ni à la signer. Le général William Shafter déclara qu'aucune force rebelle ne serait autorisée à pénétrer dans Santiago, la capitale, et annonça au chef des rebelles, le général Calixto Garcia, que les anciennes autorités civiles espagnoles conserveraient les fonctions municipales à Santiago.

Les historiens américains ont généralement passé sous silence le rôle des insurgés cubains dans la conduite de la guerre. Philip Foner est le premier à avoir publié dans son livre la lettre de protestation du général Garcia adressée au général Shafter : « Vous n'avez pas daigné m'adresser un seul mot sur le déroulement des négociations de paix ou sur les termes de la capitulation espagnole. [...] Lorsque la question s'est posée de nommer les nouvelles autorités de Santiago de Cuba [...], je n'ai pu que constater avec le plus profond regret que ces autorités, loin d'être élues par le peuple cubain, sont celles-là mêmes qu'avait choisies la reine d'Espagne. [...] Général, une rumeur trop absurde pour qu'on y prête foi prétend que ces mesures et celles qui interdisent à mon armée de pénétrer dans Santiago sont motivées par la crainte de massacres et de représailles contre les Espagnols. Permettez-moi, Monsieur, de protester contre ne serait-ce que l'ombre d'une idée pareille. Nous ne sommes pas des sauvages, ignorant les lois de la guerre civilisée. Nous sommes une armée pauvre et résolue. Aussi pauvre et résolue que pouvait l'être celle de vos aïeux dans leur lutte pour l'indépendance. »

En même temps que l'armée américaine, le capital américain investissait Cuba : « Avant même que le drapeau espagnol eût cessé de flotter sur Cuba, les intérêts d'affaires s'arrangèrent pour y étendre leur influence. Les négociants, les agents fonciers, les spéculateurs boursiers, les aventuriers sans scrupule et les promoteurs avides de faire rapidement fortune s'abattirent sur Cuba par milliers. Sept trusts s'empoignèrent pour le contrôle des franchises sur la Havana Street Railway, qui furent finalement accordées à Percival Farquhar, représentant des intérêts de Wall Street. Ainsi, en même temps que l'occupation militaire de Cuba, [...] se mettait en place son occupation commerciale. »

La *Lumbermen's Review*, organe de l'industrie du bois, déclarait en pleine guerre : « Aussitôt que l'Espagne aura lâché les rênes du pouvoir à Cuba [...], le temps sera venu pour les intérêts de l'industrie du bois américaine de s'installer dans cette île afin d'en exploiter les produits forestiers. Cuba possède 4 millions d'hectares de forêts vierges riches en bois de bonne qualité [...] dont la quasi-totalité trouverait preneurs aux États-Unis, et à des prix élevés. »

Dès la guerre finie, les Américains s'emparèrent des chemins de fer, des mines et des exploitations sucrières. En quelques années, 30 millions de dollars de capital américain y furent investis et la United Fruit s'introduisit dans l'industrie sucrière cubaine. Elle acheta 1 700 000 hectares de terre à 50 cents l'hectare. L'American Tobacco Company s'y mit elle aussi. Foner estime qu'à la fin de l'occupation américaine, en 1901, au moins 80 % des exportations des minerais cubains étaient dans des mains américaines et en particulier aux mains de la Bethlehem Steel.

Une série de grèves éclatèrent au cours de l'occupation militaire. En septembre 1899, un rassemblement de milliers de travailleurs à La Havane fut le premier épisode d'une grève générale en faveur de la journée de huit heures. Les grévistes déclaraient qu'ils avaient « décidé de promouvoir la lutte des forces du travail contre les capitalistes. [...] En effet, les travailleurs cubains n'accepteront pas plus longtemps de demeurer dans la plus totale soumission ». Le général américain William Ludlow ordonna au maire de La Havane d'arrêter onze des meneurs de la grève, et les troupes américaines occupèrent les gares et les ports. La police quadrilla la ville en dispersant les rassemblements. Mais l'activité économique avait déjà cessé dans toute la ville. Les travailleurs du tabac se mirent en grève ainsi que les imprimeurs et les boulangers. Des centaines de grévistes furent arrêtés et certains des meneurs emprisonnés furent contraints sous la menace d'appeler à cesser le mouvement.

Les États-Unis n'annexèrent pas Cuba mais avertirent la Convention constitutionnelle cubaine que l'armée américaine ne quitterait pas Cuba tant que l'amendement Platt, voté par le Congrès américain en février 1901, ne serait pas intégré à la nouvelle constitution. Cet amendement autorisait les États-Unis à « intervenir en faveur de la sauvegarde de l'indépendance cubaine et du maintien d'un gouvernement attaché à la protection de la vie, de la propriété et de la liberté individuelle ». Il offrait également aux États-Unis la possibilité d'installer des bases navales et des concessions minières en certains points spécifiques de l'île.

L'amendement Teller et la question de la liberté de Cuba avant et pendant la guerre avaient permis aux Américains – et aux Cubains – d'envisager une indépendance véritable. C'est pourquoi l'amendement Platt fut considéré par la presse ouvrière et radicale comme par certains groupes et journaux, à travers tout le pays, comme une trahison. Un important rassemblement organisé au Faneuil Hall de Boston par la Ligue américaine contre l'impérialisme dénonçait cet amendement. L'ex-gouverneur George Boutwel déclara : « Au mépris de nos engagements en faveur de la liberté et de l'indépendance de Cuba, nous imposons à cette île des conditions de servilité coloniale. »

À La Havane, une retraite au flambeau de quinze mille Cubains marcha sur la Convention constitutionnelle pour exiger qu'elle rejette l'amendement Platt. Le général Leonard Wood, chef des forces d'occupation, affirma au président McKinley que « le peuple cubain se [lançait] assez facilement dans toutes sortes de défilés et de parades auxquels il ne [fallait] pas trop attacher d'importance ».

Un comité fut chargé de répondre aux demandes insistantes des États-Unis concernant l'amendement Platt. Le rapport de ce comité, intitulé « Penencia a la Convención », fut rédigé par un délégué noir de Santiago. Il déclarait : « De la part des États-Unis, se réserver le droit de déterminer à quel moment l'indépendance serait menacée et à quel moment ils doivent intervenir pour la préserver revient à posséder les clefs de notre maison afin de pouvoir y pénétrer n'importe quand et selon leur bon plaisir, de jour comme de nuit, dans de bonnes ou de mauvaises intentions. [...] Les seuls gouvernements viables seraient alors ceux qui auraient le soutien et la bénédiction des États-Unis, en conséquence de quoi nous ne pourrions avoir que de faibles et misérables gouvernements, [...] plus attachés à obtenir la bénédiction des États-Unis qu'à servir et à défendre les intérêts de Cuba. »

Ce rapport qualifiait la requête de concessions navales et minières de « mutilation de la patrie », et concluait en ces termes : « Un peuple occupé militairement se voit intimer l'ordre, avant même de pouvoir consulter son propre gouvernement et d'être libre sur sa propre terre, d'accorder aux forces d'occupation venues en amies et alliées des droits et des prérogatives qui annuleraient sa souveraineté même. C'est là la situation que nous impose la méthode récemment adoptée par les États-Unis. Rien ne saurait être plus odieux et inadmissible. »

Après ce rapport, la Convention cubaine rejeta à la grande majorité l'amendement Platt.

Cependant, trois mois de pressions américaines, d'occupation militaire et le refus de permettre aux Cubains de constituer leur propre gouvernement tant qu'ils n'accepteraient pas l'amendement finirent par porter leurs fruits. La Convention, après plusieurs refus, adopta finalement l'amendement Platt. Le général Leonard Wood écrivit à Theodore Roosevelt en 1901 qu'« avec l'amendement Platt il ne restait plus rien ou presque de l'indépendance cubaine ».

C'est ainsi que Cuba fut rattachée à la sphère d'influence américaine sans toutefois devenir une colonie affichée. La guerre hispano-américaine entraîna néanmoins quelques annexions territoriales de la part des États-Unis. Puerto Rico, pays voisin de Cuba dans la Caraïbe et qui appartenait aux Espagnols, fut envahi par les forces américaines. Hawaii, dans le Pacifique, qui avait déjà été investi par les missionnaires américains et par les propriétaires de plantations d'ananas, qui avait été décrit par les milieux officiels américains comme « un fruit mûr prêt à être cueilli », fut annexé par décision du Congrès en juillet 1898. À peu près à la même époque, l'île de Wake, à 2 300 miles à l'ouest de Hawaii, sur la route du Japon, fut occupée elle aussi. Et Guam, dans le Pacifique, possession espagnole aux portes des Philippines, fut prise également. En décembre 1898, le traité de paix signé avec l'Espagne confia officiellement aux États-Unis, contre une somme de 20 millions de dollars, Guam, Puerto Rico et les Philippines.

On discuta âprement aux États-Unis de l'opportunité de s'emparer également des Philippines. On raconte que le président McKinley aurait déclaré à un groupe de visiteurs à la Maison-Blanche comment il prit sa décision : « Avant que vous ne partiez, je voudrais juste vous dire un mot sur l'affaire des Philippines. [...] En vérité, je ne voulais pas des Philippines et, lorsqu'elles sont venues à nous comme un cadeau des dieux, je ne savais pas quoi en faire. [...] Je cherchai conseil de tous les côtés – chez les démocrates comme chez les républicains – mais cela ne m'aida pas beaucoup. Je pensai d'abord qu'il nous suffirait de prendre Manille et Lusón, et d'autres îles peut-être. J'arpentais les couloirs de la Maison-Blanche tous les soirs jusqu'à minuit, et je n'ai pas honte de vous confier, messieurs, que plus d'une nuit je me suis agenouillé et j'ai prié le Dieu tout-puissant de m'apporter lumière et soutien. C'est ainsi qu'une nuit la solution m'est apparue ; je ne sais pas comment, mais c'est venu.

1 – On ne pouvait pas rendre les Philippines aux Espagnols : c'eût été lâche et déshonorant.

2 – On ne pouvait pas les confier à la France ou à l'Allemagne qui sont nos concurrents en Orient : c'eût été commercialement une faute et nous nous serions discrédités.

3 – On ne pouvait les abandonner à leur propre sort (ils sont incapables de se gouverner eux-mêmes) : cela aurait été rapidement l'anarchie et la situation aurait été pire que sous l'autorité espagnole.

4 – Il ne nous restait donc plus qu'à les prendre et à éduquer les Philippins, à les élever, à les civiliser et à les christianiser. Bref, avec l'aide de Dieu, à faire au mieux pour eux, qui sont nos semblables, pour lesquels Christ est également mort. Alors je suis allé me coucher et j'ai dormi. D'un sommeil profond. »

Les Philippins, semble-t-il, n'avaient pas reçu le même message divin. En février 1899, ils se soulevèrent contre le pouvoir américain comme ils l'avaient fait plusieurs fois contre les Espagnols. Emilio Aguinaldo, un chef philippin qui avait été ramené de Chine par la marine américaine pour prendre la tête des soldats dans la lutte contre l'Espagne, devint le leader des insurgés anti-Américains. Il proposa l'indépendance des Philippines dans le cadre d'un protectorat américain. Sa proposition fut refusée.

Les États-Unis mirent trois ans à venir à bout de cette révolte avec soixante-dix mille soldats – quatre fois plus qu'à Cuba – et des milliers de pertes au combat – bien plus qu'à Cuba. Ce fut une guerre très dure. Chez les Philippins, il y eut un nombre des morts également impressionnant, tant du fait des combats que des maladies.

Désormais, le goût de l'empire possédait aussi bien les politiciens que les milieux d'affaires à travers tout le pays. Le racisme, le paternalisme et les questions de profit se mêlaient aux discours sur la destinée et la civilisation. Le 9 janvier 1900, Albert Beveridge s'exprima devant le Sénat au nom des intérêts économiques et politiques dominants du pays : « Monsieur le Président, la franchise est maintenant de mise. Les Philippines sont à nous pour toujours. [...] Et à quelques encablures des Philippines se trouvent les inépuisables marchés chinois. Nous ne nous retirerons pas de cette région. [...] Nous ne renoncerons pas à jouer notre rôle dans la mission civilisatrice à l'égard du monde que Dieu lui-même a confié à notre race. Le Pacifique est notre océan. [...] Vers où devons-nous nous tourner pour trouver des consommateurs à nos excédents ? La géographie répond à cette question. La Chine est notre client naturel. [...] Les Philippines nous fournissent une base aux portes de tout l'Orient. Nulle terre en Amérique ne surpasse en fertilité les plaines et les vallées de Luśon. Le riz, le café, le sucre, la noix de coco, le chanvre et le tabac... [...] Le bois des Philippines peut fournir le monde entier pour le siècle à venir. À Cebu, l'homme le mieux informé de l'île m'a dit que sur une soixantaine de kilomètres la chaîne montagneuse de Cebu était pratiquement une montagne de charbon. J'ai ici une pépite d'or trouvée telle quelle sur les rives d'une rivière des Philippines. Pour ma part, je suis sûr qu'il n'y a pas parmi les Philippins plus de cent personnes qui sachent ce que l'autonomie à l'anglo-saxonne signifie et il y a là-bas quelque cinq millions de gens à gouverner. Nous avons été accusés d'avoir mené aux Philippines une guerre cruelle. Messieurs les sénateurs, c'est tout le contraire. [...] Les sénateurs doivent se souvenir que nous n'avons pas affaire à des Américains ou à des Européens mais à des Orientaux. »

Selon McKinley, les combats contre les rebelles commencèrent après que les insurgés eurent attaqué les forces américaines. Pourtant, plus tard, des soldats américains affirmèrent que les États-Unis avaient tiré le premier coup de feu. Après la guerre, un officier de l'armée s'exprimant au Faneuil Hall de Boston déclara que son colonel lui avait donné l'ordre de provoquer un conflit avec les insurgés.

En février 1899 se tint à Boston un banquet pour célébrer la ratification par le Sénat du traité de paix avec l'Espagne. Le président McKinley fut invité par le riche industriel du textile W. B. Plunkett à y prendre la parole. Il s'agissait du plus important banquet de l'histoire des États-Unis : deux mille invités, quatre cents serveurs. McKinley déclara que « nul dessein impérialiste ne couvait dans l'esprit des Américains ». Lors de ce même banquet, devant les mêmes invités, son ministre des Postes, Charles Emory Smith, affirma : « Tout ce que nous voulons c'est un marché pour nos excédents. »

William James adressa au *Transcript* de Boston un courrier dans lequel il faisait référence aux « propos hypocrites et gluants de McKinley lors du banquet de Boston » et déclarait que l'opération philippine « puait l'infernale habileté du grand magasin passé maître dans l'art d'assassiner silencieusement, et sans entraîner de vociférations publiques ou de crises nerveuses, les petits commerces du voisinage ».

James était membre d'un mouvement réunissant les hommes d'affaires, les politiciens et les intellectuels éminents qui avaient fondé la Ligue anti-impérialiste en 1898 et mené une longue campagne pour sensibiliser les Américains aux horreurs de la guerre des Philippines et aux méfaits de l'impérialisme. Il s'agissait d'un mouvement étrange (Andrew Carnegie en faisait partie), qui rassemblait des aristocrates ennemis du mouvement ouvrier et des intellectuels, unis dans une condamnation morale de ce que l'on faisait subir aux Philippins au nom de la liberté. Quelles que fussent leurs divergences sur d'autres questions, ils tombaient tous d'accord avec James lorsqu'il s'emportait : « Dieu maudisse les États-Unis pour leur misérable conduite aux Philippines. »

La Ligue anti-impérialiste publia des lettres de soldats faisant leur service aux Philippines. Un capitaine originaire du Kansas écrivait : « La ville de Caloocan était censée abriter dix-sept mille habitants. Le 20e du Kansas est passé par là et maintenant il n'y a plus âme qui vive à Caloocan. » Un simple soldat du même régiment affirma : « J'ai mis moi-même le feu à plus de cinquante maisons de Philippins après la victoire de Caloocan. Des femmes et des enfants ont été victimes de nos incendies. »

Un volontaire de l'État de Washington écrivit pour sa part que « notre esprit combatif était au plus haut et nous voulions tous tuer du "nègre". [...] On les a tirés comme des lapins ».

C'était une époque de racisme intense aux États-Unis. Entre 1889 et 1903, deux Noirs, en moyenne, étaient assassinés chaque semaine (pendus, brûlés vifs ou mutilés). Les Philippins avaient la peau sombre, présentaient des caractéristiques physiques spécifiques, parlaient un drôle de langage et semblaient étranges aux yeux des Américains. À la brutalité aveugle habituelle de la guerre venait donc s'ajouter le facteur de l'hostilité raciale.

En novembre 1901, le correspondant du *Ledger* de Philadelphie à Manille rapportait : « La guerre actuelle n'est pas une guerre d'opérette menée en gants blancs. Nos hommes ont été impitoyables. Ils ont tué pour exterminer hommes, femmes, enfants, prisonniers et otages, rebelles avérés et individus suspects de plus de dix ans. L'idée qui a prévalu est qu'un Philippin en tant que tel n'a pas plus de valeur qu'un chien. [...] Nos soldats ont fait ingurgiter de l'eau salée à des individus pour les faire parler. Ils ont également fait prisonniers des individus qui se rendaient pacifiquement, les mains en l'air, et une heure plus tard, sans un atome de preuve qu'il s'agissait bien là d'insurgés, les ont emmenés sur un pont et les ont abattus les uns après les autres. Pour finir, ils les ont jetés dans la rivière, les laissant aller au fil du courant afin qu'ils servent d'exemple à ceux qui découvriraient leurs corps criblés de plomb. »

Un général américain en poste dans le sud de Lusón déclarait, de retour aux États-Unis au début de 1901 : « Un sixième des indigènes de Lusón ont été tués ou sont morts de la fièvre au cours de ces dernières années. Les décès par exécution ont été très nombreux mais je pense que toutes ces morts ont été nécessaires à la poursuite de nos objectifs de guerre. Il était nécessaire d'adopter ce que dans d'autres pays on aurait pu qualifier de mesures cruelles. »

Le secrétaire à la Guerre, Elihu Root, dut se défendre contre des accusations de barbarie : « La guerre aux Philippines a été menée par les armées américaines selon les règles les plus scrupuleuses de la guerre civilisée, [...] en faisant preuve de pondération et d'une humanité jamais égalée. »

À Manille, un *marine* du nom de Littletown Waller, chef d'escadron, fut accusé d'avoir exécuté sur l'île de Samar onze Philippins sans défense ni procès. D'autres officiers des *marines* évoquaient son témoignage : « Le major a déclaré que le général Smith lui avait ordonné de tuer et d'incendier en lui disant que plus il tuerait et brûlerait, plus il en aurait de plaisir ; que ce n'était plus le moment de faire des prisonniers et qu'il devait faire de Samar un désert. Le major Waller a demandé au général Smith de préciser la limite d'âge pour les exécutions et celui-ci lui répondit : "Tout ce qui dépasse dix ans." »

Le responsable de la province de Batangas estimait que, sur une population de trois cent mille habitants, cent mille étaient morts au combat, de maladie ou de famine.

Mark Twain écrivit au sujet de cette guerre : « Nous avons pacifié des milliers d'insulaires et les avons enterrés. Nous avons détruit leurs champs, incendié leurs villages et expulsé leurs veuves et leurs enfants. Nous avons mécontenté quelques douzaines de patriotes désagréables en les exilant ; soumis la dizaine de millions qui restait par une bienveillante assimilation (pieux euphémisme pour parler des fusils). Nous avons acquis des parts dans les trois cents concubines et autres esclaves de notre partenaire en affaire, le sultan de Sulu, et finalement hissé notre drapeau protecteur sur ce butin. Et ainsi, par la providence de Dieu – l'expression est du gouvernement et non de moi –, nous sommes une puissance mondiale. »

La puissance de feu des Américains était très largement supérieure à tout ce que les rebelles philippins pouvaient lui opposer. Dès la toute première bataille, l'amiral Dewey remonta la rivière Passig et tira des obus de 500 dans les tranchées philippines. Les morts philippins étaient empilés à une telle hauteur que les Américains s'en servaient comme de parapets de tranchées. Un témoin anglais s'indigna : « Ce n'est pas une guerre, c'est une boucherie criminelle. » Il se trompait, il s'agissait bien d'une guerre.

Les rebelles, confrontés à cette effroyable violence, parvinrent à résister durant toutes ces années car ils bénéficiaient du soutien de la population. Le général Arthur MacArthur, responsable de la conduite de la guerre aux Philippines, déclarait qu'il pensait « que les troupes d'Aguinaldo ne représentaient qu'une fraction de la population. Je ne voulais pas imaginer que l'ensemble de la population de Lusón – c'est-à-dire la population indigène – était contre nous ». Mais il reconnaissait aussi qu'il « avait été obligé malgré lui de l'admettre », car la tactique de guérilla de l'armée philippine « reposait sur une presque parfaite unité d'action de la population indigène dans son ensemble ».

Malgré les preuves de plus en plus criantes des brutalités commises et le travail de la Ligue anti-impérialiste, quelques syndicats ouvriers soutenaient l'action armée aux Philippines. Le syndicat des Typographes déclarait apprécier l'idée d'annexer un nombre accru de territoires où l'installation d'écoles anglophones profiterait au secteur de l'imprimerie. La revue des ouvriers du verre espérait que les nouveaux territoires se fourniraient en verre. Les Confréries des chemins de fer jugeaient que l'expédition des produits américains dans les nouveaux territoires signifierait plus de travail pour les compagnies ferroviaires. Certains syndicats reprenaient même le discours des milieux d'affaires : l'ouverture d'un marché aux excédents de la production américaine permettrait d'éviter une autre crise économique.

D'un autre côté, le *Leather Workers' Journal* (organe des ouvriers du cuir) affirmait que l'augmentation des salaires résoudrait tout aussi bien le problème des excédents de production en accroissant le pouvoir d'achat des consommateurs américains. Le *Carpenters' Journal* (celui des charpentiers) doutait que « les travailleurs anglais tirent le moindre avantage de toutes les possessions coloniales britanniques ». Le *National Labour Tribune*, publication des ouvriers du fer, de l'acier et de l'étain, admettait que les Philippines possédaient d'importantes ressources en minerai tout en ajoutant qu'on pouvait « en dire autant [des États-Unis]. Mais si quelqu'un vous demande si vous possédez une mine de charbon, une plantation de canne à sucre ou une compagnie de chemin de fer, répondez non. [...] Toutes ces choses sont aux mains de trusts contrôlés par une petite poignée d'hommes ».

Lorsqu'on discuta au Congrès du traité d'annexion des Philippines, au début de 1899, les Central Labor Unions de Boston et de New York s'y opposèrent. Un grand rassemblement fut organisé à New York contre l'annexion. La Ligue anti-impérialiste fit circuler plus d'un million de publications en tout genre contre l'annexion des Philippines. Selon Foner, si la Ligue était, de fait, dominée et organisée par et autour de quelques intellectuels et hommes d'affaires, une très large fraction de ses quelque cinq cent mille membres étaient issus du milieu ouvrier, femmes et Noirs compris. Les comités locaux de la Ligue tinrent des réunions partout à travers le pays. La campagne contre le traité d'annexion fut très importante. Le Sénat ne le ratifia qu'à une voix près.

Les réactions mitigées de la classe ouvrière face à la guerre – séduite par les avantages économiques qu'elle promettait mais néanmoins choquée par la violence et l'expansion capitaliste – garantissaient qu'elle ne s'unirait pas pour faire cesser la guerre ni pour conduire une guerre de classe contre le système sur le sol même des États-Unis. Les réactions des soldats noirs vis-à-vis de la guerre étaient également très diverses : il y avait la simple nécessité de progresser dans une société où la vie militaire offrait des opportunités d'avancement habituellement refusées aux Noirs. Il y avait la fierté de race, le désir de montrer que les soldats noirs pouvaient être aussi braves, aussi patriotes que les autres. Mais, en même temps, il y avait une conscience vive de la brutalité de cette guerre menée contre des hommes de couleur et qui rappelait les violences commises contre le peuple noir aux États-Unis.

Dans son *Smoked Yankees and the Struggle for Empire*, Willard Gatewood publie et analyse cent quatorze lettres adressées à des journaux noirs et écrites par des soldats noirs entre 1898 et 1902. Ces lettres témoignent de tous ces sentiments mêlés. Les soldats noirs basés à Tampa (Floride) subirent la haine raciale exacerbée des Blancs de cette localité. En outre, après s'être distingués dans la guerre de Cuba, les soldats noirs n'en tirèrent aucun avantage. Les officiers blancs continuaient de commander des régiments noirs.

Les soldats noirs de Lakeland (Floride) agressèrent un commerçant qui avait refusé de servir l'un d'entre eux. Lors de la confrontation qui s'ensuivit avec une foule de Blancs, ils tuèrent un civil. À Tampa, une émeute raciale éclata lorsque des soldats blancs totalement ivres décidèrent de prouver leur talent de tireurs en prenant un enfant noir pour cible. Les soldats noirs se vengèrent. Par la suite, les rues de la ville « se couvrirent du sang noir », selon les commentaires de la presse. Vingt-sept soldats noirs et trois blancs furent gravement blessés. L'aumônier d'un régiment noir cantonné à Tampa écrivit à la *Gazette* de Cleveland : « L'Amérique est-elle meilleure que l'Espagne ? N'y a-t-il pas quotidiennement parmi ses propres sujets des hommes qui sont assassinés sans jugement d'aucune sorte ? N'existe-t-il pas dans le cadre de ses propres frontières des sujets dont les enfants sont mal nourris et quasi nus parce que leur père a la peau noire ? [...] Et pourtant le Noir est loyal envers le drapeau de son pays. »

Ce même aumônier, George Piroleau, rappelle que les vétérans noirs de la guerre de Cuba furent « accueillis avec mépris et sans générosité » à Kansas City (Missouri). Il affirme que « ces petits gars noirs, héros de la nation, n'étaient pas autorisés à se tenir aux comptoirs des restaurants et à manger des sandwichs ou à boire du café alors que les soldats blancs étaient les bienvenus et qu'on les invitait même à s'asseoir en leur offrant le dîner ».

Néanmoins, ce fut sans aucun doute la guerre des Philippines qui conduisit de nombreux Noirs américains à prendre activement position contre la guerre. L'évêque de l'African Methodist Episcopal Church, Henry M. Turner, qualifiait la campagne des Philippines de « guerre de conquête inique » et qualifiait les Philippins de « patriotes noirs ».

Quatre régiments noirs étaient sur le terrain aux Philippines. La plupart des soldats noirs nouèrent des liens avec les indigènes à la peau noire des îles et n'acceptaient pas le terme de « nègres » utilisés par les soldats blancs pour qualifier les Philippins. Selon Gatewood, un « nombre inhabituellement grand » de soldats noirs désertèrent pendant la campagne des Philippines. Les rebelles philippins adressaient souvent des messages à ceux qu'ils appelaient « les soldats américains de couleur » pour leur rappeler les lynchages dont ils étaient eux-mêmes victimes chez eux et leur demander de ne pas servir l'impérialisme des Blancs contre les autres peuples de couleur.

Certains déserteurs se joignirent aux rebelles philippins. Le plus fameux d'entre eux fut David Fagan, du 24ᵉ régiment d'infanterie. Selon Gatewood, « il accepta un commandement dans l'armée rebelle et fit pendant deux ans de nombreux dégâts dans les rangs des forces américaines ».

Des Philippines, William Simms écrivait : « J'ai été frappé par une question qu'un petit Philippin m'a posée et qui disait à peu près ceci : "Pourquoi les Américains noirs viennent-ils nous combattre alors que nous sommes plutôt leurs amis et que nous ne leur avons rien fait ? Il est comme moi et moi je suis comme vous. Pourquoi est-ce que vous ne vous battez pas contre ces gens en Amérique qui brûlent les Noirs et qui vous traitent comme des bêtes ?" »

Dans une lettre de 1899, un autre soldat déclarait : « Nos sympathies raciales iraient naturellement vers les Philippins. Ils combattent dignement pour ce qu'ils considèrent comme leur intérêt. Mais il nous est viscéralement impossible de tourner le dos à notre propre pays. »

Patrick Mason, sergent dans le 24ᵉ d'infanterie, écrivit à la *Gazette* de Cleveland, qui rejetait fermement l'annexion des Philippines, la lettre suivante : « Cher monsieur. Je n'ai pas eu à combattre depuis que je suis ici et j'espère bien ne pas avoir à le faire. Je suis désolé pour ces gens et pour tout ce que les États-Unis leur ont fait. Je ne pense pas que nous agirons avec justice envers eux. La première chose que nous entendons le matin est le mot "nègre" et la dernière chose que nous entendons le soir est le mot "nègre". Votre opinion est parfaitement juste mais étant soldat je ne puis en dire plus. »

Un autre soldat noir, William Fulbright, écrivait également de Manille en juin 1901 au rédacteur en chef d'un journal d'Indianapolis : « Ce combat dans ces îles n'est rien d'autre qu'un gigantesque projet de vol et d'oppression. »

De retour chez eux, alors que la guerre se poursuivait, un groupe de Noirs originaires du Massachusetts adressa un message au président McKinley : « Nous, les hommes de couleur du Massachusetts, réunis en assemblée [...], avons résolu de nous adresser à vous dans une lettre ouverte en dépit de votre incroyable et incompréhensible silence sur les torts qui nous sont faits. Vous avez vu nos souffrances, assisté de votre haute position à nos souffrances et à nos déboires, et malgré cela vous n'avez ni le temps ni, semble-t-il, l'opportunité de vous exprimer sur notre condition. D'un même élan et dans une anxiété qui déchire nos cœurs d'un mélange d'espoir et de crainte, le peuple de couleur des États-Unis se tourne vers vous alors que Wilmington, en Caroline du Nord, est en proie depuis deux terribles jours et deux terribles nuits à une sanglante révolution. Des Noirs, innocents de tout crime si ce n'est la couleur de leur peau et leur volonté d'exercer leurs droits de citoyens américains, ont été égorgés comme des chiens dans les rues de cette ville maudite. Il s'est passé la même chose lors des terribles événements qui se sont déroulés à Phoenix, en Caroline du Sud, lorsque des hommes noirs ont été chassés et assassinés, et certains Blancs [les radicaux de Phoenix] tués ou expulsés de la ville par une horde de sauvages blancs. […] Nous avons attendu en vain un geste ou un mot de votre part. De même, lorsque vous avez fait votre tournée dans le Sud un peu plus tard, nous avons pu constater combien vous flattiez les préjugés raciaux du Sud. […] Et comme vous prêchiez la patience, le travail et la modération à vos concitoyens noirs qui endurent tant et depuis tant d'années, et le patriotisme, le chauvinisme et l'impérialisme aux Blancs. »

Prêcher la « patience, le travail et la modération » aux Noirs et le « patriotisme » aux Blancs n'eut pas vraiment d'effet. Dans les premières années du xxe siècle, malgré toutes les démonstrations de force de l'État, un grand nombre de Noirs, de Blancs, d'hommes et de femmes se montrèrent fort impatients, peu modérés et encore moins patriotes.

Chapitre II
Le défi socialiste

L A GUERRE et le chauvinisme pouvaient différer la colère de classe inspirée par les dures réalités de la vie quotidienne mais ne pouvaient pas la faire disparaître complètement. À l'orée du XXᵉ siècle, cette colère éclata de nouveau. Emma Goldman – militante anarchiste et féministe dont la conscience politique avait été forgée, entre autres, par le travail en usine, les exécutions du Haymarket, les grèves de Homestead, le long emprisonnement de son amant et camarade, Alexander Berkman, la crise des années 1890, les luttes et les grèves de New York, enfin sa propre incarcération sur l'île de Blackwell – s'adressa à la foule au cours d'un rassemblement organisé quelques années après la guerre hispano-américaine : « Comme nos cœurs se soulevaient d'indignation devant ces cruels Espagnols! [...] Mais lorsque la fumée fut dissipée, que les morts eurent été enterrés et qu'il revint au peuple de supporter le coût de cette guerre par la hausse des prix des produits de première nécessité et des loyers – c'est-à-dire quand nous sommes sortis de notre ivresse patriotique –, il nous est soudainement apparu que la cause de la guerre hispano-américaine était le prix du sucre. [...] Et que les vies, le sang et l'argent du peuple américain avaient servi à protéger les intérêts des capitalistes américains. »

Mark Twain n'était ni un anarchiste ni un radical. En 1900, à l'âge de soixante-cinq ans, il était mondialement reconnu comme l'auteur de récits sarcastiques typiquement américains. Observateur du comportement des États-Unis et des autres pays occidentaux à l'égard du reste du monde, il écrivit dans le *Herald* de New York : « Je vous présente la majestueuse matrone nommée Chrétienté, qui nous revient débraillée, ternie et déshonorée de ses actes de piraterie à Kiao-tcheou, en Mandchourie, en Afrique du Sud et aux Philippines, avec sa petite âme mesquine, ses pots-de-vin et sa pieuse hypocrisie. »

Certains écrivains de ce début du XXe siècle prônaient le socialisme ou critiquaient sévèrement le système capitaliste. Il ne s'agissait pas d'obscurs pamphlétaires mais de quelques-unes des plus fameuses figures de la littérature américaine, dont les livres étaient appréciés par des millions de lecteurs : Upton Sinclair, Jack London, Theodore Dreiser, Frank Norris.

En 1906, le roman d'Upton Sinclair *La Jungle*, qui décrivait les conditions de travail dans les abattoirs de Chicago, provoqua la réaction indignée de tout le pays et entraîna un mouvement en faveur d'une réglementation de l'industrie alimentaire. À travers l'histoire d'un travailleur immigré nommé Jurgis Rudkus, Sinclair évoquait également le socialisme et la possibilité d'une vie meilleure qui nécessitait que le peuple puisse travailler, posséder et partager les richesses de la terre. D'abord publié dans le journal socialiste *Appeal to Reason*, *La Jungle* fut plus tard traduit en dix-sept langues et lu par des millions de lecteurs.

Le livre de Jack London *Le Peuple d'en bas* témoigne de l'influence de la pensée d'Upton Sinclair. London était membre du parti socialiste. Fils d'une mère célibataire, originaire d'un des quartiers pauvres de San Francisco, il fut tour à tour crieur de journaux, ouvrier dans une conserverie, pêcheur, marin, ouvrier dans une manufacture de jute et dans une blanchisserie, passager clandestin sur les trains qui menaient vers la côte Est, matraqué par un policier dans les rues de New York et arrêté pour vagabondage à Niagara Falls. Après avoir vu des hommes battus et torturés dans les prisons, pillé les parcs à huîtres de la baie de San Francisco, lu Flaubert, Tolstoï, Melville et le *Manifeste du parti communiste*, prêché le socialisme chez les chercheurs d'or de l'Alaska durant l'hiver 1896 et navigué dans le détroit de Béring, il était devenu un auteur de livres d'aventures, célèbre dans le monde entier. En 1906, il écrivit *Le Talon de fer*, dans lequel il mettait en garde contre les dangers d'une Amérique fasciste et exposait son idéal de fraternité socialiste unissant tous les hommes. À travers les personnages de ce roman, London accusait le cœur même du système : « Confronté au fait que l'homme moderne vit plus misérablement que l'homme des cavernes alors que sa capacité de production est mille fois plus grande, on est obligé de conclure que la classe capitaliste a mal gouverné. [...] Égoïstement et criminellement mal gouverné. »

Puis il nous fait part de sa vision : « Gardons-nous de détruire ces merveilleuses machines qui produisent mieux et moins cher.

Maîtrisons-les. Tirons profit de leur efficacité et de leur rentabilité. Faisons-les fonctionner nous-mêmes. Cela, messieurs, c'est le socialisme. »

C'était également une période au cours de laquelle un écrivain comme Henry James, exilé volontaire en Europe et peu enclin aux déclarations politiques, pouvait, au cours d'une tournée de conférences organisée aux États-Unis en 1904, qualifier ce pays de « gigantesque paradis de la rapine, envahi par toutes les variétés de plantes vénéneuses qu'engendre la passion de l'argent ».

Les *muckrakers*[1] qui remuaient la boue et dénonçaient les scandales contribuaient également à cette atmosphère critique en racontant simplement ce qu'ils voyaient. Ironiquement, c'est par pure recherche de profits que certains magazines de la nouvelle presse à grand tirage publiaient leurs articles : en témoignent par exemple les révélations d'Ida Tarbell sur la Standard Oil Company ou celles de Lincoln Steffens sur la corruption dans les plus grandes villes américaines.

Vers 1900, ni le patriotisme guerrier ni l'absorption des énergies dans le système électoral ne pouvaient dissimuler les dysfonctionnements du système. Le processus de concentration des entreprises s'était poursuivi et le contrôle exercé par les banquiers devenait de plus en plus évident. À mesure que la technologie progressait et que les entreprises devenaient plus importantes, elles exigeaient de plus en plus de ces capitaux que seuls les banquiers détenaient. Dès 1904, plus d'un millier de lignes de chemin de fer avaient été regroupées en six grands réseaux, tous liés à la sphère Rockefeller ou Morgan. Selon Cochran et Miller : « Le véritable empereur de la nouvelle oligarchie était la firme J. P. Morgan, efficacement soutenue dans cette entreprise par la First National Bank of New York (dirigée par George F. Baker) et par la National City Bank of New York (présidée par James Stillman, représentant les intérêts de Rockefeller). À eux seuls, ces trois hommes et leurs associés financiers occupaient trois cent quarante et un postes de direction dans cent douze grandes entreprises. En 1912, l'ensemble des revenus de ces entreprises s'élevaient à 22,25 milliards de dollars, somme supérieure à la valeur totale estimée des propriétés dans les vingt-deux États et territoires situés à l'ouest du Mississippi. »

Morgan avait toujours recherché la stabilité, la régularité et la prévisibilité. En 1901, l'un de ses associés déclarait : « Avec un

---

1. Ou « fouille-merde », surnom donné par Theodore Roosevelt à ceux (écrivains, journalistes, ecclésiastiques ou autres) qui travaillaient à révéler les scandales et les abus de la société américaine.

homme tel que monsieur Morgan à la tête d'une grande industrie et s'opposant aux vieux antagonismes d'intérêts qui s'y donnent cours, la production deviendrait plus régulière, la main-d'œuvre serait plus stable et mieux payée et les mouvements de panique causés par la surproduction seraient de l'histoire ancienne. »

Pourtant, même Morgan et ses associés ne contrôlaient pas complètement un tel système. En 1907 se produisit un mouvement de panique suivi d'un effondrement boursier et d'une crise économique. Si les très grandes entreprises ne furent pas alors directement touchées, leurs profits ultérieurs ne furent pas aussi importants que le souhaitaient les capitalistes. Parallèlement, l'industrie ne se développant pas aussi rapidement qu'ils le souhaitaient, les industriels cherchèrent des moyens de réduire les coûts de production.

Le taylorisme en fut un. Frederick W. Taylor était ingénieur dans une entreprise sidérurgique pour laquelle il avait analysé en détail le moindre poste de travail et élaboré, afin d'augmenter la production et les profits, un système très précis fondé sur la division du travail, l'accroissement de la mécanisation et le salaire au rendement. En 1911, il publia un livre sur « l'organisation scientifique » qui influença fortement le monde de l'entreprise. Désormais, l'organisation était en mesure de contrôler le moindre aspect de l'activité et du temps de l'ouvrier dans l'usine. Selon Harry Braverman (*Labor and Monopoly Capital*), le taylorisme visait à rendre les travailleurs interchangeables, capables d'effectuer les tâches simplifiées que la nouvelle division du travail exigeait – tels des éléments standardisés, dépourvus d'individualité et d'humanité, achetés et vendus comme de quelconques marchandises.

Ce système convenait parfaitement à la toute jeune industrie automobile. Ford avait vendu dix mille six cent sept automobiles en 1909 ; il en vendit cent soixante-huit mille en 1913 et deux cent quarante-huit mille en 1914 (45 % de la production nationale). Bénéfices : 30 millions de dollars.

Avec une main-d'œuvre composée en grande majorité d'immigrés (en 1907, onze mille six cent quatre-vingt-quatorze des quatorze mille trois cent cinquante-neuf ouvriers des usines Carnegie du comté d'Allegheny étaient originaires d'Europe de l'Est), avec ses emplois simplifiés et non qualifiés, le taylorisme fut plus facile à mettre en œuvre.

À New York, les immigrants récents travaillaient dans des ateliers clandestins. Le poète Edwin Markham écrivait dans le magazine *Cosmopolitan* en janvier 1907 : « Dans des pièces non aérées, les parents cousent jour et nuit. Ceux qui travaillent chez eux gagnent moins que dans les ateliers clandestins. [...] Et les enfants doivent oublier leurs jeux pour aller trimer auprès de leurs parents. [...] Tout au long de l'année vous pouvez voir, à New York et dans d'autres grandes villes, des enfants entrer et sortir de ces endroits pitoyables. On peut croiser quasiment à toute heure dans l'East Side new-yorkais ces garçons blafards et ces filles chétives, le visage inexpressif, le dos courbé sous le poids des vêtements empilés sur leurs têtes et leurs épaules, tous leurs muscles tendus par l'effort. [...] Seule une civilisation cruelle peut permettre que ces petits cœurs et ces petites épaules ploient sous des responsabilités qui ne sont pas de leur âge quand, dans la même ville, un sale cabot couvert de bijoux est dorloté et exhibé sur les beaux boulevards dans les bras de sa maîtresse. »

La ville se transforma en champ de bataille. Le 10 août 1905, la *Tribune* de New York racontait comment une grève à la boulangerie Federman, dans le Lower East Side de New York, avait tourné à la bagarre quand Federman avait fait appel à des briseurs de grève pour maintenir la production : « Les grévistes ou leurs partisans ont détruit la boulangerie de Philip Federman au 183, Orchard Street, en début de soirée, dans une ambiance des plus agitées. Les policiers se sont mis à matraquer dans tous les sens après que deux d'entre eux eurent été sévèrement malmenés par la foule. »

Il y avait à cette époque quelque cinq cents ateliers de confection à New York. Plus tard, témoignant des conditions de travail, une femme se rappelait les « escaliers dangereusement branlants. [...] Peu de fenêtres, et si sales. [...] Les planchers lessivés une fois par an. [...] Et presque pas d'autre lumière que celle des brûleurs à gaz allumés jour et nuit. [...] Les toilettes crasseuses et malodorantes dans le couloir sombre. Pas d'eau potable. [...] Des souris et des cafards. Durant les mois d'hiver [...], on souffrait terriblement du froid. Et l'été, c'était la chaleur. [...] C'était dans ces trous malsains que nous, les plus jeunes, au même titre que les adultes hommes et femmes, trimions de soixante-dix à quatre-vingts heures par semaine! Samedis et dimanches compris! Le samedi après-midi, ils accrochaient un écriteau qui disait : "Si vous ne venez pas dimanche, pas la peine de venir lundi." Pour les enfants, fini le rêve d'avoir un jour de loisir. Alors on pleurait parce que, après tout, on n'était que des enfants ».

À l'hiver 1909, les ouvrières de la Triangle Shirtwaist Company s'organisèrent et décrétèrent la grève. Malgré le froid, elles formèrent rapidement un piquet de grève. Elles réalisèrent bientôt qu'elles ne pourraient pas gagner si les autres ateliers continuaient à travailler. Un grand rassemblement fut donc organisé pour demander le soutien des autres travailleurs de la confection. Clara

Lemlich, une adolescente aux remarquables talents d'oratrice, qui portait encore les traces des coups reçus pendant le piquet de grève, se leva pour déclarer : « Je propose une résolution appelant à la grève générale immédiate. » L'enthousiasme était à son comble et la grève fut votée.

Pauline Newman, l'une des grévistes, se remémorait des années plus tard le début de la grève générale : « Des milliers et des milliers de gens quittaient les usines de partout et convergeaient vers Union Square. C'était en novembre, le froid de l'hiver n'était pas loin. Nous n'avions pas de manteaux de fourrure pour nous tenir chaud mais nous avions cette énergie qui nous faisait marcher jusqu'à ce que nous trouvions un lieu. [...] Je pouvais voir les jeunes gens, pour la plupart des femmes, descendant les rues sans se soucier de ce qui arriverait. [...] La faim, le froid, la solitude, [...] elles s'en moquaient pas mal ce jour-là. C'était *leur* jour. »

Le syndicat prévoyait que trois mille personnes se joindraient à la grève : elles furent plus de vingt mille à cesser le travail. Chaque jour, un millier de nouveaux membres rejoignaient l'International Ladies Garment Workers Union, qui jusque-là ne réunissait que quelques femmes. Les femmes de couleur furent très actives pendant cette grève qui se poursuivit tout l'hiver malgré la répression policière, les « jaunes », les arrestations et les emprisonnements. Dans plus de trois cents ateliers, les grévistes obtinrent ce qu'elles voulaient. Les femmes occupaient désormais des postes de responsabilité dans les syndicats. Toujours selon Pauline Newman : « On essayait d'apprendre par nous-mêmes. J'invitais souvent les filles à venir chez moi et on se lisait de la poésie en anglais à tour de rôle pour améliorer notre compréhension de la langue. *Song of the Shirt* de Thomas Hood était l'une de nos poésies préférées avec *Mask of Anarchy* de Percy Bysshe Shelley : *Dressez-vous comme les lions après le repos en une foule invincible. Secouez vos chaînes comme la rosée tombée sur vous pendant votre sommeil. Vous êtes une multitude et ils sont si peu !* »

Les conditions de travail dans les usines ne changèrent pas beaucoup. Dans l'après-midi du 25 mars 1911, un incendie éclata à la Triangle Shirtwaist Company, dévastant les huitième, neuvième et dixième étages de l'usine, hors d'atteinte des échelles d'incendie. Le chef des pompiers de New York avait déjà prévenu que les échelles ne pouvaient pas monter au-delà de sept étages. Pourtant, la moitié des cinq cent mille travailleurs new-yorkais passaient leurs journées – douze heures en moyenne – au-dessus du septième étage. En outre, la législation stipulait que les portes des usines devaient s'ouvrir vers l'extérieur – à la Triangle Shirtwaist

Company, elles s'ouvraient vers l'intérieur – et qu'elles ne devaient pas être fermées pendant les heures de travail – à la Triangle Shirtwaist Company, elles étaient en général fermées pour faciliter la surveillance des employés. Ainsi prises au piège, les jeunes filles furent brûlées vives à leurs postes de travail, s'écrasèrent contre la porte de secours fermée ou bien se jetèrent désespérément dans les cages d'ascenseur. Le *World* de New York rendit ainsi compte de l'événement : « En hurlant, les hommes, les femmes ainsi que les jeunes garçons et les jeunes filles s'agglutinaient sur le rebord des fenêtres d'où ils se jetaient volontairement pour venir s'écraser bien plus bas dans la rue. Les vêtements de ceux qui sautaient étaient en flammes et la chevelure de certaines des femmes s'enflammait également pendant leur chute. Des bruits sourds se succédaient sur les trottoirs. Au pied des façades donnant aussi bien sur Greene Street que sur Washington Place, les morts et les mourants s'entassaient. […] De l'autre côté de la rue, des témoins ont pu assister de leurs fenêtres à de nombreuses manifestations pathétiques de solidarité à l'approche de la mort – certaines femmes se tenaient embrassées en sautant dans le vide. »

Quand tout cessa, cent quarante-six salariés de la Triangle Company, des femmes pour la plupart, avaient trouvé la mort dans l'incendie ou en se jetant par les fenêtres. Quelque cent mille personnes suivirent le cortège funèbre le long de Broadway.

Il y eut bien d'autres incendies, bien d'autres victimes d'accidents ou de maladies du travail. En 1904, vingt-sept mille travailleurs trouvèrent la mort sur leur lieu de travail, dans les secteurs industriel, du transport et de l'agriculture. Une année, il y eut cinquante mille accidents du travail dans les seules usines de New York. Les manufacturiers de chapeaux souffraient de maladies respiratoires ; les ouvriers carriers inhalaient des émanations chimiques mortelles ; les lithographes s'empoisonnaient à l'arsenic. On trouve dans le rapport de la Commission d'enquête sur les usines de l'État de New York de 1912 le portrait suivant : « Sadie est une jeune fille intelligente, propre et soignée, qui travaille dans les ateliers de broderie depuis qu'elle a obtenu sa carte de travail. […] Son travail l'amenait à utiliser une poudre blanche (du talc ou de la chaux le plus souvent) destinée à être brossée sur des modèles perforés avant d'être transférée sur le vêtement. Mais avec la chaux ou le talc, le dessin s'effaçait assez rapidement. C'est pourquoi son dernier employeur s'était mis à utiliser de la poudre de plomb blanche mêlée de colophane, qui rendait l'opération moins coûteuse puisque la poudre ne pouvait pas disparaître, évitant ainsi une seconde impression. […] Aucune des filles n'était au courant de la substitution de poudre ni du danger de son usage. […] Sadie, qui était auparavant une forte fille, saine, dotée d'un bon appétit et d'un teint resplendissant, se mit à ne plus pouvoir manger. […] Ses mains et ses pieds enflèrent ; elle perdit l'usage d'une de ses mains ; ses dents et ses gencives devinrent bleues. Quand elle dut finalement cesser de travailler après avoir été soignée pendant de longs mois pour des maux d'estomac, son médecin lui conseilla de se rendre à l'hôpital où un examen révéla finalement qu'elle était atteinte de saturnisme. »

Selon un rapport de la Commission sur les relations sociales, les accidents du travail avaient fait, en 1914, trente-cinq mille morts et sept cent mille blessés. La même année, le revenu global de quarante-quatre familles gagnant un million de dollars ou plus égalait celui de cent mille familles ne gagnant que 500 dollars par an. Le rapport présente un échange de propos entre le commissaire Harris Weinstock, de la Commission sur les relations sociales, et John Osgood, directeur d'une compagnie d'extraction de charbon du Colorado contrôlée par les Rockefeller :

WEINSTOCK – Si un travailleur perd la vie, les personnes qui étaient à sa charge reçoivent-elles une quelconque compensation ?

OSGOOD – Pas nécessairement. Certaines fois oui et d'autres non.

WEINSTOCK – S'il reste infirme à vie, perçoit-il un quelconque dédommagement ?

OSGOOD – Non, monsieur, il n'y en a pas.

WEINSTOCK – Donc, tout le fardeau retombe sur leurs épaules ?

OSGOOD – En effet, monsieur.

WEINSTOCK – L'entreprise ne fait rien ?

OSGOOD – Non, l'entreprise ne fait rien.

Le syndicalisme progressait. Peu après le début du siècle, les syndicats comptaient environ deux millions de membres (un travailleur sur quatorze), dont 80 % pour l'American Federation of Labor. L'AFL était un syndicat relativement fermé, presque uniquement composé d'hommes, Blancs et ouvriers qualifiés. Bien que le nombre des femmes au travail continuât de croître – il était passé de quatre millions en 1890 à huit millions en 1910, représentant un cinquième de la main-d'œuvre totale –, seule une femme sur cent était syndiquée.

En 1910, les revenus des travailleurs noirs correspondaient au tiers de ceux des Blancs. Malgré les beaux discours du président de l'AFL, Samuel Gompers, en faveur de l'égalité des chances, les Noirs restaient exclus de la plupart des syndicats qui composaient l'AFL. Gompers prétendait qu'il ne voulait pas intervenir dans les « affaires internes » du Sud : « Je considère le problème racial comme une question que vous, citoyens du Sud, devez régler vous-mêmes sans que les touche-à-tout de l'extérieur ne viennent s'en mêler. »

De temps en temps, dans les luttes concrètes, la base des syndicats rejetait cette ségrégation. Foner reprend le récit que Mary McDowell fit de la formation d'un syndicat féminin à Chicago : « Ce fut un moment incroyable lorsque ce soir-là une jeune Irlandaise vint à la porte pour déclarer : "Une sœur de couleur demande à être admise, qu'est-ce que je dois faire ?" La réponse fut donnée par une autre jeune Irlandaise qui faisait office de présidente : "C'est oui, bien entendu, et que tout le monde l'accueille chaleureusement !" »

En 1907, à La Nouvelle-Orléans, les docks connurent une grève générale qui mobilisa près de dix mille personnes (débardeurs, transporteurs et manutentionnaires), Blancs et Noirs confondus, pendant une vingtaine de jours. Le président des débardeurs noirs, E. S. Swan, déclarait à cette occasion : « Les Blancs et les Noirs n'ont jamais été aussi unis pour un objectif commun. En trente-neuf ans d'expérience sur les docks, je n'ai jamais vu une telle solidarité. Dans toutes les grèves précédentes, on avait joué les Noirs contre les Blancs, mais c'est désormais de l'histoire ancienne et les deux races se tiennent maintenant côte à côte dans la défense de leurs intérêts communs. »

Il s'agissait pourtant de cas exceptionnels. En général, les Noirs étaient tenus à l'écart des syndicats. W. E. B. Du Bois écrivait en 1913 : « Le résultat évident de tout cela a été de convaincre le Noir américain que son plus grand ennemi n'est pas le patron qui le volait mais son collègue blanc. »

À l'AFL, le racisme était affaire de pragmatisme, au même titre que l'exclusion des femmes et des étrangers, dépourvus pour la plupart de qualification. L'AFL, composée principalement de travailleurs qualifiés, défendait la philosophie du « syndicalisme de métier » (le responsable de chaque syndicat de l'AFL était d'ailleurs appelé « agent de métier »), qui prétendait opposer au monopole de la production qu'instauraient les employeurs un monopole des travailleurs géré par le syndicat. C'est ainsi que l'AFL parvenait à améliorer les conditions de certains travailleurs tout en laissant de côté la majorité d'entre eux.

Les dirigeants de l'AFL touchaient d'importants salaires, frayaient avec les employeurs et se hissaient même parfois dans la haute société. À l'été 1910, une dépêche de presse en provenance d'Atlantic City (New Jersey), station balnéaire à la mode, nous informe que, « lors d'un match de base-ball organisé sur la plage et réunissant en tenue de bain le président Sam Gompers, le secrétaire Franck Morisson et d'autres dirigeants de l'AFL, John Mitchell, ex-président du syndicat des Mineurs, a perdu une bague en diamant d'une valeur de 1 000 dollars offerte par ses admirateurs après le règlement de la grande grève des mines de charbon de Pennsylvanie. Le capitaine George Berke, un surveillant de plage chevronné, retrouva la bague, à la suite de quoi Mitchell, ayant extrait de sa poche un rouleau de billets de cent dollars, en offrit un au capitaine en guise de remerciement ».

Les dirigeants généreusement rémunérés de l'AFL se mettaient à l'abri des critiques en exerçant un contrôle total sur l'organisation des rassemblements et en s'entourant de « malfrats », d'abord engagés pour combattre les briseurs de grève mais qui servirent ensuite à intimider et à corriger les opposants internes au syndicat.

Face à cette situation – terribles conditions de travail et caractère exclusif des organisations syndicales –, les travailleurs qui, jugeant que le système capitaliste était à l'origine même de la misère, souhaitaient un changement radical se tournèrent vers un type nouveau de syndicalisme. Un matin du mois de juin 1905 se tint, dans un local de Chicago, une convention réunissant deux cents socialistes, anarchistes et syndicalistes radicaux venus de tout le pays. Ils fondèrent l'Industrial Workers of the World (IWW). Dans son autobiographie, Big Bill Haywood, l'un des responsables de la Western Federation of Miners, se souvient qu'il ramassa un morceau de bois qui traînait sur l'estrade et qu'il s'en servit de maillet pour ouvrir la convention : « Camarades travailleurs. [...] Nous ouvrons le Congrès continental de la classe ouvrière. Nous sommes ici pour rassembler les travailleurs de ce pays au sein d'un mouvement dont l'objectif sera de libérer la classe ouvrière de l'esclavage capitaliste. [...] Le but et l'objet de cette organisation doit être de rendre à la classe ouvrière le contrôle du pouvoir économique, des moyens de son existence et de l'appareil de production et de redistribution sans se soucier des patrons capitalistes. »

Parmi les orateurs présents à la tribune aux côtés de Haywood se tenaient Eugene Debs, dirigeant du parti socialiste, et Mother Mary Jones, soixante-quinze ans, militante active au sein de la United Mine Workers of America. La convention mit sur pied une constitution dont le préambule affirmait : « La classe ouvrière et la classe patronale n'ont rien en commun. Il ne peut y avoir de paix tant que la faim et la nécessité frappent des millions de travailleurs et que la poignée d'individus qui forment la classe patronale profitent de toutes les bonnes choses de la vie. [...] Entre ces deux classes, le combat doit se poursuivre jusqu'à ce que ceux qui triment se réunissent tous, aussi bien dans le domaine politique que dans celui du travail, pour s'approprier et conserver le fruit de leur travail par le biais d'une organisation économique de la classe ouvrière indépendante de tout parti politique quel qu'il soit. »

L'une des brochures publiées par l'IWW donne les raisons de sa rupture avec le syndicalisme corporatiste incarné par l'AFL : « Pour la seule industrie de l'emballage, le directoire des syndicats de Chicago faisait état, en 1903, de cinquante-six syndicats répartis dans quatorze syndicats professionnels nationaux différents de l'AFL. Exemple lamentable d'une armée de travailleurs victime de la division, face à la solide alliance des employeurs. »

L'IWW (dont les membres étaient appelés Wobblies, pour d'obscures raisons) souhaitait rassembler tous les travailleurs d'une même branche en « un seul grand syndicat », sans discrimination de sexe, de race ou de qualification. Les Wobblies fondaient leur rejet des accords passés avec les employeurs sur le fait qu'ils empêchaient trop souvent les ouvriers de faire la grève à titre personnel ou par solidarité avec d'autres grévistes, transformant ainsi les travailleurs syndiqués en briseurs de grève. L'IWW reprochait à la négociation d'accords par les responsables syndicaux de se substituer à la lutte permanente des travailleurs de la base.

Les Wobblies prônaient l'« action directe » : « C'est l'action menée directement sur le lieu de travail par et pour les travailleurs eux-mêmes, sans l'intermédiaire fallacieux des irresponsables syndicaux ou des politiciens intrigants. Une grève décidée, contrôlée et menée par les travailleurs directement concernés, c'est cela l'action directe. [...] L'action directe, c'est la démocratie ouvrière. »

Dans une autre brochure de l'IWW, un militant déclarait : « Dois-je vous expliquer ce qu'est l'action directe? Le travailleur sur son poste de travail devra dire au patron quand et où il travaillera, combien de temps, pour quel salaire et dans quelles conditions. »

Les adhérents de l'IWW étaient des militants courageux. Contrairement à l'image véhiculée par la presse, ils ne pronaient pas la violence mais l'autodéfense en cas d'agression. En 1909, à McKees Rocks (Pennsylvanie), ils prirent la tête de six mille ouvriers en grève contre une succursale de la US Steel Company et affrontèrent à cette occasion la police de l'État. Ils jurèrent d'abattre un policier pour tout ouvrier tué (lors d'une bataille rangée, quatre ouvriers et trois policiers trouvèrent la mort) et parvinrent à maintenir les piquets de grève jusqu'à ce que les grévistes l'emportent.

L'IWW ne se contentait pas des grèves : « Les grèves sont de simples incidents dans la guerre de classe. Ce sont des démonstrations de force, des manœuvres périodiques au cours desquelles les travailleurs s'entraînent pour une action concertée. Cet entraînement est absolument nécessaire pour préparer les masses à la "catastrophe" finale, la grève générale qui permettra l'expropriation définitive des employeurs. »

L'anarcho-syndicalisme progressait fortement en Espagne, en Italie et en France à cette époque. Les travailleurs étaient censés prendre le pouvoir, non en se saisissant de l'appareil étatique par la révolte armée, mais en mettant en panne le système économique au moyen de la grève générale et en s'en emparant ensuite au plus grand bénéfice de tous. Joseph Ettor, un responsable de l'IWW, affirmait que « si les travailleurs du monde entier [voulaient] l'emporter, il leur [suffisait] de prendre conscience de leur solidarité, de croiser les bras pour que le monde soit paralysé. Les travailleurs sont plus puissants avec leurs mains dans les poches que tout l'argent des capitalistes. »

C'était une idée extrêmement puissante. Au moment même où la croissance capitaliste devenait fantastique et les bénéfices énormes, et au cours des dix années captivantes qui suivirent sa création, l'IWW représenta une menace pour la classe capitaliste. Officiellement, l'IWW ne compta jamais plus de cinq ou dix mille membres en même temps. Les gens allaient et venaient, mais on peut néanmoins estimer à cent mille environ le nombre total des membres de l'IWW. Leur énergie, leur persévérance, leur force de conviction, leur capacité à mobiliser des milliers de personnes en un lieu et à un moment précis leur conféraient un poids dans le pays sans rapport avec leur effectif réel. Ils voyageaient partout et nombre d'entre eux étaient des travailleurs itinérants ou sans emploi. Ils militaient, écrivaient, discouraient, chantaient et pour finir propageaient leur idéal et leur message.

Ils furent la cible de toutes les armes dont le système pouvait disposer : la presse, les tribunaux, la police, l'armée, la violence de rue. Les autorités locales votèrent des lois pour les empêcher de s'exprimer mais les Wobblies défièrent ces lois. À Missoula (Montana), un pays de scieries et de mines, des centaines de membres de l'IWW arrivèrent dans des wagons de marchandises après que certains d'entre eux eurent été empêchés de s'exprimer. On les arrêta les uns après les autres, tant et si bien qu'ils finirent par encombrer cellules et tribunaux, contraignant la ville à abroger son arrêté interdisant la prise de parole en public.

À Spokane (Washington), en 1909, un arrêté fut voté qui interdisait les rassemblements sur la voie publique. En conséquence, un membre de l'IWW qui tenta néanmoins de s'exprimer fut arrêté. Des milliers de Wooblies convergèrent vers le centre-ville. Ils prirent la parole l'un après l'autre et furent arrêtés. Bientôt, six cents d'entre eux se retrouvèrent derrière les barreaux. Les conditions de détention étaient terribles et plusieurs personnes moururent dans leurs cellules, mais l'IWW retrouva sa liberté d'expression.

En 1911, la lutte pour la liberté d'expression se transporta à Freno (Californie). Le *Call* de San Francisco écrivit que c'était « une de ces étranges situations qui éclatent soudainement et sont difficiles à comprendre. Quelques milliers de gens, dont l'activité est de travailler avec leurs mains, se mettent en route et voyagent en fraude, affrontant les pires difficultés et risquant mille dangers pour venir se faire mettre en prison ».

En prison, ils chantaient, criaient et haranguaient à travers les barreaux de leurs cellules des groupes rassemblés à l'extérieur. Selon Joyce Kornbluh, qui a publié une remarquable collection de documents de l'IWW, *Rebel Voices*, « ils discutaient à tour de rôle de la lutte des classes et entonnaient des chants de l'IWW. Lorsqu'ils refusaient de se taire, le geôlier appelait les pompiers et ordonnait qu'on les arrosât avec les lances à incendie. Les hommes utilisaient leurs matelas comme boucliers et le calme ne revenait que lorsque l'eau glacée atteignait les genoux des prisonniers ».

Lorsque les autorités de la ville apprirent que des milliers d'autres militants prévoyaient de s'y rendre, elles levèrent l'interdiction de s'exprimer dans les rues et relâchèrent les prisonniers par petits groupes.

La même année, à Aberdeen (Washington), même scénario : décret contre la liberté d'expression, arrestations, prison et, contre toute attente, victoire. L'un des hommes arrêtés, « Stumpy » Payne (Payne le Courtaud), charpentier, ouvrier agricole et rédacteur en chef d'un journal de l'IWW, écrivit au sujet de ces événements : « Ils étaient là, dix-huit gars dans la force de l'âge, dont la plupart avaient parcouru aussi vite qu'ils l'avaient pu de longues distances sous la neige en traversant des villes hostiles, sans argent et affamés, pour rejoindre un endroit où l'emprisonnement était le plus doux traitement auquel ils pouvaient s'attendre. Un endroit où de nombreux autres avaient déjà été traînés dans la boue et quasiment battus à mort. [...] Pourtant, ils étaient là, riant comme des enfants devant ces événements tragiques qu'ils considéraient comme de simples blagues. Qu'est-ce qui motivait ces hommes ? [...] Pourquoi étaient-ils là ? Le besoin de fraternité chez l'être humain est-il plus fort que la peur ou l'inconfort, et ce malgré l'énergie dépensée depuis six mille ans par les maîtres du monde pour extirper cette soif de fraternité qui habite l'esprit humain ? »

À San Diego, on demanda à Jack White – un Wobbly arrêté en 1912 au cours d'une rixe pour défendre la liberté d'expression et condamné à passer six mois dans la prison du comté au pain et à l'eau – s'il avait quelque chose à déclarer au tribunal. Un sténographe enregistra sa réponse : « Dans son réquisitoire adressé au jury, l'avocat général m'a accusé d'être monté à la tribune lors d'un rassemblement public pour y déclarer : "Au diable les tribunaux, nous savons bien ce que vaut la justice." En mentant, il a pourtant dit une grande vérité, car s'il avait cherché au plus profond de mon âme, il aurait découvert cette pensée, que je n'avais jamais exprimée jusqu'à maintenant, mais que j'exprime aujourd'hui : "Au diable les tribunaux, je sais bien ce que vaut la justice", maintenant que, assis dans ce tribunal, j'ai pu voir jour après jour défiler mes camarades de classe devant cette soi-disant cour de justice. Je vous ai vu, juge Sloane, vous et d'autres de votre espèce, les envoyer en prison parce qu'ils osaient s'en prendre au sacro-saint principe de la propriété. Vous êtes devenus aveugles et sourds aux droits des hommes à la vie et à la recherche du bonheur et vous avez bafoué ces droits afin de préserver le sacro-saint principe de propriété. Après cela, vous me dites de respecter la loi. Pas question. En effet, j'ai violé la loi comme je continuerai à violer chacune de vos lois et à me présenter devant vous en déclarant "Au diable les tribunaux." L'avocat général a menti mais je prends ce mensonge pour une vérité et je continuerai de dire, afin que vous, juge Sloane, vous ne vous trompiez pas sur mon attitude : "Au diable les tribunaux, je sais bien ce que vaut la justice." »

Bien sûr, il y eut aussi des coups, des plumes et du goudron, des défaites. John Stone, un membre de l'IWW, se souvient que, après avoir été relâchés de la prison de San Diego, lui et un autre camarade furent contraints de monter dans une voiture : « On nous a conduits en dehors de la ville et au bout de trente kilomètres la voiture s'est arrêtée. L'homme assis à l'arrière me donna des coups de matraque sur la tête et sur les épaules. L'autre m'envoya un coup de poing sur la figure. Après, l'homme de derrière s'est mis à me donner des coups de pied dans le ventre mais j'ai réussi à m'enfuir. J'ai entendu une balle siffler à mes oreilles. Je me suis arrêté. […] Au matin, en examinant le corps de Joe Marko, j'ai vu que son crâne était à moitié défoncé. »

En 1916, à Everett (Washington), deux cents volontaires armés réunis par le shérif tirèrent sur des Wobblies, faisant cinq morts et trente et un blessés. Deux miliciens furent également tués et dix-neuf blessés. L'année suivante – alors que les États-Unis entraient dans la Première Guerre mondiale –, des volontaires du Montana capturèrent un des responsables de l'IWW, Franck Little, et le pendirent à un chevalet de chemin de fer après l'avoir torturé.

Joe Hill, un autre responsable de l'IWW, écrivit des douzaines de chansons – à la fois ironiques, drôles et inspirées – qui parurent dans les revues de l'IWW et dans son *Little Red Song Book*. Il devint une véritable légende. Sa chanson *Le Prédicateur et l'esclave* s'en prenait à une des cibles favorites de l'IWW : l'Église.

> *Des prêcheurs chevelus viennent tous les soirs*
> *Pour vous expliquer où est le bien, où est le mal*
> *Mais quand on leur demande què'qu' chose à manger*
> *Ils vous répondent avec leurs voix douces :*
>
> *Tu mangeras autant comme autant*
> *Quand tu seras dans le Ciel glorieux*
> *Travaille et prie, dors sur la paille*
> *T'auras d'la tourte au Ciel quand tu seras mort.*

Une autre de ses chansons, *Rebel Girl*, lui fut inspirée par la grève des ouvrières des manufactures de textiles à Lawrence (Massachusetts) et en particulier par la responsable wobbly de la grève, Elizabeth Gurley Flynn :

> *Il y a des femmes de toutes conditions*
> *Dans ce monde étrange, comme chacun sait,*
> *Certaines habitent de magnifiques propriétés*
> *Et portent les plus beaux vêtements.*
> *Il existe aussi des reines et princesses véritables*
> *Dont les charmes sont faits de diamants et de perles*
> *Mais la demoiselle unique et parfaite*
> *C'est la rebelle.*

En novembre 1915, à Salt Lake City (Utah), Joe Hill fut accusé d'avoir assassiné un épicier au cours d'un cambriolage. Aucune preuve évidente de sa culpabilité ne fut apportée au cours du procès, mais on présenta assez de pièces à conviction pour persuader un jury de le déclarer coupable. Le verdict fit le tour du monde et dix mille lettres de protestation furent adressées au gouverneur. Tandis que des mitrailleuses protégeaient l'entrée de la prison, Joe Hill passa finalement devant le peloton d'exécution. Juste avant de mourir, il avait écrit à Bill Haywood : « Ne perdez pas de temps à me pleurer. Continuez la lutte. »

En 1912, l'IWW s'impliqua dans une série d'événements spectaculaires à Lawrence (Massachusetts), où l'American Woolen Company possédait quatre usines. La main-d'œuvre y était essentiellement composée d'immigrants – Portugais, Québécois, Anglais, Irlandais, Russes, Italiens, Syriens, Lituaniens, Allemands, Polonais et Belges – qui vivaient entassées dans des baraquements en bois à la merci des incendies. Le salaire moyen était de 8,76 dollars la semaine. Selon une doctoresse de Lawrence, Elizabeth Shapleigh, « un nombre considérable de garçons et de filles meurent dans les deux à trois ans qui suivent leur embauche. [...] 36 % des hommes et des femmes qui travaillent dans les usines n'atteignent pas l'âge de vingt-cinq ans ».

Au mois de janvier, en plein hiver, les ouvrières d'une des usines – des Polonaises – constatèrent que leurs salaires, déjà insuffisants pour leur permettre de nourrir leur famille, avaient été réduits. Elles arrêtèrent les métiers à tisser et quittèrent l'usine. Le lendemain, dans une usine voisine, cinq mille autres travailleurs cessèrent également le travail, marchèrent sur une autre usine, en défoncèrent les portes, arrêtèrent les métiers à tisser et appelèrent tout le monde à quitter les postes de travail. Bientôt, dix mille travailleurs étaient en grève.

Un télégramme fut adressé à Joseph Ettor, Italien de vingt-six ans et membre de la direction de l'IWW de New York, pour lui demander de se rendre à Lawrence afin d'aider à y organiser la grève. C'est ce qu'il fit. Un comité de cinquante personnes représentant toutes les nationalités présentes fut mis sur pied pour prendre les principales décisions. Sur place, les Wobblies étaient moins d'un millier, mais les ouvriers non qualifiés négligés par l'AFL se tournèrent vers l'IWW.

L'IWW organisa des défilés et des rassemblements. Les grévistes devaient prodiguer de quoi manger et se chauffer à quelque cinquante mille personnes (la population globale de Lawrence était de quatre-vingt-trois mille habitants). On organisa des distributions de soupe. L'argent se mit à affluer de tous les coins du pays, envoyé par des syndicats, des sections locales de l'IWW, des groupes socialistes et même quelques particuliers.

Le maire fit appel à la milice locale et le gouverneur dépêcha la garde nationale. Un défilé de grévistes fut attaqué par la police quelques semaines après le début de la grève. Une émeute éclata, qui dura toute la journée. Le soir, une gréviste nommée Anna LoPizzo fut tuée. Des témoins affirmaient que l'assassin était un policier mais les autorités décidèrent d'arrêter Joseph Ettor et un autre militant envoyé sur place par l'IWW, un poète nommé Arturo Giovanitti. Ni l'un ni l'autre n'étaient présents sur le lieu du drame ce soir-là mais l'acte d'accusation stipulait que « Joseph Ettor et Arturo Giovanitti [avaient] incité, armé et conseillé (ou ordonné) à ladite personne, dont le nom ne nous est pas connu, de commettre ledit crime ».

Quand Ettor, président du comité de grève, fut emprisonné, on fit appel à Big Bill Haywood pour le remplacer. D'autres personnalités de l'IWW, dont Elizabeth Gurley Flynn, se rendirent à Lawrence. Vingt-deux compagnies de la garde nationale et deux régiments de cavalerie étaient désormais cantonnés dans la ville. La loi martiale fut décrétée et on interdit aux citoyens de discuter sur la voie publique. Trente-six grévistes furent arrêtés et nombre d'entre eux condamnés à un an d'emprisonnement. Le mardi 30 janvier, John Ramy, un jeune gréviste d'origine syrienne, reçut un coup de baïonnette fatal. Pourtant, les grévistes refusaient toujours de reprendre le travail et les usines étaient paralysées. Ettor déclara : « On ne fabrique pas des vêtements avec des baïonnettes. »

En février, les grévistes se mirent à organiser de gigantesques piquets de grève. Sept à dix mille individus faisaient la chaîne et défilaient devant les usines en portant des brassards où l'on pouvait lire : « Refusez d'être un briseur de grève. » Mais la nourriture se faisait de plus en plus rare et les enfants mourraient de faim. Le *Call* de New York (un journal socialiste) proposa, comme cela s'était déjà pratiqué en Europe mais jamais aux États-Unis, que les enfants des grévistes fussent envoyés dans d'autres villes chez des sympathisants qui veilleraient sur eux jusqu'à la fin de la grève. Trois jours après, le *Call* avait reçu quatre cents offres d'accueil. L'IWW et le parti socialiste organisèrent l'exode des enfants en recueillant les candidatures des familles d'accueil et en proposant un examen médical.

Le 10 février, plus d'une centaine d'enfants entre quatre et quatorze ans quittaient Lawrence pour New York, où ils furent accueillis à Grand Central Station par cinq mille socialistes italiens chantant *La Marseillaise* et *L'Internationale*. La semaine suivante, cent autres enfants rejoignaient New York et trente-cinq Barre (Vermont). Dans ces conditions, il devint vite évident que les grévistes pourraient tenir encore longtemps. C'est pourquoi les autorités de Lawrence, prenant prétexte d'une loi sur la maltraitance des enfants, décrétèrent que ces derniers ne seraient plus autorisés à quitter la ville.

En dépit de cette décision municipale, un groupe de quarante enfants se prépara à rejoindre Philadelphie le 24 février. La gare était bouclée par la police et la scène qui suivit fut racontée aux membres du Congrès par une déléguée du comité des femmes de

Philadelphie : « À l'heure du départ, les enfants alignés deux par deux et accompagnés de leurs parents étaient prêts à se mettre en route quand la police se rua sur nous et nous matraqua. Les coups pleuvaient de partout, sans épargner les enfants, qui risquaient d'être piétinés vivants. Les mères et les enfants furent alors regroupés et hissés dans un camion de l'armée où, paralysés par la peur, ils furent à nouveau matraqués malgré leurs supplications. »

Une semaine plus tard, alors qu'elles revenaient d'une réunion, des femmes furent cernées et matraquées par la police. L'une d'elles, enceinte, dut être transportée à l'hôpital, où elle perdit son enfant.

Pourtant, les grévistes tinrent bon. « Ils continuent de défiler et de chanter, écrivait la journaliste Mary Heaton Vorse. La foule grise et fatiguée qui se déversait sans fin dans les usines s'est réveillée et se met à chanter. »

L'American Woolen Company finit par jeter l'éponge. Elle accorda de 5 à 11 % d'augmentation (les grévistes insistèrent pour que les plus fortes augmentations profitent aux salaires les plus bas), 25 cents pour les heures supplémentaires, et s'engagea à ne prendre aucune mesure de rétorsion contre les grévistes. Le 4 mars 1912, dix mille grévistes se réunirent sous la présidence de Bill Haywood et votèrent la fin de la grève.

Ettor et Giovanitti passèrent devant le tribunal. Une campagne de soutien fut organisée à travers tout le pays. On défila à New York et à Boston. Le 30 septembre, quinze mille ouvriers de Lawrence firent la grève pendant vingt-quatre heures en signe de soutien aux deux hommes. À cette occasion, deux mille grévistes parmi les plus militants furent licenciés puis réintégrés après que l'IWW eut menacé de déclencher une autre grève. Le jury innocenta Ettor et Giovanitti. Ce jour-là, dix mille personnes célébrèrent l'événement dans les rues de Lawrence.

L'IWW prenait son slogan, « Un seul grand syndicat », très au sérieux. Les femmes, les étrangers et les travailleurs noirs, c'est-à-dire les travailleurs les moins qualifiés, étaient intégrés lorsqu'un syndicat IWW se créait dans une mine ou une usine. Lorsque la confrérie des Travailleurs du bois fut créée en Louisiane et qu'elle invita Bill Haywood à prendre la parole (en 1912, peu après la victoire des grévistes à Lawrence), celui-ci fut surpris de constater l'absence de Noirs dans l'assemblée. On lui répondit que la loi de l'État de Louisiane interdisait la mixité raciale dans les réunions. Haywood s'adressa alors en ces termes à la convention : « Vous travaillez ensemble dans les usines. Parfois un Noir et un Blanc se mettent ensemble pour abattre un même arbre. Aujourd'hui, vous vous êtes constitués en convention pour discuter des conditions dans lesquelles vous travaillez. [...] Pourquoi ne pas admettre cette réalité et inviter les Noirs à cette convention ? Si cela va à l'encontre de la loi, c'est justement le moment de la briser. »

C'est ainsi que les Noirs furent conviés à participer à la convention et que la confrérie décida de s'affilier à l'IWW.

En 1900, on comptait cinq cent mille femmes occupant des postes d'employées de bureau (elles n'étaient que dix-neuf mille en 1870). D'autres étaient standardistes, vendeuses, infirmières et cinq cent mille autres encore étaient institutrices. Ces dernières fondèrent une ligue des Institutrices qui lutta contre le licenciement systématique des femmes enceintes. Une sorte de « Loi des institutrices » était alors affichée dans le bureau de la direction d'une école du Massachusetts :

1 – Ne pas se marier.

2 – Ne jamais quitter la ville sans la permission de la direction de l'école.

3 – Ne pas accepter la compagnie des hommes.

4 – Être à son domicile entre 20 heures et 6 heures.

5 – Ne pas traîner en ville chez les glaciers.

6 – Ne pas fumer.

7 – Ne pas aller en voiture avec un homme, excepté frère et père.

8 – Ne pas porter de couleurs vives.

9 – Ne pas se teindre les cheveux.

10 – Ne jamais porter de robe qui s'arrête à plus de deux doigts au-dessus des chevilles.

Mother Mary Jones, qui travailla brièvement en 1910 (à près de quatre-vingts ans) dans une brasserie de Milwaukee, décrivit en ces termes les conditions de travail des femmes : « Condamnées à trimer dans les baquets comme des esclaves avec les bas et les vêtements trempés, et surveillées par des contremaîtres brutaux et mal embouchés, [...] les pauvres filles respirent l'odeur nauséabonde de la bière aigre et soulèvent des caisses de bouteilles vides ou pleines qui pèsent entre cinquante et soixante-dix kilos. [...] Parmi les maladies les plus fréquentes, on compte les rhumatismes, suivis de près par la phtisie. [...] Les contremaîtres contrôlent même le temps que les filles passent aux toilettes. [...] Elles sont nombreuses à ne pas avoir de famille ou de parents et elles doivent se nourrir, se vêtir et se loger avec 3 dollars seulement par semaine. »

Les blanchisseuses se syndiquèrent également. En 1909, on trouvait dans le manuel de la ligue industrielle des syndicats féminins ce commentaire à propos du travail des blanchisseuses : « Comment repasser une chemise en une minute ? N'oubliez pas de vous tenir près d'une calandre située juste au-dessus de l'étuve dont la vapeur brûlante traverse le sol pendant dix, douze, quatorze et parfois même dix-sept heures par jour. Lorsque les sols sont en ciment, il semble que l'on se tienne sur des charbons ardents et les ouvrières transpirent à grosses gouttes. [...] Elles respirent une atmosphère chargée de particules de soude, d'ammoniac et autres produits chimiques ! Le syndicat des Blanchisseurs [...] a réussi dans une certaine ville à faire passer la journée de travail à neuf heures et a obtenu une augmentation des salaires de 50 %. »

Si les luttes permettaient parfois d'améliorer la situation, les ressources du pays restaient aux mains d'entreprises influentes dont le seul mobile était le profit et dont la volonté s'imposait aux gouvernements américains. Pourtant, une idée faisait son chemin, toujours plus limpide et plus puissante ; une idée qu'on ne trouvait pas seulement dans les ouvrages de Marx, mais également chez certains artistes et écrivains de toutes les époques : l'idée selon laquelle les gens pourraient partager tous les ressources de la terre afin d'améliorer la vie de tous et pas seulement de quelques-uns.

Au tournant du siècle, les conflits sociaux se multiplièrent – quatre mille grèves en 1904 pour mille par an en moyenne dans les années 1890. La loi et les forces armées volaient systématiquement au secours des riches. C'est également à cette époque que des centaines de milliers d'Américains se mirent à penser au socialisme.

En 1904, trois ans après la formation du parti socialiste, Eugene Debs écrivait : « Le syndicalisme "pur et simple" du passé ne répond plus aux exigences du présent. [...] La volonté de chaque profession de rester indépendante et séparée des autres aboutit à un enchevêtrement juridictionnel accru, générateur de dissensions, de querelles et, pour finir, de divorces. Les travailleurs syndiqués devraient comprendre [...] que le mouvement ouvrier signifie plus – infiniment plus – qu'une misérable augmentation des salaires et la grève nécessaire à sa conservation. Même s'il s'engage à faire tout ce qui est possible pour améliorer les conditions de travail de ses membres, l'objectif essentiel du mouvement est de renverser le système capitaliste fondé sur la propriété privée de l'outil de travail, d'abolir l'esclavage salarial et de libérer la classe ouvrière tout entière et même, en fait, toute l'humanité. »

Le talent de Debs ne résidait pas tant dans sa capacité d'analyse que dans l'expression éloquente et passionnée des sentiments des gens. L'écrivain Heywood Broun cita un jour l'un de ses amis socialistes parlant de Debs : « Ce vieux type au regard fiévreux croit dur comme fer qu'il peut exister quelque chose comme une fraternité humaine. Et le plus étrange dans tout ça, c'est que tant que ce type est dans le coin, j'y crois aussi. »

Eugene Debs était devenu socialiste en prison pendant la grève Pullman. Depuis, il était le porte-parole d'un parti dont il avait été cinq fois le candidat à la présidence des États-Unis. À une époque, le parti avait eu jusqu'à cent mille membres et mille deux cents élus dans trois cent quarante municipalités. Son principal organe de presse, l'*Appeal to Reason*, dans lequel Debs écrivait régulièrement, comptait quelque cinq cent mille abonnés. De nombreux autres journaux socialistes existaient à travers le pays, ce qui permet d'estimer à environ un million le nombre des lecteurs de la presse socialiste.

Le socialisme s'était extrait des petits cercles d'immigrants habitant les grandes villes – des socialistes juifs ou allemands ne parlant que leur propre langue – pour devenir un socialisme à l'américaine. À l'échelle des États, la formation socialiste la plus importante était celle de l'Oklahoma, qui comptait en 1914 douze mille adhérents effectifs (plus que dans l'État de New York) et une centaine d'élus locaux, dont six à la législature de l'État. Il y avait cinquante-cinq hebdomadaires socialistes en Oklahoma, au Texas, en Louisiane, en Arkansas, et on y organisait des campements d'été qui attiraient des milliers de personnes.

Dans *Grass-Roots Socialism*, James Green décrit ces radicaux du Sud-Ouest américain comme autant de « pionniers endettés, de fermiers itinérants, de mineurs et de cheminots, de bûcherons durs à cuire venus des forêts de pins, de prédicateurs et d'instituteurs installés sur les prairies brûlées par le soleil, d'artisans et d'athées. [...] Ce peuple anonyme à l'origine du mouvement socialiste local le plus important de toute l'histoire des États-Unis. [...] Le mouvement socialiste [...] s'était laborieusement édifié grâce au concours d'anciens Populistes, de mineurs activistes et de cheminots placés sur liste noire. Tout ce monde était assisté par un groupe d'agitateurs et d'éducateurs professionnels et inspiré par les visites occasionnelles de figures nationales comme Eugene V. Debs et Mother Jones. [...] Ce noyau de militants s'étendit et finit par intégrer les contestataires locaux [...] et par former un groupe plus large de militants qui sillonnaient la région en vendant des journaux, en constituant des groupes de lecture, en fondant des sections locales et en faisant des discours à tous les carrefours ».

On retrouvait dans ce mouvement la même ferveur quasi religieuse que dans l'éloquence de Debs. En 1906, après que Bill Haywood et deux autres responsables de la fédération des Mineurs de l'Ouest eurent été emprisonnés dans l'Idaho sous l'inculpation

apparemment mensongère d'homicide, Debs écrivit un article ven-
geur dans l'*Appeal To Reason* : « Un meurtre a été conçu et est sur
le point d'être exécuté au nom – et sous le masque – de la loi. [...]
C'est un complot parfait ; une conspiration maléfique, un scandale
diabolique. [...] S'ils tentent d'assassiner Moyer, Haywood et leurs
frères, un million de révolutionnaires au moins viendront les chercher les armes à la main. [...] Les tribunaux capitalistes n'ont jamais
rien fait et ne feront jamais rien en faveur de la classe ouvrière. [...]
Une convention révolutionnaire extraordinaire du prolétariat [...]
sera organisée et, si des mesures extrêmes apparaissent nécessaires,
une grève générale pourrait être décrétée qui paralyserait l'industrie en prélude à l'insurrection générale. Si les ploutocrates veulent
commencer le travail, nous le finirons. »

Theodore Roosevelt fit parvenir un double de ce texte à son
ministre de la Justice, W. H. Moody, accompagné d'une note :
« Peut-on poursuivre en justice ce Debs ainsi que le propriétaire
du journal ? »

À mesure que les socialistes prenaient de l'importance lors des
élections (Debs obtint neuf cent mille voix en 1912, doublant son
score de 1908) et devenaient plus soucieux d'augmenter leur pouvoir d'attraction, ils se firent également plus critiques au sujet des
stratégies de « sabotage » et de « violence » de l'IWW. En 1913, Bill
Haywood fut finalement exclu du comité directeur du parti socialiste sous prétexte qu'il prônait la violence (les articles de Debs
étaient pourtant bien plus incendiaires).

Les femmes jouaient un rôle actif au sein du mouvement socialiste mais se trouvaient plus souvent à la base que dans les directions. Elles adressaient également, à l'occasion, de sévères critiques
à l'encontre de la politique socialiste. Helen Keller, par exemple,
cette talentueuse femme aveugle, sourde et muette qui possédait
une extraordinaire conscience des questions sociales, donna son
avis sur l'exclusion de Haywood dans un courrier adressé au *Call*
de New York : « C'est avec le plus profond chagrin que j'ai pris
connaissance des attaques portées contre le camarade Haywood.
[...] Ignobles querelles entre deux factions qui devraient n'en former qu'une, et ce en un moment particulièrement crucial du combat mené par le prolétariat. [...] Car enfin, devons-nous faire passer
les divergences de tactiques partisanes avant les appels désespérés
des travailleurs ? [...] Quand un nombre incalculable de femmes
et d'enfants voient leurs corps et leurs cœurs brisés par des journées de labeur interminables, nous nous battons les uns contre les
autres. Nous pouvons avoir honte ! »

En 1904, les femmes ne représentaient que 3 % des membres du parti socialiste. Cette année-là, la convention nationale du parti ne comprenait que huit déléguées. Mais, en quelques années les groupes locaux réunissant les femmes socialistes et la revue nationale *Socialist Woman* commencèrent à attirer de plus en plus de femmes vers le parti. En 1913, elles représentaient 15 % des socialistes. La rédactrice en chef de *Socialist Woman*, Josephine Conger-Kaneko, insistait sur l'importance de l'existence de sections spécifiques pour les femmes : « Dans une organisation séparée, la plus modeste des femmes pourra rapidement apprendre à présider une réunion, à présenter des motions et à défendre sa position dans un petit "discours". Après une année ou deux de ce genre d'apprentissage, elle sera prête à travailler avec les hommes. Et il y a une sacrée différence entre travailler *avec* les hommes et se tenir dans l'obéissance la plus humble à l'ombre de leur pouvoir agressif. »

Les femmes socialistes militèrent aussi activement au sein des mouvements féministes des années 1900. Selon Kate Richards O'Hare, une responsable socialiste de l'Oklahoma, les femmes socialistes de l'État de New York étaient formidablement organisées. En 1915, au plus fort de la campagne menée à New York en faveur d'un référendum sur le vote des femmes, elles distribuèrent, en une seule journée, soixante mille tracts en anglais, cinquante mille en yiddish ; vendirent quelque deux mille cinq cents fascicules à 1 cent et mille cinq cents à 5 cents ; collèrent quarante mille affichettes et organisèrent une centaine de réunions.

Mais les questions féministes qui débordaient des cadres politique et économique pouvaient-elles trouver une solution dans un système socialiste ? Une fois le fondement économique de l'oppression sexuelle corrigé, l'égalité suivrait-elle automatiquement ? Se battre en faveur du vote des femmes ou pour toute autre cause qui ne soit pas celle du bouleversement révolutionnaire était-il parfaitement vain ? Le débat se fit plus vif à mesure que le mouvement féministe du début du XXᵉ siècle prenait de l'ampleur, que les femmes s'exprimaient plus ouvertement, s'organisaient, protestaient, manifestaient, aussi bien en ce qui concernait le vote que l'égalité dans tous les domaines, y compris ceux des relations sexuelles et du mariage.

Charlotte Perkins Gilman, dont l'œuvre met l'accent sur la question cruciale de l'égalité économique entre les sexes, écrivit un poème, *Le Socialiste et la Suffragette*, qui se terminait ainsi :

Un monde qui s'élève élève aussi les femmes,
explique le socialiste.

Vous ne pouvez pas élever le monde
Tant que la moitié reste à genoux,
soutient la suffragette.
Mais le monde s'est levé et s'exprime clairement :
Vous faites le même travail
Ensemble ou séparés.
Travaillez tous deux de tout votre cœur,
mais surtout participez!

Lorsque, à l'âge de quatre-vingts ans, Susan Anthony se rendit à une conférence donnée par Eugene Debs (ils ne s'étaient pas revus depuis qu'il était allé l'écouter vingt-cinq ans plus tôt), ils se serrèrent chaleureusement la main et eurent ce bref échange de propos : « Donne-nous le droit de vote et nous te donnerons le socialisme », lui dit-elle. Debs répondit alors : « Donnez-nous le socialisme et vous aurez le droit de vote. »

Certaines femmes désiraient lier socialisme et féminisme. Crystal Eastman, par exemple, imagina pour les hommes et les femmes de nouvelles manières de vivre ensemble tout en conservant leur indépendance et sans avoir recours au mariage traditionnel. Eastman était socialiste mais elle pensait néanmoins qu'une femme « sait que tout dans l'esclavage des femmes ne découle pas du système de profit, et que son émancipation complète ne sera pas garantie par le seul effondrement du capitalisme ».

Pendant les quinze premières années du XXᵉ siècle, le nombre des femmes au travail s'accrut. Elles étaient également plus nombreuses à avoir une certaine expérience de la lutte ouvrière. Certaines femmes de la petite bourgeoisie, conscientes de l'oppression subie par les femmes et désireuses d'y remédier, se mirent à fréquenter les collèges et refusèrent de rester cantonnées dans le rôle de ménagères. L'historien William Chafe écrit dans *Women and Equality* que « les étudiantes des collèges avaient clairement le sentiment de devoir remplir une mission et faisaient preuve d'un engagement passionné en faveur d'un monde meilleur. Elles devinrent médecins, professeurs, assistantes sociales, femmes d'affaires, juristes et architectes. Déterminées et soutenues par un certain sens de la camaraderie, elles remportèrent, malgré l'adversité, un grand nombre de victoires. Jane Addams, Grace et Edith Abbott, Alice Hamilton, Julia Lathrop, Florence Kelley : toutes sont issues de cette génération de pionnières à l'origine des réformes sociales des vingt premières années du XXᵉ siècle ».

Elles allaient à l'encontre de la culture de masse véhiculée par les magazines qui vantaient la femme-compagne, bonne épouse et bonne ménagère. Certaines d'entre elles se marièrent et d'autres non, mais toutes étaient confrontées au problème des relations hommes-femmes, comme Margaret Sanger, par exemple, pionnière de l'information sur la contraception, qui sombra dans la dépression malgré un mariage en apparence heureux mais en réalité étouffant. Pour mener sa propre carrière et se sentir un être à part entière, elle dut quitter mari et enfants. Dans son livre *Woman and the New Race*, elle écrivait : « Aucune femme qui ne possède ni ne maîtrise son propre corps ne peut prétendre être libre. Aucune femme n'est vraiment libre tant qu'elle ne peut choisir en conscience si elle deviendra ou ne deviendra pas mère. »

C'était une question délicate. Kate Richards O'Hare croyait dans les vertus de la sphère domestique mais pensait également que le socialisme améliorerait ce domaine. Lors de sa campagne pour l'élection au Congrès de 1910, elle déclara à Kansas City : « Je désire une vie de famille, une maison et des enfants de toutes les fibres de mon être. [...] Nous avons besoin du socialisme pour restaurer la famille. »

Elizabeth Gurley Flynn écrivait au contraire dans son autobiographie, *Rebel Girl* : « La vie domestique et l'idée d'avoir une grande famille ne m'attiraient absolument pas. [...] Je voulais discuter, écrire, voyager, rencontrer des gens, voir du pays et militer pour l'IWW. Je ne voyais aucune raison pour que moi, parce que femme, j'abandonne mon travail pour une famille. »

Si de nombreuses femmes, à cette époque, étaient radicales, socialistes et anarchistes, plus nombreuses encore étaient celles qui militaient en faveur du droit de vote. Ce sont elles qui militèrent massivement pour le féminisme. Des figures féminines du syndicalisme se joignirent au mouvement pour le droit de vote, à l'instar de Rose Schneiderman, du syndicat des travailleurs de la Confection. À New York, lors d'une assemblée du syndicat des Tonneliers, elle répondit à un délégué qui prétendait qu'en gagnant le droit de vote les femmes perdraient toute féminité : « Les blanchisseuses [...] se tiennent debout des treize ou quatorze heures dans la vapeur brûlante et la chaleur étouffante, les mains plongées dans l'amidon bouillant. Ces femmes-là ne perdront certainement pas beaucoup plus de leur beauté et de leurs charmes en glissant un bulletin de vote dans l'urne une fois par an qu'elles n'en perdent assurément déjà en travaillant dans les fonderies et les blanchisseries toute l'année. »

À New York, les défilés en faveur du suffrage féminin gagnaient en ampleur chaque printemps. En 1912, une dépêche de presse en témoigne : « Tout au long de la 5ᵉ Avenue, entre Washington

Square où le cortège s'était formé et la 57ᵉ Rue où il se dispersa, des milliers de New-Yorkais et de New-Yorkaises se sont attroupés. Ils encombraient tous les carrefours situés sur le parcours de la manifestation. Nombre d'entre eux s'étaient préparés à rigoler un bon coup mais ils n'en firent rien. Le spectacle de l'impressionnante colonne composée de femmes défilant à cinq de front au milieu de la rue étouffait toute intention de moquerie. Des femmes médecins, des femmes juristes, des architectes, des artistes, des actrices, des sculptrices, des domestiques, des serveuses et un fantastique bataillon d'ouvrières, toutes marchaient avec une énergie et une détermination qui ont stupéfié la foule massée sur les trottoirs. »

Au printemps 1913, le correspondant du *New York Times* à Washington écrivait : « La manifestation en faveur du vote des femmes qui a eu lieu aujourd'hui constitue le plus grand défilé de femmes de l'histoire de Washington. [...] Cinq mille femmes ont descendu la Pennsylvania Avenue. [...] C'était une manifestation stupéfiante et on estime à près de cinq cent mille le nombre de personnes qui ont regardé ces femmes manifester pour défendre leur cause. »

Certaines grandes figures féminines du radicalisme demeuraient toutefois perplexes. L'anarchiste et féministe Emma Goldman exprimait, avec force comme toujours, sa position sur le vote des femmes : « Notre fétiche du jour, c'est le suffrage universel. [...] Les Néo-Zélandaises et les Australiennes votent et participent à l'élaboration des lois. Les conditions de travail y sont-elles pour autant meilleures ? [...] L'histoire politique de l'homme démontre qu'elles ne lui ont rien apporté qu'il n'aurait pu obtenir d'une manière plus directe, moins coûteuse et plus durable. En fait, chaque pouce de terrain gagné l'a été par la lutte constante, par une incessante auto-affirmation, et non par le suffrage. Il n'y a aucune raison de penser, dès lors, que la femme, dans sa volonté d'émancipation, a été ou sera jamais soutenue par les urnes. [...] Son développement, sa liberté et son indépendance doivent venir d'elle et advenir par elle. D'abord en s'affirmant en tant que personne. Puis en refusant à quiconque tout droit sur son corps ; en refusant d'enfanter si tel n'est pas son désir ; en refusant d'être mise au service de Dieu, de l'État, de la société, du mari, de la famille, etc. Et enfin en vivant une vie plus simple mais également plus profonde et plus riche. [...] C'est cela seulement – et certes pas le vote – qui libérera la femme. »

Helen Keller, pour sa part, écrivait en 1911 à une suffragette anglaise : « Notre démocratie n'est qu'un vain mot. Nous votons ? Qu'est-ce que cela signifie ? Cela signifie que nous pouvons choisir entre deux véritables autocrates, même s'ils ne l'avouent pas. Nous avons le choix entre monsieur Couci et monsieur Couça. [...] Vous demandez le droit de vote pour les femmes. Que peut apporter le vote quand les neuf dixièmes de la terre en Angleterre sont aux mains de deux cent mille individus et que quarante millions de personnes doivent se contenter du reste ? Vos hommes, avec leurs millions de bulletins de vote, ont-ils pour autant effacé cette injustice ? »

Emma Goldman ne repoussait pas l'émancipation des femmes à l'avènement de l'ère socialiste – elle préconisait simplement une action plus directe et plus immédiate que le vote. Helen Keller, qui n'était pas anarchiste, croyait pourtant elle aussi à la lutte permanente en dehors des bureaux de vote. Sourde et aveugle, elle luttait avec l'esprit et le stylo. Lorsqu'elle se mit à militer et à se déclarer ouvertement socialiste, l'*Eagle* de Brooklyn, qui la considérait auparavant comme une véritable héroïne, écrivit que « ses égarements [étaient] dus aux limites manifestes de son développement ». Sa réponse ne fut pas publiée par l'*Eagle* mais parut dans le *Call* de New York. Elle y écrivait que lorsqu'elle avait rencontré le directeur de l'*Eagle* il l'avait abondamment complimentée, « mais, à présent que je me suis déclarée pour le socialisme, il me rappelle, à moi et à ses lecteurs, que je suis aveugle et sourde et donc particulièrement sujette à l'égarement ». Elle ajoutait : « Misérable petit *Eagle* de Brooklyn ! Quel pauvre petit oiseau grossier ! Socialement aveugle et sourd, il défend un système inadmissible. Un système qui est en très grande partie responsable de la cécité et de la surdité physiques que nous essayons de prévenir. [...] Entre l'*Eagle* et moi, c'est la guerre. Je hais le système qu'il représente. Tant qu'à rendre les coups, autant le faire dans les règles. [...] Il est indigne – et de plus l'argument ne vaut rien – de me rappeler à moi et à d'autres que je ne puis ni voir ni entendre. Je peux lire. Je peux lire tous les livres socialistes en anglais, en allemand et en français que je désire. Si le directeur de l'*Eagle* pouvait en lire quelques-uns, il serait sans doute plus sage et son journal serait de meilleure qualité. Si je devais jamais un jour contribuer au mouvement socialiste par le livre que je rêve parfois d'écrire, je sais quel en serait le titre : *Cécité industrielle et surdité sociale.* »

Mother Jones, pour sa part, ne s'intéressait pas outre mesure au féminisme. Elle était trop occupée à organiser les mineurs et les ouvriers du textile, leurs femmes et leurs enfants. L'une de ses nombreuses prouesses fut l'organisation d'une marche des enfants sur Washington pour exiger l'abolition du travail des enfants (à l'orée du XXᵉ siècle, deux cent quatre-vingt-quatre mille enfants âgés de dix à quinze ans travaillaient encore dans les mines, les manufactures et les usines). Plus tard, Mother Jones raconta : « Au printemps de 1903, je me suis rendue à Kensington, en Pennsylvanie, où soixante-dix mille ouvriers du textile étaient en grève. Parmi eux, il y avait au moins dix mille gamins. Les travailleurs faisaient la grève pour des augmentations de salaire et pour une diminution du temps de travail. Tous les jours, des gamins venaient au quartier général du syndicat. Certains avaient perdu une main, un pouce ou bien tous leurs doigts. Ce n'étaient que de petits êtres voûtés, écrasés et squelettiques. […] J'ai demandé à certains parents s'ils accepteraient de me confier leurs filles et leurs garçons pendant sept à dix jours en leur promettant de les ramener sains et saufs. […] Quelques adultes m'accompagnèrent. […] Les enfants portaient des sacs à dos dans lesquels ils avaient mis un couteau, une fourchette, un gobelet et une assiette. […] Un des gamins avait un petit tambour et un autre jouait du fifre. […] Nous portions des banderoles qui proclamaient : "Nous voulons du temps pour jouer". »

Les enfants traversèrent le New Jersey et l'État de New York et descendirent vers Oyster Bay pour rencontrer Theodore Roosevelt. Mais le Président refusa de les recevoir. « Pourtant, notre marche avait atteint son but. Nous avions attiré l'attention de la nation sur le crime que représente le travail des enfants. »

La même année, des enfants qui travaillaient soixante heures par semaine dans les manufactures de textile de Philadelphie se mirent en grève et défilèrent aux cris de « Nous voulons aller à l'école! » et « Cinquante-cinq heures ou rien! »

On peut se faire une idée de l'énergie et de la passion qui animaient certains de ces radicaux du tournant du siècle en feuilletant le rapport établi par la police sur Elizabeth Gurley-Flynn :

> **1906-1916** : Militante syndicale, conférencière pour l'IWW.
>
> **1918-1924** : Militante syndicale pour le Worker Defense Union. Arrêtée à New York en 1906 pour usage abusif de la liberté d'expression (relaxée). Activiste à Spokane (Washington) et altercations IWW en faveur de la liberté d'expression en 1909. Arrêtée parmi des centaines d'autres à Missoula (Montana) la même année et pour les mêmes raisons. Arrêtée trois fois à Philadelphie en 1911 lors d'un rassemblement pendant la grève des Baldwin Locomotive Works. Activiste lors des grèves du textile à Lawrence en 1912. La même année : grève des travailleurs de l'hôtellerie à New York. Grève du textile de Paterson en 1913, et milite pour la défense du cas Ettor-

Giovanitti en 1912 toujours. 1916 : grève de Messaba Range (Minnesota) et défense active du cas Everett/IWW à Spokane. 1914 : défense de Joe Hill. 1917 : arrêtée à Duluth (Minnesota) pour vagabondage, en application du décret destiné à stopper les activités de l'IWW et des orateurs pacifistes : relâchée. Inculpée dans l'affaire de l'IWW de Chicago en 1917.

Les femmes noires subissaient une double oppression. En 1912, l'une d'entre elles écrivit à un journal pour se plaindre : « Nous, les pauvres salariées de couleur qui habitons dans le Sud, menons un terrible combat. [...] D'un côté nous sommes harcelées par les hommes noirs qui devraient pourtant être nos protecteurs naturels, et de l'autre, que ce soit à la cuisine, dans les blanchisseries, derrière la machine à coudre ou le landau, nous sommes à peine mieux traitées que des chevaux de trait, des bêtes de somme, des esclaves! »

Pendant ces toutes premières années du XXᵉ siècle, que des générations d'universitaires blancs s'obstinent à appeler la « période progressiste », des lynchages avaient lieu toutes les semaines. Au Nord comme au Sud, la situation des Noirs était au plus bas, au « nadir », comme le disait l'historien noir Rayford Logan. En 1910, il y avait dix millions de Noirs américains, dont neuf millions vivaient dans le Sud.

Les gouvernements américains (dont les présidents successifs, entre 1901 et 1921, furent Theodore Roosevelt, William Howard Taft et Woodrow Wilson), républicains ou démocrates, assistèrent aux lynchages de nègres, furent témoins d'émeutes meurtrières contre les Noirs à Statesboro (Géorgie), Brownsville (Texas) ou Atlanta (Géorgie), et se turent. Le parti socialiste, qui comptait des Noirs parmi ses membres, ne fit pas grand-chose concernant la question raciale. Selon Ray Ginger, « lorsqu'on discutait des préjugés raciaux devant Debs, il les condamnait toujours publiquement. Il insistait constamment sur la notion d'égalité absolue des droits. Mais il n'arrivait pas à admettre que des mesures pratiques spécifiques étaient parfois nécessaires pour réaliser cette égalité ».

Les Noirs commencèrent à s'organiser : le National Afro-American Council fut créé en 1903 pour protester contre le lynchage, contre le système de péonisation, la discrimination et la privation des droits de représentation ; la National Association of Colored Women, née à peu près à la même époque, condamnait également les lynchages et la ségrégation. En 1906, en Géorgie, se tint une convention sur l'égalité des droits qui rendit hommage aux deux cent soixante Noirs lynchés depuis 1885. Cette convention réclama le droit de vote, le droit de participer à la milice et aux jurys des tribunaux. Elle reconnaissait que les Noirs devaient travailler dur, « mais en même temps nous devons poursuivre l'action, revendiquer, protester et continuer de le faire contre les attaques portées contre nos droits d'êtres humains ».

W. E. B. Du Bois, qui enseignait à Atlanta (Géorgie) en 1905, invita les leaders noirs à travers tout le pays à participer à une conférence qui se tiendrait juste de l'autre côté de la frontière avec le Canada, près des chutes du Niagara. Ce fut le début du fameux « Mouvement du Niagara ».

Du Bois, originaire du Massachussetts, avait été le premier Noir à obtenir un Ph.D.[1] à l'université de Harvard (en 1895) et venait de publier son œuvre puissante et inspirée, *The Souls of Black Folk*. Bien que sympathisant socialiste, Du Bois ne fut que très brièvement membre du parti.

William Monroe Trotter, un jeune militant noir très actif de Boston et directeur de l'hebdomadaire *The Guardian*, s'associa à l'entreprise de Du Bois. Dans son journal, il attaquait régulièrement les idées modérées de Booker T. Washington. Quand, pendant l'hiver 1903, Washington prit la parole devant deux mille personnes dans une église de Boston, Trotter et ses camarades lui posèrent neuf questions extrêmement provocantes qui déclenchèrent un immense chahut et même quelques empoignades dans la salle. Trotter et l'un de ses amis furent arrêtés. Cela pourrait avoir nourri l'indignation de Du Bois et l'avoir convaincu, entre autres choses, d'organiser la réunion du Niagara. Le Mouvement du Niagara s'exprimait avec véhémence : « Nous refusons de laisser s'installer l'impression que le Négro-Américain assume son infériorité, qu'il se soumet à l'oppression et s'excuse sous les insultes. Quelle que soit la détresse dans laquelle nous sommes plongés, les protestations de dix millions d'Américains ne doivent jamais cesser de sonner aux oreilles de leurs concitoyens aussi longtemps que l'Amérique pratiquera l'injustice. »

Une émeute raciale à Springfield (Illinois) fut à l'origine de la création, en 1910, de la National Association for the Advancement of Colored People (NAACP). Les Blancs étaient à la tête de cette nouvelle organisation dont Du Bois était le seul dirigeant noir. Il fut également le premier directeur du *Crisis*, l'organe officiel de l'association. Si le NAACP insistait avant tout sur l'information et sur la pratique légaliste, Du Bois y insufflait l'esprit des déclarations du Mouvement du Niagara : « L'activisme résolu et permanent est le chemin vers la liberté. »

À cette époque, les Noirs, les féministes, les militants ouvriers et les socialistes étaient parfaitement conscients qu'ils ne devaient rien

---

1. Équivalent américain de notre thèse de doctorat.

attendre du gouvernement américain. Ils vivaient pourtant la fameuse « période progressiste », au début de l'« ère des réformes ». Mais il s'agissait de réformes réactives, destinées à calmer la contestation populaire sans opérer de changements fondamentaux.

L'emploi du terme « progressiste » découle du vote d'un certain nombre de lois. Sous Theodore Roosevelt, il y eut la loi sur le contrôle des industries alimentaires, la loi Hepburn sur les tarifs ferroviaires et les réseaux de pipelines, une loi sur le contrôle pharmaceutique et alimentaire. Sous la présidence de Taft, la loi Mann-Elkins plaça le téléphone et le télégraphe sous l'autorité de la commission du Commerce entre les États. Sous celle de Woodrow Wilson, la commission fédérale au Commerce fut créée pour contrôler le développement des monopoles, et la création de la Réserve fédérale permit de réguler le système bancaire et monétaire du pays. Sous Taft, on vota le Seizième Amendement, qui instituait l'impôt sur le revenu, et le Dix-septième Amendement, qui stipulait que les sénateurs seraient désormais élus directement par le peuple et non plus par les législatures des États comme le prévoyait originellement la Constitution. C'est également à cette époque qu'un certain nombre d'États votèrent des lois qui réglementaient les salaires et les horaires, prévoyaient une inspection de sécurité dans les usines et des compensations en cas d'accident du travail.

On mit également sur pied des enquêtes publiques afin d'apaiser la contestation. En 1913, la commission Pujo anti-trust étudia la concentration des pouvoirs dans l'industrie bancaire, et la commission sénatoriale sur les rapports sociaux organisa des audiences publiques sur les conflits sociaux.

Indubitablement, les citoyens ordinaires bénéficièrent jusqu'à un certain point de ces quelques changements. Le système était riche, productif et complexe. Il pouvait se permettre de se délester d'une part de ses richesses pour en faire don à une fraction de la classe laborieuse susceptible de servir alors de digue entre les classes les plus défavorisées et les classes les plus aisées de la société. Une étude sur l'immigration à New York entre 1905 et 1915 montre que 32 % des Italiens et des Juifs passèrent entre ces deux dates du statut de travailleurs manuels à un statut plus élevé (mais pas *beaucoup* plus élevé). Il est également vrai que de nombreux immigrants italiens ne jugèrent pas les opportunités offertes suffisamment engageantes pour demeurer en Amérique. Sur une période de quatre ans, 73 % des Italiens nouvellement débarqués quittèrent New York. Il resta cependant suffisamment d'Italiens qui devinrent maçons et de Juifs qui se lancèrent dans le commerce ou dans les professions libérales pour constituer une classe moyenne capable d'amortir les conflits de classes.

Quoi qu'il en soit, la situation ne changea pas fondamentalement pour l'immense majorité des petits fermiers, des ouvriers, des habitants des taudis, des mineurs, des ouvriers agricoles, des hommes et des femmes au travail, qu'ils soient noirs ou blancs. Robert Wiebe considère le mouvement « progressiste » comme une tentative du système de s'ajuster à une situation mouvante pour s'assurer plus de stabilité. « Au travers de réglementations aux sanctions impersonnelles, [le système] recherchait une continuité et une prévisibilité qui lui était nécessaire dans un monde en perpétuelle mutation. Il assigna un plus grand pouvoir au gouvernement et [...] encouragea la centralisation de l'autorité. » Harold Faulkner suggère que ce nouvel engouement pour un gouvernement fort bénéficia aux « plus puissants groupes économiques ».

Gabriel Kolko y voit pour sa part l'émergence du « capitalisme politique », par lequel les hommes d'affaires affirmaient leur contrôle sur le système politique – l'économie privée ne parvenant plus à réduire au silence les protestations de la base. Selon Kolko, les hommes d'affaires n'étaient pas opposés aux nouvelles réformes. Ce furent eux, au contraire, qui les inspiraient et les promouvaient pour stabiliser le système capitaliste en cette époque d'incertitude et de troubles.

Theodore Roosevelt, par exemple, se fit une réputation de « tueur de trusts » (même si Taft, son successeur supposé « conservateur » alors que Roosevelt se prétendait « progressiste », poursuivit en justice plus de trusts que Roosevelt). En fait, comme Wiebe le souligne, deux des collaborateurs de. J. P. Morgan – Elbert Gary, président de la US Steel, et George Perkins, qui fera plus tard campagne pour Roosevelt – « s'accordèrent avec Roosevelt pour [...] coopérer avec toutes les commissions d'investigation formées par le bureau des Industries en échange de l'assurance que leurs entreprises ne seraient pas ennuyées ». Tout devait se passer dans des négociations privées avec le Président lui-même. « Un *gentlemen agreement* entre gens raisonnables », conclut Wiebe.

La crise de 1907 ainsi que l'influence croissante des socialistes, de l'IWW et des syndicats accélérèrent le processus des réformes. Selon Wiebe toujours, « vers 1908, un changement radical de perspective s'opéra chez un grand nombre de ces hommes de pouvoir ». On insistait désormais sur « l'entente et le compromis ». Cela se poursuivit sous le président Wilson et « un grand nombre de citoyens d'esprit réformiste se laissèrent prendre à l'illusion d'un accomplissement progressiste ». Ce que les critiques radicaux disent aujourd'hui à propos de ces réformes était déjà exprimé à l'époque (en 1901) dans le *Bankers' Magazine* : « Le monde des affaires de ce pays ayant appris les secrets de la combinaison des intérêts, il investit graduellement le pouvoir politique pour en faire le serviteur de ses objectifs. »

Il y avait en effet beaucoup à stabiliser et beaucoup à protéger à cette époque. En 1904, trois cent dix-huit trusts, dont le capital s'élevait à plus de 7 milliards de dollars, contrôlaient 40 % de la production américaine.

En 1909, un manifeste de ce nouveau « progressisme » parut sous la forme d'un livre, *The Promise of American Life*, de Herbert Croly, directeur du *New Republic* et fervent admirateur de Theodore Roosevelt. Il réclamait plus de discipline et de réglementations pour que le système américain survive. Le gouvernement devait faire plus, selon lui, et il espérait assister à la « sincère et enthousiaste imitation des héros et des saints » au rang desquels, sans doute, il plaçait Theodore Roosevelt.

Richard Hofstadter révèle – dans son chapitre mordant sur celui que l'opinion publique considère comme un grand amoureux de la nature et de l'hygiène physique, le héros de la guerre, le boy-scout de la Maison-Blanche – que « les conseillers que Roosevelt écoutait étaient presque exclusivement des représentants du capital industriel et financier : des hommes tels que Hanna, Robert Bacon et George W. Perkins de chez Morgan, Elihu Root, le sénateur Nelson W. Aldrich [...] et James Stillman de chez Rockefeller ». Dans un courrier adressé à son beau-frère, qui travaillait à Wall Street, Roosevelt expliquait qu'il avait l'intention « de devenir plus conservateur dans l'intérêt des entreprises elles-mêmes et dans celui du pays ».

Par crainte de décisions réellement radicales, Roosevelt apporta sa caution à la loi Hepburn, qui permettait de réguler certains prix. Dans une lettre à Henry Cabott Lodge, il écrivait que les lobbyistes des chemins de fer avaient tort de s'opposer à cette loi : « J'estime qu'ils pensent à court terme s'ils ne comprennent pas que s'opposer à cette loi c'est accroître la pression en faveur d'une nationalisation des chemins de fer. » Son action contre les trusts se limitait à leur faire accepter un minimum de réglementation gouvernementale dans le but d'empêcher leur démantèlement complet. Il poursuivit en justice le monopole imposé par Morgan sur les chemins de fer en considérant qu'il s'agissait là d'une victoire sur les trusts. Pourtant, cela ne changea pas grand-chose à la situation. De surcroît, bien que la loi Sherman contre les trusts prévît des sanctions pénales, aucune poursuite ne fut engagée contre les hommes qui avaient organisé ce monopole, c'est-à-dire contre Morgan lui-même, Harriman et Hill.

En ce qui concerne Woodrow Wilson, Hofstadter insiste sur le fait qu'il s'agissait d'un conservateur-né. Historien et spécialiste des sciences politiques, Wilson avait écrit dans *The State* : « En politique, rien de radicalement neuf ne peut être entrepris en toute sécurité. » Il préconisait une « évolution lente et progressive ». Son attitude à l'égard des forces du travail était « globalement hostile » et il évoquait « l'esprit ignorant et rudimentaire » des Populistes.

Dans son livre *The Corporate Ideal in the Liberal State*, James Weinstein a analysé les réformes de la « période progressiste » et en particulier le processus par lequel les milieux d'affaires et le gouvernement – avec l'aide, parfois, des dirigeants du mouvement ouvrier – élaborèrent les modifications législatives qu'ils jugeaient nécessaires.

Weinstein observe « un effort conscient et couronné de succès de la part des différents groupes d'intérêts pour contrôler et diriger les politiques économiques et sociales des gouvernements fédéraux, des États et des municipalités, dans un sens qui servît leurs intérêts à long terme ». Alors que l'« élan originel » des réformes avait été donné par les protestataires et les radicaux, au xxᵉ siècle, « et particulièrement au niveau fédéral, nombre de réformes ont été mises en œuvre avec l'accord tacite, si ce n'est à l'initiative, des intérêts des grands groupes industriels » – intérêts qui s'appuyaient sur les réformistes libéraux et sur les intellectuels.

La définition que donne Weinstein du libéralisme – un moyen de stabiliser le système au profit des milieux d'affaires – est bien différente de celles dont usent les libéraux eux-mêmes. Arthur Schlesinger affirme que « le libéralisme en Amérique est traditionnellement le mouvement par lequel certaines fractions de la société limitent l'influence des milieux d'affaires ». Si Schlesinger veut parler des intentions ou des espérances de ces fractions de la société, il est possible qu'il ait raison. S'il envisage en revanche les résultats concrets de ces réformes libérales, il n'y eut jamais une telle limitation.

Les politiques de contrôle furent élaborées avec soin. En 1900, Ralph Easley, républicain conservateur, instituteur et journaliste, fonda la National Civic Federation (NCF). Son but était de promouvoir de meilleures relations entre les forces du travail et le capital. Si les dirigeants de la NCF étaient pour la plupart des hommes d'affaires et des politiciens de premier plan, son premier vice-président, dont le mandat couvrit une assez longue période, fut Samuel Gompers, le célèbre dirigeant de l'AFL. Tous les industriels n'appréciaient pas forcément ce que la National Civic Federation entreprenait. Easley traitait ces détracteurs d'anarchistes opposés à l'organisation rationnelle du système. « En fait, écrivait-il, nos ennemis sont les socialistes dans le camp des travailleurs et les anarchistes dans celui du capital. »

La NCF souhaitait une approche plus sophistiquée des syndicats, qu'elle considérait comme une réalité incontournable. Par conséquent, elle préférait traiter avec eux plutôt que les combattre : ne vaut-il pas toujours mieux, en effet, discuter avec un syndicat conservateur que d'être confronté à un syndicat militant ? Après la grève du textile à Lawrence en 1912, John Golden, président conservateur du syndicat AFL du textile, écrivit à Easley que la grève avait permis « une très rapide formation » aux patrons des manufactures et que « certains d'entre eux [souhaitaient] désormais traiter avec notre organisation ».

La NCF ne reflétait pas toutes les opinions ayant cours dans le monde des affaires. La National Association of Manufacturers ne voulait à aucun prix reconnaître les syndicats. De nombreux dirigeants d'entreprise n'acceptaient même pas les timides réformes proposées par la National Civic Federation. Néanmoins, l'approche de la NCF reflétait la sophistication et le pouvoir de l'État moderne, déterminé à faire ce qui était le mieux dans l'intérêt du capitalisme en général, au risque de fâcher certains entrepreneurs. La nouvelle approche visait à garantir au système une stabilité durable, même si cela impliquait le sacrifice de certains profits immédiats.

Ainsi, en 1910, la NCF proposa-t-elle un décret en faveur d'une compensation pour les travailleurs accidentés. L'année suivante, douze États votèrent des lois sur les réparations ou les assurances concernant les accidents du travail. Lorsque, en 1911, la Cour suprême jugea inconstitutionnelle la loi de l'État de New York sur les réparations accordées aux travailleurs parce qu'elle s'attaquait au droit de propriété des entreprises sans passer par une démarche juridique, Theodore Roosevelt entra dans une colère noire. De telles décisions, déclara-t-il, « renforcent grandement l'influence du parti socialiste ». En 1920, quarante-deux États avaient voté des lois sur les réparations accordées aux travailleurs accidentés. Selon Weinstein, c'était « le signe d'une maturité nouvelle de la part de nombreux dirigeants de grandes compagnies, qui avaient fini par comprendre que, comme le leur rabâchait Theodore Roosevelt, le réformisme social est intrinsèquement conservateur ».

Quant à la commission fédérale sur le Commerce, formée par le Congrès en 1914 sous prétexte de contrôler les trusts, elle avait été, comme le déclarait un responsable de la National Civic Federation après quelques années de fonctionnement, « apparemment conçue dans l'objectif de rassurer des hommes d'affaires bien intentionnés, les membres de grandes entreprises et bien d'autres ».

Pendant cette période, les municipalités engagèrent également des réformes. Nombre d'entre elles confièrent le pouvoir aux conseils municipaux plutôt qu'aux seuls maires. D'autres engagèrent même des *managers* municipaux. L'idée était : plus de stabilité, plus d'efficacité. Selon Weinstein, « au bout du compte, tous ces changements permirent à la classe des possédants de contrôler plus fermement encore les gouvernements municipaux ». Samuel Hayes, spécialiste de l'histoire urbaine, qualifie ce que les réformistes considéraient comme un supplément de démocratie dans le gouvernement des villes de centralisation du pouvoir aux mains du plus petit nombre, permettant aux hommes d'affaires et aux professions indépendantes d'affirmer leur influence sur les autorités municipales.

Le mouvement progressiste, qu'il soit mené par d'honnêtes réformistes comme le sénateur du Wisconsin Robert La Follette ou par des conservateurs non avoués comme Roosevelt (qui fut le candidat des Progressistes aux présidentielles de 1912), paraissait parfaitement conscient de détourner et d'affaiblir le socialisme. On pouvait lire dans le *Journal* de Milwaukee, un organe du mouvement progressiste, la déclaration suivante : « Les conservateurs combattent les socialistes à l'aveuglette [...] alors que les Progressistes les combattent intelligemment et cherchent à remédier aux abus et aux conditions dont ils tirent directement leur influence. »

Dans une lettre adressée à Roosevelt – qu'il considérait comme le meilleur candidat pour l'élection présidentielle de 1912 –, Frank Munsey, un responsable de la US Steel, lui confiait que les États-Unis devaient adopter une « attitude [plus] paternelle envers le peuple », qui avait besoin de « l'appui et de l'aide de l'État ». En outre, ajoutait-il, il était du devoir de « l'État de penser pour le peuple et de prévoir pour lui ».

Il apparaît donc clairement – et il faut insister sur ce point – que toute cette effervescence autour des réformes progressistes avait pour unique objectif de barrer la route au socialisme. Easley affirmait que « la menace du socialisme se concrétise au travers de son influence croissante dans les collèges, les églises et les journaux ». En 1910, Victor Berger devint le premier membre du parti socialiste à être élu au Congrès. En 1911, soixante-treize socialistes furent élus maires et douze cents autres à des postes mineurs dans les administrations de trois cent quarante villes et villages. La presse évoqua un « raz-de-marée socialiste ».

Dans une note interne de la National Civic Federation adressée à l'une de ses sections, on pouvait lire : « Au vu de la rapide diffusion aux États-Unis des doctrines socialistes », il faut « fournir un effort soigneusement concerté et sagement mené pour instruire l'opinion publique du vrai visage du socialisme ». Cette campagne qui devait être « très habilement et très stratégiquement conduite » ne devait pas s'attaquer « de face au socialisme ou à l'anarchisme en tant que tels » mais de manière « progressive et persuasive ». Elle devait avant tout défendre trois idées : « La liberté individuelle, la propriété privée et la garantie des contrats. »

Il est difficile de savoir si les socialistes comprenaient clairement combien les réformes étaient utiles au capitalisme. Un socialiste de l'aile gauche du parti, Robert LaMonte, écrivait néanmoins en 1912 : « Les pensions de vieillesse, les assurances maladie, accidents et chômage sont moins coûteuses et de meilleur rapport que les prisons, les hospices de pauvres, les asiles et les hôpitaux. » Il suggérait que, puisque les Progressistes ne faisaient que des réformes, les socialistes devaient de leur côté n'avoir que des « exigences impossibles » pour démasquer les limites des réformistes.

Les réformes progressistes sont-elles parvenues à atteindre leur véritable objectif : stabiliser le système capitaliste en corrigeant ses pires défauts, couper l'herbe sous le pied du socialisme, restaurer une certaine trêve des classes dans une époque de confrontations de plus en plus âpres entre le travail et le capital ? Dans une certaine mesure, on peut répondre par l'affirmative. Pourtant, le parti socialiste continuait de croître et l'IWW continuait d'agiter les foules. Et peu après l'accession de Woodrow Wilson à la présidence éclata au Colorado l'un des plus durs et des plus violents conflits entre les travailleurs et le capital industriel de l'histoire des États-Unis.

Cette grève des mines de charbon du Colorado commença en septembre 1913 et culmina avec le « massacre de Ludlow » en avril 1914. Onze mille mineurs, pour la plupart des immigrants grecs, italiens ou serbes, travaillaient dans le sud de l'État pour la Colorado Fuel & Iron Corporation, propriété de la famille Rockefeller. Indignés par le meurtre d'un délégué syndical, les mineurs se mirent en grève contre les salaires misérables, les conditions de travail extrêmement dangereuses et le contrôle quasi féodal de leur vie au sein de villes complètement organisées par les compagnies minières. Mother Jones, qui s'occupait à cette époque d'organiser la United Mine Workers, se déplaça dans le Colorado, enthousiasma les grévistes par ses discours et leur apporta son aide au cours des premiers mois jusqu'à ce qu'elle fût arrêtée, enfermée dans une sorte de cachot et finalement expulsée de l'État.

Dès que la grève éclata, les mineurs furent expulsés des logements qu'ils occupaient dans les villes possédées par la compagnie minière. Soutenus par la United Mine Workers Union, ils établirent des campements de tentes dans les collines voisines et poursuivirent la grève en maintenant les piquets de grève. Le service d'ordre engagé par les représentants des Rockefeller – des hommes de l'agence Baldwin-Felt Detective – utilisait des fusils-mitrailleurs et des carabines et effectuait des raids sur les campements des grévistes. La liste des grévistes assassinés s'allongea mais les autres tinrent bon, interceptèrent un train blindé et se battirent pour se débarrasser des briseurs de grève. La résistance des mineurs qui refusaient de lâcher prise empêchaient les mines de fonctionner. Le gouverneur du Colorado (que l'un des directeurs des mines Rockefeller appelait « notre petit cow-boy de gouverneur ») fit appel aux membres de la garde nationale, dont les salaires furent payés par les Rockefeller.

Au début, les mineurs pensèrent que la garde nationale allait les protéger et l'accueillirent avec des drapeaux et des cris de joie. Mais ils découvrirent vite qu'elle avait pour mission de faire cesser la grève. La garde introduisit des briseurs de grève de nuit sans pour autant les informer qu'une grève était en cours. Les mineurs furent roués de coups, arrêtés par centaines, et la troupe chargea plusieurs fois des manifestations de femmes dans les rues de Trinidad, la plus grosse agglomération des environs. Mais les mineurs refusaient obstinément d'abandonner. Après l'hiver particulièrement rigoureux de 1913-1914, il devint clair qu'il faudrait prendre des mesures extraordinaires pour briser cette grève.

En avril 1914, deux compagnies de la garde nationale se tenaient dans les collines surplombant le plus important campement des mineurs, celui de Ludlow, qui abritait des centaines d'hommes, de femmes et d'enfants. Au matin du 20 avril 1914, ce campement devint la cible des fusils-mitrailleurs. Les mineurs se défendirent à coups de fusil. Leur leader, un Grec nommé Lou Tikas, fut attiré dans les collines sous prétexte de négocier une trêve et y fut exécuté par une compagnie de la garde nationale. Les femmes et les enfants creusèrent des fosses sous les tentes pour échapper aux tirs des mitrailleuses. Au crépuscule, les gardes nationaux descendirent des collines pour mettre le feu au campement et les familles s'enfuirent dans les collines. Treize personnes furent abattues dans leur fuite.

Le lendemain, un employé du téléphone passant à travers les ruines du campement souleva une plaque d'acier qui recouvrait une fosse creusée dans l'une des tentes et découvrit les corps carbonisés, recroquevillés, de onze enfants et deux femmes. Cet événement est aujourd'hui connu sous le nom de massacre de Ludlow.

La nouvelle courut rapidement à travers tout le pays. À Denver, la United Mine Workers fit paraître un « Appel aux armes » : « Défendez-vous, réunissez toutes les armes et les munitions légalement disponibles. » Trois cents grévistes en armes des autres campements se dirigèrent vers Ludlow, coupèrent les fils du téléphone et du télégraphe et se préparèrent à combattre. Les cheminots refusèrent de convoyer des soldats de Trinidad vers Ludlow. À Colorado Springs, trois cents mineurs syndiqués quittèrent leur poste et se dirigèrent vers la région de Trinidad, emportant avec eux toutes sortes d'armes.

À Trinidad même, les mineurs qui avaient assisté au service funéraire dédié à la mémoire des vingt-six morts de Ludlow se rendirent ensuite dans un bâtiment où des armes avaient été mises à leur disposition. Ils se saisirent des fusils et se rendirent dans les collines, saccageant les mines, tuant quelques gardes et faisant exploser les puits. La presse expliqua que, « soudainement, toutes les collines des environs semblaient grouiller d'hommes ».

À Denver, quatre-vingt-deux soldats de l'armée refusèrent de monter dans le train à destination de Trinidad. Un journaliste raconta que ces « hommes [avaient] déclaré qu'ils ne participeraient pas au massacre de femmes et d'enfants et injurié les trois cent cinquante soldats qui acceptaient de monter dans le train ».

Cinq mille personnes manifestèrent sous la pluie à Denver, capitale de l'État du Colorado, exigeant que les officiers de la garde nationale présente à Ludlow fussent jugés pour meurtre. Ils accusaient également le gouverneur de complicité. La Denver Cigar Makers Union vota l'envoi de cinq cents hommes armés à Ludlow et à Trinidad. Les femmes du syndicat des travailleurs de la Confection de Denver annoncèrent que quatre cents d'entre elles s'étaient portées volontaires comme infirmières pour se rendre auprès des grévistes.

Partout à travers le pays, on organisa des rassemblements et des manifestations. Il y eut des piquets devant le siège social de Rockefeller sur Broadway, à New York. Un prédicateur qui avait pris la parole sur le perron du temple auquel Rockefeller réservait parfois ses sermons fut matraqué par la police.

Le *New York Times* fit paraître un éditorial sur les événements du Colorado, qui attiraient désormais l'attention internationale. L'inquiétude du *Times* n'était pas due aux atrocités qui avaient eu lieu à Ludlow mais aux erreurs de stratégie qui avaient été commises. Son éditorial sur le massacre de Ludlow commençait ainsi : « Quelqu'un a fait une énorme gaffe. » Deux jours plus tard, alors que les mineurs armés campaient dans les collines, le *Times* écrivait : « Avec les armes les plus meurtrières aux mains d'hommes exaspérés, on ne peut dire ce qu'il adviendra de la guerre au Colorado s'il n'y est pas mis fin par la force. [...] Le Président devrait cesser de porter toute son attention sur le Mexique pour prendre le temps d'appliquer des mesures fermes au Colorado. »

Le gouverneur du Colorado exigea et obtint de Woodrow Wilson qu'il envoie des troupes fédérales pour ramener l'ordre. C'est alors que la grève commença à s'essouffler. Des commissions désignées par le Congrès se rendirent sur place et recueillirent quelques milliers de pages de témoignages. Le syndicat ne fut pas reconnu officiellement pour autant et, malgré la mort de soixante-six hommes, femmes et enfants, aucun milicien ou surveillant des mines ne fut inculpé pour meurtre.

Le Colorado avait été la scène d'un terrible conflit de classes qui avait eu des répercussions à travers tout le pays. La menace d'une révolte de classe existait à l'évidence toujours dans le cadre des rapports sociaux américains et dans l'esprit de la classe laborieuse – et ce malgré toutes les lois votées, les réformes libérales entreprises, les enquêtes publiques en cours et tous les beaux discours de repentance et de conciliation.

Le *Times* évoquait le Mexique. Le matin même où les corps avaient été découverts dans la fosse de Ludlow, les navires de guerre américains attaquaient Veracruz, sur les côtes mexicaines. Ils bombardèrent la ville et l'occupèrent, faisant près de quatre cents morts : le Mexique, après avoir arrêté des marins américains, avait en effet refusé de s'en excuser auprès des États-Unis par une salve symbolique de vingt et un coups de canon.

La ferveur patriotique et l'esprit belliqueux suffiraient-ils à apaiser la colère de classe ? Le chômage et les difficultés de la vie se faisaient plus pressants en 1914. Les fusils pourraient-ils détourner l'attention de l'opinion publique et créer un consensus national contre un ennemi extérieur ? La coïncidence entre le bombardement de Veracruz et le massacre de Ludlow était assurément fortuite. Mais l'affaire du Mexique pourrait également être considérée comme un sursaut instinctif du système pour assurer sa survie et créer, chez un peuple divisé par les conflits internes, une union sacrée autour d'un objectif guerrier.

Le bombardement de Veracruz fut un incident mineur. Quatre mois plus tard, la Première Guerre mondiale éclatait en Europe.

Chapitre III
La guerre est la santé de l'État

« LA GUERRE est la santé de l'État », déclarait l'écrivain radical Randolph Bourne pendant la Première Guerre mondiale. En effet, alors que les nations européennes entraient en guerre en 1914, les gouvernements pouvaient se féliciter : le patriotisme prospérait, la lutte des classes s'apaisait et un nombre effrayant de jeunes hommes mouraient sur les champs de bataille – souvent pour quelques centaines de mètres à peine entre deux tranchées.

Aux États-Unis, qui restaient pour l'instant en dehors de cette guerre, on s'inquiétait en revanche beaucoup de la santé de l'État. Le socialisme était en pleine expansion. L'IWW semblait être sur tous les fronts. La lutte des classes était intense. À l'été 1916, à San Francisco, une bombe explosa pendant un défilé militaire, tuant neuf personnes. Deux radicaux de la ville, Tom Mooney et Warren Billings, furent arrêtés et passèrent vingt années de leur vie en prison. Peu après, le sénateur de New York, James Wadsworth, proposa d'imposer une préparation militaire à tous les Américains pour prévenir le risque que « notre peuple ne soit divisé en classes ». Au contraire, ajoutait-il, « nous devrions faire savoir à notre jeunesse qu'elle a assurément un devoir envers ce pays ».

L'accomplissement ultime de ce devoir avait lieu, au même moment, en Europe. Dix millions d'hommes allaient mourir sur les champs de bataille et vingt autres millions allaient les suivre, victimes de la faim et des maladies consécutives à la guerre. Personne depuis n'a jamais pu prouver que ce conflit eût fait faire à l'humanité le moindre progrès justifiant la mort d'un seul être humain. Les socialistes, qui qualifiaient cette guerre de « guerre impérialiste », passent aujourd'hui pour des modérés, et leur jugement est difficilement contestable. Les pays capitalistes d'Europe se déchiraient pour des questions de frontières, de colonies, de sphères d'influence et se disputaient l'Alsace-Lorraine, les Balkans, l'Afrique et le Moyen-Orient.

La guerre éclata en pleine euphorie progressiste et moderniste, en particulier chez les élites fortunées d'Occident. Le lendemain de la déclaration de guerre par l'Angleterre, Henry James écrivait à un ami que « le plongeon de la civilisation dans cet abîme de sang et de ténèbres [balayait] d'un coup la longue période durant laquelle nous nous étions imaginés que le monde allait s'améliorant ». Pendant la première bataille de la Marne, Anglais et Français réussirent à bloquer la progression allemande sur Paris. Dans chaque camp, on compta environ cinq cent mille morts et blessés.

La tuerie débuta très rapidement et sur une grande échelle. En août 1914, pour s'engager dans l'armée britannique, il fallait mesurer au moins 1,72 mètre. En octobre il suffisait de faire 1,65 mètre. Le même mois, les pertes s'élevant à trente mille hommes, on abaissa la taille minimum à 1,60 mètre. Au terme des trois premiers mois de guerre, la quasi-totalité des troupes anglaises initialement engagées sur le terrain avait été anéantie.

Durant trois ans, les lignes de front sur le sol français restèrent presque inchangées. Tour à tour, chaque camp progressait, puis reculait avant d'avancer à nouveau (de quelques mètres ou de quelques kilomètres), tandis que les cadavres s'amoncelaient. En 1916, les Allemands tentèrent de percer le front à Verdun. Les Britanniques et les Français contre-attaquèrent le long de la Seine : les quelques kilomètres de leur progression coûtèrent la vie à six cent mille hommes. Un jour, les huit cents hommes du 9ᵉ bataillon royal d'infanterie légère du Yorkshire se lancèrent dans une offensive : le lendemain, il ne restait plus que quatre-vingt-quatre hommes valides.

En Angleterre même, la population n'était pas informée sur l'ampleur du massacre. Un écrivain anglais rappelait que « la plus sanglante défaite de toute l'histoire anglaise pouvait avoir eu lieu [...] et les journaux sortaient insipides, bavards et pittoresques, sans que rien n'indique que la journée n'ait pas été vraiment bonne – une victoire en quelque sorte ». Il en allait de même en Allemagne. Comme Erich Maria Remarque l'écrit dans son magnifique roman, alors que les hommes mouraient par milliers, victimes des mitrailleuses et des obus, les dépêches officielles annonçaient : « À l'ouest rien de nouveau. »

En juillet 1916, le général anglais Douglas Haig ordonna que onze divisions de soldats britanniques sortent de leurs tranchées

pour monter à l'assaut des lignes allemandes. Les six divisions allemandes ouvrirent immédiatement le feu. Sur les cent dix mille
hommes qui attaquèrent ce jour-là, vingt mille furent tués et quarante mille autres blessés. Tous ces corps jonchaient le *no man's
land*, ce territoire fantomatique qui s'étendait entre deux tranchées.
Le 1er janvier 1917, Haig fut promu maréchal. Les événements de
cet été-là sont évoqués de manière laconique dans l'ouvrage de
William Langer, *An Encyclopedia of World History* : « Malgré l'opposition de Lloyd George et le scepticisme de certains de ses subordonnés, Haig lança avec enthousiasme l'offensive principale. La
troisième bataille d'Ypres fut une série de huit attaques massives
menées sous une pluie battante, sur un terrain gorgé d'eau et de
boue. La percée n'eut pas lieu et l'on n'y gagna que huit kilomètres
de terrain, ce qui rendit la position d'Ypres plus difficile que jamais
et coûta la vie à quatre cent mille Anglais. »

Les populations françaises et anglaises ignoraient l'ampleur des
pertes humaines. Comme le rapporte Paul Fussell dans son *Great
War and Modern Memory*, lorsque, au cours de la dernière année de
guerre, les Allemands lancèrent une terrible offensive sur la Somme,
faisant quelque trois cent mille morts et blessés parmi les soldats
anglais, les journaux londoniens publièrent le conseil suivant :

« Que puis-je faire ? » Comment les civils peuvent-ils apporter
leur aide en cette période de crise ?
Soyez gais.
Encouragez vos amis sur le front.
Ne répétez pas les ragots imbéciles.
N'écoutez pas les folles rumeurs. N'imaginez pas que vous en
savez plus que Haig.

C'est dans cette atmosphère de mort et de mensonges que les
États-Unis firent leur entrée en guerre en 1917. Des mutineries
commençaient à éclater dans l'armée française. Comme une traînée de poudre, la révolte toucha soixante-huit des cent douze divisions françaises. Six cent vingt-neuf soldats furent jugés et
condamnés et cinquante d'entre eux furent exécutés. On attendait
avec impatience les troupes américaines.

Le président Woodrow Wilson avait promis que les États-Unis
resteraient neutres : « Il est des nations trop fières pour se battre. »
Mais, en avril 1917, les Allemands annoncèrent que leurs sous-
marins couleraient tout transport de munitions destiné à leurs
adversaires. Ils avaient du reste déjà coulé un certain nombre de
navires marchands. Wilson déclara alors qu'il défendrait le droit
des Américains à voyager sur des navires marchands dans la zone

des hostilités : « Je ne consentirai jamais à ce que l'on limite en aucune façon les droits des citoyens américains. »

Selon Richard Hofstadter (*American Political Tradition*), « il s'agissait là d'une bien piètre tentative de justification ». En effet, les Anglais avaient également attenté aux droits des Américains à se déplacer sur les mers sans que Wilson n'eût suggéré pour autant que l'on entrât en guerre avec eux. Hofstadter prétend que Wilson « était contraint de trouver des raisons juridiques à des politiques qui ne se fondaient pas sur la loi mais sur des questions d'équilibre des pouvoirs et de nécessités économiques ».

Il était d'ailleurs irréaliste d'imaginer que les Allemands pouvaient traiter les États-Unis en pays neutre alors que les navires américains transportaient des tonnes de matériel de guerre destiné à leurs adversaires. Au début de 1915, le paquebot anglais *Lusitania* fut coulé par un sous-marin allemand. Il sombra en dix-huit minutes : mille cent quatre-vingt-dix-huit personnes périrent noyées, dont cent vingt-quatre Américains. Les États-Unis prétendirent que le paquebot ne transportait qu'un chargement inoffensif et que le comportement du sous-marin allemand était en conséquence un crime monstrueux. En fait, le *Lusitania* transportait bel et bien mille deux cent quarante-huit caisses d'obus et quatre mille neuf cent vingt-sept boîtes de mille cartouches chacune ainsi que deux mille caisses de munitions pour des armes de poing. Son manifeste fut falsifié ultérieurement pour dissimuler cette réalité, et les gouvernements anglais et américain mentirent à propos de sa cargaison.

Hofstadter évoque des « nécessités économiques » à l'origine de la politique de Wilson. En 1914, une grave récession avait frappé les États-Unis. J. P. Morgan affirma plus tard que « la guerre avait débuté pendant une période difficile ». Selon lui, « le pays connaissait une crise des affaires, les prix agricoles étaient en pleine déflation, le chômage était important, les industries lourdes produisaient bien en dessous de leurs capacités et les banques étaient également en mauvaise santé ». À partir de 1915 cependant, les commandes de matériel de guerre émanant des Alliés (et en particulier de l'Angleterre) stimulèrent l'économie. En avril 1917, plus de deux milliards de dollars de marchandises avaient été vendues aux Alliés. Pour Hofstadter toujours, « l'Amérique était désormais liée aux Alliés par la combinaison fatale de la guerre et de la prospérité ».

Une prospérité qui dépendait en grande partie, aux yeux des principaux dirigeants du pays, des marchés étrangers. En 1897, les investissements privés américains à l'étranger s'élevaient à 700 millions de dollars. En 1914, ils étaient passés à 3,5 milliards de dollars.

Le secrétaire d'État de Wilson, William Jennings Bryan, partisan
de la neutralité américaine dans la guerre, pensait néanmoins que
les États-Unis avaient besoin des marchés extérieurs. En mai 1914,
il félicita le Président pour « avoir ouvert les portes des pays les plus
faibles aux entreprises et au capital américains ».

Quelques années plus tôt, en 1907, Woodrow Wilson avait
déclaré lors d'une conférence donnée à la Columbia University :
« Les concessions obtenues par les financiers devaient être protégées
par les représentants de l'État même si la souveraineté des nations
réticentes devait être malmenée à cette occasion. [...] Les portes des
nations qui nous sont fermées doivent être enfoncées. » Lors de sa
campagne présidentielle de 1912, il avait également déclaré : « Notre
marché intérieur ne suffit plus, il nous faut les marchés extérieurs. »
Dans une note adressée à Bryan, il décrivait son projet comme
« une porte ouverte sur le monde ». En 1914, il déclara encore qu'il
soutenait « la juste conquête des marchés étrangers ».

Avec la Première Guerre mondiale, l'Angleterre devint de plus
en plus un marché pour les produits américains et pour les prêts
financiers à intérêts. La J. P. Morgan & Co. agissait en tant
qu'agent pour les Alliés. Quand, en 1915, Wilson leva l'interdit sur
les prêts bancaires destinés aux Alliés, Morgan se mit à prêter de
telles sommes d'argent qu'il fit d'immenses profits personnels tout
en intéressant étroitement la finance américaine à une victoire
anglaise contre l'Allemagne.

Les industriels et les dirigeants politiques parlaient de prospérité comme si elle concernait toutes les classes de la société. Certes,
la guerre signifiait plus de productivité et plus de travail. Mais au
bout du compte, les employés des aciéries gagnèrent-ils autant que
la US Steel, qui réalisa quelque 348 millions de dollars de profit
pour la seule année 1916 ? Lorsque les États-Unis entrèrent en
guerre, les riches jouèrent un rôle accru dans la gestion de l'économie nationale. Le financier Bernard Baruch obtint la présidence
du conseil de l'Industrie de guerre, le plus important département
de l'administration en temps de guerre. Les banquiers, les propriétaires de chemins de fer et les industriels dominaient tous ces
départements de l'administration.

En mai 1915, l'*Atlantic Monthly* fit paraître un article remarquable
d'intelligence sur la véritable nature de la Première Guerre mondiale. Rédigé par W. E. B. Du Bois, l'article s'intitulait « Les origines africaines de la guerre ». Selon Du Bois, il s'agissait d'une
guerre pour la domination du monde, et les combats que se livraient
les Anglais et les Allemands en Afrique en étaient à la fois le signe
et la réalité : « Au sens le plus strict, l'Afrique est la cause première

de ce terrible retournement de civilisation qu'il nous est donné de vivre. » L'Afrique, selon Du Bois, était « la terre du XXᵉ siècle » en raison de l'or et des diamants de l'Afrique du Sud, du cacao de l'Angola et du Nigeria, du caoutchouc et de l'ivoire du Congo et de l'huile de palme de la côte Ouest.

Mais la vision de Du Bois allait bien plus loin. Plusieurs années avant la parution de l'*Impérialisme* de Lénine – qui signalait la nouvelle possibilité pour les classes laborieuses des États impérialistes de toucher une part du butin –, Du Bois insistait sur le paradoxe d'une « démocratie plus étendue » en Amérique, contemporaine de l'instauration d'un « élitisme et [d'une] haine accrus envers les races les plus noires ». Il expliquait ce paradoxe par le fait que « le travailleur blanc [avait] été invité à partager les bénéfices de l'exploitation des "chinetoques et des négros" ». Oui, l'Anglais, le Français, l'Allemand ou l'Américain moyen avait un niveau de vie plus élevé qu'auparavant. Mais « d'où [provenait] donc cette nouvelle richesse ? […] Essentiellement des nations les plus noires du globe – l'Asie, l'Afrique, les Amériques centrale et du Sud, les Antilles et les îles des mers du Sud ».

Du Bois constatait l'ingéniosité avec laquelle le capitalisme unissait exploiteurs et exploités, créant de ce fait un sas de sécurité contre les dangereux conflits de classes : « Désormais ce n'est plus seulement le prince marchand, le monopole aristocratique ou même la classe dirigeante qui exploite le globe. C'est la nation tout entière, une nouvelle nation démocratique fondée sur l'union du capital et du travail. »

La situation aux États-Unis illustrait parfaitement les propos de Du Bois. Le capitalisme américain avait besoin de cette rivalité internationale – et de ces guerres périodiques – pour créer une communauté artificielle d'intérêt entre riches et pauvres propre à supplanter la communauté originelle d'intérêt entre pauvres qui engendrait des mouvements sporadiques de révolte. Il est difficile de dire à quel point les dirigeants politiques et les entrepreneurs étaient conscients de ce phénomène. Mais leurs actes, même à moitié conscients, comme autant de réflexes instinctifs de défense, correspondaient parfaitement à ce schéma. En 1917, ce processus exigeait la création d'un consensus national autour de la guerre.

Si l'on en croit les historiens classiques, le gouvernement parvint rapidement à forger ce consensus. Le biographe de Woodrow Wilson, Arthur Link, écrivait qu'« en dernière analyse la politique américaine était déterminée par le Président et l'opinion publique ». En fait, il était impossible de sonder l'opinion publique à cette époque et il n'existe aucune preuve concluante que l'opinion eût désiré la guerre. Le gouvernement dut fournir un sérieux effort pour créer ce consensus. La rigueur des mesures mises en place tendrait même à prouver qu'il n'existait pas de désir spontané de combattre : incorporation des jeunes, formidable campagne de propagande orchestrée à travers tout le pays[1], sévères sanctions prises à l'encontre de ceux qui refusaient de rentrer dans le rang.

En dépit des beaux discours de Wilson à propos de cette guerre « pour que cessent toutes les guerres » et pour « sauver la démocratie dans le monde », les Américains ne se bousculèrent pas dans les bureaux d'enrôlement. Il fallait un million de soldats : après les six premières semaines de guerre, soixante-treize mille hommes seulement s'étaient portés volontaires. Le Congrès vota alors à une écrasante majorité en faveur de la conscription.

George Creel, un journaliste chevronné, devint le propagandiste officiel de la guerre. Il mit sur pied un Comité d'information publique destiné à persuader les Américains que la guerre était une cause juste. Ce comité finança soixante-quinze mille orateurs qui firent sept cent cinquante mille discours dans cinq mille villes et villages des États-Unis. Il s'agissait d'une énorme débauche d'énergie en vue de susciter une certaine exaltation chez une opinion publique réticente. Selon un membre de la National Civic Federation, au début de 1917, « ni les travailleurs ni les agriculteurs ne [prenaient] part ou ne [s'intéressaient] aux efforts fournis par les ligues de défense et de sécurité ou tout autres mouvements d'alerte nationale ».

Le lendemain du vote de la guerre par le Congrès, le parti socialiste réunit en urgence une convention à Saint Louis et qualifia la déclaration de guerre de « crime contre le peuple des États-Unis ». À l'été 1917, des rassemblements pacifistes organisés par les socialistes du Minnesota attirèrent des foules importantes : cinq mille, dix mille et même vingt mille fermiers qui protestaient contre la guerre, la conscription et l'enrichissement abusif. Un journal local du Wisconsin, la *Review* de Plymouth, affirmait que probablement « aucun parti ne [profitait] autant de la situation que le parti socialiste ». Le journal ajoutait que « des milliers de personnes [s'étaient] rassemblées pour écouter des orateurs socialistes dans des endroits où d'ordinaire des rassemblements de quelques centaines de personnes [étaient] considérés comme importants ». Le *Beacon-Journal* d'Akron, un périodique conservateur de l'Ohio,

---

1. Par exemple, les « *five minutes men* », propagandistes très entraînés, simulaient dans les lieux publics des discussions houleuses que l'un des deux interlocuteurs « emportait » en déployant une rhétorique particulièrement efficace en faveur de l'entrée en guerre.

reconnaissait que « peu d'observateurs politiques seraient en mesure de nier [...] que si une élection avait lieu prochainement, un raz-de-marée socialiste submergerait sans doute le Middle West ». Le journal ajoutait que le pays ne s'était « jamais embarqué dans une guerre plus impopulaire ».

Aux élections municipales de 1917, malgré l'intensité de la propagande patriotique, le parti socialiste obtint de remarquables scores. Son candidat à la mairie de New York, Morris Hillquit, réunit sur son nom 22 % des voix, cinq fois plus que le vote socialiste habituel dans cette ville. Dix socialistes furent élus à la législature de l'État de New York. À Chicago, les voix du parti socialiste passèrent de 3,6 % en 1915 à 34,7 % en 1917, et à Buffalo, de 2,6 % à 30,2 %.

George Creel et le gouvernement étaient à l'origine de la création de l'American Alliance for Labor and Democracy. Présidée par Samuel Gompers, son objectif était « d'unifier le sentiment national » en faveur de la guerre. Cette organisation possédait des ramifications dans cent soixante-quatre villes. De nombreux représentants syndicaux travaillaient pour elle. Cependant, l'Alliance n'obtint selon James Weinstein que très peu de résultats : « L'enthousiasme guerrier de la masse des travailleurs resta singulièrement faible. » Et si d'éminentes personnalités socialistes se déclarèrent en faveur de la guerre après l'entrée des États-Unis dans les hostilités (Jack London, Upton Sinclair ou Clarence Darrow), la plupart des socialistes continuèrent de s'y opposer.

En juin 1917, le Congrès vota la loi sur l'espionnage, ratifiée ensuite par Wilson. Son intitulé pouvait laisser penser qu'il s'agissait d'une loi contre l'acte même d'espionnage, mais elle présentait également une clause qui prévoyait une peine pouvant aller jusqu'à vingt ans d'emprisonnement contre « toute personne qui, en temps de guerre, inciterait volontairement ou tenterait d'inciter à l'insubordination, la trahison, la mutinerie ou le refus de servir dans les forces armées et navales des États-Unis, ou qui ferait volontairement obstruction aux services d'enrôlement et de recrutement américains ». À moins de posséder une théorie personnelle sur la nature des gouvernements, on ne pouvait deviner quel usage il serait fait de cette loi sur l'espionnage. Une autre clause précisait que « rien de tout cela ne devait être interprété de manière à limiter ou restreindre [...] les discussions, les commentaires ou les critiques touchant l'activité politique du gouvernement ». Ce double langage dissimulait en réalité un objectif unique : la loi sur l'espionnage permit de jeter en prison les Américains qui prenaient position, oralement ou par écrit, contre la guerre.

Deux mois après le vote de cette loi, le socialiste Charles Schenck était arrêté à Philadelphie pour avoir imprimé et distribué quinze mille tracts qui dénonçaient la loi sur la conscription et la guerre. Ce tract affirmait que la loi violait le Treizième Amendement contre « la servitude involontaire ». La conscription, disait ce tract, était « un acte monstrueux contre l'humanité perpétré dans l'intérêt des financiers de Wall Street ». Schenck ajoutait : « Ne cédez pas à l'intimidation. »

Il fut inculpé, jugé et condamné à six mois d'emprisonnement pour infraction à la loi sur l'espionnage (il apparaîtra que cette peine fut l'une des plus légères appliquées dans ce genre de cas). Schenck fit appel du jugement, arguant du fait que cette loi, en brimant la liberté d'expression, violait le Premier Amendement : « Le Congrès ne fera aucune loi [...] qui restreigne la liberté de la parole ou de la presse. »

La décision de la Cour suprême, rédigée par le plus libéral de ses membres, Oliver Wendell Holmes, fut unanime. Résumant le contenu du tract, il déclarait qu'il était indubitablement destiné à faire « obstruction » à la loi sur la conscription. Le Premier Amendement protégeait-il Schenck ? À ce sujet, Holmes affirmait : « L'application la plus rigoureuse de la liberté de parole ne protégerait pourtant pas un homme qui crierait faussement au feu dans un théâtre et y causerait la panique. [...] Le principal dans toute situation est de savoir si les termes utilisés le sont dans des circonstances telles et sont de telle nature qu'ils créent une menace claire et effective susceptible de provoquer des désastres substantiels que le Congrès a le devoir de prévenir. »

L'analogie dont use Holmes est à la fois intelligente et séduisante. Rares sont ceux qui jugeraient que le principe de la liberté d'expression devrait être appliqué à un individu criant au feu dans un théâtre pour y provoquer la panique. Mais cet exemple peut-il s'appliquer aux critiques émises contre la guerre ? Zechariah Chafee, professeur à l'école de droit de Harvard, écrivit plus tard dans son *Free Speech in the United States* que l'analogie la plus pertinente serait celle d'un individu qui, à l'entracte, monterait sur scène pour informer qu'en cas d'incendie les sorties de secours seraient en nombre insuffisant. Si on veut poursuivre le jeu de l'analogie, Schenck agissait plutôt comme un individu qui préviendrait honnêtement les spectateurs sur le point d'acheter leurs places et d'entrer dans le théâtre que la salle de spectacle est en train de brûler.

Peut-être la liberté de parole pouvait-elle être rejetée par toute personne un peu sensée lorsque son usage faisait peser une « menace claire et effective » sur la vie et la liberté. Après tout, la

liberté d'expression entre en compétition avec d'autres droits essentiels. Mais la guerre elle-même ne menaçait-elle pas clairement et
effectivement la vie – et même bien plus clairement, effectivement
et dangereusement que tous les discours critiques à son encontre ?
Les citoyens n'étaient-ils pas en droit de douter du bien-fondé de
cette guerre et de remettre en cause ces politiques dangereuses ?

Soit dit en passant, cette loi sur l'espionnage fait toujours partie
de notre code législatif. Bien que supposée s'appliquer essentiellement en temps de guerre, elle a été en réalité constamment disponible à partir des années 1950, puisque les États-Unis sont
officiellement en « état d'urgence » depuis la guerre de Corée. En
1963, l'administration Kennedy tenta vainement de faire passer un
décret pour appliquer la loi sur l'espionnage aux déclarations faites
par des Américains sur un sol étranger. Ce décret visait avant tout,
selon un courrier adressé par le secrétaire d'État Rusk à Lodge,
ambassadeur au Vietnam, les journalistes américains en poste au
Vietnam qui, en publiant des « articles critiques [...] sur Diem et
son gouvernement », étaient censés « nuire à l'effort de guerre ».

Le cas d'Eugene Debs fut bientôt présenté devant la Cour
suprême. En juin 1918, après avoir rendu visite à trois socialistes
emprisonnés pour s'être opposés à la conscription, Debs avait
harangué le public deux heures durant devant les murs de la prison. Debs était l'un des orateurs les plus talentueux du pays et son
discours fut de nombreuses fois interrompu par les applaudissements et les rires. Il évoqua ses camarades emprisonnés et rejeta les
accusations de germanophilie portées contre les socialistes : « Je
hais, j'abhorre et je méprise Junkers[1] et son royaume. Je n'ai que
faire des Junkers allemands, pas plus que des Junkers américains.
[Tonnerre d'applaudissements et cris d'encouragement] Ils nous
disent que nous vivons dans une grande république libre ; que nos
institutions sont démocratiques ; que nous formons un peuple libre
qui se gouverne lui-même. Cette bonne blague ! Toutes les guerres
de l'histoire n'ont été que des guerres de conquêtes et de pillages.
[...] C'est ça, la guerre. La classe des maîtres déclare les guerres et
ce sont leurs sujets qui se battent. »

Debs tomba sous le coup de la loi sur l'espionnage. Il y avait des
jeunes en âge de s'enrôler dans l'assistance et ses propos pouvaient
faire « obstruction au recrutement et à l'enrôlement » dans les
forces armées.

Mais son discours disait bien d'autres choses : « Oui, bientôt
nous nous saisirons du pouvoir dans ce pays et partout dans le

---

1. Hugo Junkers, 1859-1935. Industriel allemand qui construisit le premier avion
entièrement métallique ainsi que de nombreux appareils militaires.

monde. Nous détruirons toutes les institutions esclavagistes et dégradantes du capitalisme pour en fonder de nouvelles, à la fois libératrices et humaines. Le monde change tous les jours sous nos yeux. C'est le crépuscule du capitalisme. C'est l'aube du socialisme. [...] Le jour venu, l'heure sonnera et notre grande cause triomphante [...] proclamera l'émancipation de la classe ouvrière et la fraternité entre les hommes. [Applaudissements prolongés] »

Lors du procès, Debs refusa de se défendre et de présenter des témoins à décharge. Il ne renia rien de ce qu'il avait dit et prit la parole avant que le jury ne se retirât pour délibérer : « Je suis accusé de m'opposer à la guerre. C'est vrai. Messieurs, j'abhorre la guerre. Serais-je le seul que je m'opposerais tout de même à la guerre. [...] Je suis avec tous ceux qui souffrent et se battent où qu'ils soient. Pour moi, le drapeau sous lequel ils sont nés ou l'endroit où ils vivent ne fait aucune différence. »

Le jury condamna Debs, qui s'adressa au juge avant la lecture de la sentence : « Votre Honneur, cela fait des années que j'ai reconnu ma parenté avec tous les êtres humains. J'ai accepté l'idée que je n'étais pas meilleur que le plus humble d'entre eux. Je disais alors – et je le répète aujourd'hui – que, tant qu'il existera une classe défavorisée, j'en serai ; un élément criminel, j'en serai. Et tant qu'il y aura un homme en prison, je ne serai pas libre. »

Le juge s'emporta contre « ceux qui [voulaient] ôter le glaive de la main de cette nation alors qu'elle est engagée dans sa propre défense contre une puissance brutale et étrangère ». Il condamna Debs à dix ans de prison.

Le recours en appel de Debs ne fut examiné par la Cour suprême qu'en 1919. La guerre était alors finie. Oliver Wendell Holmes, au nom de la Cour unanime, confirma la condamnation. Holmes évoqua le discours de Debs : « Il exprima ensuite son opposition au militarisme prussien en des termes qui, naturellement, laissaient entendre que l'attitude des États-Unis était également visée. » Holmes déclarait que Debs jouait de l'« opposition traditionnelle entre capitalistes et travailleurs [...], insinuant tout du long que les travailleurs n'étaient pas concernés par la guerre ». Pour finir, Holmes jugeait que le discours de Debs avait pour « effet évident et prémédité » de faire obstruction au recrutement militaire.

Debs fut d'abord interné au pénitencier de l'État de Virginie-Occidentale avant de rejoindre le pénitencier fédéral d'Atlanta, où il passa trente-deux mois avant d'être gracié, en 1921, à l'âge de soixante-six ans, par le président Harding.

Neuf cents personnes environ furent emprisonnées pour violation de la loi sur l'espionnage. Cette opposition substantielle était autant que possible dissimulée aux yeux de l'opinion publique. En revanche, le sentiment patriotique était exalté à grand renfort de fanfares militaires et de drapeaux, les projecteurs pointés sur les foules acquérant des titres de guerre et sur l'acceptation par la majorité des Américains de l'incorporation et de la guerre. Cette acceptation ne fut pourtant acquise que par l'intimidation et par le biais d'opérations de relations publiques bien montées, grâce à la mobilisation de tous les moyens du gouvernement fédéral, soutenu par l'argent des milieux d'affaires. L'ampleur même de cette campagne pour décourager l'opposition en dit long sur la « spontanéité » du sentiment populaire favorable à la guerre.

Les journaux participèrent à cette opération d'intimidation. En avril 1917, le *New York Times* citait Elihu Root (ancien secrétaire d'État à la Guerre et alors avocat d'affaires) qui déclarait : « L'heure n'est plus aux critiques. » Quelques mois plus tard, le même journal citait à nouveau Root : « Il y a en ce moment même, dans les rues, des hommes qui pourraient bien être arrêtés demain à l'aube et fusillés pour trahison. »

À la même époque, devant les membres du Harvard Club, Theodore Roosevelt qualifiait les socialistes, l'IWW et tous ceux qui voulaient la paix de « ramassis de créatures asexuées ».

À l'été 1917, l'American Defense Society voyait le jour. Selon le *Herald* de New York, « plus d'une centaine d'hommes se sont engagés hier dans la Patrouille américaine de sécurité sous l'égide de l'American Defense Society. [...] Cette Patrouille a pour mission de faire taire les propos séditieux qu'on entend dans nos rues ».

Le département à la Justice parraina une American Protective League qui comptait, en juin 1917, des unités dans soixante villes et villages et rassemblait près de cent mille membres. La presse soulignait que les responsables en étaient bien souvent les « hommes les plus éminents de leur communauté, banquiers, directeurs de chemins de fer, hôteliers ». Une étude menée sur cette American Protective League en décrit les méthodes : « Le courrier est supposé être sacré. [...] Pourtant, l'American Protective League fut bien souvent étrangement clairvoyante à propos des lettres rédigées par les suspects. [...] Entrer par effraction au domicile ou sur le lieu de travail d'un individu sans mandat de perquisition est considéré d'ordinaire comme un cambriolage. Pourtant, la League a fait cela des milliers de fois sans être le moins du monde inquiétée ! »

Cette American Protective League se targuait d'avoir révélé trois millions de cas de trahison. Même si ces chiffres sont exagérés, l'importance et les moyens de la League donnent une idée de l'ampleur de cette « trahison ».

Les États mirent sur pied des milices de surveillance. La commission de sécurité publique du Minnesota, instaurée par la loi, ferma les bars et les salles de cinéma, répertoria les terres appartenant à des étrangers, assura la promotion des titres de guerre et mit à l'épreuve la loyauté des citoyens. Le *Journal* de Minneapolis publia un appel de la commission demandant « à tous les patriotes [de] se joindre à l'éradication des activités et opinions séditieuses et anti-conscription ».

La presse nationale coopéra dans une très large mesure avec le gouvernement. À l'été 1917, le *New York Times* fit paraître un éditorial qui rappelait qu'il était du « devoir de tout bon citoyen de communiquer aux autorités concernées toute manifestation de déloyauté dont il pourrait avoir connaissance ». Quant au *Literary Digest*, il demandait à ses lecteurs de « noter et de [lui] envoyer toute publication qui leur semblerait séditieuse ou traître à la nation ». Le comité Creel sur l'information publique affirmait que les gens devaient « dénoncer au département à la Justice tout homme qui se répandrait en discours pessimistes ». En 1918, le ministre de la Justice se félicitait : « On peut dire, sans peur de se tromper, que jamais dans toute son histoire ce pays n'aura été aussi parfaitement surveillé. »

Pourquoi une telle dépense d'énergie ? Le 1ᵉʳ août 1917, le *Herald* de New York révélait que quatre-vingt-dix des cent premiers Américains incorporés demandaient à être exemptés. Dans le Minnesota, les gros titres du *Journal* de Minneapolis des 6 et 7 août de la même année affirmaient que « l'opposition à l'incorporation [s'était étendue] rapidement à tout l'État » et que « les conscrits [donnaient] de fausses adresses ». En Floride, deux ouvriers agricoles noirs s'enfuirent dans les bois avec un fusil et se mutilèrent pour échapper à l'incorporation : l'un se fit sauter quatre doigts et l'autre se tira dans le bras à la hauteur du coude. Le sénateur de Géorgie, Thomas Hardwick, déclara que, « indubitablement, des milliers d'individus [refusaient] que l'on applique la loi sur la conscription et de nombreux rassemblements massifs contre cette loi [avaient] eu lieu partout à travers l'État ». Finalement, plus de trois cent trente mille hommes échappèrent à la conscription.

En Oklahoma, le parti socialiste et l'IWW avaient été très actifs auprès des fermiers et des métayers qui formaient un « syndicat de la classe ouvrière ». Lors d'une réunion de ce syndicat, on projeta de détruire un pont de chemin de fer et de couper les lignes de télégraphe afin de faire cesser l'enrôlement. On envisagea également d'organiser une marche sur Washington (appelée la « rébellion du maïs vert » parce qu'il était prévu d'en manger tout au long du parcours) en soutien à tous les objecteurs du pays. Avant même que le syndicat ait pu mener ces projets à terme, ses dirigeants furent arrêtés et quatre cent cinquante personnes se retrouvèrent au pénitencier de l'État pour rébellion. Les leaders se virent infliger de trois à dix ans d'emprisonnement et les autres des peines allant de deux mois à trois ans.

Le 1ᵉʳ juillet 1917, les radicaux organisèrent un défilé dans les rues de Boston pour protester contre la guerre. Ils brandissant des bannières portant les inscriptions suivantes :

SI C'EST UNE GUERRE POPULAIRE,
POURQUOI LA CONSCRIPTION ?

QUI A VOLÉ PANAMÁ ? QUI A ÉCRASÉ HAÏTI ?

NOUS VOULONS LA PAIX !

Le *Call* de New York relata que huit mille personnes avaient défilé ce jour-là, dont « quatre mille membres du Central Labor Union, deux mille autres des organisations socialistes lettones, mille cinq cents Lituaniens, des Juifs membres des syndicats de la confection ainsi que d'autres organisations liées au parti ». Sur ordre de leurs supérieurs, les soldats s'en prirent au défilé.

Le département des Postes et Télécommunications se mit à refuser aux journaux qui publiaient des articles pacifistes les avantages postaux habituellement concédés à la presse. *The Masses*, une revue socialiste consacrée à la politique, à la littérature et aux arts ne fut plus acheminée par la poste. À l'été 1917, elle avait publié un éditorial signé Max Eastman, qui demandait entre autres choses : « Pour quelles raisons particulières nous embarquez-vous nous et nos fils pour l'Europe ? Pour ma part, je ne reconnais pas au gouvernement le droit de m'enrôler dans une guerre à laquelle je ne crois pas. »

À Los Angeles, on pouvait voir un film sur la Révolution américaine qui évoquait les atrocités commises par les Britanniques à l'égard des colons. Le film s'intitulait *L'Esprit de 76*. Le réalisateur fut poursuivi au nom de la loi sur l'espionnage au motif que son film, selon le juge, mettait « en cause la bonne foi de notre alliée, la Grande-Bretagne ». Il fut condamné à dix ans d'emprisonnement.

Dans une petite ville du Dakota du Sud, Fred Fairchild, fermier et socialiste, fut accusé d'avoir déclaré au cours d'une discussion sur la guerre : « Si j'avais l'âge d'être enrôlé et que je n'avais pas de famille, je refuserais de servir. Ils pourraient me tuer mais ils ne m'obligeraient pas à me battre. » Il fut jugé pour atteinte à la loi sur l'espionnage et condamné à un an et un jour d'emprisonnement au pénitencier de Leavenworth. Ce scénario se répéta près de deux mille fois (nombre total des condamnations pour atteinte à la loi sur l'espionnage).

Près de soixante-cinq mille personnes se déclarèrent objecteurs de conscience et demandèrent à effectuer un service civil. Dans les bases où ils furent affectés, ils se virent souvent traités avec une brutalité proche du sadisme. Quant à ceux qui furent envoyés au pénitencier de Fort Riley (Kansas) pour avoir absolument refusé de servir, ils étaient entraînés l'un après l'autre dans un couloir de la prison. Là, « une corde de chanvre attachée à un barreau de la plus haute coursive leur était passée autour du cou et on les soulevait jusqu'à ce qu'ils fussent sur le point de s'évanouir. Pendant ce temps, les gardiens les frappaient aux chevilles et aux tibias. Après les avoir redescendus, on leur passait la corde sous les bras et on les resoulevait aussitôt. Ensuite, on les aspergeait à la lance à incendie jusqu'à ce qu'ils s'évanouissent tout à fait. »

Les écoles et les universités décourageaient toute opposition à la guerre. À la Columbia University, J. McKeen Cattell, un psychologue qui avait toujours critiqué le contrôle exercé par le conseil d'université et qui s'opposait à la guerre, fut licencié. Une semaine plus tard, en signe de protestation, le célèbre historien Charles Beard démissionnait de la Columbia University, accusant le conseil de l'établissement d'être « réactionnaire et étroit d'esprit en matière politique et borné et moyenâgeux en matière de religion ».

Au Congrès, rares étaient les voix qui s'élevaient contre la guerre. La première femme élue à la Chambre des représentants, Jeannette Rankin, ne répondit pas à l'appel de son nom lors du vote pour ratifier la déclaration de guerre. L'un des plus anciens politiciens de la Chambre, belliciste acharné, se dirigea vers elle pour lui souffler à l'oreille : « Ma petite dame, vous ne pouvez pas vous permettre de ne pas voter. Vous représentez les femmes de ce pays. » Au tour suivant, elle se leva à l'appel de son nom et déclara : « Je suis avec mon pays mais je ne voterai pas pour la guerre. Je vote "non". » Une chanson populaire de l'époque s'intitulait *Je n'ai pas élevé mon fils pour en faire un soldat*. Mais les chansons que l'on entendait le plus souvent s'intitulaient *Là-bas, Notre Bon Vieux Drapeau* ou *Johnny s'en va-t-en guerre*.

En juillet 1917, au cours d'un rassemblement qui se tenait dans le Dakota du Nord, la socialiste Kate Richards O'Hare s'étonnait que l'on considérât apparemment « les femmes américaines ni plus ni moins comme des pondeuses vouées à élever des enfants qui [seraient] plus tard envoyés à l'armée et transformés en engrais ». Elle fut arrêtée, jugée et condamnée à cinq ans d'emprisonnement au pénitencier de l'État du Missouri. Elle continua pourtant à se battre en prison. Lorsqu'elle protesta, avec ses camarades emprisonnées, contre le manque d'air dû à la fermeture permanente des fenêtres, elle fut traînée dans le couloir et rouée de coups par les gardiens. Au moment où elle était expulsée de sa cellule, elle jeta le livre de poèmes qu'elle tenait à la main sur la fenêtre, qui se brisa, laissant enfin pénétrer l'air frais du dehors. Ses camarades de cellule lui firent une ovation.

Emma Goldman et son compagnon anarchiste Alexander Berkman (qui avait déjà été emprisonné pendant quatorze ans en Pennsylvanie) furent également condamnés pour s'être opposés à la conscription. Emma déclara au jury : « Étant donné le manque de démocratie [aux États-Unis], comment pouvons-nous prétendre l'apporter au reste du monde ? [...] Une démocratie conçue dans l'asservissement militaire des masses, dans leur esclavage économique et qui se nourrit de larmes et de sang n'est pas une démocratie. C'est du despotisme. Le fruit d'une série d'abus que le peuple, selon ce dangereux document qu'est la Déclaration d'indépendance, est en droit d'abolir. »

Le journal de l'IWW, l'*Industrial Worker*, annonçait juste avant la déclaration de guerre : « Capitalistes des États-Unis, nous nous battrons contre vous et certes pas pour vous ! Conscription ! Il n'est pas une force au monde qui puisse contraindre la classe ouvrière à se battre si elle ne le veut pas. » Dans son histoire de l'IWW, Philip Foner affirme que cette organisation n'était pas aussi engagée dans son opposition à la guerre que les socialistes. Fataliste, l'IWW considérait en effet la guerre comme inévitable. Les Wobblies pensaient en outre que seule une victoire dans le cadre de la lutte des classes, seuls des changements révolutionnaires pourraient y mettre fin.

Néanmoins, la guerre offrit au gouvernement l'occasion de se débarrasser de l'IWW. Au début du mois de septembre 1917, des agents du département à la Justice intervinrent dans quarante-huit réunions organisées par l'IWW, emportant la correspondance et les publications qui allaient servir, plus tard, de pièces à conviction lors des procès. Courant septembre, cent soixante-cinq responsables de l'IWW furent arrêtés pour conspiration visant à empêcher l'incorporation, incitation à la désertion et pratiques d'intimidation dans les conflits sociaux. On jugea cent un membres de l'IWW en avril 1918. Il s'agissait alors du plus long procès de toute l'histoire des États-Unis (cinq mois). John Reed, l'écrivain socialiste, qui revenait juste de son expédition en Russie pendant la Révolution bolchevique (*Dix Jours qui ébranlèrent le monde*), couvrit le procès pour le magazine *The Masses* et décrivit les accusés en ces termes :

« Je doute qu'on ait jamais rien vu de tel dans toute l'histoire. La réunion de cent un bûcherons, ouvriers agricoles, mineurs, journalistes [...], qui pensent que les richesses de la terre appartiennent à celui qui les crée [...], autrement dit aux carriers, aux abatteurs d'arbres, aux dockers, à tous ces gars qui font le dur boulot. »

Les membres de l'IWW utilisèrent ce procès comme une tribune pour exposer leurs actions et leurs idées. Parmi les soixante et un Wobblies qui prirent la parole, on retrouvait Big Bill Haywood, qui témoigna durant trois jours. Un autre déclara à la cour : « Vous voulez savoir pourquoi l'IWW n'a pas de sentiments patriotiques vis-à-vis des États-Unis ? Quand vous êtes un clochard sans même une couverture ; quand vous avez dû quitter femme et enfants pour aller chercher du travail dans l'Ouest et que vous ne savez plus depuis où ils se trouvent ; quand vous n'avez jamais pu conserver un travail assez longtemps pour obtenir le droit de vote ; quand vous êtes obligé de dormir dans un dortoir crasseux et sombre et que vous devez vous satisfaire de la nourriture pourrie qu'on peut vous y donner ; quand les policiers trouent vos gamelles en tirant dessus et renversent votre brouet par terre ; quand votre salaire est amputé chaque fois que le patron estime qu'il doit le faire ; quand il y a une loi pour les riches et une autre pour les pauvres ; quand tous ceux qui représentent la loi, l'ordre et la nation vous oppriment en permanence et vous envoient en prison sous les applaudissements et les encouragements de tous les bons chrétiens ; comment pouvez-vous espérer que l'on soit patriote ? Cette guerre est une affaire de gros sous et nous ne voyons pas pourquoi nous devrions y aller et nous faire tuer pour défendre la merveilleuse situation dont nous jouissons de nos jours. »

Ils furent tous déclarés coupables. Le juge condamna Haywood à quatorze ans de prison, d'autres à vingt ans. Trente-trois accusés en prirent pour dix ans et il y eut également quelques peines moins lourdes. Le total des amendes s'élevait à 2,5 millions de dollars. L'IWW fut anéantie. Haywood paya la caution et partit pour la Russie révolutionnaire où il mourut dix ans plus tard.

La guerre prit fin en novembre 1918. Cinquante mille soldats américains y avaient perdu la vie. Il ne fallut pas attendre longtemps pour que s'installent, même chez les plus patriotes, la désillusion et l'amertume. La littérature publiée au cours de la décennie suivante reflète bien souvent cet état d'esprit. Dans son roman *L'An premier du siècle*, John Dos Passos évoque la mort de John Doe[1] :

---

1. « Monsieur Tout-le-Monde ». En l'occurrence, il s'agit du corps d'un soldat non identifié choisi pour « incarner » le Soldat inconnu.

À la morgue de campagne de Châlons-sur-Marne, dans les
relents de chlorure de chaux et de mort, ils choisirent la boîte
en pin contenant tout ce qui restait de [...] John Doe.
Des fragments de viscères et de peau desséchées collés au
tissus kaki. [...] Ils l'emportèrent à Châlons-sur-Marne et le
déposèrent proprement dans un cercueil en pin et le
ramenèrent sur un navire de guerre au Pays bien-aimé de
Dieu et il fut enterré dans un sarcophage au Memorial
Amphitheatre du cimetière national d'Arlington et la bannière
étoilée le recouvrait et le clairon y alla de sa petite musique et
monsieur Harding pria Dieu ; et les diplomates, les généraux,
les amiraux, les gros bonnets, les politiciens et les belles dames
tout droit sorties des rubriques mondaines du *Washington Post*
se dressèrent solennellement et pensèrent combien il était
beau et triste de regarder la bannière étoilée du Pays de Dieu
pendant que le clairon sonnait et qu'éclataient à leurs oreilles
les trois salves.
Là où aurait dû se trouver sa poitrine ils épinglèrent la
Médaille du Congrès...

Ernest Hemingway écrivit son *Adieu aux armes.* Quelques années
plus tard, un étudiant nommé Irwin Shaw écrivit une pièce intitulée *Bury the Dead*, et un scénariste hollywoodien, Dalton Trumbo,
Johnny s'en va-t-en guerre, roman pacifiste aussi émouvant qu'éprouvant autour d'un corps affreusement mutilé dont seul le cerveau
est sorti indemne du champ de bataille. Quant à Ford Madox
Ford, il écrivit *No More Parades.*

Après la guerre, et malgré les emprisonnements, les tentatives
d'intimidation et les efforts fournis pour construire l'unité nationale pendant le conflit, les hommes en place continuèrent d'avoir
peur du socialisme. Il semble qu'il devint à nouveau nécessaire
d'user de la double tactique classique de maintien de l'ordre face
au défi révolutionnaire : la réforme et la répression.

La réforme était préconisée par George L. Record, un ami du
président Wilson, qui lui écrivait au début de 1919 qu'il fallait agir
pour plus de démocratie économique afin de « contrer la menace
socialiste ». Record conseillait à Wilson de « devenir le véritable leader des forces radicales américaines et de proposer au pays un programme constructif de réformes fondamentales, véritable alternative
au programme présenté par les socialistes et les bolcheviques ».

Cet été-là, le conseiller de Wilson, Joseph Tumulty, lui rappelait
combien le conflit entre démocrates et républicains avait peu d'importance en regard de ce qui menaçait les deux partis : « Ce qui
s'est produit à Washington hier soir lors de la tentative d'assassinat

contre le ministre de la Justice n'est qu'un symptôme de la terrible agitation qui secoue tout le pays. [...] En tant que démocrate, je serais désolé de voir le parti républicain reprendre le pouvoir. Mais ce n'est pas tant cela qui nous inquiète que de voir à quel point grandit, de jour en jour et sous nos yeux, un mouvement qui, à moins d'être réprimé, s'exprimera nécessairement par des attaques contre tout ce que nous chérissons le plus. En cette période d'agitation industrielle et sociale, les deux partis connaissent un total discrédit auprès du citoyen moyen. »

Ce qui s'était « produit à Washington » la veille, c'était l'explosion d'une bombe devant le domicile du ministre de la Justice de Wilson, A. Mitchell Palmer. Six mois plus tard, Palmer opérait la première de ses rafles massives chez les étrangers – c'est-à-dire chez les immigrants qui n'étaient pas citoyens. Une loi avait été votée par le Congrès peu avant la fin de la guerre. Elle préconisait la déportation des étrangers qui s'opposaient aux décisions du gouvernement ou qui prônaient la disparition de la propriété privée. Le 21 décembre 1919, les hommes de Palmer arrêtèrent deux cent quarante-neuf étrangers d'origine russe (parmi lesquels Emma Goldman et Alexander Berkman), les embarquèrent sur un navire et les expulsèrent vers ce qui était désormais la Russie soviétique. La Constitution n'autorisait pas le Congrès à expulser des étrangers mais la Cour suprême avait décrété en 1892, en confirmant l'expulsion par le Congrès de ressortissants chinois, que pour des raisons de sécurité intérieure le gouvernement avait le droit – naturel en quelque sorte – de le faire.

En janvier 1920, quatre mille personnes furent arrêtées sur l'ensemble du territoire américain, emprisonnées pendant une longue période, gardées au secret et, pour finir, déportées. À Boston, les agents du département à la Justice, avec l'aide de la police locale, arrêtèrent six cents personnes au cours de réunions publiques ou à leurs domiciles, au petit matin. Un juge fédéral relativement mal à l'aise décrit ainsi le processus : « Des peines furent appliquées afin de donner une visibilité spectaculaire à l'opération et pour faire penser qu'il existait réellement un danger grave et imminent. [...] Les étrangers arrêtés étaient le plus souvent des travailleurs parfaitement calmes et inoffensifs, d'anciens paysans russes miséreux pour la plupart. Ils furent menottés deux par deux puis enchaînés et traînés à travers les rues de la ville pour rejoindre le train qui devait les déporter. »

Au printemps 1920, un ouvrier imprimeur anarchiste nommé Andrea Salsedo était arrêté à New York par les agents du FBI et retenu pendant six semaines dans les bureaux de cet organisme, au quatorzième étage du Park Row Building. Toute communication avec sa famille, ses amis ou des avocats lui fut interdite. Un jour, on retrouva son corps écrasé sur le trottoir au pied de l'immeuble. Selon le bureau fédéral, Salsedo s'était jeté par la fenêtre.

Après sa mort, deux de ses amis anarchistes qui travaillaient à la périphérie de Boston décidèrent de **porter** une arme. Arrêtés dans un tramway de Brockton (Massachusetts), ils furent accusés d'être les auteurs d'un hold-up et d'un meurtre commis deux semaines plus tôt dans une usine de chaussures. Ces deux hommes étaient Nicola Sacco et Bartolomeo Vanzetti. Ils furent jugés et reconnus coupables. Ils passèrent sept années en prison pendant lesquelles leur cas souleva l'indignation internationale. Les comptes rendus du procès et les circonstances dans lesquelles il eut lieu laissaient supposer que Sacco et Vanzetti avaient été condamnés à mort parce qu'étrangers et anarchistes. En août 1927, pendant que la police dispersait les manifestants à grands coups de matraque et procédait à des arrestations, Sacco et Vanzetti passaient sur la chaise électrique dans une prison sous haute protection militaire.

Le dernier message de Sacco à son fils Dante s'adressait également, dans un anglais laborieux, à des millions d'autres personnes pour les années à venir : « Fils, au lieu de pleurer, sois fort pour être capable de consoler ta mère. Emmène-la faire une grande promenade dans la campagne pour ramasser des fleurs sauvages. [...] Mais souviens-toi toujours, Dante, dans le jeu du bonheur il ne faut pas garder tout pour soi. [...] Aide les persécutés et les victimes parce que ce sont tes meilleurs amis. [...] Dans cette lutte qu'est la vie, plus tu aimeras plus tu seras aimé. »

On avait fait des réformes. On avait invoqué la ferveur patriotique et guerrière. Les tribunaux et les prisons avaient servi à convaincre les gens que certains idéaux et certains modes de résistance ne sauraient être tolérés. Et pourtant, du fond même des cellules des condamnés, le message continuait de passer : la guerre de classes se poursuivait dans cette prétendue société sans classes qu'étaient les États-Unis. Et en effet, tout au long des années 1920 et 1930, la guerre de classes continua.

Chapitre IV
De l'entraide par gros temps

FÉVRIER 1919. La guerre vient juste de prendre fin. La direction de l'IWW est en prison mais l'idée de grève générale qu'elle a long-temps soutenue devient réalité à Seattle (État de Washington), où le débrayage de cent mille ouvriers paralyse la ville pendant cinq jours.

La grève commença avec les trente-cinq mille ouvriers des chantiers navals qui exigeaient une augmentation de salaire. Ils demandèrent le soutien du Central Labor Council de Seattle, qui proposa de lancer un mouvement à l'échelle de la ville. Deux semaines plus tard, cent dix syndicats locaux – la plupart membres de l'AFL, une poignée d'autres affiliés à l'IWW – avaient voté la grève. Chaque syndicat était représenté au comité de grève générale par trois membres élus par sa base. Le 6 février 1919, à dix heures du matin, la grève débutait.

L'unité n'avait pas été facile à obtenir : les syndicats locaux de l'IWW ne s'entendaient guère avec ceux de l'AFL, et les travailleurs japonais, admis au comité de grève générale, restaient cantonnés dans un rôle d'observateurs. Quoi qu'il en soit, soixante mille travailleurs syndiqués cessèrent le travail et quarante mille autres en firent autant en signe de soutien.

Il existait d'ailleurs à Seattle une forte tradition radicale. Pendant la guerre, le président de l'AFL locale, un socialiste, avait été emprisonné – et torturé – pour obstruction à la conscription. À cette occasion, on avait organisé de grandes manifestations ouvrières.

En février 1919, toutes les activités cessèrent, excepté celles que les grévistes mirent sur pied pour subvenir aux besoins de première nécessité. Les pompiers acceptèrent de rester à leurs postes. Les blanchisseurs ne travaillaient plus que pour l'hôpital. Les véhicules autorisés à se déplacer portaient l'inscription : « Exempté par le comité de grève ». Trente-cinq postes de distribution pour le lait furent installés dans les quartiers et trente mille repas étaient préparés quotidiennement dans d'immenses cuisines, transportés dans les cantines collectives éparpillées dans toute la ville et servis pour 25 cents aux grévistes et pour 35 cents aux autres. La viande, les pâtes, le pain et le café étaient servis sans compter.

Une milice ouvrière constituée de vétérans de la récente guerre fut chargée d'assurer le maintien de l'ordre. Dans l'un des quartiers généraux de cette milice, on pouvait lire sur un tableau que son « but [était] de maintenir la loi et l'ordre sans avoir recours à la force ». Et encore : « Aucun volontaire ne jouira de prérogatives policières ni ne sera autorisé à porter d'armes d'aucune sorte. On usera exclusivement de persuasion. » Pendant la grève, la criminalité diminua. Le commandant du détachement militaire envoyé dans la région confia aux grévistes qu'en quarante ans d'expérience militaire il n'avait jamais vu une ville aussi calme et aussi bien gérée. L'*Union Record* de Seattle (un quotidien édité par les travailleurs) publia un poème signé Anise :

> *Ce qui les effraie le plus*
> *c'est que RIEN NE SE PASSE!*
> *Ils s'attendent*
> *à des ÉMEUTES,*
> *possèdent des mitrailleuses*
> *et des soldats,*
> *mais ce SILENCE SOURIANT*
> *les inquiète.*
> *Les hommes d'affaires*
> *ne comprennent pas*
> *ce type d'arme.*
> *[…]*
> *Mon Frère, c'est ton SOURIRE*
> *qui ÉBRANLE*
> *leur confiance dans les armes!*
> *C'est la benne à ordures*
> *qui parcourt les rues*
> *marquée*
> *"EXEMPTÉ par le COMITÉ".*
> *Ce sont les distributions de lait*
> *qui s'améliorent chaque jour,*
> *et les trois cents*
> *ouvriers vétérans de la GUERRE*

> *maîtrisant les foules*
> *sans FUSILS.*
> *Car toutes ces choses parlent*
> *d'un NOUVEL ORDRE possible*
> *et d'un NOUVEAU MONDE*
> *dans lequel ils se sentent*
> *ÉTRANGERS.*

Le maire de la ville fit prêter serment à deux mille quatre cents adjoints extraordinaires, pour la plupart des étudiants de l'université de Washington. Le gouvernement américain dépêcha près d'un millier de soldats à Seattle. Selon le comité de grève lui-même, la grève générale cessa au bout de cinq jours sous la pression des représentants fédéraux des syndicats et à cause des difficultés engendrées par la totale paralysie de la ville.

La grève s'était déroulée pacifiquement. Elle fut cependant suivie de perquisitions et d'arrestations dans les locaux du parti socialiste et dans ceux d'une imprimerie. Trente-neuf membres de l'IWW furent jetés en prison en tant que « principaux propagateurs de l'anarchie ».

À Centralia (Washington), où les Wobblies avaient mobilisé les travailleurs des scieries, les propriétaires projetaient de se débarrasser de l'IWW. Le 11 novembre 1919, jour de l'Armistice, l'American Legion défila à travers les rues avec des tubes de caoutchouc et des tuyaux de plomb. Les Wobblies s'attendaient à être pris à parti. Quand la Legion passa devant les locaux de l'IWW, des coups de feu éclatèrent — on ne sait toujours pas qui tira le premier. Les locaux furent saccagés ; il y eut de nouveaux coups de feu qui firent trois morts du côté de la Legion.

Dans les locaux se trouvait un membre de l'IWW, un bûcheron nommé Wesley Everett, qui avait été soldat en France à l'époque du procès des responsables nationaux de l'IWW pour obstruction à l'effort de guerre. Everett portait encore l'uniforme et brandissait une arme qu'il vida sur la foule. Puis il s'enfuit vers les bois environnants. Il voulut traverser la rivière mais, devant la force du courant, il se retourna, tira sur le premier de ses poursuivants, puis jeta son arme dans l'eau. Enfin, il affronta ses adversaires à mains nues. Il fut ramené en ville et conduit en prison. Cette nuit-là, des individus forcèrent les portes de la prison et entraînèrent Everett dans une voiture. On retrouva son corps émasculé et criblé de balles pendu sous un pont.

Personne ne fut jamais arrêté pour le meurtre de Wesley Everett, mais onze membres de l'IWW furent jugés pour celui d'un responsable de la Legion et six d'entre eux condamnés à des peines allant de dix à seize ans d'emprisonnement.

Comment peut-on expliquer la violence de cette réaction à la grève générale et aux activités de l'IWW ? Certains propos du maire de Seattle font penser que l'*establishment* craignait moins la grève elle-même que ce qu'elle symbolisait. Selon lui, « la grève générale prétendument débonnaire de Seattle était une tentative de révolution ». Il ajoutait : « Qu'il n'y ait pas eu de violences n'y change rien. [...] L'objectif, tant avoué que confidentiel, était bien de renverser le système industriel, ici pour commencer et partout ailleurs ensuite. Certes, il n'y eut pas de coups de feu, de bombes ou d'assassinats. Mais la révolution, je le répète, n'est pas nécessairement violente. La grève générale telle qu'elle s'est pratiquée à Seattle est en elle-même une arme révolutionnaire ; et d'autant plus dangereuse qu'elle est non violente. Pour parvenir à ses fins, elle doit faire cesser toute activité. Arrêter totalement le mouvement vital de la communauté. [...] C'est-à-dire mettre le gouvernement hors jeu. C'est le seul objectif de la révolte, et peu importe le moyen. »

La grève générale de Seattle s'était déroulée pendant cette période d'après-guerre marquée, partout dans le monde, par une montée de la révolte. Dans le journal *The Nation*, on pouvait lire ce qui suit : « Le phénomène le plus extraordinaire de notre époque [...], c'est cette révolte sans précédent des masses. [...] En Russie, elle a détrôné le tsar. [...] En Corée, en Inde, en Égypte et en Irlande, elle oppose une résistance acharnée à la tyrannie politique. En Angleterre, elle a permis la grève des chemins de fer contre l'avis même des responsables syndicaux. À Seattle et à San Francisco, elle est à l'origine du récent refus des dockers de participer à la livraison d'armes et de nourriture destinées à favoriser le renversement des autorités soviétiques. Dans un district de l'Illinois, cette révolte s'est manifestée dans la résolution, votée à l'unanimité par les mineurs en grève, conseillant au dirigeant syndical de l'État d'"aller au diable". À Pittsburgh, selon M. Gompers, les responsables pourtant réticents de l'AFL ont été contraints de soutenir la grève des sidérurgistes menée par les membres de l'IWW et autres "radicaux". À New York, l'esprit de révolte a entraîné la grève des débardeurs et nourri la méfiance de la base à l'égard des responsables syndicaux. Dans la même ville, les dirigeants syndicaux nationaux – qui travaillent pourtant main dans la main avec les patrons – ont été totalement incapables d'empêcher le soulèvement des travailleurs de l'imprimerie. "L'homme de la base" [...], après avoir perdu toute confiance dans les vieilles directions syndicales, a fait preuve d'une autonomie nouvelle, ou du moins d'une nouvelle témérité, d'un désir nouveau de prendre ses affaires en main. [...] L'autorité ne peut plus désormais venir d'en haut. Elle naît automatiquement de la base. »

En 1919, dans les aciéries de l'ouest de la Pennsylvanie, douze heures par jour et six jours par semaine, dans une chaleur insoutenable, le travail des hommes était éreintant. Cent mille sidérurgistes étaient membres d'une vingtaine de syndicats de métiers différents affiliés à l'American Federation of Labor. Selon le comité national qui tenta, à l'été 1919, de les réunir dans une seule organisation, « les hommes ont fait savoir que si [l'AFL] ne faisait pas quelque chose pour eux ils s'occuperaient de cette affaire eux-mêmes ».

Le conseil national de l'AFL, quant à lui, recevait de nombreux télégrammes comme celui que lui adressa le conseil des ouvriers sidérurgistes de Johnstown : « Si le comité national n'autorise pas la tenue d'un vote cette semaine pour décider de la grève générale, nous serons obligés d'appeler à la grève nous-mêmes. » William Z. Foster (futur dirigeant communiste, alors trésorier du comité national responsable de la mobilisation des travailleurs) reçut également un télégramme adressé par les responsables syndicaux du district de Johnstown : « On ne peut plus attendre de nous que nous rencontrions ces travailleurs enragés qui nous traiteront de traîtres si la grève est repoussée. »

Le président des États-Unis, Woodrow Wilson, et le président de l'AFL, Samuel Gompers, faisaient pourtant tous deux pression pour que cette grève soit ajournée. Mais, en septembre 1919, cent mille ouvriers syndiqués se mirent en grève, bientôt rejoints par deux cent cinquante mille de leurs camarades.

Le shérif du comté d'Allegheny fit assermenter cinq mille ouvriers de la US Steel qui ne faisaient pas grève et déclara que les rassemblements en plein air étaient désormais interdits. À la même époque, le Mouvement œcuménique mondial fit paraître un rapport dans lequel on pouvait lire : « À Monessen, la politique des forces de police de l'État se limitait à matraquer les hommes et à les reconduire chez eux. [...] À Braddock [...], lorsqu'un gréviste était matraqué dans la rue, il était ensuite traîné en prison où il restait toute la nuit. [...] On a ordonné que nombre d'individus arrêtés à Newcastle [...] ne fussent pas libérés avant la fin de la grève. »

Le département à la Justice se mit de la partie en menant des opérations contre les étrangers que l'on déportait ensuite. À Gary (Indiana), les troupes fédérales entrèrent également dans la danse.

Certains facteurs ne jouaient pas en faveur des grévistes. La plupart d'entre eux étaient des immigrants de fraîche date et de nationalités et de langues différentes. La Sherman Service Inc., engagée par les entreprises sidérurgiques pour briser la grève, donnait à ses agents des instructions de ce genre : « Nous voulons que vous fomentiez autant de dissensions que possible entre les Serbes et les Italiens. Répandez chez les Serbes la rumeur que les Italiens reprennent le travail. [...] Pressez-les de reprendre leurs postes avant que les Italiens ne leur prennent leur boulot. » Trente mille Noirs furent importés dans le district pour briser la grève. Ces ouvriers noirs, exclus des syndicats affiliés à l'AFL, ne se sentaient pas solidaires des syndicalistes.

À mesure que la grève s'éternisait, un sentiment de défaite se répandit : les ouvriers commencèrent à reprendre le travail. Après dix semaines, il ne restait plus que onze mille grévistes. Le comité national de l'AFL décréta la fin de la grève.

Au cours de l'année qui suivit la fin de la guerre, cent vingt mille ouvriers du textile s'étaient également mis en grève en Nouvelle-Angleterre et dans le New Jersey, ainsi que trente mille travailleurs de la soie à Paterson (New Jersey). À Boston, la police fit grève, comme le firent à New York les cigarières, les chemisières, les charpentiers, les boulangers, les camionneurs et les barbiers. La presse affirmait qu'à Chicago « il y [avait] eu plus de grèves et d'arrêts de travail en un seul été qu'il n'y en avait eu jusqu'alors ». Cinq mille employés de l'International Harvester et cinq mille employés municipaux étaient dans les rues.

Au début des années 1920, la situation sembla finalement maîtrisée. L'IWW avait été balayée et le parti socialiste se désintégrait. Les grèves avaient été réprimées par la force et l'économie fonctionnait suffisamment bien aux yeux de suffisamment de gens pour prévenir toute tentative de rébellion.

Ce fut également pendant cette période que le Congrès mit fin au dangereux flot d'immigrants fauteurs de troubles (quatorze millions entre 1900 et 1920) en votant des lois instaurant des quotas. Ces quotas favorisaient à l'évidence l'immigration anglo-saxonne, arrêtaient net l'arrivée des Africains et des Asiatiques et limitaient de manière drastique l'immigration des Latins, des Juifs et des Slaves. Aucun pays africain ne pouvait envoyer plus de cent ressortissants. Même quota pour la Chine, la Bulgarie et la Palestine. On reçut trente-quatre mille sept Anglais et Nord-Irlandais pour trois mille huit cent quarante-cinq Italiens seulement, cinquante et un mille deux cent vingt-sept Allemands pour seulement cent vingt-quatre Lituaniens, et vingt-huit mille cinq cent soixante-sept Irlandais pour deux mille deux cent quarante-huit Russes.

Le Ku Klux Klan reprit de la vigueur dans les années 1920 et s'étendit même dans le Nord. En 1924, il comptait quatre millions et demi de membres. La National Association for the Advancement of Colored People (NAACP) semblait parfaitement désemparée devant la violence aveugle des foules et la haine raciale généralisée. L'impossibilité pour l'individu noir d'être un jour considéré comme un égal dans l'Amérique blanche était au centre de la réflexion du mouvement nationaliste dirigé dans les années 1920 par Marcus Garvey[1]. Ce dernier faisait appel à la fierté d'être noir et prônait un séparatisme radical et le retour en Afrique, seules solutions en mesure de garantir l'unité et la survie de la communauté noire. Mais, aussi intéressant que le mouvement de Garvey ait pu paraître à certains Noirs, il ne parvint jamais à ouvrir la moindre faille dans l'écrasante suprématie blanche de cette décennie d'après guerre.

L'image traditionnelle des années 1920 comme période de prospérité et de légèreté n'est pas complètement fausse (l'ère du jazz, les « *roaring twenties* », etc.). Le nombre de chômeurs avait diminué, passant de quatre millions deux cent soixante-dix mille en 1921 à environ deux millions en 1927. Le niveau moyen des salaires des travailleurs avait augmenté. Certains agriculteurs gagnaient pas mal d'argent. Les familles ayant un revenu annuel de plus de 2 000 dollars (40 % de l'ensemble) pouvaient se permettre l'achat de gadgets modernes, autos, radios, réfrigérateurs, etc. Des millions de gens ne s'en sortaient pas si mal et pouvaient sans souci rejeter les autres hors du cadre – les petits fermiers blancs et noirs et les familles immigrées des grandes villes, sans travail ou trop pauvres pour subvenir aux besoins de première nécessité.

La prospérité restait cependant concentrée au sommet de la pyramide. Entre 1922 et 1929, tandis que les salaires moyens dans l'industrie augmentaient de 1,4 % par an, le revenu annuel des actionnaires progressait de 16,4 %. Six millions de familles (42 % du total) gagnaient moins de 1 000 dollars par an. Selon un rapport de la Brookings Institution, les 0,1 % des familles qui occupaient le sommet de la pyramide gagnaient autant que les 42 % les plus pauvres. Pendant les années 1920, quelque vingt-cinq mille travailleurs trouvaient chaque année la mort sur leurs lieux de travail et cent mille autres restaient handicapés à vie. À New York, deux millions de personnes vivaient dans des logements considérés comme de véritables pièges en cas d'incendie.

Le pays comptait de nombreuses petites villes industrielles comme Muncie (Indiana) où, selon Robert et Helen Lynd (*Middletown*), la structure de classes pouvait se lire dans la variation des horaires

---

1. L'UNIA (Universal Negro Improvement Association).

de réveil. Dans deux tiers des familles, « le père se lève dans la nuit de l'hiver, mange dans la cuisine à la va-vite dans la grisaille de l'aube et rejoint son poste une heure ou deux avant que ses enfants ne partent pour l'école ».

Il y avait néanmoins assez de gens vivant confortablement pour faire passer les autres à l'arrière-plan. L'historien Merle Curti a observé que dans les années 1920 « seuls les 10 % les plus riches avaient pu constater une augmentation significative de leurs revenus réels. Mais les protestations légitimes que de tels chiffres avaient soulevées ne parvenaient pas à se faire entendre sur une grande échelle. Cela était dû à la fois à la stratégie d'envergure mise en place par les deux plus importantes formations politiques et au fait que la plupart des moyens d'information de l'opinion publique étaient désormais contrôlés par des grands groupes de presse ».

Quelques écrivains tentèrent bien de briser le silence, tels Theodore Dreiser, Sinclair Lewis et Lewis Mumford. Dans un article intitulé « Echoes of the Jazz Age » Francis Scott Fitzgerald écrivit qu'il s'agissait « néanmoins d'une époque sombre. Les 10 % les plus riches de la population vivent avec la désinvolture d'un *grand duc* et l'insouciance d'une petite danseuse ». Il remarquait des signes troublants au milieu de toute cette prospérité : alcoolisme, malheur et violence. « À Long Island, un camarade s'est tué avec sa femme, un autre est tombé "accidentellement" d'un gratte-ciel de Philadelphie et un autre encore s'est jeté volontairement d'un gratte-ciel à New York. Un homme a été assassiné dans un bar clandestin de Chicago, et dans un bar clandestin de New York un autre a été battu à mort avant de ramper jusque chez lui, au Princeton Club, pour y mourir. Enfin, dans un asile où il était enfermé, un individu est tombé sous la hache d'un fou furieux. »

Dans son roman *Babbitt*, Sinclair Lewis rend compte de ce faux sentiment de prospérité, de ce plaisir superficiel offert par les nouveaux gadgets destinés à la classe moyenne : « Il s'agissait du meilleur réveil produit en série et distribué dans tout le pays. Avec les accessoires les plus modernes, comme le carillon type cathédrale, l'alarme intermittente et le cadran phosphorescent. Babbitt était fier d'être réveillé par un mécanisme aussi sophistiqué. Socialement, c'était aussi valable que d'acheter de coûteux pneus renforcés. Il se rendait compte à présent avec mauvaise humeur qu'il n'y avait plus d'échappatoire mais il restait là, allongé, et détestait la corvée de son boulot dans l'immobilier, et n'aimait pas non plus sa famille, et se détestait de ne pas les aimer. »

Après le vote du Dix-Neuvième Amendement et après de longues années de lutte, les femmes avaient finalement acquis le droit de vote en 1920. Le vote demeurait néanmoins une pratique des classes moyennes et aisées. Eleanor Flexner, retraçant l'histoire du mouvement, affirme que le vote féminin a surtout permis de constater que « les femmes ont montré la même tendance à s'en remettre aux deux partis orthodoxes que les électeurs hommes ».

Au cours des années 1920, rares furent les personnalités politiques à prendre la parole au nom des pauvres. Parmi ceux qui le firent pourtant, on trouve Fiorello La Guardia, membre du Congrès élu dans un district d'immigrés pauvres d'East-Harlem (assez bizarrement, il se présentait sous les deux bannières socialiste et républicaine). Au milieu des années 1920, les habitants de son secteur l'interpellèrent sur les prix élevés de la viande. Lorsque La Guardia demanda au secrétaire à l'Agriculture, William Jardine, de mener une enquête sur ces prix excessifs, Jardine lui adressa une brochure expliquant comment utiliser la viande de façon économique. La Guardia lui répondit en retour : « J'ai demandé votre aide et vous m'envoyez une brochure. Le peuple de New York ne peut pas nourrir ses enfants avec les publications du ministère. [...] Vos brochures ne sont d'aucune utilité pour les habitants de notre grande ville. Les ménagères de New York savent parfaitement, par la dure expérience qu'elles en ont, comment utiliser économiquement la viande. Ce que nous voulons, c'est l'aide de votre ministère contre les profiteurs qui empêchent les travailleurs new-yorkais de se nourrir convenablement. »

Pendant les présidences de Harding (1921-1923) et de Coolidge (1923-1929), le secrétaire au Trésor s'appelait Andrex Mellon – l'un des hommes les plus riches d'Amérique. En 1923, le Congrès étudia le « plan Mellon », qui se présentait comme une baisse générale des impôts sur le revenu. Il prévoyait en fait de réduire de 50 à 25 % l'imposition des plus hauts revenus et de 3 à 4 % celle des revenus les plus bas. Certains membres du Congrès représentant les zones ouvrières protestèrent contre ce projet. William P. Connery (Massachusetts) fut de ceux-là : « Je ne peux pas laisser penser à mes électeurs qui travaillent dans les usines de chaussures de Lynn, dans les manufactures de Lawrence et dans l'industrie du cuir de Peabody que, en cette période de prétendue prospérité républicaine, j'accepte ce projet. [...] Lorsque je vois dans ce "plan Mellon" une mesure destinée à économiser à monsieur Mellon lui-même quelque 800 000 dollars d'impôts sur le revenu et à son frère 600 000 dollars, je ne peux être d'accord. »

Le plan Mellon fut tout de même voté. En 1928, après avoir visité les quartiers les plus pauvres de New York, La Guardia déclara :

« J'avoue que je n'étais pas préparé à ce que j'ai vu de mes yeux. Je ne pensais pas possible qu'une telle misère existât réellement. »

Noyées dans le flot d'informations sur les si prospères années 1920, surgissaient pourtant de temps à autre des nouvelles révélant l'âpreté des conflits sociaux. En 1922, les mines de charbon et les chemins de fer se mirent en grève. Le sénateur Burton Wheeler (Montana), un progressiste élu avec les votes des travailleurs, se rendit sur le terrain des grèves et témoigna ensuite : « Toute la journée j'ai entendu des récits déchirants au sujet de femmes expulsées de leurs logements par les compagnies minières. J'ai pu également entendre les gémissements pitoyables des enfants privés de pain. Je suis resté muet en écoutant les plus incroyables récits au sujet d'hommes sauvagement battus par des milices privées. Cela fut une expérience choquante et nerveusement éprouvante. »

En 1922, une grève menée par les ouvriers italiens et portugais des industries textiles du Rhode Island échoua, mais la conscience de classe en fut avivée et certains grévistes rejoignirent les mouvements radicaux. Luigi Nardella se souvient : « Guido, l'aîné de mes frères, a lancé la grève. C'est lui qui a arrêté les métiers. Il allait d'atelier en atelier en criant : "C'est la grève! C'est la grève!" Lorsque la grève a débuté, il n'y avait aucun responsable syndical. Avec un groupe de filles, on est allé d'usine en usine. Le matin même, on en avait arrêté cinq. On criait aux filles à l'intérieur des ateliers : "Sortez! Sortez!" et puis on allait ailleurs. [...] Un membre de la Ligue des jeunes travailleurs m'a appelé pour me donner un chèque et m'inviter à une réunion. J'y suis allé et quelques années après j'étais au Club de la renaissance de Providence. Nous étions antifascistes. Je faisais des discours au coin des rues ; je grimpais sur une petite estrade et je m'adressais à pas mal de gens. C'est nous qui avons organisé le soutien à Sacco et Vanzetti. »

Après la guerre, tandis que le parti socialiste s'essoufflait, un parti communiste fut créé. Les communistes s'impliquèrent dans la mise sur pied de la Trade Union Education League (TUEL), qui essaya d'insuffler un esprit militant au sein de l'AFL. Lorsque Ben Gold, communiste et membre de la section des fourreurs affiliée à la TUEL, mit en cause la direction de l'AFL au cours d'un rassemblement, il fut rossé et reçut plusieurs coups de couteau. En 1926, avec d'autres communistes, il lança une grève des fourreurs. Ils organisèrent un piquet de grève et se battirent contre la police avant d'être arrêtés et roués de coups. Mais la grève continua jusqu'à ce qu'ils obtiennent la semaine de quarante heures et une augmentation de salaire.

Les communistes jouèrent à nouveau un rôle important dans la grève du textile qui toucha les deux Carolines et le Tennessee au printemps 1929. Les patrons du textile s'étaient délocalisés vers le Sud pour échapper à la pression des syndicats et pour trouver une main-d'œuvre plus conciliante parmi les Blancs pauvres. Ces derniers se soulevèrent pourtant contre les horaires écrasants et les salaires de misère. Ils refusaient en particulier le système dit d'« extension » – par exemple, un tisserand qui avait travaillé sur vingt-quatre métiers et gagné 18,91 dollars une semaine pouvait être augmenté à 23 dollars en étant alors « étendu » sur cent métiers à un rythme extravagant.

La première de ces grèves du textile éclata au Tennessee, où cinq cents ouvrières d'une usine cessèrent le travail pour protester contre les salaires de 9 à 10 dollars la semaine. Puis, à Gastonia (Caroline du Nord), les ouvriers adhérèrent à un nouveau syndicat, dirigé par les communistes, le National Textile Workers Union, qui admettait aussi bien les Noirs que les Blancs. Quand certains d'entre eux furent licenciés, la moitié des deux mille employés décidèrent de faire grève. Une atmosphère de racisme et d'anticommunisme commença alors à se répandre et la violence éclata. Les grèves du textile gagnèrent la Caroline du Sud.

Les unes après les autres, les grèves se conclurent, parfois même à l'avantage des grévistes. Sauf à Gastonia, où les ouvriers, installés dans un campement et refusant de se séparer des communistes qui étaient à leur tête, poursuivirent la grève. Mais des travailleurs furent appelés en renfort pour briser la grève et la production ne s'arrêta pas. Le désespoir s'accrut ; il y eut des heurts violents avec les forces de police. Une nuit particulièrement sombre, le chef de la police locale fut tué au cours d'un échange de coups de feu. Seize grévistes et sympathisants furent accusés du meurtre. Parmi eux, Fred Beal, un responsable du parti communiste. Sept accusés furent finalement jugés et condamnés à des peines allant de cinq à vingt ans de prison. On les relâcha sur caution avant de les expulser de l'État. Les communistes s'enfuirent en Russie soviétique. Malgré tous ces échecs, ces coups et ces meurtres, ce fut le début du syndicalisme dans l'industrie du textile du Sud.

Le krach boursier de 1929, qui marqua le début de la Grande Dépression aux États-Unis, fut directement provoqué par des spéculations sauvages qui manquèrent leur coup et entraînèrent toute l'économie avec elles. Comme l'affirme John Galbraith dans son analyse de l'événement (*The Great Crash*), derrière cette spéculation il y avait également le fait que, dans son ensemble,

« l'économie était déjà fondamentalement malade ». Galbraith dénonce la mauvaise santé des structures industrielles et bancaires, un commerce extérieur boiteux, de nombreuses erreurs d'analyse économique et la « mauvaise répartition du revenu ». Près d'un tiers du revenu global individuel était aux mains des 5 % les plus aisés de la population.

Une critique socialiste irait plus loin et affirmerait que le système capitaliste est par nature malsain : un système dont la motivation prépondérante est le profit industriel est inévitablement instable, imprévisible et sourd aux besoins essentiels de l'humanité. En conséquence : une dépression permanente pour une multitude de gens et des crises périodiques pour à peu près tout le monde. Le capitalisme, malgré les tentatives d'autorégulation et les mesures engagées pour en assurer une maîtrise plus efficace, restait, en 1929, un système malade et peu fiable.

Après le krach, l'économie était assommée, pratiquement paralysée. Plus de cinq mille banques fermèrent leurs portes et de très nombreuses activités, faute de pouvoir obtenir de l'argent, cessèrent également. Celles qui ne s'arrêtèrent pas licencièrent de nombreux employés et baissèrent régulièrement les salaires. La production industrielle chuta de 50 %. En 1933, près de quinze millions de travailleurs (c'est-à-dire entre un quart et un tiers de la force de travail totale) étaient au chômage. Ford, qui au printemps 1929 employait cent vingt-huit mille salariés, n'en comptait plus que trente-sept mille en août 1931. À la fin de 1930, près de la moitié des deux cent quatre-vingt mille ouvriers du textile de la Nouvelle-Angleterre se retrouvaient sans emploi. Dans sa très grande sagesse, l'ex-président Calvin Coolidge n'hésitait pas à reconnaître que, « lorsque de plus en plus de gens sont licenciés, le chômage augmente ». En 1931, il devait également constater que « le pays [n'était] pas en bonne santé ».

Assurément, les responsables de l'économie américaine ne comprenaient pas ce qu'il s'était passé. Ils étaient déroutés et, refusant de reconnaître leurs erreurs, trouvèrent d'autres raisons que le simple échec du système. Herbert Hoover [1] déclarait peu avant le krach que l'« Amérique [était] aujourd'hui plus près de remporter la victoire finale sur la pauvreté qu'aucun pays à travers l'histoire ». En mars 1931, Henry Ford prétendait que la crise était due au fait que « le citoyen moyen ne ferait jamais sa journée de travail si on ne l'attrapait pas pour l'obliger à la faire. Il y a plein de travail pour ceux qui veulent travailler ». Quelques semaines plus tard, il licenciait soixante-quinze mille ouvriers.

---

1. Président républicain de 1929 à 1933.

Il y avait des millions de tonnes de nourriture disponible mais on ne pouvait tirer profit ni de leur transport ni de leur vente. Il y avait des vêtements plein les entrepôts mais les gens ne pouvaient pas les acheter. De nombreux logements étaient disponibles mais restaient vacants, personne ne pouvant en payer les loyers. Les gens avaient été expulsés de chez eux et vivaient désormais dans des taudis (les fameuses « Hoovervilles ») qui s'étaient rapidement construits dans les décharges.

Un bref aperçu de ce qu'on pouvait lire dans les journaux suffit à rendre compte de la réalité de l'époque. Un reportage du *New York Times*, au début de 1932, est particulièrement évocateur : « Après avoir vainement tenté d'obtenir un report d'expulsion de son appartement du 46 Hancock Street, à Brooklyn, jusqu'au 15 janvier, Peter J. Cornell, un ancien couvreur de quarante-huit ans, au chômage et sans argent, est décédé, hier, dans les bras de sa femme. Un médecin attribue la cause de son décès à un arrêt cardiaque et la police ajoute que sa mort est également due en partie à la déception terrible qui a suivi une longue journée passée à tenter en vain d'empêcher que sa famille et lui ne soient jetés à la rue. […] Cornell devait 5 dollars d'arriérés de loyer et 39 autres dollars pour le loyer du mois de janvier payables en début de mois au propriétaire. Son défaut de paiement a été suivi d'un avis d'expulsion présenté hier à la famille et devant prendre effet à la fin de cette semaine. Après avoir en vain cherché partout assistance, il fut informé par le bureau d'aide au logement qu'il ne recevrait aucune aide financière avant le 15 janvier. »

Fin 1932, on trouve le récit suivant dans une dépêche en provenance du Wisconsin publiée dans *The Nation* : « Partout dans le Middle West, la tension monte entre les fermiers et les autorités […] au sujet des impôts et des ventes par saisie. Dans de nombreux cas, les expulsions n'ont pu être empêchées que par l'action collective des fermiers. Il n'y avait eu aucune réelle violence, du moins jusqu'à ce que la propriété de Cichon, près de Elkhorn (Wisconsin), ne soit assiégée le 6 décembre par les forces de l'ordre armées de mitrailleuses, de fusils, de pistolets et de bombes lacrymogènes. La propriété de Max Cichon avait été vendue après saisie au mois d'août dernier. Il refusait depuis de laisser pénétrer l'acheteur ou les autorités sur ses terres. Il accueillait les visiteurs indésirables avec un fusil. Le shérif l'avait sommé de se rendre pacifiquement, mais il refusa d'obtempérer. Le shérif ordonna alors à ses subordonnés d'organiser un barrage de mitrailleuses et de fusils. […] Cichon est aujourd'hui en prison à Elkhorn. Sa femme et ses deux enfants, qui se trouvaient avec lui dans la maison, ont été

recueillis à l'hospice du comté. Cichon n'est pas un fauteur de
troubles. Il jouit de la confiance de ses voisins, qui, récemment
encore, l'avaient élu juge de paix de Sugar Creek. Qu'un homme
de son statut et possédant de telles dispositions puisse en arriver à
de telles extrémités en défiant les autorités est un signal clair que
nous pouvons nous attendre à ce que de nouveaux troubles éclatent dans les régions agricoles, à moins qu'on ne vienne rapidement
en aide aux fermiers. »

Le locataire d'un logement sur la 133ᵉ Rue, dans East Harlem,
écrivait à Fiorello La Guardia, son représentant au Congrès : « Vous
connaissez la terrible situation dans laquelle je me trouve. Jusqu'ici,
je touchais une pension du gouvernement, mais ils ont arrêté de la
verser. Cela fait bientôt sept mois que je suis sans travail. J'espère
que vous essaieriez de faire quelque chose pour moi. [...] J'ai quatre
enfants qui manquent de vêtements et de nourriture. [...] Ma fille
qui a six ans est très malade et ne se remet pas. Je dois deux mois
de loyer et j'ai peur d'être expulsé. »

En Oklahoma, on vendait les fermes aux enchères. Les fermiers
les virent tomber en ruine avant que les tracteurs n'arrivent et ne
se mettent au travail. Dans *Les Raisins de la colère*, John Steinbeck
décrit tout cela : « Et les dépossédés, les vagabonds, affluèrent en
Californie, deux cent cinquante mille puis trois cent mille. Derrière eux, des tracteurs tout neufs investissaient la terre et les fermiers étaient expulsés de force. De nouvelles vagues se formaient,
de nouvelles vagues de dépossédés et de sans-abri, durs, résolus et
dangereux. [...] Et un homme affamé, sans toit, roulant sur la
route avec sa femme à ses côtés et ses enfants malingres sur le siège
arrière, pouvait contempler les champs en friche capables de produire de la nourriture mais pas de profits ; et cet homme savait que
c'est un péché de laisser un champ en friche et qu'une terre à
l'abandon est un crime contre les enfants malingres. [...] Au Sud,
il vit pendre aux branches des arbres les oranges dorées, les petites
oranges dorées sur les arbres vert sombre, et les gardes armés de
fusils patrouillant à la lisière pour empêcher qu'un homme ne
cueille une orange pour un enfant malingre ; des oranges qu'on
jetterait si leur prix était trop bas. »

Steinbeck avait raison, ces gens devenaient « dangereux ». L'esprit de révolte allait croissant. Dans un livre publié en 1933 (*Seeds
of Revolt*), Mauritz Hallgreen réunissait des articles de presse sur
les événements survenant un peu partout à travers le pays :

England, Arkansas, le 3 janvier 1931. L'interminable sécheresse qui
a ruiné des centaines de fermes de l'Arkansas l'été dernier a, hier
encore, produit des effets spectaculaires lorsque cinq cents

fermiers, pour la plupart des Blancs presque tous armés, ont marché sur le quartier commerçant de cette ville. [...] Réclamant à grands cris des vêtements et de la nourriture pour eux et leurs familles, les manifestants annoncèrent leur intention de les prendre dans les boutiques si on ne leur en fournissait pas gratuitement par un autre moyen.

Detroit, 9 juillet 1931. Hier soir, un début d'émeute ayant pour cible le bureau municipal du logement et regroupant cinq cents chômeurs environ a été réprimé par les renforts de la police à Cadillac Square.

Indiana Harbor, Indiana, 5 août 1931. Les locaux de la Fruit Growers Express Company ont été détruits par mille cinq cents chômeurs qui exigeaient qu'on leur donne du travail pour ne pas mourir de faim. L'entreprise répondit en faisant appel à la police locale, qui dispersa les chômeurs à coups de matraque.

Boston, 10 novembre 1931. À la suite d'affrontements entre les dockers en grève et les Noirs briseurs de grève sur les quais de Charlestown, à l'est de Boston, vingt personnes ont été blessées (trois d'entre elles si grièvement qu'elles pourraient en mourir) et des dizaines d'autres soignent leurs blessures, causées par les jets de bouteilles et de pierres et les bagarres au tuyau de plomb.

Detroit, 28 novembre 1931. Un membre de la police montée a été frappé à la tête par une pierre avant de tomber de son cheval. En outre, un manifestant a été arrêté au cours des troubles qui ont eu lieu à Grand Circus Park ce matin lorsque deux mille hommes et femmes se sont réunis pour protester contre les mesures policières.

Chicago, 1ᵉʳ avril 1931. Cinq cents écoliers, pour la plupart hagards et en haillons, ont défilé dans Chicago en direction des locaux du bureau de l'éducation pour exiger que le système scolaire leur fournisse de quoi manger.

Boston, 3 juin 1932. Vingt-cinq gamins affamés ont attaqué le buffet organisé pour les vétérans de la guerre espagnole pendant un défilé à Boston. Il a fallu deux cars de police pour les disperser.

New York, 21 janvier 1933. Plusieurs centaines de chômeurs ont aujourd'hui cerné un restaurant aux environs de Union Square en réclamant qu'on les laisse manger gratuitement.

Seattle, 16 février 1933. Le siège des locaux de l'administration du comté par une armée de quelque cinq mille chômeurs aura duré deux jours, avant de prendre fin dans la soirée. Les adjoints du shérif et la police ont réussi à venir à bout des manifestants après deux heures de confrontation.

Le parolier Yip Harburg raconta à Studs Terkel, à propos de l'année 1932, qu'« en marchant dans les rues on pouvait à cette époque voir des files d'attente devant les soupes populaires. C'est William Randolph Hearst qui était à l'origine de la plus importante de ces distributions à New York. Il y avait un énorme camion avec plusieurs personnes dessus, du pain et de gros chaudrons de soupe brûlante. Les gars avaient des chiffons en guise de chaussures et s'alignaient tout autour de Columbus Circle. Ils venaient de partout et ils attendaient ». Harburg écrivit la chanson *Dis, frère, t'aurais pas une petite pièce* :

> *Avant dans nos costumes kaki*
> *Bon Dieu c'qu'on avait l'air beau*
> *À gueuler Yankee Doodle-de-dum*
> *Un demi-million de godasses ont marché pour l'enfer*
> *Moi j'étais le môme avec le tambour*
> *Dis, tu te souviens pas, tout l'monde m'appelait Al*
> *Des Al par-ci, des Al par-là*
> *Dis, tu t'en souviens pas, je suis ton pote*
> *Dis, Frère, t'aurais pas une petite pièce*

Ce n'était pas qu'une chanson désespérée. Pour Yip Harburg, « dans la chanson, le type est vraiment en train de dire : "J'ai investi dans ce pays. Où sont les dividendes ?" […] C'est un peu plus que du simple pathos. Cela ne le réduit pas à l'état de simple mendiant. Cela fait de lui un être humain digne, posant des questions et quelque peu en colère. On le serait à moins ».

La colère des vétérans de la Première Guerre mondiale, qui se retrouvaient au chômage sans pouvoir nourrir leurs familles, fut à l'origine de la marche de la Bonus Army sur Washington, au printemps et à l'été 1932. Les anciens combattants, brandissant les certificats gouvernementaux qui leur garantissaient des indemnités (ou *bonus*), réclamèrent qu'on les leur verse sur-le-champ tant ils en avaient désespérément besoin. Seuls ou accompagnés de leurs femmes et de leurs enfants ; au volant de vieilles voitures épuisées ; en passagers clandestins à bord des trains de marchandises ou en auto-stop, ils arrivèrent de partout à Washington. C'étaient des mineurs de Virginie-Occidentale ; des tôliers de Columbus (Géorgie) ; des chômeurs polonais de Chicago. Une famille – le mari, la femme et leur enfant de trois ans – mit trois mois, passant d'un train de marchandises à l'autre, pour venir de Californie. Chief Running Wolf, un Mescalero sans travail, arriva également du Nouveau-Mexique en costume traditionnel, avec arc et flèches.

Ils étaient plus de vingt mille à camper sur l'autre rive du Potomac, en face du Capitole, dans les marais de l'Anacostia où, comme l'écrivit John Dos Passos, « les hommes [couchaient] dans des abris faits de vieux journaux, de boîtes de carton, d'emballages, de plaques de fer-blanc ou de toiles goudronnées, bref, toutes sortes de constructions mal fichues, d'abris contre la pluie fabriqués à partir de ce qu'ils [trouvaient] dans la décharge municipale. » Le décret destiné à autoriser le paiement des fameuses indemnités fut voté par la Chambre puis rejeté par le Sénat. Certains vétérans, découragés, levèrent le camp. La plupart, cependant, restèrent sur place, les uns occupant des bâtiments officiels, les autres demeurant dans les marais de l'Anacostia. Finalement, le président Hoover ordonna à l'armée de les chasser.

Quatre escadrons de cavalerie, quatre compagnies d'infanterie, une batterie de mitrailleuses et six tanks se regroupèrent près de la Maison-Blanche. Le général Douglas MacArthur fut chargé de l'opération, secondé par le major Dwight Eisenhower. George Patton faisait également partie des officiers. MacArthur fit parader ses troupes le long de Pennsylvania Avenue et utilisa les gaz lacrymogènes pour expulser les vétérans des vieux bâtiments qu'ils occupaient avant d'y mettre le feu. L'armée traversa ensuite le pont pour rejoindre Anacostia. Des milliers d'anciens combattants s'enfuirent avec femmes et enfants pour échapper aux bombes lacrymogènes. Les soldats incendièrent quelques baraques ; tout le campement fut bientôt la proie des flammes. Quand tout fut fini, deux vétérans avait été abattus, un bébé de onze semaines était mort, un garçon de huit ans avait pratiquement perdu la vue à cause des gaz lacrymogènes, deux policiers avaient eu le crâne fracturé et des milliers de vétérans souffraient des effets des lacrymogènes.

L'extrême dureté de l'époque, l'inaction du gouvernement quand il s'agissait d'apporter de l'aide et son efficacité lorsqu'il s'agissait de disperser les vétérans, influèrent sur les élections présidentielles de novembre 1932. Le candidat démocrate, Franklin D. Roosevelt, l'emporta très largement sur Herbert Hoover. Roosevelt entra en fonction au printemps 1933 et lança un programme de réformes qui devint fameux sous le nom de « New Deal ». Quand les vétérans organisèrent une modeste marche sur Washington, au début de son mandat, Roosevelt les reçut et leur offrit du café. Ils rencontrèrent l'un de ses conseillers et rentrèrent finalement chez eux : illustration parfaite de la méthode Roosevelt.

Les réformes de Roosevelt allaient bien plus loin que toutes celles qui les avaient précédées. Elles visaient deux objectifs essentiels : réorganiser le capitalisme de manière à dépasser la crise et à stabiliser le système, et calmer les très nombreux mouvements de révolte spontanés qui marquèrent les débuts de l'administration Roosevelt – comme, par exemple, les organisations de locataires ou de chômeurs, les mouvements d'entraide et les grèves générales qui touchèrent plusieurs villes.

Pour stabiliser le système afin d'assurer sa survie, Roosevelt fit voter, cinq mois après sa prise de fonction, une première grande loi : le National Industrial Recovery Act (NIRA). Il s'agissait de prendre le contrôle de l'économie à travers une série de codes négociés à la fois par les employeurs, les travailleurs et le gouvernement. Ces codes fixaient des *minima* pour les prix et les salaires et limitaient la concurrence. D'emblée, la National Recovery Administration (NRA) fut contrôlée par le milieu des affaires et mise au service de ses intérêts. Selon Bernard Bellush (*The Failure of the NRA*), le premier article de la loi « confiait la plus grande part du pouvoir de la nation aux combinats les mieux organisés et aux riches associations commerciales. Le public non organisé, plus connu sous l'étiquette de "consommateur", comme les membres du mouvement syndical balbutiant, ne furent pas vraiment consultés, ni sur l'organisation initiale de la National Recovery Administration ni sur les principes de sa politique ».

Dans les branches où les syndicats étaient puissants, Roosevelt accepta de faire quelques concessions aux travailleurs, mais, « là où ils étaient faibles, Roosevelt ne tenta pas de résister aux pressions des porte-parole du monde industriel qui souhaitaient maîtriser [...] les codes conçus dans le cadre de la NRA ». Dans son livre *Towards a New Past*, Barton Bernstein confirme que, « en dépit des réticences de certains hommes d'affaires [sur quelques points], la NRA réaffirmait et consolidait leur autorité ». Bellush résume ainsi son point de vue sur la NRA : « La Maison-Blanche permit à l'Association nationale des industriels, à la chambre de commerce, aux alliances industrielles et aux associations commerciales de jouir d'une autorité prépondérante. [...] Ainsi, l'administration privée devint l'administration publique et le gouvernement privé devint le gouvernement public, assurant le mariage du capitalisme et de l'étatisme. »

En 1935, prétendant que cette loi conférait trop de pouvoir au président, la Cour suprême frappa la NRA d'inconstitutionnalité. Roosevelt avait pourtant, comme l'écrit Bellush, « abandonné, au travers de la NRA, une partie démesurée de l'autorité gouvernementale aux représentants du monde industriel américain ».

L'AAA (Agricultural Adjustment Administration) fut également votée dans les cinq premiers mois de l'administration Roosevelt. Il s'agissait d'une tentative de réorganisation du secteur agricole qui, à l'instar de la NRA, servit surtout les intérêts des grandes exploitations agricoles. En revanche, la TVA (Tennessee Valley

Authority) constitua une intrusion inhabituelle du gouvernement dans les affaires. Il s'agissait d'un réseau public de barrages et de centrales hydroélectriques destiné à lutter contre les inondations et à produire de l'électricité dans la vallée du Tennessee. Elle fournit du travail aux chômeurs et de l'électricité peu onéreuse aux consommateurs. D'une certaine manière, une telle réforme, comme on le lui reprocha d'ailleurs bien souvent à l'époque, était « socialiste ». L'organisation économique du New Deal visait cependant avant tout à stabiliser l'économie et, secondairement, à venir suffisamment en aide aux classes les plus défavorisées pour les empêcher de transformer une simple révolte en véritable révolution.

Car cet esprit de révolte existait bel et bien lorsque Roosevelt devint président. Les gens les plus désespérés ne comptaient plus sur l'aide du gouvernement. Ils s'en remettaient à eux-mêmes et prenaient des initiatives. Tante Molly Jackson, qui prit plus tard une part active dans les luttes sociales des Appalaches, a raconté comment elle était un jour entrée dans la boutique du coin et avait demandé 24 livres de farine. Après avoir donné le sac à son petit garçon pour qu'il l'emporte, elle se servit un paquet de sucre et dit au commerçant : « Bon, je reviendrai dans quatre-vingt-dix jours. J'ai quelques enfants à nourrir. [...] Je vous paierai, ne vous inquiétez pas. » Lorsque le commerçant fit quelques objections, elle sortit son revolver (en tant que sage-femme se déplaçant souvent seule, elle était autorisée à en posséder un) et déclara : « Martin, si tu essaies de me prendre ce paquet, peu importe si je passe sur la chaise électrique, je te tirerai mes six coups en une minute. » Alors, se souvient-elle, « je suis sortie pour retourner chez moi et mes sept mômes avaient tellement faim qu'ils ont arraché la pâte à pain encore crue des mains de leur mère pour l'avaler d'un coup ».

Dans tout le pays, les gens réagissaient spontanément pour faire cesser les expulsions. À New York, à Chicago et dans bien d'autres villes, lorsque le bruit courait que quelqu'un allait être expulsé, les gens se réunissaient. La police sortait les meubles dans la rue et la foule les réinstallait aussitôt. Le parti communiste était particulièrement actif dans l'organisation des groupes de l'Alliance ouvrière dans les villes. Mme Willye Jeffries, une femme noire, raconta les expulsions à Studs Terkel : « Beaucoup de gens étaient expulsés. L'huissier arrivait et les expulsait. Aussitôt qu'il était parti, on les réinstallait. Tout ce qu'on avait à faire, c'était d'appeler Brother Hilton. On lui disait : écoute, à tel et tel endroit y a une famille à la rue. Toute personne qui passait dans le coin et qui était membre de l'Alliance ouvrière savait à qui il fallait s'adresser. Le type arrivait avec cinquante autres gars. [...] On remettait les trucs où ils étaient avant. Les hommes rebranchaient l'électricité et allaient chez le quincaillier prendre un tuyau de gaz pour raccorder le four. On vous remettait les meubles juste là où ils étaient avant, c'était comme si on vous avait jamais mis dehors. »

Des conseils de chômeurs fleurissaient dans tout le pays. Dans un article publié dans *The Forum* en 1932, Charles R. Walker les décrivait en ces termes : « Ce n'est plus un secret que les communistes organisent des conseils de chômeurs dans la plupart des villes et qu'ils les dirigent le plus souvent. Pourtant, les conseils fonctionnent démocratiquement et c'est la majorité qui décide. L'un de ceux que j'ai pu observer, celui de Lincoln Park (Michigan), comptait trois cents membres parmi lesquels seulement onze communistes. [...] Le conseil avait son aile droite, son aile gauche et aussi son centre. Le président du conseil [...] était également le commandant de l'American Legion locale. À Chicago, on trouve quarante-cinq sections du conseil des chômeurs qui compte en tout vingt-deux mille membres. L'arme des conseils est la règle démocratique du nombre et leur mission principale est d'empêcher l'expulsion des plus démunis ; ou, s'ils sont expulsés, de leur trouver un nouveau logement. Si un chômeur se voit couper l'eau ou le gaz parce qu'il ne peut plus payer, il faut s'adresser aux autorités compétentes. S'occuper de trouver des vêtements et des chaussures à ceux qui n'en ont pas. Faire cesser par la pression et l'information la discrimination dans l'accession aux aides sociales entre les Blancs et les Noirs ou à l'encontre des immigrés. [...] Accompagner les gens jusqu'aux locaux de l'assistance afin de s'assurer qu'ils y soient nourris et vêtus. Pour finir, il s'agit aussi de garantir une aide juridique à tous les chômeurs qui ont été arrêtés au cours de manifestations, de marches de la faim ou de réunions. »

En 1931 et 1932, le gouvernement et les employeurs ayant cessé de leur venir en aide, les gens s'organisèrent pour se débrouiller par eux-mêmes. À Seattle, le syndicat des pêcheurs échangeait le poisson contre les fruits et les légumes cultivés par d'autres. Les bûcherons faisaient de même. Il existait vingt-deux endroits différents dans lesquels on pouvait échanger de la nourriture et du bois de chauffage contre d'autres produits ou des services ; coiffeurs, couturières et médecins y exerçaient leurs talents en échange d'autres biens ou services. À la fin de 1932, on comptait trois cent trente organisations d'entraide, réparties dans trente-sept États et regroupant quelque trois cent mille membres. Début 1933, le mouvement sembla s'éteindre. La tâche était sans doute trop difficile à mener à bien dans le cadre d'une économie qui s'enfonçait dans une pagaille toujours plus grande.

Le plus remarquable exemple d'entraide spontanée eut lieu dans la région minière de Pennsylvanie, où des équipes de mineurs au chômage foraient de petites galeries sur les terrains de la compagnie minière locale. Ils en extrayaient le charbon, le transportaient jusque dans les villes et le vendaient au-dessous du prix du marché. En 1934, 5 millions de tonnes de ce charbon de « contrebande » furent extraites par vingt mille hommes utilisant quatre cents véhicules. Certains furent poursuivis en justice : des jurys locaux les acquittèrent, des geôliers refusèrent de les emprisonner.

Bien qu'essentiellement motivées par la nécessité, ces actions étaient également porteuses de potentialités révolutionnaires. L'écrivain marxiste Paul Mattick affirmait que, « pour mettre fin à leur misère, les travailleurs n'ont qu'à faire des actions simples, comme se saisir des choses qui sont à portée de leur main, sans se soucier ni du principe de propriété ni de philosophie sociale, comme se mettre à produire pour eux-mêmes. Cette démarche, si elle prend une envergure sociale importante, entraînera inévitablement des résultats durables. En revanche, au niveau local, ce sera l'échec assuré. [...] Les mineurs clandestins ont démontré assez clairement et de manière assez impressionnante que cette absence si déplorée d'idéologie socialiste chez les travailleurs ne les empêche pas d'agir de manière tout à fait anticapitaliste lorsqu'il s'agit de subvenir à leurs besoins. En rompant ainsi avec les contraintes de la propriété privée pour satisfaire leurs besoins propres, l'action des mineurs illustre concrètement l'aspect le plus important de la conscience de classe : les problèmes des travailleurs ne peuvent être résolus que par les travailleurs eux-mêmes. »

Les responsables du New Deal – Roosevelt, ses conseillers et les hommes d'affaires qui le soutenaient – avaient-ils eux aussi une conscience de classe ? Avaient-ils compris que des mesures devaient être prises d'urgence, en 1933 et 1934, pour fournir du travail, de la nourriture et des secours ; pour écarter l'idée selon laquelle « les problèmes des travailleurs ne peuvent être résolus que par les travailleurs eux-mêmes » ? Sans doute, à l'instar de la prise de conscience des ouvriers, s'agissait-il d'un ensemble de mesures ne devant rien à une stratégie préconçue mais s'appuyant plutôt sur une instinctive nécessité pratique. Peut-être est-ce cette sorte de vague conscience de classe qui entraîna, en 1934, la présentation devant le Congrès du décret Wagner-Connery destiné à encadrer les conflits sociaux. Ce décret proposait l'élection de représentants syndicaux ainsi que la création d'un conseil spécial pour régler les problèmes et étudier les revendications. N'était-ce pas le type même de législation destinée à en finir avec l'idée que « les problèmes des travailleurs ne peuvent être résolus que par les travailleurs eux-mêmes » ? Le monde des affaires estima que le décret favorisait les travailleurs et s'y opposa. Quant à Roosevelt, il n'appréciait guère l'idée. Cependant, en 1934, une série de conflits sociaux imposa la nécessité d'une démarche législative en ce domaine.

Cette année-là, un million et demi de travailleurs de différents secteurs industriels se mirent en grève. Au printemps et à l'été, les dockers de la côte Ouest se soulevèrent contre leurs propres syndicats et contre les affréteurs ; organisèrent une convention ; exigèrent l'interdiction de l'« embauche » (sorte de marché aux esclaves ayant lieu très tôt le matin, au cours duquel les équipes étaient constituées pour la journée) et finalement se mirent en grève.

La côte Pacifique fut bientôt paralysée sur environ trois mille kilomètres. D'autres professions maritimes se joignirent à la grève et les camionneurs apportèrent leur soutien en refusant de transporter leurs chargements sur les quais. Lorsque la police finit par intervenir pour rouvrir l'accès aux quais, les grévistes résistèrent en masse. Deux d'entre eux trouvèrent la mort lors des affrontements. Une procession funéraire gigantesque, en hommage aux victimes, réunit des dizaines de milliers de sympathisants. La grève générale fut ensuite décrétée à San Francisco. Elle fut suivie par cent trente mille travailleurs qui paralysèrent toutes les activités de la ville.

Cinq cents policiers supplémentaires furent alors engagés et quatre mille cinq cents membres de la garde nationale appelés en renfort, avec l'infanterie, l'artillerie, les mitrailleuses et des tanks. Le *Times* de Los Angeles commenta la situation : « Ce qui se passe à San Francisco ne correspond pas exactement à ce qu'on appelle la "grève générale". Ce qui se passe actuellement est une insurrection, une révolte menée et inspirée par les communistes contre l'administration gouvernementale. Il ne reste plus qu'une chose à faire : réprimer la révolte par tous les moyens possibles. »

La pression devint trop forte. On envoya les troupes. **La direction** de l'AFL demanda la fin de la grève et les dockers acceptèrent un compromis. Mais ils avaient démontré la potentialité révolutionnaire de la grève générale.

Ce même été 1934, une grève des camionneurs de Minneapolis reçut le soutien d'autres travailleurs : bientôt, rien ne circulait plus dans la ville, excepté les livreurs de lait, de glace et de charbon qui y avaient été autorisés par les grévistes. Les fermiers apportaient leurs produits sur place et les vendaient directement aux citadins. La police finit par lancer une opération qui causa deux morts parmi les grévistes. Cinquante mille personnes assistèrent aux funérailles, à la suite desquelles eut lieu une impressionnante manifestation qui marcha sur l'hôtel de ville. Un mois plus tard, les employeurs cédaient aux exigences des camionneurs.

La plus importante de toutes ces grèves éclata à l'automne de cette même année. Dans le Sud, trois cent vingt-cinq mille ouvriers du textile se mirent en grève. Ils quittèrent les usines et organisèrent des groupes mobiles motorisés qui se rendaient sur tous les sites en grève pour y constituer des piquets, affronter les gardiens, pénétrer dans les usines et faire cesser les machines. Ici aussi, la grève venait de la base en dépit des réticences émises au sommet par les responsables syndicaux. Le *New York Times* affirma : « L'aspect le plus dangereux de cette situation est qu'elle échappe complètement au contrôle des leaders syndicaux. »

À nouveau, la machinerie de l'État se mit en marche. Des policiers et des briseurs de grève armés tirèrent sur les piquets de grève en Caroline du Sud, tuant sept grévistes et en blessant vingt autres. La grève s'étendit néanmoins à la Nouvelle-Angleterre. À Lowell (Massachusetts), deux mille cinq cents ouvriers du textile se soulevèrent. À Saylesville (Rhode Island), une foule de quelque cinq mille personnes affronta les mitrailleuses des forces de l'ordre et fit fermer l'usine de textile. À Woonsocket (Rhode Island), deux mille personnes, scandalisées par l'assassinat d'un homme par la garde nationale, saccagèrent la ville et firent fermer l'usine.

Le 18 septembre, quatre cent vingt et un mille ouvriers du textile s'étaient mis en grève dans tout le pays. On procéda à des arrestations massives. Les syndicalistes étaient roués de coups et il y eut treize morts. Roosevelt s'en mêla et mit sur pied un bureau de médiation tandis que les syndicats appelaient à la fin de la grève.

Le Sud rural connut aussi un fort activisme social, le plus souvent à l'initiative des communistes, mais également motivé par les difficultés des fermiers et ouvriers agricoles pauvres, Noirs et Blancs confondus, particulièrement touchés par la crise. Le syndicat des Fermiers du Sud naquit en Arkansas, regroupant les métayers noirs et blancs, et gagna rapidement d'autres régions. L'Agricultural Adjustment Act de Roosevelt ne profitait en rien aux fermiers les plus pauvres. En outre, en encourageant les agriculteurs à diminuer leur production, cette loi contraignait les petits fermiers et les métayers à abandonner leur activité. En 1935, sur les six millions huit cent mille fermiers américains, deux millions huit cent mille ne possédaient pas leurs terres en propre. Le revenu moyen d'un métayer était de 312 dollars par an. Les ouvriers agricoles, qui ne possédaient aucune terre, passant d'une ferme à l'autre et d'une région à l'autre, ne gagnaient en moyenne que 300 dollars par an.

Les fermiers noirs étaient les plus défavorisés. Certains d'entre eux furent séduits par les discours de ces étrangers apparus pendant la Grande Dépression qui proposaient de les aider à s'organiser. Dans une remarquable interview accordée à Theodore Rosengarten (*All God's Dangers*), Nate Shaw se souvient : « Et pendant la période des pressions, un syndicat commençait à monter dans le coin, qui s'appelait le syndicat des Fermiers – je trouvais que c'était un beau nom –, et j'ai compris que ce qui se passait était un tournant dans la vie des hommes du Sud, aussi bien pour les Blancs que pour les Noirs. C'était quelque chose de pas banal. J'ai entendu dire que c'était un mouvement en faveur de la classe des gens pauvres. C'était juste ce que je voulais connaître aussi. Je voulais en savoir assez pour pouvoir m'y mettre moi aussi. […] Mac Sloane, un Blanc, m'a dit : "Reste en dehors de ça. Tous ces Noirs qui courent partout pour faire des réunions, c'est pas pour toi." Moi, je me disais : "Tu rêves, mon vieux, si tu penses que tu vas m'empêcher de participer à ça." J'y suis allé aussi sec et j'ai adhéré dès la réunion suivante. […] En fait, il avait fait exactement ce qu'il fallait pour me décider à le faire : m'interdire d'y aller. Les maîtres de cette organisation ont commencé à se balader partout dans la région – il fallait garder un peu le secret. Il y avait ce type de couleur, j'ai oublié son nom, mais il abattait du sacré bon boulot en faisant des réunions avec nous. Ça faisait partie de son boulot. […] Dans les réunions qu'on faisait chez nous ou ailleurs, on devait faire attention à ce que personne d'autre ne se pointe. C'étaient des petites réunions, mais il y en avait parfois une douzaine de suite. […] Les nègres avaient la trouille, ouais, ils avaient la trouille, c'est la pure vérité. »

Nate Shaw raconte ensuite ce qu'il se passa lorsqu'un fermier noir qui n'avait pas payé ses dettes fut sur le point d'être expulsé : « Le policier, il a dit : "Ce matin, je vais saisir tout ce que le vieux Virgil Jones possède." Alors je l'ai supplié de ne pas le faire. J'ai dit : "Vous allez l'empêcher de nourrir toute sa famille." »

Nate Shaw prévient alors le policier qu'il ne permettra pas que cela se fasse. Le policier revient avec d'autres personnes et l'un d'entre eux tire sur Shaw et le blesse. Ce dernier prend un fusil et tire en retour. Arrêté à la fin de 1932, il passera douze ans dans une prison de l'Alabama. Son histoire n'est qu'un tout petit fragment de l'immense drame inconnu qu'ont vécu les pauvres à l'époque où le syndicat des Fermiers se mettait en place. Des années après sa libération, Nate Shaw donna son avis sur les questions de race et de classe : « Oh, c'est simple comme bonjour. Le Blanc pauvre et le Noir pauvre sont dans le même bateau. C'est les grands pontes qui font exprès de les séparer. Le contrôle d'un homme, le pouvoir de contrôle, c'est le riche qui l'a. [...] La classe des riches se tient les coudes et le Blanc pauvre est sur l'autre liste avec les types de couleur. Moi, j'ai pigé ça : ce qu'on fait et comment on le fait en disent cent fois plus que tous les beaux discours. »

Hosea Hudson, un Noir originaire de la Géorgie rurale (ouvrier agricole à dix ans, plus tard employé dans les aciéries de Birmingham), fut scandalisé par l'affaire de Scottsboro, dans laquelle, en 1931, neuf jeunes Noirs avaient été accusés du viol de deux jeunes filles blanches et condamnés sur de simples présomptions de preuve par un jury composé uniquement de Blancs. Cette année-là, Hudson adhéra au parti communiste. Au cours des années 1932 et 1933, il entreprit de fédérer les chômeurs noirs de Birmingham. Il se souvient : « Au cœur de l'hiver 1933, nous, les gars du parti, on a organisé un grand rassemblement des chômeurs sur les marches de l'ancien tribunal, sur la 3ᵉ Rue de North Birmingham. [...] Il y avait sept mille personnes ou plus, Noirs et Blancs confondus. [...] En 1932 et 1933, on s'est mis à monter des comités de chômeurs dans différents quartiers de Birmingham. [...] Si quelqu'un n'avait plus de quoi manger, on n'allait pas le voir pour lui dire : "Pas de chance, mon gars!" C'était notre boulot d'aller le voir [...] et on essayait d'arranger ça [...] s'il le voulait. [...] Les comités de quartier se réunissaient toutes les semaines. On parlait des problèmes sociaux, de ce qui se passait. On lisait le *Daily Worker* ou le *Southern Worker* pour savoir ce qu'il se passait à propos de l'aide aux chômeurs, que faisaient les gars de Cleveland [...], où en étaient les luttes à Chicago. On discutait aussi des dernières nouvelles de l'affaire de Scottsboro. On se tenait au courant le plus possible, alors les gens voulaient toujours nous voir parce qu'on avait toujours quelque chose de différent à leur dire. »

En 1934 et 1935, des centaines de milliers de travailleurs tenus à l'écart des syndicats fermés et étroitement contrôlés de l'AFL commencèrent à militer dans les nouveaux secteurs industriels de production de masse – l'automobile, les caoutchoucs et l'industrie de l'emballage. L'AFL ne pouvait pas les ignorer. Il mit sur pied un Comité du syndicalisme industriel afin d'encadrer ces ouvriers par branche industrielle et non par profession. Tous les ouvriers d'une même usine étaient membres d'un unique syndicat. Ce Comité, présidé par John Lewis, fit sécession et fonda le Congress of Industrial Organizations (CIO).

Mais ce furent les grèves et les révoltes nées à la base qui poussèrent les dirigeants de l'AFL et du CIO à passer à l'action. Jeremy Brecher raconte tout cela dans son livre *Strike!* Une nouvelle tactique fut inventée par les ouvriers d'Akron (Ohio) au début des années 1930 : l'occupation d'usines. Les travailleurs restaient sur leur lieu de travail au lieu d'en sortir pour manifester. Cela présentait des avantages évidents : ils empêchaient ainsi l'intrusion des briseurs de grève ; ils n'étaient pas contraints de s'en remettre aux responsables syndicaux mais gardaient au contraire le contrôle de la situation ; ils n'étaient plus obligés de manifester dans le froid ou sous la pluie ; ils n'étaient plus isolés comme sur leurs postes de travail ou dans les piquets de grève ; ils étaient des centaines sous le même toit, libres de se parler et de former une véritable communauté en lutte. Louis Adamic, un écrivain prolétarien, décrivit l'une de ces toutes premières occupations : « Assis à leurs postes de travail, près de leurs machines ou de leurs cuves, ils discutaient. Certains réalisaient alors pour la première fois combien leur rôle était essentiel dans le processus de production du caoutchouc. À eux seuls, deux hommes avaient pratiquement arrêté ce processus ! [...] Les contremaîtres, les chefs de groupe et les patrons étaient complètement hors du coup. [...] En moins d'une heure, la question était réglée. C'était une victoire complète pour les ouvriers. »

Au début de 1936, à l'usine de caoutchouc Firestone d'Akron, les hommes qui travaillaient à la fabrication des pneus de camion durent subir une baisse de leurs salaires, déjà trop bas pour subvenir aux frais de nourriture et de logement. Lorsque plusieurs syndicalistes furent licenciés, les autres cessèrent le travail en restant à leurs postes. En une journée, l'usine n° 1 était complètement paralysée. L'usine n° 2 le fut le lendemain. La direction céda. Dix jours plus tard, l'usine Goodyear était également occupée. Un tribunal condamna cette forme d'occupation. Mais la décision n'eut aucun effet et cent cinquante policiers furent envoyés sur les lieux. Ils durent faire face à dix mille ouvriers venus de toute la ville. Un mois plus tard, les grévistes l'emportaient.

Cette tactique gagna le reste du pays. En décembre, la plus longue grève de ce type commença à l'usine n° 1 de Fisher Body à Flint (Michigan). Elle débuta après que deux frères eurent été licenciés et se poursuivit jusqu'en février 1937. Pendant quarante jours, les deux mille grévistes formèrent une véritable communauté : « C'était comme à la guerre. Les gars autour de moi sont devenus de vrais amis. » Sydney Fine raconte cet événement dans *Sit-Down*. Les comités de grève organisèrent des spectacles, des séances d'information, des cours, un service du courrier et des structures sanitaires. Des tribunaux furent également mis en place pour traiter le cas de ceux qui ne participaient pas à la vie commune, jetaient leurs ordures n'importe où, fumaient dans les lieux interdits, etc.

La « peine » consistait à effectuer des tâches supplémentaires, la punition suprême étant l'expulsion de l'usine. Le propriétaire du restaurant qui se trouvait de l'autre côté de la rue préparait trois repas par jour pour deux mille grévistes. On organisa des sortes de formations sur les procédures parlementaires, sur la prise de parole publique et sur l'histoire du mouvement ouvrier. Des étudiants de la Michigan University se déplacèrent pour donner des cours de journalisme et d'écriture.

Il y eut d'autres condamnations de justice, mais cinq mille ouvriers en armes protégèrent l'usine et personne ne tenta de faire appliquer ces décisions. La police donna l'assaut avec des gaz lacrymogènes ; les travailleurs répliquèrent avec des lances à incendie. Il y eut treize blessés parmi les grévistes mais la police fut repoussée. Le gouverneur eut alors recours à la garde nationale. La grève s'était cependant déjà étendue à d'autres usines de la General Motors. On parvint finalement à un compromis pour six mois qui laissait, certes, de nombreux problèmes en suspens, mais qui reconnaissait que l'entreprise ne devait plus traiter avec les individus isolément mais avec les organisations syndicales.

En 1936, il y eut quarante-huit grèves par occupation. En 1937, leur nombre passa à quatre cent quarante-sept : les électriciens de Saint Louis ; les fabricants de chemises de Pulaski (Tennessee) ; les éboueurs de Bridgeport (Connecticut) ; les fossoyeurs du New Jersey ; dix-sept ouvriers aveugles de la New York Guilde for the Jewish Blind ; les détenus d'une prison de l'Illinois et même trente membres du bataillon de la garde nationale qui avaient servi lors de l'occupation de l'usine de Fisher Body et qui pratiquèrent à leur tour la tactique de l'occupation pour obtenir leurs salaires.

Les occupations d'usines représentaient un grave danger pour le système parce qu'elles n'étaient pas contrôlées par les directions syndicales. Un responsable syndical de l'AFL des métiers de l'hôtellerie déclara : « Vous pouviez être à votre bureau un jour quelconque du mois de mars 1937 et être appelé au téléphone. À l'autre bout du fil, une voix vous annonçait : "Mon nom est Mary Jones. Je travaille chez Ligett, on a viré le directeur et on a les clefs. Qu'est-ce qu'on fait maintenant ?" Après, vous accouriez sur les lieux pour négocier et le patron vous disait : "Il est totalement irresponsable de lancer une grève avant même d'avoir revendiqué quelque chose." Et tout ce qu'on pouvait répondre c'est : "Vous avez bien raison." »

La loi Wagner, qui instituait un National Labor Relations Board (NLRB), avait été votée en 1935 pour stabiliser le système face aux troubles sociaux. Les vagues de grèves des années 1936-1938 instaurèrent une atmosphère d'urgence. En 1937, lors d'une grève dans les usines de la Republic Steel de Chicago, la police tira sur les piquets de grève et fit dix morts. L'autopsie révéla que la police avait tiré sur les grévistes alors qu'ils s'enfuyaient. Cet événement est plus connu aujourd'hui sous le nom de « massacre du Memorial Day ». Mais les ouvriers de la Republic Steel étaient désormais organisés, comme l'étaient également ceux de la Ford Motor Company et des autres grandes usines des industries sidérurgique, automobile, de pneumatiques, de conserverie et d'électricité.

Lorsque la loi Wagner fut mise en cause devant la justice par un conglomérat sidérurgique, la Cour suprême confirma son caractère constitutionnel. La Cour confirmait que le gouvernement était en droit de réguler les échanges commerciaux entre États et que les grèves empêchaient le bon déroulement de ces échanges. Du point de vue des syndicats, la nouvelle loi favorisait la syndicalisation des travailleurs. Du point de vue du gouvernement, elle permettait de stabiliser les échanges.

Les employeurs n'avaient pas voulu des syndicats, pourtant plus contrôlables et plus sécurisants pour le système que les grèves sauvages et les occupations d'usines par la base ouvrière. Au printemps 1937, un article du *New York Times* annonçait que « les occupations non autorisées [étaient] la cible des syndicats du CIO ». Le journaliste ajoutait que « des consignes strictes [avaient] été données aux responsables syndicaux qui [seraient] désormais démis de leurs fonctions s'ils [autorisaient] des cessations d'activité sans y avoir été autorisés par les responsables nationaux ». Le *Times* citait les propos de John L. Lewis, dynamique dirigeant du CIO : « Une convention signée avec le CIO est une assurance efficace contre les occupations ou toute autre forme de grève. »

Le parti communiste, dont certains membres jouaient un rôle important dans les syndicats du CIO, sembla suivre cette voie. Un responsable communiste de la ville d'Akron aurait déclaré, lors d'une réunion de préparation stratégique du parti après les occupations : « Désormais, nous devons travailler à forger des relations stables entre syndicats et employeurs ainsi qu'à garantir la stricte observance des procédures de la part des travailleurs. »

Ainsi, deux stratégies sophistiquées, destinées à contrôler les actions ouvrières spontanées, se développèrent au milieu des années CIO. D'abord, le National Labor Relations Board accorderait aux syndicats un statut légal, la possibilité d'être entendus et d'accéder à certaines de leurs revendications. On pouvait ainsi modérer l'esprit de révolte des travailleurs en le canalisant à travers l'élection syndicale – exactement comme le système constitutionnel canalisait les éventuelles révoltes populaires au moyen des élections. Le NLRB devait circonscrire les conflits économiques comme les élections neutralisaient les conflits politiques. Ensuite, les syndicats – y compris un syndicat actif et militant comme le CIO – canaliseraient les pulsions insurrectionnelles des ouvriers par le biais des conventions collectives, des négociations, des réunions syndicales, puis tenteraient de réduire le nombre des grèves avec pour objectif de construire de grands syndicats influents et parfois même respectables.

Les événements de cette période semblent confirmer, comme l'avancent Richard Cloward et Frances Piven dans leur livre *Poor People's Movements*, que le mouvement ouvrier a remporté plus de victoires par ces soulèvements spontanés qu'à l'initiative des syndicats bien organisés et officiellement reconnus. « Les ouvriers en ont plus imposé et ont obtenu de plus grandes concessions de la part du gouvernement pendant la Grande Dépression, au cours de ces années où ils n'étaient pas encore encadrés par des syndicats. Leur force ne résidait alors pas dans leur organisation mais dans leur capacité de désorganisation. »

Piven et Cloward notent que l'importance numérique des syndicats avait très considérablement augmenté pendant les années 1940, c'est-à-dire pendant la Seconde Guerre mondiale (l'AFL et le CIO comptaient chacun six millions de membres en 1945), mais que leur influence s'était affaiblie. Les responsables syndicaux siégeant au NLRB étaient moins à l'écoute de leur base, la Cour suprême déclarait l'illégalité des occupations, et les parlements des États votaient des lois qui empêchaient les grèves, les piquets et les boycotts.

La Seconde Guerre mondiale porta un coup à l'activisme des mouvements ouvriers tel qu'il avait cours dans les années 1930 parce que l'économie de guerre créa des millions de nouveaux emplois mieux rémunérés. Si, pendant le New Deal, le nombre des chômeurs était passé de treize à neuf millions, la guerre mit presque tout le monde au travail. Elle eut également d'autres conséquences : le patriotisme et une dynamique d'alliance de classes contre l'ennemi étranger rendirent plus difficile toute mobilisation contre les grandes entreprises américaines. Pendant la guerre, l'AFL et le CIO s'engagèrent à ne pas appeler à la grève.

Pourtant, les difficultés des travailleurs étaient telles – la politique de contrôle de l'économie pendant la guerre signifiait que les salaires étaient plus « maîtrisés » que les prix – qu'il leur fallut parfois se lancer dans des grèves sauvages. Selon Jeremy Brecher, l'année 1944 connut plus de grèves que jamais dans toute l'histoire des États-Unis.

Les années 1930 et 1940 illustrent mieux que toute autre période le dilemme des travailleurs américains. Le système réagit aux révoltes de travailleurs par de nouvelles mesures de contrôle : contrôle interne par le biais de leurs propres syndicats et contrôle externe par celui de la loi et des forces de l'ordre. En même temps, survinrent les premières concessions. Elles ne résolvaient certes pas les problèmes de fond, elles ne résolvaient même rien du tout pour bien des gens, mais elles permirent à suffisamment de personnes de baigner dans une atmosphère de progrès et de mieux-être pour restaurer une certaine confiance dans le système.

L'établissement d'un salaire horaire minimum, en 1938 – année de la semaine de quarante heures maximum et de l'abolition du travail des enfants –, ne s'appliquait pourtant pas à de très nombreux travailleurs. Ce salaire minimum était en outre incroyablement bas (25 cents de l'heure la première année). Cela suffit néanmoins à calmer le ressentiment populaire. On construisait de nouveaux logements qui étaient loin de satisfaire les véritables besoins en ce domaine. « Un début modeste, voire parcimonieux », selon Paul Conkin (*FDR and the Origins of the Welfare State*), mais l'idée de budgets fédéraux destinés à des projets d'habitations, avec aires de jeux et appartements propres, et au remplacement des logements insalubres plaisait à la population. La Tennessee Valley Authority laissait envisager la possibilité réjouissante d'un plan régional de création d'emplois, d'aménagement de certaines zones et de distribution d'électricité à bas prix. Le tout administré au niveau local et non plus national. La loi de sécurité sociale (1935) instituait l'assurance vieillesse et chômage et laissait aux États le soin de venir en aide aux enfants à charge et aux mères célibataires – mais pas aux travailleurs agricoles, aux domestiques ni aux personnes âgées. En outre, il n'était pas question d'assurance maladie. Toujours selon Conkin, « les maigres avancées dues à la Sécurité sociale étaient insignifiantes en comparaison de la sécurité qu'elle apportait aux grandes entreprises les plus en vue ».

Le New Deal dégagea également des budgets pour donner du travail à des milliers d'écrivains, d'acteurs et de musiciens au travers des Federal Theater Project, Federal Writers Project et Federal Arts Project : les bâtiments publics se couvrirent de peintures murales, des pièces furent jouées devant des publics ouvriers qui n'étaient jamais allés au théâtre, et des centaines de livres et de brochures furent rédigés et publiés. Des gens assistèrent à des concerts pour la première fois de leur vie. Cette période fut marquée par une explosion formidable des arts populaires telle que les États-Unis n'en avaient jamais connu et n'en connaîtraient plus jamais. Ces programmes d'aide à la création artistique furent supprimés en 1939, une fois le pays stabilisé et le dynamisme du New Deal essoufflé.

Le capitalisme restait intact. Les riches continuaient de contrôler les ressources de la nation, ses lois, ses tribunaux, sa police, ses journaux, ses églises et ses collèges. On avait apporté juste ce qu'il fallait d'aide à suffisamment de personnes pour que Roosevelt passe pour un héros aux yeux de millions d'Américains. Mais le système même qui avait entraîné la crise et la dépression était toujours debout – un système de gâchis, d'inégalités et de profit qui prenait le pas sur les besoins humains.

Pour les Noirs, le New Deal fut psychologiquement une bonne chose (Mme Roosevelt était bien disposée à leur égard et quelques Noirs occupèrent des fonctions au gouvernement), mais la grande majorité d'entre eux n'eut aucune place dans ses programmes. Au même titre que fermiers, ouvriers agricoles, domestiques et immigrés, ils étaient exclus de l'assurance chômage, du salaire minimum, de la Sécurité sociale ou des subventions agricoles. Roosevelt, soucieux de ne pas s'aliéner les politiciens blancs du Sud dont il avait politiquement besoin, ne soutint pas un décret contre le lynchage. Noirs et Blancs restaient séparés dans l'armée. Les travailleurs noirs subissaient une discrimination à l'emploi : ils étaient les derniers engagés et les premiers à être licenciés. Ce n'est qu'en 1941, lorsque A. Philip Randolph, président du syndicat des Wagons-Lits, menaça d'organiser une gigantesque marche sur Washington, que Roosevelt accepta de signer un décret instaurant un comité sur le juste accès à l'emploi. Mais, cet organisme n'ayant aucun pouvoir exécutif, la situation n'évolua guère.

Le quartier noir de Harlem, en dépit de toutes les réformes du New Deal, ne bougea pas d'un iota. Trois cent cinquante mille personnes y vivaient, soit deux cent trente-trois habitants par demi-hectare – la moyenne était de cent trente-trois dans le reste de Manhattan. En vingt-cinq ans, la population de Harlem avait été multipliée par six. Dix mille familles habitaient dans des caves ou des sous-sols infestés de rats. La tuberculose y était monnaie courante. La moitié des femmes mariées étaient domestiques. Elles se rendaient dans le Bronx, où elles se rassemblaient à certains carrefours – les « marchés aux esclaves », comme on les appelait – pour se louer. La prostitution augmenta. En 1935, deux jeunes femmes noires, Ella Barker et Marvel Cook, écrivirent un article à ce sujet dans *The Crisis* : « Il n'y a pas que la force de travail qui s'échange et se vende pour des salaires d'esclaves. L'amour humain est également un bien disponible sur le marché. Que ce soit pour le travail ou pour l'amour, les femmes arrivent dès huit heures du matin et attendent parfois jusqu'à une heure de l'après-midi, ou jusqu'à ce qu'elles trouvent à se louer. Sous la pluie ou sous le soleil, dans la chaleur et dans le froid, elles attendent d'être engagées pour dix, quinze ou vingt cents de l'heure. »

À l'hôpital de Harlem, en 1932, le taux de mortalité était environ deux fois plus élevé qu'à l'hôpital Bellevue, situé dans les quartiers blancs du sud de Manhattan. Harlem était un véritable havre pour le crime – ce terreau amer de la pauvreté que décrivent Roy Ottley et William Weatherby dans leur essai *The Negro in New York*.

Le 19 mars 1935, à l'époque même où l'on votait les réformes du New Deal, une explosion de violence parcourut Harlem. Dix mille Noirs déboulèrent dans les rues, détruisant les biens des commerçants blancs. Sept cents policiers pénétrèrent dans le quartier pour y ramener l'ordre, faisant deux morts parmi les émeutiers.

Au milieu des années 1930, Langston Hughes, un jeune poète noir, écrivit un poème au titre évocateur, *Que l'Amérique redevienne l'Amérique* :

> *Je suis le Blanc pauvre trompé et exclu,*
> *Je suis le nègre portant les cicatrices de l'esclavage.*
> *Je suis le Peau-Rouge expulsé de sa terre,*
> *Je suis l'immigré se cramponnant à l'espoir*
> *Et ne découvrant toujours que le même système imbécile*
> *Du chien dévorant le chien et du puissant écrasant le faible.*
>
> *Oh, que l'Amérique redevienne l'Amérique,*
> *Ce pays qu'elle n'a jamais encore été*
> *Mais qu'elle doit pourtant devenir. La terre de l'homme libre.*
> *Ce pays qui est à moi – le pauvre, l'Indien, le Noir,*
> *MOI.*
> *Moi qui ai fait l'Amérique*
> *Et dont la sueur et le sang, la foi et les souffrances,*
> *Les bras à la fonderie, le labour sous la pluie*
> *Doivent faire renaître notre rêve sacré.*
>
> *Vous pouvez m'appeler de tous les noms que vous voudrez,*
> *L'acier de la liberté ne rouille pas.*
> *Aux sangsues qui vivent sur la vie des autres,*
> *Nous devons reprendre à nouveau notre terre,*
> *L'Amérique !*

Pourtant, pour les Américains blancs des années 1930, du Nord comme du Sud, les Noirs restaient invisibles. Seuls les radicaux

tentèrent de renverser les barrières de race : les socialistes, les trots-
kistes et les communistes surtout. Le CIO, sous l'influence des communistes, mobilisait les Noirs dans les industries de production de
masse. Les Noirs continuaient, certes, de servir de briseurs de grève,
mais il existait également désormais des tentatives d'unir les travailleurs blancs et noirs dans la lutte contre leur ennemi commun.
En 1938, Mollie Lewis publia dans *The Crisis* le récit de l'expérience
qu'elle vécut lors d'une grève dans les aciéries de Gary (Indiana) :
« Alors que les autorités de Gary s'obstinent à maintenir un système
d'écoles séparées, les parents se retrouvent dans les syndicats et les
services d'entraide. [...] Le seul lieu public de Gary dans lequel les
deux races peuvent manger ensemble librement est un restaurant
coopératif organisé en grande partie par des membres du syndicat
et du service d'entraide. [...] Si les travailleurs noirs et blancs ainsi
que les membres de leurs familles comprennent que leurs intérêts
fondamentaux sont identiques, on peut espérer qu'ils feront cause
commune pour faire progresser ces intérêts. »

Le mouvement féministe n'était pas très virulent dans les années
1930, mais de nombreuses femmes militèrent alors activement sur
les lieux de travail. Une poétesse du Minnesota, Meridel LeSeuer,
avait trente-quatre ans lors de la grande grève des camionneurs de
Minneapolis en 1934. Elle y fut très active et fit plus tard le récit de
son expérience : « Je n'avais jamais participé à une grève auparavant. [...] En fait, j'avais peur. [...] Je leur ai demandé s'ils avaient
besoin d'aide. [...] On servait des milliers de tasses de café et des
repas aux hommes. [...] Quand les autos revinrent des piquets de
grève, on entendit crier : "C'est un meurtre !" [...] Je les ai vu sortir des hommes des voitures et les mettre sur des lits de camp ou à
même le sol. [...] Les autos continuaient d'arriver. Des types couverts de sang étaient revenus à pied du marché. [...] Les hommes,
les femmes et les enfants se tenaient à l'extérieur en une sorte de
bouclier de protection vivant. [...] Nos habits étaient couverts de
sang. [...] Le mardi, le jour des funérailles, mille policiers supplémentaires occupaient le bas de la ville. Il faisait plus de trente-cinq
degrés à l'ombre. Je suis allée au funérarium, où des milliers
d'hommes et de femmes s'étaient rassemblés sous un soleil de
plomb. Un groupe de femmes et d'enfants attendait depuis deux
heures. Je me suis mise à côté d'eux. Je ne savais pas si j'allais défiler. Je n'aimais pas participer aux manifestations. [...] Trois femmes
m'ont entraînée avec elles. Elles me disaient doucement : "Il faut
qu'on défile toutes. Viens avec nous." »

Sylvia Woods, ancienne blanchisseuse, racontait des années plus
tard à Alice et Staughton Lynd ce qu'elle avait vécu en tant que

responsable syndicale : « Il fallait dire aux gens des choses qu'ils pouvaient constater par eux-mêmes. Alors ils disaient : "Oh, je n'avais jamais vu ça comme ça." C'est comme Tennessee : un type qui détestait les Noirs. Un pauvre métayer. [...] Après, il dansait avec une Noire. [...] Oui, j'ai vu des gens changer. Il faut croire aux gens. »

De nombreux Américains commencèrent à modifier leur manière de penser durant ces années de crise et de révolte. En Europe, Hitler débutait sa sinistre carrière. De l'autre côté du Pacifique, le Japon envahissait la Chine. Les empires occidentaux se voyaient menacés par de nouveaux empires. La guerre planait sur les États-Unis.

Chapitre V
Une guerre populaire ?

« **N**ous, les gouvernements de Grande-Bretagne et des États-Unis, au nom de l'Inde, de la Birmanie, de la Malaisie, de l'Australie, de l'Afrique anglophone, de la Guinée britannique, de Hongkong, du Siam, de Singapour, de l'Égypte, de la Palestine, du Canada, de la Nouvelle-Zélande, de l'Irlande du Nord, de l'Écosse, du Pays de Galles, mais également de Porto Rico, de Guam, des Philippines, d'Hawaii, de l'Alaska et des îles Vierges, déclarons ici solennellement que ceci n'est pas une guerre impérialiste. » Tel était le texte d'un pamphlet satirique publié aux États-Unis, en 1939, par le parti communiste.

Deux ans plus tard, l'Allemagne envahissait la Russie soviétique : le parti communiste américain, qui auparavant répétait sur tous les tons que la guerre entre les forces de l'Axe et les puissances alliées était une guerre impérialiste, la qualifiait dorénavant de « guerre populaire » contre le fascisme. Du reste, la plupart des Américains (capitalistes, communistes, démocrates et républicains; les pauvres, les riches et la classe moyenne) s'accordaient sur ce seul fait : il s'agissait bien d'une guerre populaire.

Vraiment ?

Par certains aspects, il s'agissait en effet de la guerre la plus populaire que les États-Unis aient jamais menée. Jamais autant d'Américains n'avaient participé à une guerre : dix-huit millions d'individus servirent dans les forces armées, dont dix millions à l'étranger. Vingt-cinq millions de travailleurs économisèrent régulièrement sur leurs salaires pour financer l'effort de guerre. Il est cependant permis de penser qu'il s'agissait là d'une unanimité fabriquée, toutes les autorités de la nation – le gouvernement, bien sûr, mais également la presse, l'Église et même les principaux mouvements radicaux – ayant lancé un appel à la guerre totale. N'existait-il pas, pourtant, des courants souterrains de refus ou certains signes non relayés de résistance ?

Ce fut une guerre contre un ennemi incroyablement cruel. L'Allemagne de Hitler portait le totalitarisme, le racisme, le militarisme et l'agressivité à un niveau qu'un monde pourtant ultra-cynique avait ignoré jusque-là. Mais les gouvernements alliés – Anglais, Américains ou Russes – étaient-il si radicalement différents que leur victoire pût suffire à balayer l'impérialisme, le racisme, le totalitarisme ou le militarisme de la surface du globe ?

Le comportement même des États-Unis, tant dans ses opérations militaires qu'à l'égard de ses minorités, s'accordait-il réellement avec cette idée de « guerre populaire » ? La politique nationale, pendant la guerre, respectait-elle les droits de tous les citoyens à la liberté, à la vie et à la recherche du bonheur ? La politique de l'après-guerre répondait-elle aux valeurs au nom desquelles on avait prétendu faire la guerre ?

Ces questions méritent qu'on s'y arrête. Durant le conflit, l'atmosphère était trop saturée de ferveur guerrière pour qu'on en débatte.

L'attitude de défenseurs des nations en détresse qu'adoptèrent les États-Unis correspondait bien à l'image de l'Amérique que l'on trouvait dans les manuels scolaires, mais pas à ses antécédents avérés en politique internationale. Au début du XIXᵉ siècle, les États-Unis s'étaient opposés à la révolution que les Haïtiens avaient déclenchée contre la France pour obtenir leur indépendance. Ils avaient également provoqué une guerre avec le Mexique à l'issue de laquelle ils s'étaient emparés de la moitié du territoire mexicain. Sous prétexte d'aider Cuba à se débarrasser de la tutelle espagnole, les États-Unis s'y étaient installés en imposant une base militaire, leurs investissements financiers et un droit d'intervention dans les affaires intérieures du pays. Ils s'étaient également approprié Hawaii, Porto Rico et Guam, et avaient mené une guerre sans merci aux Philippins. Ils avaient « ouvert » le Japon au commerce américain à grand renfort de menaces et de navires de guerre. Ils avaient instauré la politique de la « porte ouverte » en Chine, de manière à s'assurer de bénéficier des mêmes opportunités que les autres puissances impérialistes dans l'exploitation des ressources chinoises. Pour finir, ils avaient envoyé des troupes à Pékin pour affirmer avec d'autres nations la suprématie occidentale sur la Chine. Ces troupes étaient sur place depuis bientôt trente ans.

Tandis que les États-Unis exigeaient – avec la doctrine Monroe et par la force des armes – que le marché chinois soit totalement ouvert au commerce, ils insistaient en revanche pour que l'Amérique latine reste un marché fermé – fermé à tous sauf aux États-Unis, évidemment. Ils avaient suscité une révolution en Colombie et inventé l'État « indépendant » du Panamá afin de permettre la construction – puis de s'assurer le contrôle – du canal du même nom. En 1926, les États-Unis envoyaient cinq mille soldats au Nicaragua pour contrer une révolution. Ils y laissèrent des troupes pendant sept ans. En 1916, ils intervenaient pour la quatrième fois en République dominicaine et y laissèrent également leurs soldats pendant huit ans. En 1915, ils avaient fait de même en Haïti, où les troupes restèrent durant dix-neuf ans. Entre 1900 et 1933, les États-Unis étaient intervenus quatre fois à Cuba, deux fois au Nicaragua, six fois au Panamá, une fois au Guatemala et pas moins de sept fois au Honduras. En 1924, les économies de la moitié des vingt États latino-américains étaient peu ou prou aux mains des Américains. En 1935, plus de la moitié de l'acier et du coton américain avait l'Amérique latine pour débouché.

Juste avant la fin de la Première Guerre mondiale, en 1918, dans le cadre d'une intervention des Alliés en Russie, une force armée de sept mille hommes s'installait à Vladivostok. Elle y resta jusqu'en 1920. Cinq mille hommes supplémentaires furent cantonnés pendant près d'une année à Archangel, un autre port russe, toujours dans le cadre d'une opération militaire alliée. Le département d'État informa le Congrès que « toutes ces opérations [tendaient] à contrebalancer les conséquences de la révolution bolchevique en Russie ».

En bref, si la motivation officielle de l'entrée en guerre des États-Unis était le souci de défendre le principe de non-intervention dans les affaires d'autrui (c'est ce que pensaient alors les citoyens américains, étant donné la progression des troupes nazies), l'histoire du pays permettait de douter de leur compétence en ce domaine.

Ce qui apparaissait surtout à cette époque était la différence entre les États-Unis, démocratie dotée de libertés, et l'Allemagne nazie, dictature qui persécutait sa minorité juive, emprisonnait ses dissidents et proclamait la supériorité de la « race » aryenne. Néanmoins, à considérer l'antisémitisme en Allemagne, les Noirs ne pensaient sans doute pas que leur situation aux États-Unis en était si éloignée. D'ailleurs, les États-Unis s'étaient faiblement opposés aux politiques de persécution menées par Hitler. Tout au long des années 1930, ils s'étaient joints à l'Angleterre et à la France dans leur tentative d'amadouer Hitler. Roosevelt et Cordell Hull, son secrétaire d'État, hésitaient à critiquer publiquement la politique antisémite du dictateur allemand. Selon Arnold Offner (*American Appeasement*), quand, en janvier 1934, une résolution fut examinée pour demander au Sénat et au président américain d'exprimer leur « surprise et leur mécontentement » devant le sort que les Allemands réservaient aux Juifs et d'exiger la restauration des Juifs dans leurs droits, le département d'État « s'arrangea pour que cette résolution se perde dans les méandres d'un comité quelconque ».

Lorsque Mussolini envahit l'Éthiopie en 1935, les États-Unis décrétèrent un embargo sur les armes. Les entreprises américaines purent cependant continuer de livrer du pétrole en énorme quantité – pétrole sans lequel l'Italie n'aurait pas pu mener sa guerre. Lorsque éclata en Espagne, en 1936, une rébellion fasciste contre le gouvernement social-libéral élu démocratiquement, l'administration Roosevelt fit voter une loi de neutralité qui eut pour effet de supprimer les aides au gouvernement espagnol alors que Hitler et Mussolini apportaient un soutien militaire décisif à Franco. Offner constate également que « les États-Unis restaient bien en deçà de ce que leur propre législation sur la neutralité leur imposait. Le soutien de Hitler à Franco n'ayant été fermement assuré qu'à partir de novembre 1936, les républicains espagnols auraient pu l'emporter si les États-Unis, l'Angleterre et la France leur avaient apporté leur aide. Au lieu de cela, l'Allemagne tira tous les bénéfices possibles de la guerre civile espagnole ».

S'agissait-il d'une erreur d'appréciation, d'une malencontreuse méprise ? Ou bien cela découlait-il d'une politique relativement logique de la part d'un gouvernement dont le principal objectif n'était pas d'arrêter le fascisme mais de faire avancer les intérêts impérialistes américains ? Pour ces intérêts, dans les années 1930, une politique antisoviétique semblait être la meilleure solution. Plus tard, lorsque le Japon et l'Allemagne menacèrent conjointement les intérêts impérialistes américains, une politique prosoviétique et antinazie s'avéra préférable. Roosevelt était à peu près aussi soucieux de mettre fin à l'oppression des Juifs que Lincoln avait pu l'être de faire cesser l'esclavage pendant la guerre de Sécession. Leur priorité politique (quelle qu'ait été leur compassion personnelle pour les victimes de l'oppression) n'était pas le respect des droits des minorités mais la puissance de l'Amérique.

Ce n'est pas la barbarie de Hitler vis-à-vis des Juifs qui fit entrer les États-Unis dans la Seconde Guerre mondiale – pas plus que le sort des quatre millions d'esclaves noirs n'avait entraîné la guerre de Sécession en 1861. L'agression italienne contre l'Éthiopie, l'invasion de l'Autriche et de la Tchécoslovaquie par Hitler, son offensive contre la Pologne n'y furent pour rien elles non plus, même si elles conduisirent Roosevelt à aider considérablement les Anglais. Ce fut le bombardement par les Japonais de la base navale de Pearl Harbor, à Hawaii, le 7 décembre 1941, qui déclencha l'entrée en guerre des États-Unis. Les bombardements de civils par les Japonais – attaques japonaises sur la Chine en 1937, bombardement de Nankin – n'avaient pas suffi à entraîner les Américains dans une guerre. L'attaque d'une base de l'impérialisme américain dans le Pacifique provoqua en revanche immédiatement la vibrante déclaration de guerre de Roosevelt.

Tant que le Japon était resté un membre respectable du club des puissances impérialistes qui, par le biais de la politique de la porte ouverte, exploitaient conjointement la Chine, les États-Unis n'avaient jamais émis la moindre critique. Il existe des notes américaines échangées avec le Japon en 1917 qui déclarent que « les États-Unis reconnaissent les intérêts spécifiques du Japon en Chine ». En 1928, si l'on en croit Akira Iriye (*After Imperialism*), les consuls américains en Chine accueillirent positivement l'arrivée de troupes japonaises. Les États-Unis commencèrent à s'inquiéter lorsque le Japon se mit à menacer les marchés potentiels américains en Chine par sa tentative d'annexion totale de la Chine et surtout par son implantation dans le Sud-Est asiatique. À l'été 1941, les Américains mirent en place des embargos stricts sur le fer et sur le pétrole, mesures qui provoquèrent finalement l'attaque japonaise sur Pearl Harbor.

Comme Bruce Russet le confirme (*No Clear and Present Danger*) : « Au cours des années 1930, le gouvernement des États-Unis n'avait que très faiblement résisté à l'avancée japonaise sur le continent asiatique. » Mais « le Sud-Ouest du Pacifique était d'une indéniable importance pour les États-Unis. À cette époque, en effet, la plus grande part de l'acier et du caoutchouc utilisés en Amérique, comme d'ailleurs d'importantes quantités d'autres matières premières, provenaient de cette région ».

Pearl Harbor fut présenté à l'opinion publique américaine comme un acte soudain, surprenant et immoral. Immoral comme tout bombardement, cet acte n'était en revanche ni soudain ni surprenant pour le gouvernement américain. Russet affirme que « l'agression japonaise contre la base navale américaine venait couronner une longue série d'agressions mutuelles entre le Japon et les États-Unis. En se lançant dans une politique de rétorsion économique contre le Japon, les États-Unis agissaient d'une manière que l'on considérait, même à Washington, comme comportant de sérieux risques de guerre ».

Si l'on écarte les accusations non fondées portées contre Roosevelt (« il était au courant pour Pearl Harbor mais n'en a rien dit », voire « il a délibérément provoqué le raid japonais sur Pearl Harbor »), il semble assez évident qu'il a agi comme James Polk l'avait fait avant lui lors de la guerre contre le Mexique et comme Lyndon Johnson le ferait plus tard lors de la guerre du Vietnam : il mentit à l'opinion pour ce qu'il croyait être une bonne cause. En septembre et octobre 1941, il mentit à propos de deux événements impliquant des sous-marins allemands et un destroyer américain. Un historien favorable à Roosevelt, Thomas A. Bailey, écrit que « Franklin Roosevelt [avait] trompé à plusieurs reprises le peuple américain au cours de la période qui précéda Pearl Harbor. [...] Il était comme le médecin qui doit mentir à son patient pour son propre bien [...], parce que les masses ont notoirement la vue courte et qu'elles ne voient le danger que lorsqu'il leur saute à la gorge ».

L'un des juges du procès pour crimes de guerre qui se tint à Tokyo après la Seconde Guerre mondiale, Radhabinod Pal, s'éleva contre l'ensemble des verdicts rendus à l'encontre des responsables japonais. Il affirmait que les États-Unis avaient à l'évidence provoqué la guerre avec le Japon et qu'ils avaient espéré que le Japon réagirait. Richard Minear (*Victors' Justice*) résume le point de vue de Pal à propos des embargos sur le fer et le pétrole. Pal affirmait que « ces mesures constituaient une menace claire et réelle pour l'existence même du Japon ». Les archives montrent qu'une réunion à la Maison-Blanche, deux semaines avant Pearl Harbor, anticipait une guerre et s'interrogeait sur les moyens de la justifier.

Un rapport du département d'État sur l'expansion japonaise, un an avant Pearl Harbor, n'évoquait nullement l'indépendance de la Chine ou le principe d'autodétermination, mais affirmait en revanche : « Nos positions stratégiques et politiques globales seraient considérablement affaiblies par la perte des marchés chinois, indien et du Sud-Est asiatique (ainsi que par la perte du marché japonais puisque le Japon se suffit de plus en plus à lui-même). Elles seraient également affaiblies par toute atteinte irrémédiable à nos capacités d'accès à des ressources comme le caoutchouc, le fer, la jute et autres matières premières vitales des régions asiatiques et pacifiques. »

Le comportement des États-Unis, désormais alliés aux Russes et aux Anglais (l'Allemagne ayant déclaré la guerre aux États-Unis juste après Pearl Harbor), témoigna-t-il d'un souci essenciellement humanitaire ou plutôt d'objectifs de puissance et de profit ? L'Amérique faisait-elle la guerre pour mettre fin à la domination de certaines nations sur d'autres ou pour s'assurer que les nations qui garderaient la maîtrise du monde seraient des pays amis ? En août

1941, Roosevelt et Churchill se rencontrèrent au large de Terre-Neuve et présentèrent au monde la « charte de l'Atlantique ». Elle fixait de nobles objectifs pour l'après-guerre et stipulait que les deux nations décidaient de ne pas « rechercher d'expansions territoriales ou autres » et qu'ils respecteraient « le droit de tous les peuples à décider du gouvernement sous lequel ils voulaient vivre ». Cette charte fut célébrée comme une reconnaissance du droit des nations à l'autodétermination.

Pourtant, deux semaines avant l'annonce de la charte de l'Atlantique, le secrétaire d'État américain, Summer Welles, avait assuré le gouvernement français que la France conserverait son empire. « [Notre] gouvernement, respectueux de son amitié historique avec la France, a très bien compris le désir du peuple français de conserver l'intégralité de son territoire. » Le département de la Défense (*The Pentagon Papers*), dans sa section « Histoire du Vietnam », soulignait lui-même ce qui lui apparaissait comme une politique « ambivalente » à l'égard de l'Indochine, remarquant : « Par la charte de l'Atlantique et autres déclarations publiques, les États-Unis ont apporté leur soutien au principe d'autodétermination et d'indépendance nationales » alors que, « pendant le cours de la guerre, ils avaient assuré à plusieurs reprises aux Français leur intention de leur rendre après la guerre leur empire colonial ».

Fin 1942, le représentant personnel de Roosevelt avait déclaré au général français Henri Giraud : « Il est bien entendu dans nos intentions de voir la souveraineté de la France rétablie aussi vite que possible sur l'ensemble des territoires métropolitains et coloniaux sur lesquels son drapeau flottait en 1939. » Ces documents, comme bien d'autres extraits des *Pentagon Papers*, sont signalés « TOP SECRET - documents sensibles ». En 1945, l'attitude « ambivalente » disparaissait. En mai, Truman assurait aux Français qu'il ne remettrait pas en question leur « souveraineté sur l'Indochine ». À l'automne, les États-Unis pressèrent la Chine nationaliste, temporairement chargée de la partie septentrionale de l'Indochine par la conférence de Potsdam, de la restituer aux Français malgré le souhait évident des Vietnamiens d'accéder à l'indépendance.

Au-delà des faveurs accordées au gouvernement français, qu'en était-il exactement des propres ambitions impérialistes des États-Unis pendant la guerre? De ces « expansions territoriales ou autres » auxquelles Roosevelt avait renoncé dans la charte de l'Atlantique?

Dans la presse, on ne parlait que de combats et de mouvements de troupes : l'invasion de l'Afrique du Nord en 1942, l'Italie en 1943, le débarquement massif et spectaculaire sur les côtes normandes en 1944, les difficiles combats pour repousser les Allemands hors de France et les bombardements incessants des aviations anglaise et américaine. De leur côté, au moment du débarquement, les Russes avaient déjà expulsé les Allemands de leur territoire et étaient confrontés à 80 % des effectifs allemands. Par ailleurs, dans le Pacifique, en 1943 et 1944, les soldats américains progressaient d'île en île, créant des bases militaires de plus en plus proches du Japon pour permettre le bombardement des villes japonaises.

Plus discrètement, sans faire l'objet des unes de la presse, les diplomates et les hommes d'affaires américains suaient sang et eau pour s'assurer que la puissance économique américaine, une fois la guerre finie, n'aurait plus de rivale à l'échelle du monde. Le commerce américain devait investir des zones jusque-là dominées par les seuls Anglais. La politique de la porte ouverte et de l'accès équilibré aux marchés étrangers devait s'appliquer de l'Asie à l'Europe. En fait, les Américains avaient l'intention de mettre les Anglais hors jeu et de prendre leur place.

C'est ce qui arriva au Moyen-Orient et à son pétrole. En août 1945, un responsable du département d'État déclarait : « Un tour d'horizon de l'histoire diplomatique des trente-cinq dernières années apporte la preuve que le pétrole a joué un rôle plus important dans les affaires extérieures américaines que toute autre matière première. » L'Arabie saoudite était la plus grande réserve de pétrole du Moyen-Orient. Par l'intermédiaire du secrétaire à l'Intérieur américain, Harold Ickes, le pétrolier ARAMCO avait convaincu Roosevelt d'accorder un prêt-bail à l'Arabie saoudite, établissant ainsi des intérêts américains dans ce pays. En 1944, la Grande-Bretagne et les États-Unis signèrent un pacte pétrolier, s'accordant sur le « principe d'un accès égal ». Selon Lloyd Gardner (*Economic Aspects of New Deal Diplomacy*), « la politique de la porte ouverte avait finalement triomphé dans tout le Moyen-Orient ».

L'historien Gabriel Kolko (*The Politics of War*) conclut pour sa part que « l'objectif économique de l'Amérique en guerre était de sauver le capitalisme à l'intérieur comme à l'extérieur de ses frontières ». En avril 1944, un responsable du département d'État déclara : « Comme vous le savez sans doute, nous prévoyons une gigantesque augmentation de la production américaine après la guerre que le marché domestique américain ne pourra pas absorber indéfiniment. De toute évidence, accroître nos marchés deviendra une nécessité. »

Dans son étude sur le commerce pétrolier international (*The Seven Sisters*), Anthony Sampson rappelle qu'« à la fin de la guerre la puissance dominante en Arabie saoudite était incontestablement les États-Unis. Le roi Ibn Séoud n'était plus considéré par les

Américains comme un farouche guerrier du désert mais comme une pièce maîtresse dans le jeu du pouvoir, qu'il fallait ranger du côté des Occidentaux. Au retour de Yalta, en février 1945, Roosevelt reçut le roi sur le croiseur américain le *Quincy* avec tout son entourage (cinquante personnes), dont ses deux fils, un Premier ministre, un astrologue et des moutons destinés au sacrifice ».

Roosevelt lui écrivit ensuite pour lui promettre que les États-Unis ne changeraient pas leur politique palestinienne sans consulter les Arabes. Si plus tard, au Moyen-Orient, la question pétrolière entrerait constamment en conflit avec la politique menée en faveur de l'État hébreu, la question du pétrole était clairement prépondérante à cette époque.

La domination impérialiste anglaise ayant disparu pendant la Seconde Guerre mondiale, les États-Unis s'apprêtaient à reprendre la main. Hull déclarait au début de la guerre : « Le rôle principal dans un nouveau système de relations commerciales et économiques internationales reviendra en grande partie aux États-Unis étant donné notre puissance économique. Nous devrions être en mesure d'assumer ce rôle et les responsabilités qui en découlent, et ce, avant tout, dans le simple intérêt de la nation. »

Avant même la fin de la guerre, l'administration avait dessiné les grandes lignes d'un nouvel ordre économique international fondé sur le partenariat entre le gouvernement et les milieux d'affaires. Lloyd Gardner affirme à propos de Harry Hopkins, conseiller principal de Roosevelt, organisateur des programmes d'aides sociales du New Deal, qu'« aucun conservateur ne pouvait rivaliser avec Hopkins lorsqu'il s'agissait de soutenir les investissements à l'étranger et d'assurer leur protection ».

Le poète Archibald MacLeish, alors sous-secrétaire d'État, critiqua amèrement ce à quoi il assistait juste après la guerre : « À l'allure où vont les choses, la paix que nous ferons, la paix que nous sommes apparemment en train de faire, sera une paix du pétrole, une paix de l'or, des échanges commerciaux. Bref, une paix sans but moral, sans soucis humanistes. »

Pendant la guerre, la Grande-Bretagne et les États-Unis mirent en place le Fonds monétaire international (FMI) pour réguler les échanges internationaux de devises. Le poids du vote étant proportionnel aux capitaux mis à disposition, les Américains contrôlaient cet organisme. La Banque internationale pour la reconstruction et le développement fut également créée sous prétexte d'aider au relèvement des régions détruites par la guerre. Pourtant, l'un de ses principaux objectifs était, du propre aveu de ses fondateurs, de « promouvoir les investissements à l'étranger ».

L'aide économique dont les pays pourraient avoir besoin après la guerre était déjà conçue en termes de stratégie politique : Averell Harriman, ambassadeur américain en URSS, déclarait au début de 1944 que « l'assistance économique [était] l'une de nos armes les plus efficaces pour faire tourner les événements politiques européens à notre avantage ».

La création des Nations unies pendant la guerre fut présentée au monde comme une coopération internationale visant à prévenir les guerres futures. Mais l'ONU était dominée par les puissances impérialistes occidentales – les États-Unis, l'Angleterre et la France – ainsi que par une nouvelle puissance impérialiste possédant des bases militaires et une influence importante dans les pays de l'Est européen : l'Union soviétique. Arthur Vandenburg, un sénateur républicain conservateur de stature nationale, écrivit dans son journal, à propos de la charte des Nations unies : « Ce qui frappe dans cette charte, c'est qu'elle est très conservatrice du point de vue nationaliste. Elle se fonde sur l'alliance de quatre grandes puissances. [...] C'est tout sauf le rêve internationaliste d'un État mondial. [...] Je suis profondément impressionné (et heureusement surpris) de voir Hull défendre pied à pied notre droit de veto dans cet organisme. »

Le destin des Juifs dans l'Europe occupée par les Allemands – que beaucoup pensaient être au cœur de cette guerre contre les forces de l'Axe – n'était pas ce qui préoccupait le plus Roosevelt. L'enquête de Henry Feingold, *The Politics of Rescue*, montre que Roosevelt, au moment même où les Juifs étaient enfermés dans les camps et que commençait le processus qui allait aboutir à l'abominable extermination de millions de Juifs et non-Juifs, ne prit pas les mesures qui auraient permis de sauver des milliers de vies humaines. Il ne considérait pas qu'il s'agissait là d'une priorité. Il confia la question au département d'État, dont la froide bureaucratie et l'antisémitisme firent obstacle à l'action.

Faisait-on réellement la guerre pour démontrer que Hitler se trompait quant à la supériorité de la « race » aryenne sur les races inférieures ? Dans les forces armées américaines, les Blancs et les Noirs restaient séparés. Lorsque, au début de 1945, les troupes furent embarquées sur le *Queen Mary* pour aller combattre sur le sol européen, les soldats noirs prirent place dans les profondeurs du navire à côté de la salle des machines, aussi loin que possible de l'air frais du pont, dans une sorte d'étrange *remake* des transports d'esclaves d'autrefois.

La Croix-Rouge, avec l'accord du gouvernement, ne mélangeait pas le sang des Noirs avec le sang des Blancs. Ironie de l'histoire, c'est à Charles Drew, un médecin noir, que l'on devait le développement du système du prélèvement sanguin. Il avait été chargé pendant la guerre de l'organisation des dons de sang ; il fut remercié après avoir essayé de faire cesser la ségrégation dans ce domaine. En dépit du besoin pressant de main-d'œuvre, les Noirs continuaient de subir la discrimination à l'emploi. Le porte-parole d'un fabricant d'avions de la côte Ouest déclarait à cette époque : « Les Noirs ne peuvent être employés que comme gardiens ou toute autre activité de ce type. [...] Quel que soit leur degré de qualification dans l'industrie aéronautique, nous ne les embaucherons pas. » Roosevelt ne fit jamais rien pour que l'on applique les injonctions émanant de la Fair Employment Practices Commission qu'il avait lui-même mise en place.

Les régimes fascistes rappelaient sans cesse que la place de la femme était à la maison. Pourtant, la lutte contre le fascisme, tout en utilisant abondamment le travail des femmes dans l'industrie de guerre, où elles étaient absolument nécessaires, ne bouleversa pas considérablement le statut des femmes américaines. La « commission de la main-d'œuvre en temps de guerre » les tenait à l'écart de ses instances de décision. Un rapport du département féminin du secrétariat au Travail, rédigé par sa directrice Mary Anderson, faisait état des « doutes et réticences » de la commission concernant « ce qui passait alors pour l'émergence d'un militantisme ou d'un esprit de croisade chez certaines responsables ».

Un des aspects de la politique américaine semblait directement s'inspirer du fascisme. Il s'agit du sort réservé aux Américains d'origine japonaise de la côte Ouest. Après l'attaque de Pearl Harbor, une hystérie anti-japonaise éclata au sein du gouvernement. Un membre du Congrès déclara même : « Je suis pour que l'on se saisisse de tous les Japonais en Amérique, de l'Alaska à Hawaii, et qu'on les mette dans des camps de concentration. [...] Qu'ils aillent au diable ! Qu'on s'en débarrasse ! »

Franklin D. Roosevelt ne partageait pas cette hystérie, mais il signa tranquillement le décret exécutif 9066, en février 1942, donnant à l'armée le pouvoir d'arrêter sans mandat, convocation, ou même investigation, tous les Américains d'origine japonaise de la côte Ouest – cent dix mille hommes, femmes et enfants –, de les expulser de chez eux, de les regrouper dans des camps au plus profond des États-Unis et de les garder là dans des conditions de captivité. Les trois quarts d'entre eux étaient des *nisei*, c'est-à-dire que, nés sur le sol américain de parents japonais, ils étaient en conséquence citoyens américains. Les autres – les *isei* –, étant nés au Japon, ne pouvaient devenir citoyens des États-Unis. En 1944, la

Cour suprême justifia cette opération armée par les exigences de la guerre. Les Japonais restèrent dans ces camps un peu plus de trois ans.

Michi Weglyn était une jeune fille lorsque sa famille fut évacuée et internée. Dans *Years of Infamy* elle raconte l'évacuation, la misère, la honte, la colère, mais aussi la dignité et la résistance de ces Américains d'origine japonaise. Il y eut des grèves, des pétitions, des manifestations, des refus de prêter serment de fidélité à la nation, des soulèvements contre les dirigeants des camps. Ces Japonais résistèrent jusqu'à la fin.

L'opinion publique n'apprit l'histoire de ces Américains qu'en 1945. Lorsque la guerre prit fin en Asie, en septembre 1945 donc, le *Harper's Magazine* publia un article rédigé par un professeur de droit de Yale, Eugene V. Rostow, qui qualifiait l'évacuation des Japonais de « plus grave erreur [américaine] de la guerre ». Mais était-ce bien une « erreur » ? Ne pouvait-on pas s'y attendre de la part d'une nation qui possédait une longue expérience du racisme et qui avait surtout combattu pour préserver les fondements mêmes du système américain ?

La guerre avait été menée par un gouvernement dont les principaux bénéficiaires – en dépit d'un certain nombre de réformes – étaient les membres de l'élite fortunée de la nation. L'alliance tissée entre le gouvernement et les milieux d'affaires les plus influents remontait aux premières mesures présentées au Congrès par Alexander Hamilton, immédiatement après la guerre d'Indépendance. Quand la Seconde Guerre mondiale survint, cette alliance s'était développée et consolidée. Pendant la Grande Dépression, Roosevelt avait dénoncé, à l'occasion, les « royalistes économiques », mais il eut toujours le soutien de certaines des personnalités les plus importantes du monde des affaires. Pendant la guerre, ainsi que Bruce Catton put le constater depuis son poste au War Production Board, « les royalistes économiques autrefois raillés et dénoncés [...] avaient désormais un rôle à jouer ».

Catton (*The War Lords of Washington*) décrivit le processus de mobilisation industrielle destiné à soutenir l'effort de guerre et montra comment, au travers de ce mécanisme, la richesse se concentra de plus en plus dans les mains d'entreprises de moins en moins nombreuses. En 1940, les États-Unis avaient commencé leurs importantes livraisons de matériel de guerre à la France et à l'Angleterre. En 1941, les trois quarts du montant des contrats militaires revenaient à cinquante-six grandes entreprises. Un rapport sénatorial (« Concentration économique et Seconde Guerre mondiale ») signalait que, pendant la guerre, le gouvernement avait passé des contrats de recherche scientifique avec l'industrie : si quelque deux mille entreprises furent concernées, dix grandes entreprises seulement se répartirent presque la moitié du milliard de dollars de dépenses publiques engagées.

La direction des politiques industrielles resta clairement entre les mains des décisionnaires habituels. Malgré les douze millions de travailleurs affiliés à l'AFL ou au CIO, la main-d'œuvre restait cantonnée dans un rôle subalterne. En une sorte de concession à la démocratie industrielle, des comités réunissant direction et personnel furent certes mis en place dans cinq mille usines américaines, mais il s'agissait avant tout de groupes disciplinaires contre les travailleurs absentéistes ou de groupes de proposition pour améliorer la production. Catton écrit encore que « les hauts responsables qui prenaient l'essentiel des décisions concernant la production avaient décidé que rien ne devait changer véritablement ».

Malgré l'atmosphère générale de patriotisme et de dévouement total à la cause de la guerre ; malgré les engagements à ne pas faire la grève pris par les responsables de l'AFL et du CIO, de nombreux travailleurs américains, mécontents du gel des salaires – alors que les profits des entreprises battaient des records –, se mirent néanmoins en grève. Pendant la guerre, il y eut quatorze mille grèves, impliquant quelque six millions sept cent mille travailleurs, bien plus que dans n'importe quelle autre période comparable de l'histoire des États-Unis. Pour la seule année 1944, un million de travailleurs se mirent en grève dans les mines, dans les aciéries, dans les industries d'équipement automobile et de transport.

Les grèves se poursuivirent après la guerre. Au cours du premier semestre 1946, trois millions de travailleurs se mirent en grève. Selon Jeremy Brecher (*Strike!*), sans la main de fer des syndicats, on aurait sans doute assisté à « une confrontation générale entre les travailleurs d'un grand nombre d'industries et le gouvernement qui soutenait les employeurs ».

À Lowell (Massachusetts), par exemple, selon le manuscrit non publié de Marc Miller (*The Irony of Victory : Lowell During World War II*), il y eut autant de grèves en 1943 et 1944 que pendant l'année 1937. Malgré la « guerre populaire », il existait un profond mécontentement dû à l'écart entre l'augmentation des profits de l'industrie du textile (600 % entre 1940 et 1946) et l'augmentation des salaires (36 % durant la même période). Que la guerre n'ait guère amélioré les difficiles conditions des femmes au travail, on peut l'affirmer en rappelant par exemple qu'à Lowell seules 5 % des mères travaillant pour l'effort de guerre étaient en mesure d'envoyer leurs enfants dans des écoles maternelles. Les autres devaient se débrouiller par leurs propres moyens.

Malgré la tonitruante ferveur patriotique et malgré l'agression fasciste, nombreux étaient ceux qui pensaient que la guerre était injustifiable. Sur les dix millions de soldats incorporés dans les forces armées américaines, seuls quarante-trois mille refusèrent de se battre. Mais cela représentait tout de même trois fois le nombre des objecteurs de conscience de la Première Guerre mondiale. Sur ces quarante-trois mille personnes, quelque six mille furent emprisonnées – quatre fois plus, proportionnellement, que pendant la Grande Guerre. Dans les prisons fédérales, un détenu sur six était objecteur de conscience.

Ils furent bien plus de quarante-trois mille à ne pas se présenter du tout à l'incorporation. Le gouvernement chiffrait à trois cent cinquante mille cas le nombre de refus d'incorporation, qu'il s'agisse des hommes qui n'apparaissaient pas sur les listes d'incorporation ou de ceux qui désertèrent effectivement. En fait, il est difficile de fournir une estimation fiable en ce domaine, mais il est probable qu'en ajoutant les objecteurs de conscience aux « déserteurs » on arrive à plusieurs centaines de milliers d'individus – ce qui n'est pas rien dans le cadre d'une communauté américaine presque unanimement favorable à la guerre.

Parmi les soldats qui semblaient accepter de combattre, combien y en avait-il qui détestaient les autorités et n'étaient pas enthousiastes à l'idée de se battre pour des objectifs peu clairs et dans les rangs d'une armée rien moins que démocratique ? Personne n'a recueilli l'amertume des soldats devant les privilèges spécifiques accordés aux officiers. Pour ne donner qu'un exemple : les équipages des appareils de combat de la US Air Force en Europe trouvaient dans les salles de cinéma des bases militaires deux files d'attente séparées – une pour les officiers (courte) et une pour les appelés (très longue). Les réfectoires étaient également distincts : la nourriture des simples soldats était différente – c'est-à-dire pire – que celle des officiers.

Les romans qui parurent après la Seconde Guerre mondiale, tels *From Here to Eternity* de James Jones, *Catch 22* de Joseph Heller et *Les Nus et les morts* de Norman Mailer, témoignent de cette amertume des simples soldats envers les « gros bonnets » de l'armée. Dans le roman de Mailer, des soldats discutent au cours d'une bataille :

> « La seule chose qui ne va pas dans cette armée, c'est qu'elle ne perd jamais une guerre. » Toglio fut scandalisé. « Tu penses qu'on devrait perdre celle-là ? » Red s'emporta : « Qu'est-ce que j'ai

contre ces damnés japs ? Tu penses peut-être que ça me fait quelque chose s'ils gardent cette foutue jungle ? Qu'est-ce que ça me rapporte que Cummings se colle une étoile de plus ? » « Le général Cummings est un bon type », dit Martinez. « Il n'y a pas un seul bon officier au monde », affirma Red.

En dépit des efforts de mobilisation de la presse et des leaders noirs, il semble qu'il y ait eu une indifférence générale, sinon une hostilité marquée, de la part de la communauté noire vis-à-vis de la guerre. Lawrence Wittner (*Rebels Against War*) cite un journaliste noir : « Le Noir [...] est en colère, plein de rancœur et montre une mauvaise volonté évidente à l'égard de la guerre. "Se battre pour quoi ? demande-t-il. Cette guerre ne signifie rien pour moi. Si nous gagnons, je perds. Et après ?" » Un officier noir en permission raconta à des amis de Harlem qu'il avait participé à des centaines de réunions avec des soldats noirs et qu'il n'avait constaté aucun enthousiasme particulier pour cette guerre.

Dans un collège noir, un étudiant déclara à son professeur : « L'armée est raciste envers nous. Dans la marine, on ne peut servir que dans les réfectoires. La Croix-Rouge ne veut pas de notre sang. Les patrons et les syndicats nous mettent dehors. Les lynchages continuent. On nous traite comme des esclaves. On est raciste avec nous et on nous crache au visage. Qu'est-ce que Hitler pourrait nous faire de plus ? » Un responsable de la NAACP, Walter White, rapportait ces propos à un public composé de plusieurs milliers de Noirs dans le Midwest, pensant que cela les scandaliserait. Au lieu de cela, raconta-t-il plus tard, « à [sa] grande surprise et stupéfaction, le public a éclaté en applaudissements et il a bien fallu trente à quarante seconde avant que le calme ne revienne ».

En janvier 1943, cette *Prière du simple soldat* fut publiée dans un journal noir :

> *Mon Dieu, aujourd'hui*
> *Je pars à la guerre :*
> *Pour combattre et pour mourir.*
> *Dites-moi pourquoi.*
>
> *Mon Dieu, je me battrai.*
> *Je n'ai pas peur*
> *Des Allemands ou des japs.*
> *C'est ici que j'ai peur,*
> *En Amérique.*

Il n'existait cependant pas d'opposition noire réellement organisée. Il y avait du reste peu d'opposition, d'où qu'elle vienne. Le parti socialiste était divisé et incapable de prendre une position claire dans un sens ou dans un autre. Le parti communiste soutenait la guerre avec enthousiasme.

Seuls quelques groupes anarchistes et pacifistes refusaient de la soutenir. La Ligue féministe internationale pour la paix et la liberté déclarait : « La guerre entre nations, classes ou races ne peut en permanence régler les conflits ou guérir les blessures qui fondent leur existence. » Et le *Catholic Worker* affirmait : « Nous restons pacifistes. »

La difficulté de s'exprimer simplement en faveur de la paix dans un monde gouverné par le capitalisme, le communisme et le fascisme – toutes idéologies vindicatives aux agissements agressifs – troublait la plupart des pacifistes. Ils commencèrent à évoquer une certaine « non-violence révolutionnaire ». A. J. Muste, de la Confrérie pour la réconciliation, s'exprima à ce sujet quelques années plus tard : « Je n'étais pas très intéressé par le pacifisme sentimental et assez facile du début du siècle. Les gens pensaient alors qu'il suffisait de s'asseoir et de converser gentiment sur la paix et l'amour pour résoudre facilement les problèmes du monde. » Muste sentait que le monde était en pleine révolution et que ceux qui s'opposaient à la violence devaient entreprendre des actions révolutionnaires mais néanmoins non violentes. Un mouvement de pacifisme révolutionnaire se devait d'« entrer réellement en contact avec les groupes minoritaires tels que les Noirs, les métayers et les ouvriers de l'industrie ».

Parmi les groupes socialistes, un seul s'opposa sans équivoque à la guerre : le parti socialiste ouvrier. La loi sur l'espionnage de 1917, restée en vigueur depuis, s'appliquait aux prises de position en temps de guerre. En 1940, le Congrès vota la loi Smith, qui reprenait les dispositions de la loi sur l'espionnage concernant les discours ou les écrits susceptibles d'inciter au refus de servir dans les forces armées, en les appliquant désormais également en temps de paix. La loi Smith considérait aussi comme un délit d'appeler au renversement du gouvernement par la force ou par la violence ou de participer à tout mouvement qui défendrait ou publierait des articles prônant cette idée. À Minneapolis, en 1943, dix-huit membres du parti socialiste ouvrier furent jugés pour appartenance à un parti dont les idées, exprimées dans sa *Déclaration de principes* ainsi que dans le *Manifeste du parti communiste*, étaient supposées contrevenir à la loi Smith. Ils furent condamnés à la prison et la Cour suprême refusa d'examiner leur cas en appel.

Quelques voix continuèrent cependant à insister sur le fait que la vraie guerre se déroulait à l'intérieur des frontières nationales : la revue de Dwight MacDonald, *Politics*, publia au début de 1945 un article rédigé par la philosophe ouvrière française Simone Weil : « Et, sous tous les noms dont il peut se parer, fascisme, démocratie ou dictature du prolétariat, l'ennemi capital reste l'appareil administratif, policier, militaire ; non pas celui d'en face, qui n'est notre ennemi qu'autant qu'il est celui de nos frères, mais celui qui se dit notre défenseur et fait de nous ses esclaves. Dans n'importe quelle circonstance, la pire trahison possible consiste toujours à accepter de se subordonner à cet appareil et de fouler aux pieds pour le servir, en soi-même et chez autrui, toutes les valeurs humaines. »

Quoi qu'il en soit, la grande majorité des Américains se trouvait mobilisée, dans l'armée comme dans la vie civile, en faveur de la guerre. Les sondages d'opinion montrent que la plupart des soldats souhaitaient que le système de la conscription se poursuive après la guerre. La haine de l'ennemi, et en particulier des Japonais, était largement partagée. Le racisme s'épanouissait. Le magazine *Time*, rendant compte de la bataille d'Iwo Jima, écrivit : « Le jap de base est parfaitement ignorant. Peut-être est-il humain. [...] En tout cas [...], rien ne l'indique. »

Il y eut donc bien un large soutien à ce qui devait devenir la plus abominable campagne de bombardements de civils jamais entreprise au cours d'une guerre : les attaques aériennes sur les villes allemandes et japonaises. Certains pourraient prétendre que ce très large soutien démontre qu'il s'agissait bien d'une « guerre populaire ». Mais si l'expression « guerre populaire » désigne la guerre d'un peuple contre l'agression, une guerre défensive – si elle désigne une guerre conduite pour des raisons humanitaires et non dans l'intérêt d'une petite élite ; une guerre contre les responsables et non contre la masse des civils –, la stratégie des bombardements aériens sur les populations civiles allemande et japonaise a réduit cette idée à néant.

L'Italie avait bombardé les villes éthiopiennes ; l'Italie et l'Allemagne avaient bombardé les civils espagnols pendant la guerre d'Espagne ; au début de la Seconde Guerre mondiale, les avions allemands avaient lâché leurs bombes sur Rotterdam aux Pays-Bas, sur Coventry en Angleterre, et ailleurs. À l'époque, Roosevelt avait dénoncé cette « barbarie inhumaine qui a profondément choqué la conscience de l'humanité ».

Pourtant, ces bombardements allemands avaient été bien moins importants que les bombardements ultérieurs des villes allemandes par l'aviation américaine. En janvier 1943, les Alliés s'étaient rencontrés à Casablanca pour s'accorder sur l'idée d'une campagne de bombardements aériens de grande envergure capable d'entraîner aussi bien « la destruction et la désorganisation totales des systèmes militaire, industriel et économique allemands que l'effondrement moral de la population allemande à un point tel que sa capacité de résistance armée [serait] mortellement touchée ». C'est ainsi que les bombardements incessants des villes allemandes commencèrent – avec des opérations de centaines d'appareils sur Cologne, Essen, Francfort et Hambourg. Les Anglais volaient de nuit sans prétendre viser les objectifs militaires. Les Américains le faisaient de jour en se vantant d'une certaine précision ; ils bombardaient cependant de si haut que cette précision était parfaitement impossible. L'apogée de ces bombardements terroristes fut celui de Dresde, début 1945. Au cours de cette opération, l'extraordinaire chaleur dégagée par les bombes provoqua des incendies qui ravagèrent la ville. Plus de cent mille personnes périrent à Dresde. Winston Churchill rend rapidement compte de cet événement dans ses Mémoires de guerre : « Nous avons opéré un bombardement massif ces derniers mois sur la ville de Dresde, qui était alors un centre de communications allemand pour le front de l'Est. »

Le pilonnage des villes japonaises correspondait également à cette stratégie de saturation destinée à détruire le moral des civils. Un bombardement nocturne sur Tokyo fit quelque quatre-vingt mille victimes. Puis, le 6 août 1945, apparut dans le ciel d'Hiroshima un unique avion américain, qui lâcha la première bombe atomique, faisant environ cent mille morts et des dizaines de milliers d'autres victimes qui allaient mourir lentement de l'effet dévastateur des radiations. Douze officiers américains présents dans les prisons de la ville trouvèrent également la mort. Selon l'historien Martin Sherwin (A World Destroyed), ce fait n'a jamais été officiellement reconnu par les autorités américaines. Trois jours plus tard, une autre bombe atomique était lâchée sur Nagasaki, faisant environ cinquante mille victimes supplémentaires.

Ces actes atroces furent justifiés par la nécessité d'accélérer la fin de la guerre et d'éviter d'envahir le Japon. Une telle opération aurait entraîné de nombreuses pertes humaines, déclara le gouvernement – un million selon le secrétaire d'État Byrnes ; cinq cent mille d'après ce que Truman déclare avoir entendu dire par le général George Marshall. (Lorsque les documents concernant le « projet Manhattan », nom donné au projet de fabrication de la bombe atomique, furent rendus publics des années plus tard, on put constater que le général Marshall avait insisté pour que l'on prévienne le gouvernement japonais afin qu'il fasse évacuer les populations civiles et que seules les cibles militaires soient anéanties.) Ces estimations semblent totalement fantaisistes : on en fit état dans le dessein de justifier une opération de bombardement qui, à mesure que ses effets sur l'être humain devenaient évidents, horrifia de plus en plus de gens. En août 1945, en effet, le Japon était déjà dans une situation désespérée et prêt à se rendre. Le spécialiste militaire du *New York Times*, Hanson Baldwin, écrivit peu après la guerre : « L'ennemi, du point de vue militaire, se trouvait dans une position stratégique désespérée lorsqu'il lui fut demandé, à la conférence de Potsdam du 26 juillet, de se rendre sans conditions. Telle était donc la situation lorsque nous avons rayé de la carte Hiroshima et Nagasaki. Avons-nous eu raison d'agir ainsi ? Personne ne peut bien entendu en être sûr, mais la réponse est presque certainement négative. »

Le United States Strategic Bombing Survey, mis en place par le secrétariat à la Guerre en 1944 pour étudier les conséquences des attaques aériennes pendant la guerre, interviewa des centaines de civils et de responsables militaires japonais après la reddition du Japon. Immédiatement après la guerre, l'un des rapports de cet organisme déclarait : « S'appuyant sur des enquêtes détaillées concernant les faits et sur les témoignages des responsables japonais qui sont encore en vie, notre institution estime que le Japon se serait à coup sûr rendu avant le 31 décembre 1945 et encore plus probablement avant le 1ᵉʳ novembre de cette même année, même sans l'intervention atomique, même si la Russie n'était pas entrée en guerre contre le Japon et, enfin, même si aucune invasion américaine n'avait été organisée, voire seulement imaginée. »

Les responsables américains pouvaient-ils être au courant de cela avant le mois d'août 1945 ? La réponse est positive. Le code secret des Japonais avait été découvert et leurs messages étaient interceptés. On savait que l'ambassadeur japonais à Moscou avait reçu l'ordre de préparer des négociations de paix avec les Alliés. Les autorités japonaises avaient commencé à évoquer des possibilités de reddition un an auparavant et l'empereur lui-même avait suggéré en juin 1945 qu'il était sans doute temps d'envisager des alternatives au combat à mort. Le 13 juillet, le ministre des Affaires étrangères, Shigenori Togo, avertissait son ambassadeur à Moscou : « La reddition sans conditions est le seul obstacle à la paix. » Après une étude exhaustive de tous les documents historiques disponibles sur ce sujet, Martin Sherwin conclut que, « ayant brisé le code secret japonais avant même le début de la guerre, les services secrets américains étaient en mesure de relayer ce message – et c'est bien ce qu'ils firent – au président américain. Mais cela n'eut aucun effet sur la suite de la guerre ».

Si les Américains n'avaient pas exigé une reddition inconditionnelle – s'ils avaient accepté ne serait-ce qu'une des conditions japonaises à la reddition (que l'empereur, figure sacrée du Japon, reste en place) –, les Japonais se seraient empressés d'arrêter la guerre.

Pour quelle raison les États-Unis n'ont-ils pas saisi cette simple occasion de sauver aussi bien des vies japonaises que des vies américaines ? Parce que trop d'argent avait été investi dans la bombe atomique pour qu'on se refuse le luxe de s'en servir ? Le général Leslie Groves, directeur du projet Manhattan, déclara que Truman était comme sur un toboggan et que la dynamique était trop forte pour être arrêtée. Ne serait-ce pas plutôt, comme le suggérait le chercheur britannique P. M. S. Blackett dans *Fear, War and the Bomb*, que les États-Unis étaient impatients de lancer cette bombe atomique avant que l'URSS n'entre à son tour en guerre contre le Japon ?

Les Soviétiques s'étaient entendus avec les Américains pour entrer en guerre dans la région exactement quatre-vingt-dix jours après la fin du conflit en Europe. Cet événement ayant eu lieu le 8 mai 1945, la date prévue pour l'entrée en guerre des Russes contre le Japon était donc le 8 août. Mais à cette date, *la* bombe avait été lâchée et, le jour suivant, la seconde tomberait sur Nagasaki. Les Japonais allaient se rendre aux Américains et non aux Soviétiques. Ainsi l'Amérique serait-elle la seule force d'occupation au Japon après la guerre. En d'autres termes, conclut Blackett, le largage de la bombe atomique peut être considéré comme « le premier acte diplomatique d'importance de la guerre froide à l'encontre des Russes ». L'interprétation de Blackett est confirmée par l'historien américain Gar Alperovitz (*Atomic Diplomacy*) qui remarque que, à la date du 28 juillet, le secrétaire à la Marine James Forrestal décrit dans son journal le secrétaire d'État James F. Byrnes comme « extrêmement soucieux d'en finir avec les Japonais avant que les Russes ne s'en mêlent ».

Truman avait déclaré : « Le monde notera que la première bombe atomique a été lâchée sur Hiroshima, une base militaire. Parce que nous souhaitions lors de cette première attaque éviter autant que possible de faire des victimes civiles. » Déclaration absurde. Les cent mille morts d'Hiroshima étaient presque tous des civils. Le US Strategic Bombing Survey déclara quant à lui dans son rapport que « Hiroshima et Nagasaki avaient été choisies pour cibles en raison de leur forte concentration d'activités et de population ».

Le largage de la seconde bombe sur Nagasaki semble avoir été planifié à l'avance. Personne ne paraît être en mesure d'expliquer pourquoi ce bombardement eut finalement lieu. Était-ce parce qu'il s'agissait d'une bombe à plutonium alors que celle de Hiroshima était à l'uranium ? Les morts et les irradiés de Nagasaki auraient-ils servi de cobayes à une expérience scientifique ? Martin Sherwin affirme que parmi les victimes de Nagasaki se trouvaient certainement des prisonniers de guerre américains. Il fait état de ce message, daté du 31 juillet, que le quartier général du US Army Strategic Air Forces, installé à Guam, adressa au département à la Guerre : « Certaines sources concernant les prisonniers de guerre et non encore confirmées par des vues photographiques nous informent de la présence de prisonniers de guerre alliés dans un camp situé à quelques kilomètres au nord de Nagasaki. Cela doit-il avoir une quelconque influence sur le choix de la cible dans l'opération Centerboard initialement prévue ? Réponse immédiate demandée. » La réponse fut la suivante : « Les cibles initialement prévues pour l'opération Centerboard demeurent inchangées. »

À la vérité, la guerre prit fin rapidement. L'Italie avait été vaincue un an auparavant. L'Allemagne venait de se rendre, défaite avant tout par les armées soviétiques sur le front de l'Est, avec l'aide des armées alliées à l'Ouest. Après la reddition du Japon, les puissances fascistes étaient battues.

Mais qu'en était-il du fascisme en tant qu'idée, et en tant que réalité ? Ses principes fondamentaux comme le militarisme, le racisme et l'impérialisme avaient-ils été définitivement éradiqués ? Ou bien imprégnaient-ils désormais les corps déjà contaminés des vainqueurs ? Le révolutionnaire pacifiste A. J. Muste avait prédit en 1941 : « Après une guerre, le problème c'est le vainqueur. Il estime qu'il vient de prouver que la guerre et la violence paient. Qui, désormais, pourrait lui donner une leçon ? »

Les vainqueurs étaient l'Union soviétique et les États-Unis (avec l'Angleterre, la France et la Chine nationaliste, mais ils étaient très affaiblis). Ces deux pays pouvaient à présent se mettre au travail – sans croix gammées, sans pas-de-l'oie ou sans racisme officiellement déclaré –, sous couvert de « socialisme » d'un côté et de « démocratie » de l'autre, pour se constituer leur propre aire d'influence. Ils s'accordèrent pour se partager et revendiquer l'un et l'autre la domination du monde, pour se doter d'appareils militaires bien plus puissants que ceux des défunts États fascistes et pour peser sur le destin de bien plus de pays que n'en avaient soumis Mussolini, Hitler et le Japon. Ils s'attachèrent également à contrôler leurs populations par le biais de stratégies spécifiques – brutales en Union soviétique, sophistiquées aux États-Unis –, de manière à assurer leur domination.

Car la guerre ne plaça pas seulement les États-Unis en position de domination sur la majeure partie du globe, elle créa également des conditions efficaces de contrôle social à l'intérieur des frontières. Le chômage, la détresse économique et les troubles qu'ils avaient induits pendant les années 1930 avaient été d'abord partiellement allégés par le New Deal, puis neutralisés et dépassés par une agitation plus considérable encore : la guerre. Celle-ci entraîna la hausse des prix agricoles et des salaires puis offrit finalement une prospérité suffisante à suffisamment de gens pour éviter de trop grands troubles. Comme l'affirme Lawrence Wittner : « La guerre avait rajeuni le capitalisme américain. » Les principales bénéficiaires de la guerre étaient les grandes entreprises, dont les bénéfices passèrent de 6,4 milliards de dollars en 1940 à 10,8 milliards en 1944. Mais les ouvriers et les agriculteurs en profitèrent également assez pour se satisfaire du système.

Illustration d'une vieille leçon apprise par les gouvernements : la guerre règle les problèmes de maintien de l'ordre. Charles Wilson, président de la General Electric Corporation, fut si satisfait de la situation en temps de guerre qu'il proposait de perpétuer l'alliance du militaire et de l'économique afin de pratiquer une « économie de guerre permanente ».

Et c'est ce qui eut lieu. Lorsque, immédiatement après la guerre, l'opinion publique américaine, lassée par les combats, sembla favorable à la démobilisation et au désarmement, l'administration Truman (Roosevelt était mort en avril 1945) travailla à créer une atmosphère de crise et de guerre froide. Certes, la rivalité avec l'Union soviétique était bien réelle – ce pays, sorti du conflit avec une économie effondrée et vingt millions de morts, était en train de faire un incroyable retour en reconstruisant son industrie et en confortant sa puissance militaire. Pourtant, l'administration Truman préférait présenter l'Union soviétique non comme un simple rival mais comme une menace immédiate.

Par une série d'actions, elle instaura un climat de peur – et une véritable hystérie vis-à-vis du communisme – qui entraîna l'escalade progressive du budget de l'armée et la stimulation de l'économie nationale par le biais des commandes militaires. Cette combinaison permettait d'engager des actions plus agressives à l'étranger et plus répressives à l'intérieur du pays.

Les mouvements révolutionnaires en Europe et en Asie étaient présentés à l'opinion américaine comme autant de preuves de « l'expansionnisme soviétique », réveillant ainsi l'indignation provoquée par les agressions hitlériennes.

En Grèce – monarchie et dictature de droite avant la guerre –, une coalition de forces de gauche, le Front national de libération, fut renversée dès 1944-1945 par une intervention militaire anglaise. Une dictature de droite fut restaurée. Lorsque les opposants au régime furent emprisonnés et les responsables syndicaux remplacés, une guérilla de gauche se développa qui put bientôt compter sur dix-sept mille combattants, cinquante mille militants actifs et quelque deux cent cinquante mille partisans sur une population totale de sept millions d'habitants. La Grande-Bretagne déclara qu'elle ne pouvait maîtriser la rébellion et demanda aux États-Unis d'intervenir. Un responsable du département d'État déclara plus tard que, « en moins d'une heure, les Anglais venaient de confier la tâche de gérer les affaires du monde [...] aux États-Unis ».

La réponse des États-Unis fut la « doctrine Truman », nom donné au discours que Truman adressa au Congrès au printemps 1947, dans lequel il demandait le vote de 400 millions de dollars d'aides militaire et économique à la Grèce et à la Turquie. Truman déclara également que les États-Unis devaient venir en aide aux « peuples libres qui [résistaient] aux tentatives de prise de pouvoir par des minorités armées ou qui subiraient des pressions extérieures ».

En fait, la plus importante de ces pressions extérieures venait des États-Unis eux-mêmes. Les rebelles grecs étaient aidés par la Yougoslavie, non par l'Union soviétique, qui avait promis à Churchill, durant la guerre, de lui laisser le champ libre en Grèce s'il acceptait de laisser les Russes s'occuper de la Roumanie, de la Bulgarie et de la Pologne. L'Union soviétique, comme les États-Unis, ne semblait pas désireuse de favoriser des révolutions qu'elle n'était pas capable de contrôler.

Truman affirmait que « le monde devait choisir entre deux modes de vie ». L'un se fondait sur la « volonté de la majorité [...] et se distinguait par la liberté de ses institutions », l'autre sur « la volonté d'une minorité [...], la terreur et l'oppression [...], ainsi que la suppression des libertés individuelles ».

Le conseiller de Truman, Clark Clifford, avait suggéré que Truman établisse dans son discours un lien entre l'intervention en Grèce et quelque chose de moins rhétorique, de plus pratique, « les gigantesques ressources naturelles du Moyen-Orient » (Clifford pensait bien sûr au pétrole). Truman n'en fit rien.

Les États-Unis intervinrent en Grèce sans envoyer de soldats mais en fournissant des armes et des conseillers militaires. Dans les cinq derniers mois de 1947, 74 000 tonnes de matériel militaire furent expédiées par les Américains au gouvernement de droite à

Athènes – de l'artillerie, des avions et des stocks de napalm. Deux cent cinquante officiers, commandés par le général James Van Fleet, entraînèrent l'armée grecque sur le terrain. Van Fleet initia la politique d'expulsion forcée de milliers de Grecs de leurs régions d'origine vers les campagnes pour affaiblir et isoler les rebelles – stratégie courante dans la lutte contre les insurrections.

Grâce à cette aide, la rébellion fut vaincue en 1949. L'aide militaire et économique américaine continua à parvenir au gouvernement grec. Les investissements en capital d'Esso, de la Dow Chemical, de Chrysler et d'autres entreprises américaines affluèrent en Grèce. L'illettrisme, la pauvreté et la famine continuèrent à ravager le pays qui demeurait entre les mains de ce que Richard Barnett (*Intervention and Revolution*) qualifie de « dictature militaire particulièrement brutale et réactionnaire »[1].

En Chine, une révolution, menée par un mouvement communiste jouissant d'un soutien populaire massif, était sur le point de se produire lorsque la Seconde Guerre mondiale prit fin. Une Armée rouge, qui s'était battue contre les Japonais, luttait à présent pour renverser la dictature corrompue de Chiang Kai-Shek soutenue par les États-Unis (l'Amérique avait fourni, en 1949, pour deux millions de dollars d'aide aux forces de Chiang Kai-Shek). Le gouvernement de ce dernier, si l'on en croit les documents du département d'État concernant la Chine, avait néanmoins perdu la confiance de ses propres troupes et de la population. En janvier 1949, les forces communistes chinoises pénétraient dans Pékin. La guerre civile prit fin : la Chine se trouvait désormais aux mains d'un mouvement révolutionnaire, situation la plus proche, dans toute la déjà longue histoire de ce peuple, d'un gouvernement populaire indépendant de toute domination étrangère.

Aux États-Unis, on essayait de forger un consensus national – à l'exception des radicaux opposés à cette politique étrangère qui étouffait les révolutions – pour unir les conservateurs et les libéraux, les républicains et les démocrates, autour de la politique de la guerre froide et de l'anticommunisme. Une telle coalition ne pouvait être mise en place que par un président démocrate libéral dont, la politique agressive à l'extérieur serait soutenue par les conservateurs et les programmes sociaux à l'intérieur (le fameux « Fair Deal » de Truman) par les libéraux. En outre, le souvenir de la guerre aidant, les

---

1. Cette dictature se maintiendra jusqu'en 1964. La politique nationale indépendante mise en place par le gouvernement centriste à partir de cette date conduira les États-Unis à soutenir fortement le coup d'État de 1967 et la « dictature des colonels » qui s'ensuivra (1967-1974).

libéraux et les démocrates traditionnels pouvaient soutenir une politique contre l'« agression », brisant ainsi le bloc libéral-radical issu de la Seconde Guerre mondiale. De surcroît, si le sentiment anticommuniste devenait assez puissant, les libéraux pourraient être conduits à soutenir des politiques de répression intérieure qui, en temps ordinaire, leur auraient paru contraires à leur traditionnel esprit de tolérance. En 1950, se produisit un événement qui accéléra la formation du consensus libéral-conservateur : Truman se lança dans une guerre non avouée en Corée.

La Corée, occupée par le Japon pendant trente-cinq ans, avait été libérée après la Seconde Guerre mondiale et divisée en une Corée du Nord, dans la sphère d'influence soviétique, et une Corée du Sud, dans la sphère américaine. Après plusieurs menaces d'invasion de chaque côté de la frontière, les armées de la Corée du Nord passèrent, le 25 juin 1950, le 38e parallèle, envahissant la Corée du Sud. Les Nations unies, dominées par les États-Unis, demandèrent alors à leurs membres d'aider à « repousser l'agression ». Truman ordonna aux forces armées américaines de venir au secours de la Corée du Sud et l'armée américaine se transforma en armée des Nations unies. Truman déclara : « Un retour à la loi de la force dans les affaires internationales aurait des effets incalculables. Les États-Unis continueront de défendre la force de la loi. »

La réponse de l'Amérique à la « loi de la force » fut de réduire les deux Corées à l'état de ruines après trois ans de bombardements et de pilonnages intensifs. On utilisa le napalm. Un journaliste de la BBC en décrivit les effets : « Devant nous se tenait une forme étrange, à moitié accroupie, les jambes écartées et les bras pendant de chaque côté du corps. Elle n'avait plus d'yeux et tout son corps, du moins tout ce qu'on pouvait en apercevoir à travers ses guenilles brûlées, était couvert d'une croûte noire et dure suintante de pus. [...] Comme cet être n'avait plus de peau, il devait se tenir de manière à éviter que la sorte de croûte qui le recouvrait ne se brise. [...] Je repensai alors aux centaines de villages réduits en cendres que j'avais personnellement traversés et je réalisai la liste incroyable des pertes qui nous parviendrait bientôt de la ligne de front coréenne. »

Deux millions de Coréens environ, aussi bien au Nord qu'au Sud, périrent pendant la guerre de Corée. Et tous sous prétexte qu'il fallait s'opposer à « la loi de la force ».

Quant à la force de la loi, les opérations militaires américaines semblaient peu s'en soucier. La résolution des Nations unies avait demandé une intervention visant « à repousser l'agression armée et à restaurer la paix et la sécurité dans la région ». Mais les forces américaines, après avoir repoussé les Nord-Coréens au-delà du 38ᵉ parallèle, continuèrent leur progression en Corée du Nord jusqu'au fleuve Yalu, sur la frontière chinoise, provoquant l'entrée en guerre de la Chine. La Chine progressa alors vers le Sud et la guerre se stabilisa autour du 38ᵉ parallèle jusqu'à ce que des négociations de paix rétablissent, en 1953, l'ancienne frontière entre le Nord et le Sud.

La guerre de Corée mobilisa l'opinion libérale derrière la guerre et le Président. Elle créa le genre de coalition dont on avait besoin pour soutenir une politique d'intervention à l'étranger et une militarisation de l'économie à l'intérieur. Bien sûr, ceux qui, comme les radicaux critiques en particulier, restaient en dehors de la coalition se retrouvaient dans une position difficile. Alonzo Hamby (*Beyond the New Deal*) a fait remarquer que la guerre de Corée fut soutenue par *The Nation*, par *The New Republic* et par Henry Wallace (qui en 1948 s'était présenté à la présidence contre Truman sur une liste de coalition des forces progressistes). Si les libéraux n'appréciaient guère le sénateur McCarthy (qui voyait des communistes partout, même dans les rangs des libéraux), la guerre de Corée, selon Hamby, « avait offert un sursis au maccarthysme ».

Au cours de la difficile période des années 1930 et pendant la guerre contre le fascisme, la gauche était devenue relativement influente. Les militants effectifs du parti communiste étaient assez peu nombreux – moins de cent mille probablement – mais représentaient une force importante dans le monde du syndicalisme, dans les milieux artistiques et parmi le très grand nombre d'Américains que l'échec du système capitaliste dans les années 1930 avait amené à juger favorablement le communisme et le socialisme. Ainsi, après la Seconde Guerre mondiale, les autorités devaient absolument isoler la gauche américaine pour conforter le capitalisme dans le pays et forger un consensus autour de la politique impérialiste des États-Unis.

Le 22 mars 1947, deux semaines après avoir présenté au pays sa fameuse doctrine pour la Grèce et la Turquie, Truman signa le décret exécutif 9835, mettant en place un programme d'investigations sur toute « tentative d'infiltration de la part d'individus déloyaux » dans les instances gouvernementales. Dans leur livre *The Fifties*, Douglas Miller et Marion Nowack font ce commentaire : « Bien que Truman dût regretter plus tard la "grande vague d'hystérie" qui balaya le pays, son engagement dans la victoire sur le communisme, pour préserver les États-Unis de toutes menaces internes ou externes, était dans une très large mesure responsable de cette fameuse hystérie. Entre mars 1947 et décembre 1952, près de six millions six cent mille personnes furent interrogées. On ne découvrit pas un seul cas d'espionnage, mais cinq cents personnes furent démises de leurs fonctions sous prétexte de "loyauté incertaine". Tout cela se fit sur la base de preuves non rendues publiques, d'indicateurs anonymes et rémunérés et en l'absence de tout juge ou jury. Malgré l'absence de la moindre tentative de subversion, la publicité donnée à cette chasse aux « rouges » officielle nourrit le fantasme populaire selon lequel l'administration fédérale était truffée d'espions. Une réaction défensive et conservatrice déferla sur le pays. Les Américains furent convaincus de la nécessité d'une sécurité absolue et de la préservation de l'ordre établi. »

L'actualité internationale de l'après-guerre confortait ce large soutien à la croisade anticommuniste à l'intérieur des frontières américaines. En 1948, le parti communiste tchécoslovaque expulsa les non-communistes du gouvernement pour imposer sa propre domination. L'Union soviétique organisa la même année le blocus de Berlin – conjointement occupée par les forces alliées mais isolée au cœur de l'Allemagne de l'Est dans la sphère d'influence soviétique –, obligeant ainsi les Américains à organiser un couloir aérien pour faire parvenir de l'aide aux Berlinois. En 1949, les communistes l'emportaient en Chine et, la même année, l'Union soviétique faisait exploser sa première bombe atomique. En 1950, la guerre de Corée commençait. Tous ces événements étaient présentés à l'opinion publique comme les signes d'une conspiration communiste d'envergure planétaire.

Moins médiatisés que les victoires communistes, mais tout aussi inquiétants aux yeux du gouvernement américain, des mouvements indépendantistes éclataient partout à travers le monde chez les peuples colonisés. Des mouvements révolutionnaires se développaient en Indochine contre les Français ; en Indonésie contre les Hollandais ; aux Philippines contre les États-Unis.

En Afrique, la rébellion et le mécontentement s'exprimaient au travers des grèves. Dans *Let Freedom Come*, Basil Davidson fait état de la plus longue grève de l'histoire africaine : conduite par dix-neuf mille cheminots d'Afrique-Occidentale française en 1947, elle dura cent soixante jours. Le message qu'ils adressèrent au gouverneur général exprime assez bien le nouvel esprit militant qui les habitait : « Préparez vos prisons, sortez vos mitrailleuses et vos canons. De toute façon, le 10 octobre à minuit, si nos revendications ne sont pas acceptées, nous proclamerons la grève générale. » L'année précédente, en Afrique du Sud, cent mille mineurs des exploitations aurifères avaient cessé le travail pour obtenir 10 shillings supplémentaires par jour. Il s'agissait de la plus grande grève de toute l'histoire de l'Afrique du Sud et il fallut une intervention de l'armée pour que les mineurs reprennent le travail. En 1950, au Kenya, il y eut également une grève générale pour protester contre les salaires de misère.

L'expansionnisme soviétique n'était pas seul à inquiéter le gouvernement et les intérêts commerciaux américains. De fait, en Chine, en Corée, en Indochine, aux Philippines, il s'agissait de mouvements communistes locaux et non de complots soviétiques. Cette vague généralisée de révoltes anti-impérialistes conduisit les États-Unis à fournir un effort gigantesque pour en venir à bout : un consensus national en faveur de la militarisation du budget et la disparition de l'opposition intérieure à une telle politique. Truman et les libéraux du Congrès s'entendirent pour tenter de mettre en place une nouvelle unité nationale pour les années d'après-guerre : avec pour outils les serments de loyauté exigés par le décret exécutif, les poursuites entamées par le département de la Justice et la législation anticommuniste.

Dans cette atmosphère particulière, le sénateur du Wisconsin Joseph McCarthy pouvait aller encore plus loin que ne l'avait fait Truman. S'adressant au Club des républicaines de Wheeling (Virginie-Occidentale) au début de 1950, il brandissait des documents en hurlant : « J'ai ici la liste de deux cent cinq personnes – une liste de noms qui ont été signalés au secrétaire d'État comme autant de membres du parti communiste et qui continuent pourtant à travailler et à décider de la politique du département d'État. » Le jour suivant, à Salt Lake City, McCarthy prétendait avoir une liste de cinquante-sept (le nombre changeait assez souvent) communistes travaillant au département d'État. Peu après, il apparaissait sur le perron du Sénat avec des photocopies de quelque cent dossiers sortis des enquêtes de personnalité au sein du département d'État. Ces dossiers étaient vieux de trois ans et la plupart des gens concernés ne travaillaient plus au département d'État, mais McCarthy en prit connaissance tout de même, en inventant, en ajoutant, voire en les modifiant au fil de sa lecture. Dans un cas au moins, il changea l'intitulé du dossier signalant « libéral » en « inclinations communistes ». Dans un autre formulaire, il raya la mention « sympathisant » pour y substituer « communiste militant ».

McCarthy continua sur sa lancée. En tant que président du sous-comité d'investigations d'un comité sénatorial sur les activités gouvernementales, il enquêta sur les programmes d'information du département d'État : Voice of America[1] et les bibliothèques à

---

1. La « guerre froide des ondes » débuta dès 1945 avec les radios internationales à forte vocation propagandiste : Voice of America, Radio Moscou, BBC, Radio Vatican, etc.

l'étranger qui possédaient des livres écrits par des personnalités que McCarthy considérait comme des communistes. Le département d'État fut pris de panique et publia un flot de directives à destination de ses bibliothèques à travers le monde. Une quarantaine de livres furent bannis, dont le *Selected Works of Thomas Jefferson* publié par Philip Foner et le *Children's Hour* de Lillian Hellman. Certains livres furent même brûlés.

McCarthy se fit de plus en plus acharné. Au printemps 1954, il commença à enquêter sur la subversion au sein de l'armée. Lorsqu'il se mit à reprocher à certains généraux de ne pas être assez sévères à l'égard des prétendus communistes, il se heurta aussi bien aux républicains qu'aux démocrates. En décembre 1954, le Sénat décida à sa grande majorité de le condamner pour sa « conduite [...] indigne d'un membre du Sénat des États-Unis d'Amérique ». Ce blâme évitait soigneusement de critiquer les mensonges et les excès de l'anticommunisme de McCarthy. Il se concentrait sur des questions mineures comme son refus de comparaître devant un sous-comité sénatorial sur les élections et sa conduite abusive envers un général lors de son interrogatoire.

Les libéraux agissaient eux-mêmes pour exclure, persécuter, licencier et même faire emprisonner les communistes. McCarthy en avait seulement fait un peu trop en s'attaquant également à eux, mettant ainsi en danger la large coalition libéral-conservatrice absolument nécessaire au maintien du système.

Au moment même où le Sénat condamnait McCarthy, le Congrès votait toute une série de mesures anticommunistes. Le libéral Hubert Humphrey introduisit dans l'une d'entre elles un amendement qui rendait le parti communiste illégal. Il déclarait qu'il ne voulait pas « être un demi-patriote. [...] Soit les sénateurs sont pour que l'on reconnaisse le parti communiste pour ce qu'il est, soit ils continueront à se voir opposer les moindres détails techniques des procédures légales ».

Pour sa part, John F. Kennedy était soucieux de ne pas trop accabler McCarthy (il était absent lors du vote contre ce dernier et n'a jamais révélé comment il aurait voté à cette occasion). Il n'était pas loin de partager avec McCarthy l'idée selon laquelle la victoire des communistes en Chine était due à la complaisance avec laquelle on traitait le communisme au sein du gouvernement américain. C'est d'ailleurs dans ce sens qu'il s'exprima à la Chambre des représentants, en janvier 1949, lorsque les communistes chinois s'emparèrent de Pékin : « M. le Président, nous avons appris en cette fin de semaine les malheurs qui se sont abattus sur la Chine et sur les

États-Unis. La responsabilité de l'échec de notre politique étrangère en Extrême-Orient retombe sans conteste sur la Maison-Blanche et le département d'État. L'obstination à refuser toute aide avant qu'une alliance entre le gouvernement et les communistes ne soit constituée a porté un coup fatal au gouvernement national. Nos diplomates et leurs conseillers, les Latimore et autres Fairbank [universitaires, spécialistes de l'histoire chinoise; Owen Latimore était l'une des cibles favorites de McCarthy et John Fairbank enseignait à Harvard], étaient si inquiets des imperfections du système démocratique en Chine après vingt années de guerre et par les rumeurs de corruption chez les plus hauts responsables qu'ils ont perdu de vue notre besoin vital d'une Chine non communiste [...]. Cette assemblée doit à présent assumer la responsabilité d'empêcher que le raz-de-marée communiste ne submerge toute l'Asie. »

Lorsque les républicains proposèrent, en 1950, une loi sur la sécurité intérieure qui prévoyait l'enregistrement de toutes les organisations considérées comme « communisantes », les sénateurs libéraux ne s'y opposèrent pas. Au contraire, certains d'entre eux, tels Hubert Humphrey et Herbert Lehman, suggérèrent une mesure de substitution : la mise en place de camps de détention (en fait de véritables camps de concentration) pour y interner les individus suspectés de subversion qui, en cas d'« état d'urgence intérieure » décrété par le Président, pourraient être détenus sans procès. Les camps de détention ne se substituèrent pas à la loi sur la sécurité intérieure, mais vinrent simplement s'y ajouter : ils furent construits pour être prêts à servir. Cette loi fut abrogée en 1968, époque où l'anticommunisme ne faisait plus recette.

Le décret exécutif sur la loyauté, décidé par Truman en 1947, incita le département à la Justice à établir une liste des organisations jugées « totalitaires, fascistes, communistes ou subversives [...], ou bien encore visant à attenter au mode de gouvernement des États-Unis par des moyens inconstitutionnels ». L'appartenance ou la simple « expression d'une sympathie » envers les organisations inscrites sur la liste du ministère de la Justice suffisaient à se voir accuser de comportement déloyal. En 1954, figuraient sur cette liste des centaines de groupes dont, aux côtés du parti communiste et du Ku Klux Klan, le Centre culturel Frédéric-Chopin, la Société fraternelle Cervantès, le Comité des Noirs dans les professions artistiques, le Comité pour la défense de la déclaration des droits, la Ligue des écrivains américains, les Amis américains de la nature, le Spectacle populaire, l'Association des libraires de Washington et le Club des marins yougoslaves.

Bien plus que McCarthy et les républicains, ce fut l'administration Truman, dont le département à la Justice initia cette série de
persécutions, qui renforça le sentiment anticommuniste de la
nation. Ce sentiment atteignit son point culminant lors du procès
de Julius et Ethel Rosenberg à l'été 1950.

Les Rosenberg étaient accusés d'espionnage. L'essentiel de l'accusation reposait sur une poignée de témoignages émanant d'individus qui avaient déjà reconnu être des espions et se trouvaient
alors en prison ou sur le point d'être jugés. David Greenglass, le
frère d'Ethel Rosenberg, était le témoin principal. Il avait été
mécanicien au laboratoire du projet Manhattan à Los Alamos
(Nouveau-Mexique) lorsqu'on y fabriquait, en 1944 et 1945, la
bombe atomique. Il affirmait que Julius Rosenberg lui avait
demandé de lui fournir des informations pour les Russes et prétendit avoir fait pour son beau-frère quelques croquis concernant
des expériences avec des lentilles servant de détonateur aux bombes
atomiques. Il déclara que Rosenberg lui avait confié la moitié du
couvercle d'une boîte de Jell-O en l'informant que quelqu'un se
présenterait au Nouveau-Mexique avec l'autre moitié. En juin 1945,
Harry Gold serait apparu avec cette autre moitié et Greenglass lui
aurait transmis les informations qu'il avait pu mémoriser.

Gold, qui purgeait déjà une peine de trente années de prison
pour une autre accusation d'espionnage, fut sorti de prison pour
venir confirmer le témoignage de Greenglass. Il n'avait jamais rencontré les Rosenberg mais déclara qu'un responsable de l'ambassade russe lui avait donné la moitié de couvercle en lui disant de
contacter Greenglass avec pour mot de passe : « Je viens de la part
de Julius. » Gold reconnut avoir pris les croquis faits de mémoire
par Greenglass et les avoir remis aux Russes.

Il y avait pourtant quelques aspects troublants dans toute cette
histoire. Gold n'aurait-il pas accepté de coopérer contre une remise
de peine ? Il bénéficia en effet d'une liberté conditionnelle. Quant
à Greenglass – inculpé lui-même au moment de son témoignage –,
savait-il que son sort dépendait de sa coopération ? Il fut condamné
à quinze ans d'emprisonnement mais ne purgea que la moitié de
sa peine. Que pouvaient bien valoir les informations mémorisées
par un simple mécanicien – non scientifique – qui avait été recalé
à cinq des six cours qu'il avait suivis à l'Institut polytechnique de
Brooklyn ? Dans un premier temps, les déclarations de Gold et de
Greenglass ne s'accordaient pas. Mais ils furent incarcérés au même
étage de la Tombs Prison à New York juste avant le procès, ce qui
leur permettait d'accorder leurs témoignages.

Pouvait-on se fier au témoignage de Gold ? On apprit vite qu'il avait été préparé pour l'affaire Rosenberg par quatre cents heures d'interrogatoire avec le FBI. On apprit aussi plus tard que Gold était un menteur impénitent doté d'une formidable imagination. Lors d'un procès plus tardif où il fut également témoin, l'avocat de la défense l'interrogea sur la famille qu'il s'était inventée. L'avocat demanda : « Vous avez menti pendant six ans ? » Gold répondit : « J'ai menti pendant seize ans, pas seulement six. » Gold était le seul témoin au procès des Rosenberg à établir un lien entre Julius, David Greenglass et les Russes. L'agent du FBI qui avait interrogé Gold fut interviewé vingt ans plus tard par un journaliste. Sur la question du mot de passe que Gold était supposé avoir utilisé (« Je viens de la part de Julius. »), l'agent du FBI déclara : « Gold ne se souvenait pas du nom qu'il avait donné. Il pensait qu'il avait dit : "Je viens de la part de…" ou quelque chose comme ça. Alors je lui ai suggéré : "Est-ce que ça pourrait être Julius ?" Et ça lui a rafraîchi la mémoire. »

Lorsque les Rosenberg furent reconnus coupables, le juge Kaufman prononça la sentence et déclara : « J'estime qu'en remettant aux Russes la bombe atomique plusieurs années avant la date à laquelle, selon nos experts, ils seraient parvenus à la fabriquer, vous vous êtes rendus responsables de l'agression communiste en Corée et des cinquante mille morts américains de cette guerre, et qui sait combien de millions de personnes innocentes paieront peut-être le prix de votre trahison. »

Il les condamna tous les deux à la chaise électrique.

Au procès des Rosenberg comparaissait aussi Morton Sobell parmi les accusés. Le principal témoin à charge contre lui était l'un de ses vieux amis, garçon d'honneur à son mariage, qui était lui-même menacé d'être accusé de faux témoignage par le gouvernement fédéral pour avoir menti sur son passé politique. Il s'agissait de Max Elitcher, qui prétendait avoir accompagné en une certaine occasion Sobell dans une résidence de Manhattan où habitaient les Rosenberg. Sobell serait sorti de la voiture après avoir pris dans la boîte à gants ce qui ressemblait à un boîtier photographique et serait revenu sans. On ne sut jamais ce que pouvait contenir ce boîtier. Les charges contre Sobell étaient si minces que son avocat décida qu'il n'était pas nécessaire de présenter une défense. Mais le jury déclara Sobell coupable et le juge Kaufman le condamna à trente ans de prison. Il fut incarcéré à Alcatraz et on lui refusa régulièrement la liberté conditionnelle. Il passa dix-neuf années dans différentes prisons avant d'être finalement libéré.

Des documents du FBI rendus publics en 1970 apportent la preuve que Kaufman s'était entretenu secrètement avec les procureurs au sujet des peines qu'il infligerait dans ces affaires. Un autre document montre que, après trois années d'appel du jugement, un entretien eut lieu entre le secrétaire à la Justice, Herbert Brownell, et le président de la Cour suprême, Fred Vinson, au cours duquel Vinson assura à Brownell que si un juge de cette Cour suprême donnait un avis de suspension de la peine il s'arrangerait personnellement pour réunir l'ensemble de la Cour et faire rejeter cette décision.

Il y eut une campagne internationale de protestation en faveur des Rosenberg. Albert Einstein, qui avait convaincu Roosevelt, au début de la guerre, de lancer les recherches sur la bombe atomique, demanda la grâce des Rosenberg. Jean-Paul Sartre, Pablo Picasso et la sœur de Bartolomeo Vanzetti firent de même. On lança un appel en grâce au président Truman juste avant qu'il ne quitte la présidence, au printemps 1953. Il fut rejeté. Puis il y eut une autre demande auprès du président Dwight Eisenhower, qui fut à son tour rejetée.

Au dernier moment, le juge William O. Douglas accorda un sursis d'exécution. Le président de la Cour suprême, Vinson, fit revenir par avions spéciaux à Washington les juges de la Cour suprême qui se trouvaient en vacances. Ils rejetèrent le sursis accordé par Douglas juste à temps pour que l'exécution puisse avoir lieu le 19 juin 1953. Il s'agissait de montrer à tous les habitants de ce pays – bien que fort peu aient été en mesure de s'identifier aux Rosenberg – ce qui attendait tout individu que le gouvernement désignerait comme traître.

Au début des années 1950, la commission sur les activités anti-américaines de la Chambre des représentants était au sommet de sa gloire. Elle interrogeait les Américains sur leurs rapports avec le communisme, les insultant s'ils refusaient de répondre, et distribuait au public américain des opuscules publiés à des millions d'exemplaires : *Cent Choses que vous devriez savoir sur le communisme* (« Où peut-on trouver les communistes ? Partout ! »). Les libéraux critiquaient régulièrement cette commission, mais ils votaient avec les conservateurs, au Congrès, les budgets qui lui étaient destinés. En 1958, il n'y eut qu'un seul membre de la Chambre des représentants pour refuser de voter un budget pour la commission (James Roosevelt). Bien que Truman critiquât cette commission, son propre secrétaire à la Justice avait exprimé en 1950 les idées mêmes qui justifiaient son action : « Il y a aujourd'hui en Amérique beaucoup de communistes. Ils sont partout. Dans les usines, dans les bureaux, dans les boucheries, aux carrefours, dans le milieu des affaires. Et chacun d'entre eux porte en lui, en germe, la mort de notre société. »

Les intellectuels libéraux formaient l'avant-garde du mouvement anticommuniste. La revue *Commentary's* dénonçait les Rosenberg et leurs défenseurs. Un collaborateur de *Commentary's*, Irving Kristol, déclara en 1952 : « Devons-nous défendre nos droits en protégeant les communistes? Non. »

Le département à la Justice de Truman poursuivit les responsables du parti communiste au nom de la loi Smith, en les accusant de conspirer et d'inciter au renversement du gouvernement par la force et la violence. Cette accusation reposait en grande partie sur le fait que les communistes distribuaient des écrits d'inspiration marxiste-léniniste, activité que l'accusation qualifiait d'appel à la révolution. On ne put jamais apporter la preuve d'un danger immédiat ou d'un projet de révolution par la violence de la part du parti communiste. La décision de la Cour suprême fut rendue publique par le président Vinson, nommé par Truman. Il invoqua la vieille doctrine du « danger immédiat » et déclara qu'il y avait à l'évidence une conspiration en cours dans le but de fomenter une révolution au moment jugé propice. C'est ainsi que les plus hauts responsables du parti communiste furent arrêtés et jetés en prison. Assez rapidement, la plupart des cadres du parti passèrent dans la clandestinité.

Indubitablement, on réussit à rendre l'opinion publique méfiante à l'égard des communistes et favorable aux mesures drastiques prises à leur encontre – emprisonnement à l'intérieur et opérations militaires à l'extérieur. La culture tout entière était imprégnée d'anticommunisme. Les plus grandes revues publiaient des articles intitulés « Comment on devient communiste » ou « Les communistes s'en prennent à vos enfants ». En 1956, le *New York Times* publia un éditorial dans lequel on pouvait lire : « Nous refuserions d'employer un communiste dans notre rédaction [...] parce que nous n'aurions pas confiance dans sa capacité à informer objectivement ou à commenter les nouvelles avec toute l'honnêteté qui s'impose. » Le récit des exploits d'un informateur du FBI qui avait été communiste avant de devenir agent du FBI – « J'ai mené trois vies » – fut publié dans cinq cents journaux et adapté à la télévision. Des films produits par Hollywood portaient des titres tels que « J'ai épousé une communiste » ou « J'ai été communiste pour le FBI ». Entre 1948 et 1954, on tourna à Hollywood plus de quarante films anticommunistes.

Même l'American Civil Liberties Union (ACLU), créée spécifiquement pour défendre les droits des communistes et d'autres groupes politiques, se laissa prendre à l'atmosphère de la guerre froide. En 1940, déjà, cette organisation avait exclu l'une de ses fondatrices, Elizabeth Gurley Flynn, parce qu'elle était membre du parti communiste. Dans les années 1950, l'ACLU hésita à défendre Owen Latimore et Corliss Lamont (pourtant membre de son bureau directeur) quand ils furent tous deux victimes de l'anticommunisme. Elle renâcla également à défendre publiquement les dirigeants communistes lors du premier procès inspiré par la loi Smith et se tint complètement à l'écart du procès Rosenberg, prétextant qu'aucune liberté civique n'y était mise en cause.

On apprenait à toutes les générations que l'anticommunisme était héroïque. En 1951, on vendit près de trois millions d'exemplaires du livre de Mickey Spillane, *One Lonely Night*, dans lequel le héros, Mike Hammer, déclarait : « J'ai tué plus de gens ce soir que je n'ai de doigts. Je les ai tués de sang-froid et j'en ai apprécié chaque instant. [...] C'étaient des cocos. Des fils de putes de rouges qui auraient dû crever depuis longtemps. » De son côté, Captain America, un héros de bande dessinée, claironnait : « Attention, cocos, espions, traîtres et agents de l'Étranger, Captain America, avec l'aide de tous les hommes libres et loyaux, vous traque. » Tous les écoliers du pays participaient à des exercices de sécurité dans lesquels les attaques soviétiques sur l'Amérique étaient signalées par des sirènes : les enfants devaient rester sous leurs bureaux jusqu'à que « tout s'arrange ».

Dans cette atmosphère, le gouvernement n'avait aucun mal à s'assurer le soutien de l'opinion publique pour sa politique de réarmement. Le système, qui avait été si secoué dans les années 1930, avait appris que l'économie de guerre pouvait offrir une certaine stabilité et rapporter d'énormes bénéfices. L'anticommunisme de Truman était en ce sens rassurant. *Steel*, une revue liée au monde des affaires, avait reconnu en novembre 1946 (avant même la doctrine Truman) que la politique de Truman apportait « la ferme assurance que le maintien à niveau et l'anticipation de la production militaire [seraient] la grande affaire des États-Unis pendant une période relativement importante ».

Cette prédiction s'est révélée parfaitement juste. Au début 1950, le budget global des États-Unis tournait autour des 40 milliards de dollars et la part militaire de ce budget s'élevait à quelque 12 milliards. En 1955, la part militaire à elle seule était de 40 milliards de dollars sur un budget global de 62 milliards. Un petit mais courageux mouvement opposé au lobby militaire, dirigé par la War Resisters League et quelques autres groupes, ne put rien faire contre cette évolution.

En 1960, le budget militaire était de 45,8 milliards de dollars (49,7 % du budget global). Cette année-là, John F. Kennedy, fraîchement élu à la présidence des États-Unis, augmenta immédiatement les dépenses militaires. Selon Edgar Bottome (*The Balance of Terror*), l'administration Kennedy augmenta le budget de la Défense de 9 milliards de dollars en quatorze mois.

En 1962, prétextant de craintes parfaitement injustifiées sur les progrès militaires de l'Union soviétique – de prétendus « fossés » en termes d'armements stratégiques –, les États-Unis s'assurèrent une suprématie nucléaire écrasante. Ils possédaient alors l'équivalent de mille cinq cents bombes du type Hiroshima, bien plus qu'il n'en fallait pour détruire toutes les grandes villes de la planète. Pour expédier ces bombes, l'Amérique possédait un peu plus de cinquante missiles balistiques intercontinentaux, quatre-vingts missiles sur les sous-marins atomiques et quatre-vingt-dix missiles sur des bases outre-mer, mille sept cents bombardiers capables d'atteindre l'Union soviétique, trois cents bombardiers de combat sur des porte-avions et mille porteurs supersoniques.

L'Union soviétique était manifestement à la traîne avec cinquante à cent missiles intercontinentaux et moins de deux cents bombardiers à grande autonomie. Mais le budget militaire des États-Unis continua de grimper, ainsi que l'hystérie et les profits des entreprises qui profitaient de la multiplication des contrats d'armement. L'emploi et les salaires grimpèrent également suffisamment pour maintenir un nombre non négligeable d'Américains dans la dépendance de l'industrie de guerre.

En 1970, le budget militaire américain atteignait les 80 milliards de dollars et les entreprises impliquées dans la production militaire faisaient des bénéfices colossaux. Deux tiers des 40 milliards dépensés pour les systèmes d'armement allaient directement dans les caisses de douze ou quinze géants industriels dont la seule raison d'être était de remplir les contrats militaires passés avec le gouvernement. Le sénateur Paul Douglas, économiste et président du Joint Economic Committee du Sénat, remarquait que les « six septièmes de ces contrats ne font l'objet d'aucun appel d'offres. […] Prétextant la nécessité de garder le secret, le gouvernement choisit une entreprise et dresse avec elle un contrat au cours de négociations plus ou moins secrètes ».

C. Wright Mills, dans son livre sur les années 1950, *The Power Elite*, range les militaires parmi l'élite, aux côtés des politiciens et des entrepreneurs. Ces éléments étaient de plus en plus intriqués. Un rapport sénatorial démontra que les cent plus importantes entreprises américaines travaillant pour l'industrie de l'armement et détenant 64,7 % des contrats en ce domaine employaient plus de deux mille anciens officiers de haut rang de l'armée américaine.

Dans le même temps, les États-Unis tissaient, au moyen de l'aide économique accordée à certains pays, un réseau de domination économique à travers le globe et renforçaient ainsi leur influence politique. Le plan Marshall de 1948, qui accordait 16 milliards de dollars d'aide économique sur quatre ans aux pays de l'Europe de l'Ouest, avait pour objectif de reconstruire des marchés pour les produits américains. George Marshall (d'abord général puis secrétaire d'État) déclara : « Il est absurde de penser qu'une Europe laissée à elle-même [...] demeurerait aussi ouverte au commerce américain qu'elle a pu l'être par le passé. »

Mais le plan Marshall possédait également un objectif politique. Les partis communistes italien et français étaient relativement puissants. Les États-Unis décidèrent d'user du pouvoir de l'argent et de faire pression pour faire en sorte qu'ils ne participent pas aux gouvernements nationaux. Lorsque le plan se mit en œuvre, le secrétaire d'État de Truman, Dean Acheson, déclara : « Ces mesures de soutien à la reconstruction ne sont qu'en partie motivées par des sentiments humanitaires. Votre Congrès a autorisé et votre gouvernement applique aujourd'hui ces mesures de soutien à la reconstruction principalement pour des raisons d'intérêt national. »

À partir de 1952, l'aide fournie aux pays étrangers devint de plus en plus clairement destinée à instaurer des pouvoirs militaires dans les pays non communistes. Au cours des dix années qui suivirent, sur les 50 milliards de dollars d'aides fournis par les États-Unis à quatre-vingt-dix pays, seuls 5 milliards étaient destinés au développement économique non militaire.

Lorsque John F. Kennedy prit ses fonctions, il inaugura l'Alliance pour le progrès, un programme d'aide destiné à l'Amérique latine, en insistant sur les réformes sociales et l'amélioration des conditions de vie. Mais il s'avéra qu'il s'agissait avant tout d'une aide militaire afin de maintenir au pouvoir des dictatures de droite et de leur permettre d'écraser les révolutions.

Entre l'aide militaire et l'intervention militaire, il n'y avait qu'un pas. Ce que Truman avait déclaré au début de la guerre de Corée à propos de la « loi de la force » et de la « force de la loi » fut sans cesse contredit par ses actes et par ceux de ses successeurs. En Iran, en 1953, la CIA parvint à renverser un gouvernement qui avait décidé de nationaliser la production du pétrole. En 1954, au Guatemala, un gouvernement légalement élu fut renversé par l'invasion de forces composées de mercenaires entraînés par la CIA au Honduras et au Nicaragua et soutenues par des avions de combat américains pilotés par des Américains. Cette force d'invasion installa au pouvoir le colonel Carlos Castillo Armas, qui avait reçu auparavant une formation militaire à Fort Leavenworth (Kansas).

Le gouvernement que les États-Unis avaient renversé était le plus démocratique que le Guatemala eût jamais connu. Le président Jacobo Arbenz était socialiste ; quatre sièges du Congrès sur cinquante-six étaient détenus par des communistes. Mais les Américains ne purent supporter l'expropriation de 95 000 hectares de terres appartenant à la United Fruit en échange d'une compensation que l'entreprise jugea « inacceptable ». Une fois installé au pouvoir, Armas restitua les terres à la United Fruit, supprima l'impôt sur les intérêts et les dividendes touchés par les investisseurs étrangers, supprima le vote à bulletins secrets et emprisonna des milliers d'opposants politiques.

En 1958, le gouvernement Eisenhower envoya des milliers de soldats au Liban pour s'assurer que le gouvernement pro-américain en place ne serait pas renversé par une révolution et pour conserver une présence armée dans cette région riche en pétrole.

Ce consensus libéral-conservateur, républicain-démocrate, pour empêcher l'émergence ou renverser, chaque fois que possible, les gouvernements révolutionnaires – qu'ils soient communistes, socialistes ou simplement anti-United Fruit –, devint parfaitement évident dans le cas de Cuba, en 1961. En 1959, cette petite île, située à quelque 150 kilomètres des côtes de Floride, avait vu la victoire d'un mouvement révolutionnaire conduit par les troupes de Fidel Castro sur le dictateur soutenu par les Américains, Fulgencio Batista. Cette révolution menaçait directement les intérêts commerciaux américains. La politique dite de « bon voisinage » initiée par Franklin D. Roosevelt avait entraîné l'annulation de l'amendement Platt (selon lequel les États-Unis pouvaient intervenir à Cuba). Néanmoins, les Américains avaient conservé une base militaire à Guantanamo et les intérêts commerciaux américains continuaient de dominer l'économie cubaine. Les compagnies américaines contrôlaient 80 % des ressources cubaines, mines, élevage et raffineries de pétrole, ainsi que 40 % de l'industrie sucrière et 50 % des chemins de fer.

Fidel Castro avait déjà fait un séjour en prison après avoir vainement tenté, en 1953, de prendre d'assaut une caserne à

Santiago. À sa sortie de prison, il se rendit au Mexique où il rencontra un révolutionnaire argentin : Che Guevara. Tous deux retournèrent à Cuba en 1956. Leur petite troupe mena une guérilla contre les forces de Batista à partir des montagnes et de la jungle. Grâce à un soutien populaire croissant, ils finirent par sortir de leur retraite pour marcher sur La Havane. Le gouvernement de Batista s'effondra le 1er janvier 1959.

Une fois installé au pouvoir, Castro commença à mettre en place un vaste système éducatif, des plans de logement et une réforme agraire en faveur des paysans sans terre. Le gouvernement confisqua plus de 400 000 hectares de terres à trois entreprises américaines, dont la United Fruit.

Cuba avait besoin d'argent pour financer ses programmes sociaux. Les États-Unis ne comptaient pas lui en prêter, pas plus que le Fonds monétaire international, dominé par les États-Unis, car le pays refusait de se soumettre aux critères de « stabilisation » qui contrecarraient le programme révolutionnaire mis en place. Lorsque Cuba signa finalement un accord commercial avec l'Union soviétique, les compagnies pétrolières américaines refusèrent de raffiner le pétrole brut fourni par l'URSS. Castro nationalisa alors ces compagnies. Les États-Unis cessèrent d'importer le sucre cubain dont dépendait totalement l'économie de l'île et l'Union soviétique accepta immédiatement d'acheter les 700 000 tonnes de sucre dont les Américains ne voulaient plus.

Cuba avait changé et la politique du bon voisinage n'était plus à l'ordre du jour. Au printemps 1960, le président Eisenhower autorisa secrètement la CIA à armer et à entraîner des exilés cubains anticastristes au Guatemala en vue d'une future invasion de l'île. Lorsque Kennedy prit ses fonctions, au printemps 1961, la CIA avait armé et entraîné mille quatre cents exilés cubains. Il poursuivit le plan d'Eisenhower : le 17 avril 1961, les forces entraînées par la CIA avec la participation de quelques Américains débarquaient à la baie des Cochons, au sud de Cuba, à 150 kilomètres de La Havane. Ils espéraient provoquer un soulèvement populaire mais le régime castriste était apprécié. Il n'y eut pas de soulèvement et les forces de la CIA furent repoussées par l'armée de Castro.

Toute cette affaire de la baie des Cochons ne fut qu'un tissus d'hypocrisies et de mensonges. L'invasion constituait à l'évidence une violation de la charte de l'Organisation des États américains que les États-Unis avaient signée et qui stipulait que « nul État ou groupe d'État [n'était] en droit d'intervenir, directement ou indirectement, pour quelque raison que ce soit, dans les affaires intérieures ou extérieures d'un autre État ».

Quatre jours avant l'invasion, à cause de reportages parus dans la presse sur les camps secrets d'entraînement de la CIA, le président Kennedy tint une conférence de presse au cours de laquelle il déclara qu'« il n'y [aurait] pas, sous aucun prétexte, la moindre intervention à Cuba de la part des forces armées américaines ». En effet, le débarquement fut le fait de Cubains, mais tout avait été organisé par les États-Unis et des avions américains pilotés par des Américains participèrent à l'opération. Kennedy avait donné son accord pour l'utilisation d'avions anonymes afin de soutenir les forces d'invasion. Quatre pilotes américains trouvèrent la mort au cours de ces événements ; leurs familles n'apprirent jamais la vérité à leur sujet.

Le succès de la coalition libérale-conservatrice, dans sa tentative de créer un consensus anticommuniste national, est particulièrement visible dans l'attitude de certains des principaux journaux du pays qui coopérèrent avec l'administration Kennedy pour tromper le public américain sur l'affaire de Cuba. Le *New Republic* était sur le point de publier un article sur l'entraînement des exilés cubains par la CIA quelques semaines avant l'opération. L'historien Arthur Schlesinger put se procurer des copies du texte avant publication et les montra à Kennedy, qui demanda que l'article ne soit pas publié. Le *New Republic* obtempéra.

James Reston et Turner Catledge, du *New York Times*, renoncèrent à leur reportage sur l'invasion à la demande du gouvernement. Arthur Schlesinger, toujours lui, qualifia l'attitude du *New York Times* d'« acte patriotique ». Pourtant, ajouta-t-il, « rétrospectivement, je me demande si, dans le cas où la presse se serait conduite de façon irresponsable, elle n'aurait pas épargné au pays un désastre ». Ce qui semblait déranger le plus Schlesinger et d'autres libéraux pendant la période de consensus autour de la guerre froide n'était pas que les États-Unis interviennent contre les mouvements révolutionnaires dans d'autres pays, mais bien que ces opérations soient rarement couronnées de succès.

Aux environs de 1960, les quinze années d'efforts destinés, depuis la fin de la Seconde Guerre mondiale, à briser la progression du mouvement communiste-radical, avaient porté leurs fruits. Le parti communiste était en pleine déroute, ses dirigeants en prison, ses militants réduits à la portion congrue et son influence dans les mouvements syndicaux singulièrement amoindrie. Le syndicalisme lui-même était mieux contrôlé, plus conservateur. Le budget militaire représentait la moitié du budget global de la nation et le public l'acceptait.

Les radiations émanant des essais nucléaires avaient de dangereux effets sur la santé mais l'opinion publique l'ignorait complètement. La commission à l'Énergie atomique prétendait que ces effets mortels étaient exagérés. Un article daté de 1955, paru dans le *Reader's Digest* – le magazine le plus lu aux États-Unis –, affirmait que « les histoires effroyables concernant les essais atomiques effectués chez nous sont parfaitement sans fondements ».

Au milieu des années 1950, l'enthousiasme pour les abris anti-aériens était à son comble. On garantissait à l'opinion publique que ces abris les protégeraient à coup sûr en cas de bombardements atomiques. Dans un livre intitulé *On Thermonuclear War*, un consultant scientifique auprès du gouvernement, Herman Kahn, expliquait qu'il était possible qu'éclate une guerre nucléaire qui ne détruirait pas l'ensemble de la planète, et que la population ne devait pas s'inquiéter. Un politologue nommé Henry Kissinger écrivit également un livre, publié en 1957, dans lequel il prétendait que, « avec une stratégie appropriée, une guerre nucléaire [n'était] pas forcément aussi destructrice qu'il [pouvait] y paraître ».

Le pays vivait dans le cadre d'une économie de guerre permanente qui présentait d'importantes poches de pauvreté, mais il y avait suffisamment de gens au travail et gagnant suffisamment d'argent pour que la société soit pacifiée. La répartition des richesses restait totalement inéquitable. De 1944 à 1961, rien n'avait vraiment changé dans ce domaine : les 20 % des familles les plus défavorisées ne recevaient que 5 % du revenu national global alors que les 20 % des familles les plus aisées en recevaient 45 %. En 1953, 1,6 % de la population adulte possédait plus de 80 % des actions et près de 90 % des obligations. Deux cents entreprises géantes sur deux cent mille – 0,1 % donc de l'ensemble des entreprises – contrôlaient près de 60 % de la richesse industrielle de la nation.

Lorsque John F. Kennedy présenta son budget devant la nation après la première année de son mandat, il s'avéra clairement que, démocrate libéral ou non, il n'y aurait pas de grands changements dans la répartition du revenu et des richesses ou dans la politique fiscale. L'éditorialiste du *New York Times*, James Reston, résuma la teneur du message de Kennedy en écrivant que celui-ci voulait éviter tout « changement intempestif sur le front intérieur », en même temps qu'il promettait « une gestion frontale plus ambitieuse sur la question du chômage ». Reston ajoutait : « Il accepte l'idée d'une réduction d'impôts pour l'investissement commercial destinée à accroître l'appareil productif et à le moderniser. Il ne brûle pas du désir de se confronter aux conservateurs du Sud sur la question des droits civiques. Il demande instamment aux syndicats de faire en sorte de ne pas réclamer d'augmentation des salaires afin que nos prix restent compétitifs sur les marchés mondiaux et que le nombre des emplois puisse croître. Il a également essayé de rassurer le monde des affaires sur sa volonté de ne pas engager de guerre froide avec eux sur le front intérieur. [...] Cette semaine, lors de sa conférence de presse, il s'est refusé à renoncer à sa promesse de lutter contre la discrimination dans l'attribution des logements financés par l'État, mais il est convenu de la repousser jusqu'à ce que se dégage un consensus national sur cette question. [...] Au cours de ces douze derniers mois, le Président a évolué vers le centre de la politique américaine. »

Au centre, tout semblait plus sûr. Rien ne devait être fait en faveur des Noirs. On ne devait pas toucher à la structure économique existante. La politique étrangère agressive pourrait se poursuivre. Le pays semblait parfaitement contrôlé. C'est alors, dans les années 1960, qu'éclata une série de violentes révoltes dans tous les secteurs de la société américaine, démontrant que toutes les certitudes du système sur son succès et sur sa sécurité étaient parfaitement injustifiées.

Chapitre VI
« Ou bien explose-t-il ? »

L A RÉVOLTE NOIRE qui frappa le Sud comme le Nord dans les années 1950 et 1960 prit tout le monde de court. Il ne s'agissait pourtant pas d'une réelle surprise. La mémoire des opprimés ne s'efface jamais, et le souvenir des événements qui la composent ne cesse de nourrir la révolte. La mémoire des Noirs américains était d'abord celle de l'esclavage, puis celle de la ségrégation, des lynchages et des humiliations subies. En fait, ce n'était pas seulement une question de mémoire, mais aussi de vécu présent bien réel – partie intégrante de la vie quotidienne des Noirs, génération après génération.

Dans les années 1930, Langston Hughes écrivit un poème intitulé *Fresque sur Lenox Avenue* :

> *Qu'advient-il d'un rêve suspendu ?*
> *Se dessèche-t-il*
> *Comme un raisin au soleil ?*
> *Ou suinte-t-il comme une plaie*
> *Avant de disparaître ?*
> *Est-ce qu'il pue comme la viande pourrie ?*
> *Ou se couvre-t-il d'une croûte sucrée*
> *Comme un bonbon acidulé ?*
>
> *Il tombe peut-être comme un fardeau trop lourd.*
>
> *Ou bien explose-t-il ?*

Dans une société aux modes de contrôle complexes, aussi brutaux que sophistiqués, les courants souterrains s'expriment souvent à travers les œuvres d'art. Le blues, si nostalgique, cachait la colère. Le jazz, pourtant si gai, bouillonnait de révolte. La poésie, enfin, révélait les sentiments. Dans les années 1920, Claude McKay, l'une des figures importantes de ce qui allait devenir la « Harlem Renaissance », écrivit un poème que Henry Cabot Lodge intégra aux *Congressionnal Records* comme une illustration des dangereux courants qui agitaient la jeunesse noire :

> *Si nous devons mourir, que ce ne soit pas comme des pourceaux*
> *Chassés et parqués dans un recoin sordide.*
> *En hommes, nous ferons face à la meute meurtrière et lâche,*
> *Le dos au mur, agonisant mais nous battant.*

Un poème de Countee Cullen, *Incident*, est une évocation (toujours différente mais pourtant toujours identique) de l'enfance noire en Amérique :

> *Un jour à Baltimore,*
> *Le cœur et l'esprit joyeux,*
> *Je remarquai un gars du coin*
> *Qui me regardait fixement.*
>
> *J'avais alors huit ans et n'étais pas bien grand,*
> *Lui n'était pas plus grand que moi,*
> *Alors je lui ai souri, mais il a tiré*
> *La langue et m'a appelé « Négro ».*
>
> *J'ai tout vu de Baltimore*
> *Entre mai et décembre;*
> *Mais de tout ce qu'il m'y est arrivé*
> *C'est tout ce dont je me souviens.*

À l'époque de l'affaire des jeunes de Scottsboro [1], Cullen écrivit un poème plus dur, dans lequel il remarquait que les poètes blancs qui se servaient parfois de leur plume pour protester contre certaines injustices flagrantes restaient pour la plupart silencieux lorsqu'il s'agissait des Noirs :

> *Maintenant c'est sûr, disais-je,*
> *Les poètes vont chanter.*

---

1. Lire p. 451.

Mais ils n'ont rien dit.
Pourquoi ?

Même les signes les plus évidents de soumission – le comportement de l'Oncle Tom devant les situations matérielles, le nègre rigolard ou servile sur les scènes de théâtre, l'autodérision, la couardise – dissimulaient le ressentiment, la colère, le dynamisme. Le poète noir Paul Laurence Dunbar écrivit *Nous portons le masque* à l'époque des Black Minstrels [1], c'est-à-dire à la fin du XIXᵉ siècle et au début du XXᵉ :

Nous portons le masque qui grimace et ment,
Il dissimule nos joues et cache nos yeux.

Nous chantons, mais la paille est sale
Sous nos pieds et le long de la route ;
Mais laissons le monde rêver autant qu'il veut,
Nous portons le masque.

Deux acteurs noirs de la même époque, Bert Williams et George Walker, reprenaient les rôles des Minstrels en les détournant. Lorsqu'ils s'affichaient comme « les deux vrais négros », ils tentaient, selon Nathan Huggins, « de styliser et de donner une dignité comique à une fiction que les Blancs avaient créée de toutes pièces ». Dans les années 1930, de nombreux poètes noirs tombèrent le masque. Langston Hughes écrivit *Moi aussi* :

Moi aussi, je chante l'Amérique.

Je suis le frère sombre.
Ils m'envoient manger à la cuisine
Quand il y a de la visite.
Mais je rigole,
Et je mange bien,
Et je deviens fort.

Demain,
Quand il y aura de la visite,
Je serai assis avec les autres.

---

1. Apparu dans la première moitié du XIXᵉ siècle, le « Minstrel Show », joué par des Blancs grimés en Noirs, mettait en scène de manière parodique et raciste le « nègre des plantations ». À partir de la seconde moitié du siècle, il fut détourné par les Noirs et devint un moyen d'expression particulièrement efficace pour donner à voir la réalité sous les stéréotypes.

Gwendolyn Bennett écrivit de son côté :

Je veux voir les petites filles noires
Se découper en noir sur fond de ciel
Au soleil couchant.

Je veux entendre les chants
Autour d'un feu ardent
D'une étrange race noire.

Je veux sentir le surgissement
De l'âme de mon malheureux peuple
Derrière le rire du Minstrel.

On peut également signaler la prose poétique de Margaret Walker et son *For My People* : « Qu'une nouvelle terre surgisse. Qu'un nouveau monde naisse. Qu'une paix sanglante s'inscrive dans le ciel. Qu'une nouvelle génération pleine de courage prenne son essor, qu'un peuple épris de liberté se lève, qu'une beauté apaisante et une force prête à tout battent dans nos esprits comme dans nos veines. Que l'on invente des chants martiaux et que les chants funèbres cessent. Qu'une nouvelle race d'hommes advienne. Maintenant. Et qu'elle prenne les choses en main. »

En 1937, le grand romancier Richard Wright offrait dans son autobiographie, *Black Boy*, une mine d'informations précieuses. La manière dont, par exemple, on dressait les Noirs les uns contre les autres. L'auteur fut en effet contraint de se battre contre un autre jeune Noir pour satisfaire au désir des Blancs. *Black Boy* fait sans complexe le récit de chaque humiliation, puis il déclare : « Le Sud blanc prétendait connaître les "négros" et j'étais ce que le Sud blanc appelait un "négro". Eh bien, le Sud blanc ne m'a jamais connu — il n'a jamais su ce que je pensais, ce que je ressentais. Le Sud blanc disait que j'avais une "place" dans la vie. Eh bien, je n'ai jamais su quelle était cette place. Ou plutôt, mon instinct le plus profond m'avait toujours fait rejeter cette "place" que le Sud blanc m'avait assignée. Je ne m'étais jamais, en aucune façon, considéré comme un être inférieur. Et rien de ce qui avait pu sortir de la bouche des Blancs du Sud n'avait jamais pu me faire douter réellement de la valeur de ma propre humanité. »

Tout était là, dans la poésie, la prose, la musique ; parfois dissimulé mais souvent d'une clarté évidente : les signes d'un peuple resté invaincu, attendant son heure.

Dans *Black Boy*, Wright raconte encore comment, en Amérique, on faisait en sorte de réduire les jeunes Noirs au silence. Mais il explique aussi : « Que ressentent les Noirs vis-à-vis de la manière dont ils sont contraints de vivre ? Qu'en disent-ils lorsqu'ils sont seuls entre eux ? Il me semble qu'une seule phrase suffit pour répondre à cette question. Un liftier de mes amis m'a dit un jour : "Bon Dieu, mec ! Si z'avaient pas toute cette police et c'bon vieux lynchage, tout s'rait à feu et à sang ici-bas !" »

Richard Wright milita un temps dans les rangs du parti communiste (il raconte cette période de sa vie et ses désillusions dans son livre *The God that Failed*). Le parti était censé se préoccuper particulièrement de la question de l'égalité raciale. Dans les premières années de la Grande Dépression, lors de l'affaire des jeunes de Scottsboro, le parti s'associa à la défense de ces jeunes Noirs du Sud injustement emprisonnés.

Le parti communiste était accusé par les libéraux et le NAACP d'exploiter cette affaire au profit de sa propre cause. Ce n'était pas tout à fait inexact, mais les Noirs étaient réalistes et savaient qu'il était assez difficile de trouver chez les Blancs des alliés exempts de toute arrière-pensée. D'un autre côté, certains communistes noirs du Sud, par exemple Hosea Hudson, leader noir des chômeurs de Birmingham, avaient suscité l'admiration de l'ensemble de la communauté noire en parvenant à organiser la mobilisation malgré les formidables obstacles qu'on leur avait opposés. En 1932, Angelo Herndon, un jeune Géorgien noir de dix-neuf ans qui avait travaillé dans les mines du Kentucky lorsqu'il était enfant et dont le père était mort de la maladie du charbon, avait rejoint à Birmingham un conseil des chômeurs organisé par le parti communiste. Il écrivit plus tard : « Toute ma vie j'avais été exploité, humilié et tenu à l'écart. Je rampais au fond des mines pour quelques dollars par semaine et ma paie m'était volée ou amputée. Je voyais mourir mes camarades. Je vivais dans le pire quartier de la ville et je devais rester dans la section noire des tramways comme s'il y avait en moi quelque chose de particulièrement répugnant. On m'appelait sans cesse "négro" ou "moricaud" et je devais répondre "Oui, monsieur" à tous les Blancs. Même à ceux que je méprisais. J'avais toujours détesté ça mais je ne pensais pas qu'on puisse y faire grand-chose. Et puis j'ai découvert des organisations dans lesquelles les Blancs et les Noirs siégeaient ensemble, travaillaient ensemble et ne faisaient aucune distinction de race ou de couleur. »

Herndon devint l'un des responsables communistes d'Atlanta. Lui et ses camarades créèrent en 1932 les comités de quartier du conseil des chômeurs qui finit par arracher des aides au logement pour les plus pauvres. Ils organisèrent une manifestation d'un millier de personnes, à laquelle participèrent six cents Blancs. Le lendemain, le conseil municipal votait un budget d'assistance aux chômeurs de 6 000 dollars. Pourtant, immédiatement après cette décision, Herndon fut arrêté sans possibilité de communiquer avec quiconque. Il fut accusé d'avoir violé la législation anti-émeute de l'État de Géorgie. Il raconta plus tard comment, lors de son procès, le représentant de l'État de Géorgie fit lire au jury quelques passages des documents qu'on avait saisis chez lui : « Ils m'ont interrogé encore et encore. Est-ce que je pensais vraiment que les patrons et le gouvernement devaient payer des allocations aux chômeurs ? Que les nègres devraient être les égaux des Blancs dans tous les domaines ? Est-ce que j'approuvais la revendication d'auto-détermination de la *Black Belt*[1] ; que les nègres devraient pouvoir gouverner la *Black Belt* en en expulsant les propriétaires blancs et les autorités gouvernementales ? Croyais-je vraiment que la classe ouvrière était capable de diriger elle-même les usines, les compagnies minières et le gouvernement ? Les patrons étaient-ils totalement inutiles ? Je leur ai dit que je pensais tout ça et bien d'autres choses encore. »

Herndon passa cinq ans en prison, jusqu'à ce que la Cour suprême décrète l'inconstitutionnalité de la loi au nom de laquelle il avait été condamné. Les gens comme Herndon, qui témoignaient déjà aux yeux des autorités du dangereux militantisme des Noirs, s'avéraient plus dangereux encore lorsqu'ils étaient liés au parti communiste.

D'autres individus liés au parti aggravaient le danger : Benjamin Davis, l'avocat noir qui avait défendu Herndon ; des personnalités d'envergure nationale, comme le chanteur-acteur Paul Robeson et l'universitaire et écrivain W. E. B. Du Bois, qui ne cachaient pas leur soutien et leur sympathie envers le parti communiste. Les Noirs n'étaient pas aussi anticommunistes que les Blancs. Ils ne pouvaient pas se permettre ce luxe tant les alliés étaient rares. Ainsi, si les positions politiques de Herndon, de Du Bois ou de Robeson étaient globalement stigmatisées par l'opinion nationale, leur esprit vindicatif inspirait tout de même la communauté noire.

Le militantisme noir qui avait surgi çà et là pendant les années 1930 fut réduit à l'état de frémissement pendant la Seconde Guerre mondiale, quand l'Amérique dénonçait le racisme chez les autres tout en maintenant chez elle la ségrégation, dans les forces armées comme dans l'industrie, où les Noirs ne pouvaient occuper que les

---

1. Ensemble d'États dans lesquels la population noire était majoritaire.

emplois sous-payés. Mais lorsque la guerre prit fin, un phénomène nouveau vint raviver la question raciale : la toute première révolte des peuples d'Asie et d'Afrique.

Le président Harry Truman fut contraint de reconnaître le problème au début de la guerre froide avec l'Union soviétique et lorsque les anciennes colonies, partout à travers le monde, se soulevèrent et menacèrent de se rallier au marxisme. Il fallut alors se confronter à la question raciale. D'une part pour apaiser une population noire enhardie par les promesses faites pendant la guerre puis frustrée de ne rien voir venir, d'autre part pour présenter au monde l'image d'une Amérique capable de répondre à la critique communiste permanente dénonçant la question raciale comme l'échec le plus flagrant de la société américaine. Ce que Du Bois avait dit bien des années auparavant, sans réussir à se faire entendre, redevenait évident en 1945 : « La grande question du XXᵉ siècle [serait] celle de la ségrégation raciale. »

À la fin de 1946, le président Truman mit en place un comité des droits civiques qui proposa que les prérogatives du bureau des droits civiques du département de la Justice soient étendues, que l'on crée une commission des droits civiques permanente et que le Congrès vote une loi interdisant les lynchages et toute nouvelle législation discriminante. Le comité suggérait, en outre, que de nouvelles lois soient votées pour mettre fin à la discrimination à l'emploi.

Le comité Truman révélait ouvertement ses motivations. Certes, déclarait-il, il existait une « raison morale », un problème de conscience. Mais il y avait également une « raison économique » – en n'utilisant pas tous les talents disponibles, la discrimination coûtait cher au pays. Enfin, il existait de surcroît une raison d'ordre diplomatique : « Notre position dans le monde de l'après-guerre est si cruciale pour l'avenir que la moindre de nos actions a de gigantesques répercussions. [...] Nous ne pouvons pas nier que notre attitude sur la question des droits civiques est partout mise en cause. La presse écrite et radiophonique ne parle que de cela. [...] Ceux qui proposent des philosophies concurrentes de la nôtre ont souligné – en les travestissant honteusement – nos imperfections. [...] Ils essaient de démontrer que notre démocratie était un pur mensonge et que notre pays se fait l'oppresseur permanent des populations défavorisées. Cela peut sembler ridicule à nos compatriotes, mais il semble que nos amis s'en inquiètent sérieusement. Les États-Unis ne sont pas si forts et le triomphe final de la démocratie n'est pas si assuré que nous puissions nous permettre d'ignorer ce que le reste du monde pense de nous ou de notre attitude. »

Les États-Unis entreprirent donc quelques petites réformes censées avoir de grands effets. Le Congrès, en revanche, se refusa à voter les lois préconisées par le comité des droits civiques. Néanmoins, talonné par le candidat du parti progressiste Henry Wallace, Truman signa, quatre mois avant les élections de 1948, un décret exigeant que l'armée, au sein de laquelle la ségrégation raciale continuait d'être pratiquée, mette en œuvre « aussi vite que possible » une politique d'égalité raciale. Ce décret devait sans doute autant à la proximité des élections présidentielles qu'à la nécessité de préserver le moral des soldats noirs en cette période de guerre probable. Cette déségrégation des forces armées mit plus de dix ans à se concrétiser.

Truman aurait pu publier des décrets exécutifs dans d'autres domaines mais il ne le fit pas. Les Quatorzième et Quinzième Amendements, à l'image des lois votées dans les années 1860-1870, donnaient au président toute autorité pour éliminer la discrimination raciale. La Constitution exigeait que le Président applique la loi : aucun président ne le fit jamais, pas plus Truman que les autres. Il demanda par exemple au Congrès de voter une loi qui « proscrive la ségrégation dans les transports entre États ». Cette loi existait déjà depuis 1887 mais n'avait jamais été appliquée.

Dans le même temps, la Cour suprême faisait également quelques progrès – quatre-vingt-dix ans après que la Constitution eut été amendée dans le sens de l'égalité raciale. Pendant la guerre, elle avait déclaré l'illégalité des « primaires blanches » permettant d'exclure les Noirs du vote dans les primaires du parti démocrate (qui elles mêmes constituaient à cette époque les véritables élections dans le Sud).

En 1954, la Cour abandonna définitivement la doctrine de « l'égalité dans la séparation » qu'elle défendait depuis les années 1890. Le NAACP présenta plusieurs cas devant la Cour suprême pour lutter contre la ségrégation scolaire. Dans l'affaire Brown *vs* Board of Education, la Cour déclara que la ségrégation raciale des écoliers « engendre un sentiment d'infériorité [...] qui peut affecter les cœurs et les esprits de manière probablement définitive ». Dans le domaine de l'enseignement public, ajoutait-elle, « la doctrine dite de "l'égalité dans la séparation" n'a pas sa place ». La Cour n'insistait pas pour que la situation change immédiatement : un an après, elle demandait que la déségrégation s'applique avec « toute la rapidité requise ». Dix ans plus tard, en 1965, malgré « toute la rapidité requise », plus de 75 % des écoles du Sud continuaient de pratiquer la ségrégation scolaire.

Cette décision était néanmoins spectaculaire. Aux États-Unis – en tout cas aux yeux de ceux qui ne se méfient jamais assez du fossé existant entre les intentions affichées et les faits avérés –, elle passa pour un signe encourageant d'évolution. On fit alors savoir au reste du monde que le gouvernement américain avait aboli la ségrégation.

Ce qui paraissait être aux yeux des autres une fulgurante avancée ne satisfaisait pourtant pas les Noirs. Au début des années 1960, ils se soulevèrent dans tout le Sud. À la fin des années 1960, ils étaient engagés dans de violentes émeutes qui secouèrent une centaine de villes du Nord. Elles troublèrent profondément tous ceux qui s'étaient empressés d'oublier les années d'esclavage et d'humiliations quotidiennes qui s'exprimaient, pourtant, à travers la poésie, la musique, les explosions sporadiques de colère et, le plus souvent, le silence obstiné. La mémoire collective noire gardait aussi le souvenir de toutes les promesses faites, lois votées et décisions prises qui s'étaient révélées sans lendemain.

Chez ce peuple, gardien d'une telle mémoire et confronté aux bégaiements quotidiens de l'histoire, la révolte était prête à éclater à tout moment, provoquée par une conjonction imprévisible d'événements. C'est ce qu'il advint fin 1955 à Montgomery, capitale de l'Alabama.

Trois mois après son arrestation, Rosa Sparks, couturière âgée de quarante-trois ans, expliquait pourquoi elle avait refusé d'obéir aux législations discriminantes de Montgomery sur la ségrégation dans les bus municipaux. Pourquoi, finalement, elle était allée s'asseoir dans la section « blanche » d'un bus : « D'abord, j'avais travaillé dur toute la journée. J'étais vraiment fatiguée après cette journée de travail. Mon travail, c'est de fabriquer les vêtements que portent les Blancs. Ça ne m'est pas venu comme ça à l'esprit mais c'est ce que je voulais savoir : quand et comment pourrait-on affirmer nos droits en tant qu'êtres humains ? [...] Ce qui s'est passé, c'est que le chauffeur m'a demandé quelque chose et que je n'ai pas eu envie de lui obéir. Il a appelé un policier et j'ai été arrêtée et emprisonnée. »

Les Noirs de Montgomery appelèrent à manifester. Ils décidèrent de boycotter les transports municipaux et la plupart d'entre eux, délaissant les cars de ramassage chargés de les conduire au travail, s'y rendirent à pied. La municipalité réagit en accusant et en emprisonnant une centaine d'organisateurs du boycott. Certains ségrégationnistes blancs se livrèrent à des violences. Quatre bombes explosèrent dans des temples afro-américains. On déposa une bombe au domicile de Martin Luther King Jr, pasteur de vingt-sept ans né à Atlanta et l'un des principaux responsables du boycott. Malgré toutes les violences, la communauté noire de Montgomery ne baissa pas les bras : en novembre 1956, la Cour suprême interdisait la ségrégation dans les transports municipaux.

Montgomery allait servir de modèle au vaste mouvement de protestation qui secouerait le Sud pendant les dix années suivantes : rassemblements religieux pleins de ferveur, hymnes chrétiens adaptés aux luttes, références à l'idéal américain trahi, engagement de non-violence, volonté farouche de lutter jusqu'au sacrifice. Un reporter du *New York Times* relata une réunion qui s'était déroulée à Montgomery pendant le boycott : « Les uns après les autres, tous les responsables noirs mis en accusation ont pris la parole hier soir dans un temple baptiste bondé pour exhorter leurs camarades à ne pas prendre les bus municipaux et à "marcher aux côtés de Dieu". Plus de deux mille Noirs s'étaient entassés dans cette église, du sous-sol au balcon et jusque dans la rue. Ils chantaient, priaient, s'évanouissaient dans les travées à cause de la chaleur étouffante. Ils s'engageaient encore et encore à la "résistance passive". Sous cette bannière, ils ont, pendant quatre-vingts jours, observé obstinément le boycott des bus municipaux. »

Lors de cette réunion, Martin Luther King donna un aperçu de ce talent oratoire qui allait bientôt entraîner des millions de gens à exiger avec lui la justice raciale. Il déclara que ce mouvement de protestation ne concernait pas seulement les bus mais toutes ces choses « qui s'enracinent dans les archives de l'histoire ». Il ajoutait : « Nous avons subi les humiliations ; nous avons supporté les injures ; nous avons été maintenus dans la plus profonde oppression. Et nous avons décidé de nous dresser, armés de la seule protestation. C'est une des plus grandes gloires de l'Amérique que de garantir le droit de protester. Même si nous sommes arrêtés chaque jour, si nous sommes exploités chaque jour, si nous sommes piétinés chaque jour, ne laissez jamais quelqu'un vous abaisser au point de vous forcer à le haïr. Nous devons user de l'arme de l'amour. Nous devons faire preuve de compassion et de compréhension envers ceux qui nous détestent. Nous devons réaliser que tant de gens ont appris à nous détester et qu'ils ne sont finalement pas totalement responsables de la haine qu'ils nous portent. Mais nous nous tenons au tournant de la vie et c'est toujours l'aube d'un nouveau jour. »

L'insistance de Martin Luther King sur les notions d'amour et de non-violence fut particulièrement efficace pour faire naître un mouvement national de soutien de la part des Noirs comme des Blancs. Certains Noirs regrettaient cependant la naïveté du message. S'il existait certes des gens que l'on pouvait convaincre par l'amour, il en existait d'autres qu'il fallait combattre plus durement et pas toujours par la non-violence. Deux ans après le boycott de Montgomery, un ancien soldat du nom de Robert Williams, président du NAACP de Monroe, se rendit célèbre en expliquant que les Noirs devaient se défendre eux-mêmes contre la violence, par les armes si nécessaire. Lorsque des hommes du Ku Klux Klan s'en prirent au domicile de l'un des responsables du NAACP, Williams et d'autres Noirs répliquèrent à coups de fusil. Le Klan quitta bientôt les lieux. (De la même manière, une attaque du Klan contre une communauté indienne de Caroline du Nord avait été mise en déroute par des Indiens en armes.)

Néanmoins, au cours des années qui suivirent, les Noirs s'en tinrent à la non-violence. Le 1er janvier 1960, quatre jeunes gens du collège noir de Greensboro (Caroline du Nord) décidèrent d'aller déjeuner à la cafétéria du magasin Woolworth, où seuls les Blancs étaient admis. On refusa de les servir. Comme ils s'obstinaient, on ferma la cafétéria pour la journée. Ils revinrent le lendemain et les jours suivants. D'autres Noirs vinrent silencieusement se joindre à eux.

La stratégie de *sit-in* se répandit au cours des deux semaines suivantes dans une cinquantaine de villes de cinq États du Sud. Ruby Doris Smith, une jeune étudiante du Spellman College d'Atlanta âgée de dix-sept ans, entendit parler des événements de Greensboro : « Quand le comité des étudiants se mit en place, j'ai demandé à ma sœur aînée de m'inscrire sur la liste. Et lorsque deux cents étudiants furent choisis pour la première manifestation, j'en étais. [...] Je me suis mise dans la queue du self-service du Capitol State avec six autres étudiants. Quand on est arrivés à la caisse, ils n'ont pas voulu de notre argent. [...] Le lieutenant gouverneur est venu et nous a ordonné de partir. Comme on ne voulait pas, ils nous ont conduits en prison. »

Dans son appartement de Harlem, Bob Moses, un jeune professeur de mathématiques, vit une photo des manifestants de Greensboro dans les journaux. « Les étudiants sur cette photo avaient un drôle de regard. Un mélange de colère, d'obstination et de résolution. Avant, les nègres du Sud semblaient toujours sur la défensive, craintifs. Cette fois, c'était eux qui prenaient l'initiative. Ils avaient à peu près mon âge et je savais que cela me concernait moi aussi. »

Les manifestants furent souvent brutalisés, mais la volonté de lutter contre la ségrégation résista à cette violence. Au cours des douze mois suivants, plus de cinquante mille personnes, pour la plupart des Noirs mais aussi quelques Blancs, participèrent à des actions de toutes sortes dans une centaine de villes. Plus de trois mille six cents individus furent emprisonnés. À la fin de 1960, les restaurants de Greensboro et de bien d'autres villes étaient enfin accessibles aux Noirs.

Un an après les événements de Greensboro, un mouvement du Nord luttant pour l'égalité raciale, le CORE (Congress of Racial Equality), organisa ce qu'on a appelé les « Freedom Rides », au cours desquels Blancs et Noirs se rendaient ensemble en bus dans le Sud, mettant ainsi en cause les pratiques discriminatoires des transports entre États. Ces pratiques étaient illégales depuis bien longtemps, mais les autorités fédérales n'avaient jamais contraint les États du Sud à appliquer la loi. Le Président de l'époque, John F. Kennedy, semblait d'autant plus timide sur la question raciale qu'il était avant tout soucieux de s'assurer le soutien des dirigeants sudistes du parti démocrate.

Les deux bus qui quittèrent Washington DC le 4 mai 1961 à destination de La Nouvelle-Orléans n'y arrivèrent jamais. En Caroline du Sud, les voyageurs furent roués de coups et en Alabama un bus fut incendié. Les Freedom Riders furent agressés à coups de poing et de barre de fer. La police du Sud comme le gouvernement fédéral ne firent rien pour empêcher ces violences. Des agents du FBI, présents en tant qu'observateurs, prirent des notes sans intervenir.

C'est alors que les initiateurs de la stratégie du *sit-in*, qui venaient de former le Student Nonviolent Coordinating Committee (SNCC) et pratiquaient un activisme non violent mais néanmoins militant, organisèrent une autre de ces Freedom Rides entre Nashville et Birmingham. Avant le départ, ils téléphonèrent au département de la Justice pour demander une protection. Selon Ruby Doris Smith, « le département [avait] répondu qu'il n'en était pas question. Qu'il ne pouvait protéger personne, mais que si quelque chose arrivait il mènerait une enquête. Vous voyez ce que je veux dire ».

Les voyageurs, Blancs et Noirs confondus, furent arrêtés à Birmingham (Alabama) et passèrent une nuit en prison. On les mena ensuite à la frontière du Tennessee. Ils revinrent cependant à Birmingham, puis prirent le car pour Montgomery, où ils furent copieusement matraqués par des Blancs. La bataille fut sanglante. Le voyage prit fin à Jackson, au Mississippi.

Lorsque ces Freedom Rides commencèrent à attirer l'attention de la presse internationale, le gouvernement devint attentif à prévenir toute violence future. Le ministre de la Justice, Robert Kennedy, plutôt que de rappeler le droit de voyager librement, accepta que les voyageurs soient arrêtés à Jackson en échange de la protection de la police du Mississippi. Dans *Kennedy Justice*, Victor Navasky note que Robert Kennedy « n'hésitait pas à troquer la liberté constitutionnelle de mouvement des Freedom Riders contre la protection de leur droit à la vie ».

Une fois jetés en prison, ils ne se soumettaient pas pour autant. Ils résistèrent, protestèrent, chantèrent et exigèrent qu'on respecte leurs droits. Quelques années plus tard, Stokely Carmichael se souvenait qu'ils avaient chanté dans les cellules de la prison de Parchman (Mississippi). Lorsque le shérif les menaça de faire retirer leurs matelas : « J'ai sauté sur le matelas et j'ai déclaré : "J'estime que nous y avons droit et je pense que vous êtes injuste." Alors il a hurlé : "Je ne veux pas écouter tes conneries, négro", et il m'a attaché par les poignets. Je voulais pas bouger et j'ai commencé à chanter un truc du genre "Je vais dire à Dieu comment tu me traites" et tout le monde a repris en chœur. Tyson ne savait vraiment plus où se mettre. Il a appelé ses collègues et a dit : "Foutez-le là-dedans." Puis il est sorti en claquant la porte. Tout le monde a pu garder son matelas. »

À Albany (Géorgie), une petite ville du Sud profond où régnait encore une atmosphère digne de l'époque de l'esclavage, des manifestations furent organisées. Sur une communauté de vingt-deux mille Noirs, près d'un millier d'individus furent emprisonnés pour avoir manifesté, s'être rassemblés et avoir protesté contre la ségrégation et la discrimination. Dans cette manifestation, comme dans toutes celles qui avaient lieu dans le Sud, on trouvait des enfants. Une nouvelle génération se formait sur le terrain. Le chef de la police d'Albany, relevant après une arrestation massive les noms des manifestants, se trouva devant un enfant de neuf ans à qui il demanda son nom. « Liberté Liberté », répondit celui-ci.

Il est impossible de mesurer l'effet que ce mouvement de protestation dans le Sud eut sur l'ensemble de la jeunesse noire de l'époque, ou même d'identifier le processus par lequel certains d'entre eux devinrent plus tard des militants et des leaders. Dans le comté de Lee (Géorgie), après les événements de 1961-1962, un adolescent noir du nom de James Crawford adhéra au SNCC et se mit à accompagner les Noirs dans les bureaux de vote du comté. Un jour, le responsable des listes électorales s'approcha de lui. Un autre membre du SNCC prit en note la conversation :

FONCTIONNAIRE – Qu'est-ce que vous voulez?

CRAWFORD – J'accompagne cette dame pour qu'elle s'inscrive sur les listes.

FONCTIONNAIRE *(après lui avoir donné un document à remplir et l'avoir fait sortir de la salle)* – Pourquoi avez-vous amené cette femme ici?

CRAWFORD – Parce qu'elle veut être une citoyenne à part entière comme vous tous ici.

FONCTIONNAIRE – Qui es-tu pour accompagner les gens qui s'inscrivent?

CRAWFORD – C'est mon boulot.

FONCTIONNAIRE – Imagine que tu prennes deux balles dans la tête tout de suite…

CRAWFORD – Je finirai par mourir de toute façon.

FONCTIONNAIRE – Si c'est pas moi qui le fais, je peux demander à quelqu'un d'autre. *(Pas de réponse.)* T'as les foies?

CRAWFORD – Non.

FONCTIONNAIRE – Imagine que quelqu'un passe la porte et te fasse sauter la tête, là, maintenant. Qu'est-ce que tu ferais?

CRAWFORD – Je ne pourrais rien faire. Mais si on me tire dans la tête, les gens viendront ici de tout le pays.

FONCTIONNAIRE – Quels gens?

CRAWFORD – Ceux pour qui je travaille.

En 1963, à Birmingham, des milliers de Noirs se retrouvèrent dans la rue confrontés aux matraques de la police, aux gaz lacrymogènes, aux lances d'incendie. À la même période, dans le Sud profond, les jeunes militants du SNCC, pour la plupart des Noirs mais aussi quelques Blancs, visitaient les communautés noires de Géorgie, de l'Alabama, du Mississippi et de l'Arkansas. Secondés par des personnalités noires locales, ils incitaient les Noirs à s'inscrire sur les listes électorales, à voter, à protester contre le racisme et à s'opposer courageusement à la violence. Le département de la Justice fit état de mille quatre cent douze manifestations en trois mois au cours de l'année. Les emprisonnements furent innombrables, les bastonnades très fréquentes. La peur se réinstallait dans les communautés. Un jeune étudiant noir de dix-neuf ans, Carvert Neblet, qui travaillait avec le SNCC dans le comté de Terrell (Géorgie), déclarait : « J'ai parlé avec un aveugle qui est très intéressé par le mouvement des droits civiques. Il est avec le mouvement depuis le début. Bien qu'il soit aveugle, cet homme veut tout savoir sur l'alphabétisation. Imaginez un peu, alors que tant d'autres ont peur que les Blancs brûlent leur maison, les tuent ou les expulsent de chez eux, un vieil aveugle de soixante-dix ans veut participer à nos réunions. »

À l'approche de l'été 1964, le SNCC et d'autres groupes qui travaillaient ensemble pour les droits civiques et se voyaient confrontés à une recrudescence de violence décidèrent de faire appel à la jeunesse américaine pour attirer l'attention sur la situation au Mississippi. Dans cet État comme dans bien d'autres, le FBI et les représentants du département de la Justice assistaient en spectateurs aux événements au cours desquels les militants des droits civiques étaient battus et emprisonnés, et les lois fédérales bafouées.

Au début de juin 1964, le mouvement des droits civiques loua un théâtre à quelques pas de la Maison-Blanche. Des bus entiers de Noirs venus du Mississippi se rendirent à Washington pour témoigner des violences qu'ils y subissaient et du danger qui guettait les volontaires qui s'y rendaient. Des spécialistes de droit constitutionnel certifièrent que le gouvernement avait le pouvoir légal de les protéger contre de telles violences. Le procès-verbal de cette journée de témoignages fut adressé au président Johnson et au ministre de la Justice, Robert Kennedy, accompagné d'une demande de protection fédérale. Il n'y fut jamais répondu.

Douze jours après cette réunion publique, trois militants des droits civiques, un jeune Noir du Mississipi, James Chaney, et deux volontaires blancs, Andrew Goodman et Michael Schwerner, étaient arrêtés à Philadelphie (Mississippi). Après avoir été libérés en pleine nuit, puis enlevés et roués de coups, ils furent assassinés. Un témoignage permit finalement d'envoyer en prison le shérif, un shérif adjoint et quelques autres individus. Ces meurtres avaient eu lieu après les refus réitérés du gouvernement fédéral, sous Kennedy, sous Johnson, comme sous tout autre président des États-Unis, de protéger les Noirs contre les violences qu'ils subissaient.

Le mécontentement contre le gouvernement s'accrut. Au cours de ce même été, lors de la convention nationale des démocrates d'Atlantic City (New Jersey), des Noirs demandèrent à siéger avec la délégation du Mississippi pour représenter les 40 % de Noirs de cet État. Les dirigeants libéraux démocrates, parmi lesquels le candidat à la vice-présidence Hubert Humphrey, rejetèrent cette demande.

Devant la révolte noire, les troubles et leurs répercussions internationales, le Congrès finit par réagir. Des lois sur les droits civiques avaient été votées en 1957, 1960 et 1964. Elles promettaient l'égalité devant le suffrage et devant l'emploi mais étaient restées bien souvent lettre morte. En 1965, le président Johnson présenta une loi sur le droit de vote que le Congrès renforça et vota. Elle garantissait la protection fédérale du droit de s'inscrire sur les listes électorales et du droit de vote. Les effets de cette loi furent spectaculaires. En 1952, un million de Noirs étaient inscrits sur les listes électorales dans les États du Sud (20 % de ceux qui avaient le droit de vote). En 1964, leur nombre passait à deux millions. En 1968 ils étaient trois millions (60 %, le même pourcentage que chez les électeurs blancs).

Le gouvernement fédéral essayait – sans pour autant engager de véritables changements – de maîtriser une situation explosive. Il fallait canaliser cette colère par les mécanismes classiques d'apaisement : vote, pétitions et manifestations autorisées. Quand les responsables noirs du mouvement des droits civiques décidèrent d'organiser une gigantesque marche sur Washington, à l'été 1963, pour protester contre l'incapacité de la nation à résoudre la question raciale, le président Kennedy et les autres dirigeants nationaux s'empressèrent de récupérer le projet et le transformèrent en rassemblement œcuménique.

C'est à cette occasion que Martin Luther King fit, devant deux cent mille Américains blancs et noirs, son fameux discours « I have a dream… ». Discours superbe, certes, mais totalement dénué de cette colère que ressentaient de nombreux Noirs. John Lewis, un jeune responsable du SNCC originaire d'Alabama qui avait été arrêté et battu de nombreuses fois, tenta d'exprimer ce sentiment d'indignation. Il en fut empêché par les organisateurs de la marche qui insistèrent pour qu'il renonce à certaines critiques très dures sur le gouvernement et à ses appels à l'action directe.

Dix-huit jours après le rassemblement de Washington, comme une expression du mépris affiché envers cette modération, une bombe explosait dans le sous-sol d'une église noire à Birmingham, tuant quatre fillettes qui assistaient au catéchisme.

Si le président Kennedy avait apprécié la « profonde ferveur et la dignité calme » de la marche, le militant noir Malcolm X était probablement plus en accord avec les véritables sentiments de la communauté noire. À Detroit, deux mois après la marche sur Washington et l'attentat de Birmingham, Malcolm X déclarait dans son style rythmé, puissant et incisif : « Les Noirs étaient là, dans les rues. Ils discutaient de leur projet de marche sur Washington. […] Ils allaient marcher sur Washington, sur le Sénat, sur la Maison-Blanche, sur le Congrès et leur lier les mains, les forcer à s'arrêter et empêcher le gouvernement de fonctionner. Ils disaient même qu'ils iraient à l'aéroport et s'allongeraient sur les pistes pour empêcher les avions d'atterrir. Je dis juste ce qu'ils disaient. C'était la révolution. Oui, c'était la révolution. La révolution noire. C'était le peuple, là, dans la rue. Les Blancs avaient une peur bleue, le pouvoir blanc à Washington DC avait une peur bleue. J'étais là. Quand ils ont

compris que ce bulldozer noir allait descendre vers la capitale, ils ont
appelé [...] ces responsables noirs que vous respectez tant et leur
ont dit : "Arrêtez tout." Kennedy a dit : "Écoutez, vous laissez aller
les choses un peu trop loin." Et le Vieux Tom a répondu : "Patron,
je peux pas l'arrêter parce que c'est pas moi qui l'ai démarré." Je
vous dis ce qu'ils ont dit : "Je suis même pas dans le coup, alors vous
pensez si j'y peux quelque chose." Ils disaient : "Ce sont ces nègres
qui font les choses par eux-mêmes. Ils se débrouillent sans nous,
maintenant." Alors l'autre vieux renard a dit : "Si vous êtes pas dans
le coup, moi je vais vous y mettre. Je vais vous mettre à la tête de
tout ça. Je le prendrai à mon compte, j'approuverai, j'aiderai et,
même, j'en serai." C'est ce qu'ils ont fait avec la marche sur
Washington. Ils y sont allés eux aussi [...], sont devenus partie pre-
nante de la marche et puis ont ramassé la mise. Et puisqu'ils diri-
geaient, tout ça a perdu toute énergie militante. Plus de colère, plus
de pression, plus de radicalité. D'ailleurs, ce n'était même plus une
marche, c'était un pique-nique, un véritable cirque. Rien qu'un
cirque avec les clowns et tout le tralala. [...] Mieux encore, c'était
une trahison, un coup d'État. Ils contrôlaient tout cela si bien qu'ils
ont dit à tous ces nègres quand il fallait arriver en ville, où s'arrêter,
quels signes distinctifs porter, quelles chansons chanter, ce qu'ils
pouvaient dire. Après, ils les ont renvoyé se coucher. »

La pertinence de cette description ironique de l'événement est
avérée par celle qu'en fit l'autre camp – celui des autorités – par
l'intermédiaire du conseiller à la Maison-Blanche, Arthur Schlesinger, dans son livre *A Thousand Days*. Il y rappelle que Kennedy
avait rencontré les leaders des mouvements pour les droits civiques
afin de les prévenir que la marche « créerait une atmosphère de
chantage », au moment même où le Congrès s'apprêtait à voter
une loi sur les droits civiques. A. Philip Randolph répondit que,
« les Noirs étant déjà dans la rue, il serait quasiment impossible de
les faire rentrer chez eux ». Schlesinger affirme que « la rencontre
avec le Président persuada les leaders noirs de ne pas assiéger le
Capitole ». Il décrit ensuite la marche sur Washington puis
conclut : « C'est ainsi que, en 1963, Kennedy réussit à intégrer la
révolution noire dans la coalition démocratique. »

Mais cela ne réussit pas. Les Noirs pouvaient difficilement s'intégrer à la « coalition démocratique » quand les bombes continuaient d'exploser dans les lieux de culte et que les nouvelles lois
sur les « droits civiques » ne changeaient fondamentalement rien
à leur condition. Au printemps 1963, le taux de chômage des
Blancs était de 4,8 %. Il atteignait les 12,1 % chez les non-blancs.
Si l'on en croit les estimations gouvernementales, un cinquième

de la population blanche vivait en dessous du seuil de pauvreté, contre 50 % de la population noire. Les décrets sur les droits civiques insistaient sur le droit de vote, mais le vote n'était certes pas la solution appropriée aux problèmes du racisme et de la pauvreté. Les Noirs de Harlem, qui votaient déjà depuis des années, continuaient de vivre dans des taudis infestés de rats.

Ce fut précisément pendant ces années 1964-1965, au cours desquelles le Congrès vota les lois sur les droits civiques, qu'eurent lieu de nombreuses émeutes à travers tout le pays : en Floride, après l'assassinat d'une femme noire et une menace d'attentat à la bombe contre un lycée noir ; à Cleveland, lorsqu'un prédicateur noir fut tué alors qu'il protestait pacifiquement contre la discrimination raciale dans la profession du bâtiment ; à New York, quand un jeune Noir de quinze ans fut abattu au cours d'une altercation avec un policier en dehors de son service. Rochester, Jersey City, Chicago et Philadelphie connurent également des émeutes.

En août 1965, alors que Lyndon Johnson signait l'importante loi sur le droit de vote qui garantissait la protection fédérale des Noirs lors de leur inscription sur les listes électorales, le ghetto noir de Watts, à Los Angeles, se souleva et fut le théâtre des plus violentes émeutes urbaines depuis la fin de la Seconde Guerre mondiale. Ces émeutes répondaient à la brutale arrestation d'un jeune conducteur noir, le matraquage d'un témoin oculaire et l'arrestation d'une jeune femme injustement accusée d'avoir craché sur les policiers. Les émeutiers occupèrent les rues puis brûlèrent et pillèrent les boutiques. Appelées à la rescousse, la police et la garde nationale firent usage de leurs armes : trente-quatre morts (pour la plupart des Noirs), des centaines de blessés et quatre mille arrestations. Robert Conot, un journaliste de la côte Ouest, écrivit dans son livre *Rivers of Blood, Years of Darkness* : « À Los Angeles, les Noirs déclaraient qu'ils ne tendraient plus jamais l'autre joue. Que, frustrés et piqués à vif, ils se défendraient, même si la violence n'était pas forcément la meilleure solution. »

À l'été 1966, les émeutes se multiplièrent ; jets de pierres, pillages et incendies de la part des Noirs de Chicago et fusillades de la part des gardes nationaux. Trois Noirs y perdirent la vie, dont un jeune garçon de treize ans et une jeune fille de quatorze ans qui attendait un enfant. À Cleveland, où la garde nationale avait reçu pour mission de mater une révolte de la communauté noire, quatre Noirs furent abattus, deux par des soldats et deux par des civils blancs.

Il paraissait évident, désormais, que la non-violence du mouvement, qui pouvait être considérée comme stratégiquement nécessaire dans la situation spécifique du Sud, où elle permettait d'attirer l'attention de l'opinion publique nationale sur la ségrégation sudiste, ne résolvait pas le problème de la misère dans les ghettos noirs. En 1910, 90 % des Noirs vivaient dans le Sud. Mais en 1965, 81 % de la récolte de coton dans le delta du Mississippi s'effectuait à l'aide de machines. Entre 1940 et 1970, quatre millions de Noirs connurent l'exode rural. En 1965, 80 % des Noirs vivaient dans les villes et 50 % d'entre eux habitaient dans le Nord.

Une nouvelle attitude prenait corps au sein du SNCC et parmi de nombreux militants noirs. Un jeune écrivain noir, Julius Lester, évoque cette désillusion : « Maintenant c'est fini. L'Amérique a eu plusieurs fois l'occasion de montrer ce que signifiait réellement "tous les hommes ont été dotés de certains droits inaliénables". [...] Maintenant c'est fini. Ce n'est plus l'heure d'entonner des hymnes à la liberté et de répondre aux balles et aux matraques par l'Amour. [...] L'amour est fragile et doux et demande une réponse du même type. Ils ont chanté : "J'aime tout le monde", en esquivant de justesse les briques et les bouteilles qu'on leur jetait. Désormais ils chantent : "Trop d'amour, trop d'amour / Rien ne tue tant un nègre que trop d'amour." »

Ce fut en 1967 qu'éclatèrent dans les ghettos noirs du pays les plus importantes émeutes urbaines de l'histoire des États-Unis. Selon le rapport du National Advisory Committee on Urban Disorders, elles « impliquaient des Noirs s'en prenant aux symboles locaux de la société blanche américaine » – symboles de l'autorité et de la propriété dans les quartiers noirs – plus qu'aux personnes elles-mêmes. Le comité faisait état de huit émeutes majeures, trente-trois soulèvements « sérieux mais de moindre envergure » et cent vingt-trois « désordres mineurs ». Quatre-vingt-trois personnes, habitant pour la plupart Detroit et Newark, furent tuées. « L'immense majorité des individus tués ou blessés au cours de l'ensemble de ces événements étaient des civils noirs. »

Selon ce rapport, l'« émeutier standard » était jeune, avait abandonné les études mais était « néanmoins plus cultivé que ses voisins noirs ne participant pas aux désordres » et « le plus souvent sous-employé ou employé à un poste subalterne ». Il était généralement « fier de sa race, extrêmement hostile aux Blancs et aux Noirs de la classe moyenne et, bien que s'intéressant à la politique, extrêmement méfiant envers le système ».

Le rapport accusait le « racisme blanc » d'être à l'origine de ces émeutes et identifiait les ingrédients du « mélange explosif qui régnait dans [les] villes depuis la fin de la Seconde Guerre mondiale ». « La discrimination généralisée et la ségrégation à l'emploi, dans les écoles et dans l'attribution des logements, [...] et la concentration accrue des populations noires déshéritées dans les plus grandes villes entraînent une crise grandissante des équipements et des services ainsi qu'une incapacité à répondre aux besoins fondamentaux des personnes. [...] Dans ce nouvel état d'esprit qui s'est répandu chez les Noirs, particulièrement chez les jeunes, l'estime de soi et la fierté de la race ont remplacé l'apathie et la soumission au "système". »

Mais ce rapport lui-même était un des instruments classiques utilisés par le système lorsqu'il est menacé par la rébellion : mettre en place un comité et publier un rapport. Ce rapport, même sans effets pratiques, était censé apaiser la révolte.

Mais tout ne se passa pas comme prévu. Le mot d'ordre était désormais « Black Power », c'est-à-dire l'expression d'une méfiance à l'égard de tout « progrès » offert ou accordé aux Noirs par les Blancs. Un rejet du paternalisme. Peu de Noirs (et tout aussi peu de Blancs, d'ailleurs) connaissaient ces propos de l'écrivain blanc Aldous Huxley : « Les libertés ne se donnent pas, elles se prennent. » C'est pourtant ce que signifiait le « Black Power », outre une certaine fierté de race, l'accent mis sur l'indépendance des Noirs et souvent même sur l'idée du séparatisme. Malcolm X fut sans conteste le porte-parole le plus convaincant de cette mouvance. Après son assassinat en 1965 – dont les causes restent aujourd'hui encore obscures –, il fit figure de véritable martyre. Des centaines de milliers de personnes lurent son *Autobiography*, au point qu'il devint plus influent mort qu'il ne l'avait été de son vivant.

Si Martin Luther King continuait d'être respecté, il fut peu à peu supplanté par de nouveaux héros : par exemple Huey Newton, des Black Panthers. Ces derniers avaient des armes et prônaient l'autodéfense.

À la fin de 1964, Malcolm X s'était adressé à des étudiants du Mississippi qui visitaient Harlem : « Vous obtiendrez la liberté en faisant savoir à votre ennemi que vous ferez tout ce qui est en votre pouvoir pour obtenir votre liberté. Ce n'est qu'alors que vous l'obtiendrez. C'est le seul moyen de l'obtenir. Si vous agissez ainsi, ils vous traiteront de « négro enragé » ou plutôt de « Noir enragé », car ils ne disent plus « négro ». Ou bien ils vous qualifieront d'extrémistes ou de révolutionnaires ou de traîtres ou de rouges ou de radicaux. Mais si vous êtes suffisamment nombreux à être radicaux et que vous le restez suffisamment longtemps, vous obtiendrez votre liberté. »

Le Congrès réagit aux émeutes urbaines de 1967 en votant une nouvelle loi sur les droits civiques en 1968. Cette loi était censée renforcer la législation contre les violences commises à l'encontre des Noirs. Si elle alourdissait les sanctions prises contre ceux qui privaient les Noirs de leurs droits civiques, elle précisait néanmoins que « les dispositions de cette loi ne [s']appliqueraient] pas aux actes ou négligences commis par les officiers du maintien de l'ordre, les membres de la garde nationale, [...] les soldats des forces armées américaines qui auraient été engagés dans la lutte contre les émeutes ou les désordres civils. »

En outre, cette loi comportait également une section – concédée par les libéraux du Congrès – qui prévoyait cinq ans d'emprisonnement pour quiconque se déplacerait d'un État à un autre ou utiliserait les services fédéraux (dont la poste et le téléphone) pour « organiser, promouvoir, encourager ou participer à une émeute ». La définition de l'émeute était la suivante : tout acte commis par trois personnes ou plus, présentant des risques de violence. La première personne poursuivie dans le cadre de cette loi sur les droits civiques fut un jeune responsable noir du SNCC, H. Rap Brown, qui avait fait un discours furieux dans la ville de Maryland avant que n'y éclatent des émeutes raciales. Plus tard, cette loi allait être également utilisée contre des manifestants pacifistes à Chicago (les « Huit de Chicago »).

Martin Luther King lui-même s'inquiétait de plus en plus des problèmes générés par la pauvreté que les lois sur les droits civiques ignoraient. Au printemps 1968, il s'emporta contre la guerre du Vietnam malgré le conseil de certains dirigeants noirs qui craignaient de perdre des alliés à Washington. Il établissait un lien direct entre la guerre et la pauvreté : « Nous devons inévitablement soulever la question du tragique renversement des priorités. Nous dépensons tout cet argent pour la mort et la destruction alors que nous n'en accordons pas assez pour la vie et le développement. [...] Lorsque les armes de guerre deviennent une obsession nationale, les impératifs sociaux en souffrent inévitablement. »

Dès lors, King devint une des cibles privilégiées du FBI, qui enregistrait ses conversations téléphoniques privées, lui envoyait de fausses lettres de menaces, le menaçait directement, le faisait chanter et lui conseillait même dans une lettre anonyme de se suicider. Certains rapports internes du FBI prouvent que l'on a tenté un moment de lui trouver un remplaçant parmi les dirigeants noirs. Comme le constate un rapport sénatorial de 1976, le FBI cherchait « à détruire le révérend Martin Luther King ».

King s'intéressait à des questions trop délicates. Il continuait de prôner la non-violence. Il pensait que les émeutes nuisaient à la cause, mais elles exprimaient un état d'esprit qu'il ne pouvait pas ignorer. La non-violence, déclarait-il, ne pouvait être qu'un « acte militant de masse ». Il envisageait un « campement des pauvres » à Washington – cette fois-ci sans le consentement paternaliste du président. Un jour qu'il était à Memphis (Tennessee) pour apporter son soutien à une grève des éboueurs, il fut assassiné sur le balcon de son hôtel par un tireur non identifié. Le campement des pauvres eut tout de même lieu mais fut finalement dispersé par les forces de police, exactement comme la Bonus Army des vétérans de la Première Guerre mondiale l'avait été en 1932.

L'assassinat de Martin Luther King entraîna de nouvelles émeutes urbaines à travers tout le pays. Trente-neuf personnes, dont trente-cinq Noirs, furent tuées. Un faisceau de preuves démontrait que, malgré toutes les lois sur les droits civiques désormais en vigueur, les tribunaux ne protégeaient jamais les Noirs contre la violence et l'injustice.

1. En 1967, au cours des émeutes de Detroit, trois adolescents noirs avaient été assassinés au *Algiers Motel*. Trois policiers de Detroit et un surveillant noir furent jugés pour ce triple meurtre. La défense finit par reconnaître que les quatre hommes avaient tué deux des victimes. Ils furent néanmoins acquittés par le jury.

2. À Jackson (Mississippi), au printemps 1970, la police effectua un tir de barrage de vingt-huit secondes à l'aide de fusils et de mitraillettes sur le campus du Jackson State College. Quatre cents balles furent tirées sur le dortoir des filles, faisant deux morts parmi les étudiants noirs. Un grand jury local estima que l'assaut était parfaitement « justifié » et le juge Harold Cox (nommé par Kennedy) déclara que les étudiants qui se livraient à des désordres publics devaient « s'attendre à être blessés, voire tués ».

3. À l'hôpital de Boston, en avril 1970, un policier tua de cinq balles un Noir désarmé qui l'avait frappé avec une serviette. Le policier fut acquitté par le président du tribunal de Boston.

4. En mai 1970, à Augusta (Géorgie), six Noirs furent tués au cours d'émeutes accompagnées de pillages. Le *New York Times* rendit compte de l'affaire en ces termes : « Un rapport confidentiel émanant des forces de police affirme que cinq des victimes au moins auraient été tuées par la police. [...] Un témoin oculaire de ces incidents mortels affirme qu'il a pu voir un policier noir et son collègue blanc tirer dans le dos d'un homme suspecté de se livrer au pillage. Selon Charles A. Reid, un homme d'affaires de trente-huit ans, les policiers n'auraient fait aucune sommation. »

5. En avril 1970, un jury fédéral de Boston estimait qu'un policier avait fait un « usage excessif de la force » contre deux soldats noirs

de Fort Devens. L'un des deux hommes avait douze points de suture au cuir chevelu. Le juge condamna le policier à 3 dollars de dommages et intérêts.

Il s'agissait de cas « banals », sans cesse répétés tout au long de l'histoire du pays. Des événements sporadiques mais réguliers, nés du racisme ancré dans les institutions et dans la mentalité nationale. Pourtant, il pouvait également s'agir d'un véritable plan contre les militants noirs élaboré par les forces de police et le FBI. Le 4 décembre 1969, peu avant cinq heures du matin, une patrouille de la police de Chicago armée de mitraillettes et de fusils envahissait un appartement où vivaient des Black Panthers. Ils tirèrent entre quatre-vingts et deux cents coups de feu dans l'appartement, tuant sur son lit un militant âgé de vingt et un ans, Fred Hampton, et un de ses camarades, Marck Clark. Des années plus tard, on découvrirait qu'un indicateur, placé par le FBI au sein des Black Panthers, avait fourni à la police un plan de l'appartement signalant l'endroit où dormait Fred Hampton.

Le gouvernement se tournait-il à présent vers le meurtre et le terrorisme parce que les concessions – les lois, les beaux discours, voire la récupération par le président Johnson de l'hymne des droits civiques *We Shall Overcome* – ne servaient à rien ? On apprit plus tard que, pendant toute la période du mouvement des droits civiques, au moment même où le gouvernement faisait des concessions par le biais de lois votées au Congrès, il menait par l'intermédiaire du FBI une politique de harcèlement et de destruction des groupes activistes noirs. Entre 1956 et 1971, le FBI mena un programme de renseignements (le COINTELPRO) qui organisa quelque deux cent quatre-vingt-quinze opérations contre ces groupes. Mais l'activisme noir semblait particulièrement vivace. Selon un rapport confidentiel du FBI adressé au président Nixon en 1970, « un récent sondage indique que près de 25 % de la population noire a un profond respect pour l'action du Black Panthers Party, et cela est particulièrement vrai pour 43 % des Noirs de moins de vingt et un ans ». Sans doute craignait-on que les Noirs ne se détournent du terrain éminemment contrôlable de l'élection pour s'intéresser de plus près au conflit de classes entre les riches et les miséreux. En 1966, à Greenville (Mississippi), soixante-dix Noirs totalement démunis occupèrent un baraquement abandonné de l'armée de l'air jusqu'à ce qu'ils en soient expulsés par les soldats. Une femme du voisinage, Unita Blackwell, déclara à cette occasion : « Pour moi, le gouvernement fédéral a prouvé qu'il ne se souciait absolument pas des pauvres. Tout ce que nous avons exigé pendant toutes ces années a été écrit noir sur blanc mais sans jamais devenir réalité. Nous, les pauvres du Mississippi, on en a marre. On en a marre, alors on va se prendre en main parce que le gouvernement ne nous représente pas. »

Des émeutes de Detroit en 1967 était née une organisation destinée à encadrer les travailleurs noirs en vue de bouleversements révolutionnaires. La Ligue des travailleurs noirs révolutionnaires resta en activité jusqu'en 1971 et mobilisa des milliers de personnes à Detroit.

Ce nouvel aspect du militantisme noir était plus dangereux que le mouvement des droits civiques parce qu'il risquait d'unir les travailleurs noirs et blancs autour de la question générale de l'exploitation sociale. En novembre 1963, A. Philip Randolph s'était exprimé devant la convention de l'AFL-CIO sur le mouvement des droits civiques : « Les protestations des Noirs aujourd'hui ne sont que les premiers soubresauts de la "sous-classe". Les Noirs sont aujourd'hui dans la rue, mais les autres chômeurs, toutes races confondues, viendront les y rejoindre. »

On tenta de faire avec les Noirs ce qu'on avait fait, de tout temps, avec les Blancs : intégrer un petit nombre d'entre eux dans le système en leur offrant des avantages économiques. On évoqua le « capitalisme noir ». Des dirigeants de la NAACP et du CORE furent invités à la Maison-Blanche. James Farner (CORE), un ancien militant des Freedom Rides, se vit offrir un poste dans l'administration Nixon. Floyd McKissick (CORE) reçut un prêt gouvernemental de 14 millions de dollars pour mener à bien un projet de logements en Caroline du Nord. Lyndon Johnson avait confié des postes à quelques Noirs au sein de l'Office on Economic Opportunity. Nixon, pour sa part, mit sur pied un Office of Minority Business Enterprise.

La Chase Manhattan Bank et la famille Rockefeller qui la contrôlait s'attachèrent plus particulièrement au développement du « capitalisme noir ». Les Rockefeller avaient toujours patronné financièrement la Urban League et exercé une forte influence sur l'éducation des jeunes Noirs à travers le soutien qu'ils apportaient aux collèges noirs du Sud. David Rockefeller tenta de persuader ses collègues capitalistes : à court terme, le soutien financier apporté aux entreprises détenues par des Noirs ne porterait sans doute pas ses fruits, mais il était néanmoins nécessaire « de créer un environnement dans lequel ces entreprises pourraient continuer de faire des profits pour les quatre, cinq, voire dix années à venir ». Malgré cela, la présence des Noirs dans les affaires restait ridiculement limitée. La plus grande entreprise noire (Motown

Industries) présentait un chiffre d'affaires de 45 millions de dollars en 1974 alors que celui d'Exxon Corporation, par exemple, s'élevait pour sa part à 42 milliards de dollars. Les entreprises dirigées par des Noirs ne comptaient que pour 0,3 % du chiffre d'affaires global des entreprises américaines. S'il n'y avait que très peu d'avancées réelles dans ce domaine, elles étaient en tout cas incroyablement médiatisées. Le fait de voir plus de visages noirs dans les journaux et à la télévision créait un sentiment de changement – et permettait la récupération d'un bon nombre de leaders noirs.

De nouvelles voix s'élevèrent contre ce phénomène. Robert Allen, par exemple, écrivit dans son livre *Black Awakening in Capitalist America* : « Si la communauté dans son ensemble doit en tirer profit, alors l'ensemble de la communauté doit s'organiser afin de gérer collectivement son économie interne et ses relations commerciales avec l'Amérique blanche. Le milieu noir des affaires doit être traité et géré comme un bien social appartenant à l'ensemble de la communauté noire et non comme une propriété privée d'individus ou de groupes restreints d'individus. Cela exige le démantèlement des relations de propriété au sein de la communauté noire et leur remplacement par une économie collective planifiée. »

Dans un fascicule distribué à Boston en 1970 (*Poor Black Woman*), Patricia Robinson évoquait de son côté le lien entre domination masculine et capitalisme. Elle affirmait que la femme noire « est aux côtés de tous les déshérités du monde et se retrouve dans leurs combats révolutionnaires ». Elle déclarait encore que, si la femme noire et pauvre n'avait jamais, par le passé, « remis en question le système social et économique », elle commençait désormais à « remettre en question les abus de la domination masculine et la hiérarchie de classes qui la conforte, c'est-à-dire le capitalisme ».

Une autre femme, Margaret Wright, affirmait qu'elle ne se battrait pas pour l'égalité avec les hommes si cela devait signifier égalité dans le meurtre ou au sein d'une société concurrentielle. « Je ne veux pas me mettre en concurrence sur un foutu niveau d'exploitation. Je ne veux exploiter personne. [...] Je veux juste le droit d'être noire et d'être moi-même. »

À la fin des années 1960 et au début des années 1970, le système faisait tout ce qu'il pouvait pour contenir l'effrayante capacité explosive des émeutes noires. Les Noirs votaient en grand nombre dans le Sud. Lors de la convention démocrate de 1968, trois délégués noirs participèrent à la délégation du Mississippi. En 1977, plus de deux mille Noirs occupaient des fonctions dans les administrations de onze États du Sud (en 1965, ils n'étaient que soixante-douze). On comptait deux membres noirs au Congrès, onze sénateurs, quatre-vingt-quinze représentants à la Chambre, deux cent soixante-sept délégués de comté, soixante-seize maires, huit cent vingt-quatre conseillers municipaux, dix-huit shérifs ou chefs des forces de police et cinq cent huit membres de conseils d'écoles. Il s'agissait là d'un progrès spectaculaire. Mais les Noirs, qui représentaient 20 % de la population du Sud, n'y occupaient toujours que 3 % à peine des fonctions électives. Un journaliste du *New York Times*, observant la nouvelle situation en 1977, remarquait que « les Blancs [conservaient] presque toujours le pouvoir économique », même lorsque les Noirs détenaient des fonctions municipales importantes. Après que Maynard Jackson fut devenu maire d'Atlanta, « le milieu blanc des affaires a continué d'exercer son influence ».

Ces Noirs du Sud qui pouvaient se permettre de fréquenter les restaurants et les hôtels des quartiers chics n'étaient plus rejetés pour la couleur de leur peau. De plus en plus de Noirs fréquentaient les collèges et les universités, les écoles de droit et de médecine. Dans les villes du Nord, on organisa même un système de ramassage scolaire[1] pour imposer une mixité scolaire malgré la survivance de la ségrégation raciale dans le domaine du logement. Cependant, rien de tout cela ne put arrêter ce que Frances Piven et Richard Cloward, dans leur livre *Poor People's Movements*, appellent « la destruction de la classe populaire noire » : chômage, détérioration des ghettos, montée du crime, de la drogue et de la violence.

À l'été 1977, le département du Travail annonçait un taux de chômage chez les jeunes Noirs de l'ordre de 35 %. Une petite bourgeoisie composée de Noirs s'était formée et elle améliorait les statistiques globales sur le revenu des Noirs. Il existait pourtant une grande disparité entre la petite bourgeoisie naissante et les laissés-pour-compte. Malgré les opportunités dont avait pu profiter un petit nombre d'individus, le revenu moyen d'une famille noire ne représentait en 1977 que 60 % environ de celui d'une famille blanche. Les Noirs couraient deux fois plus le risque de mourir du diabète, sept fois plus d'être victimes de la violence meurtrière générée par la pauvreté et le désespoir des ghettos.

Au début de 1978, un article du *New York Times* reconnaissait que, « à de très rares exceptions près, les quartiers qui [avaient] connu les émeutes des années 1960 [avaient] très peu changé » et que « la pauvreté s'était étendue à la plupart des grandes villes. »

---

1. Cette tentative d'organiser la mixité se mua rapidement en un échange entre populations défavorisées : les enfants des ghettos noirs étaient conduits dans les écoles des Blancs pauvres et vice versa – tandis que les enfants des riches allaient dans des écoles privées.

Mais les statistiques ne disent pas tout. Le racisme, qui a toujours été un phénomène national et pas uniquement circonscrit aux États du Sud, se réveilla dans les villes du Nord à mesure que le gouvernement fédéral faisait des concessions aux Noirs défavorisés, les mettant ainsi en concurrence avec les Blancs pauvres pour les rares avantages que le système leur concédait. Les Noirs, que l'on avait affranchis de l'esclavage pour leur permettre de tenir leur rôle dans le système capitaliste, étaient entrés depuis longtemps en conflit avec les Blancs les plus défavorisés pour les rares emplois disponibles. Désormais, avec le processus de déségrégation dans le domaine du logement, les Noirs tentaient de déménager dans des quartiers où les Blancs, eux-mêmes pauvres, entassés les uns sur les autres et mécontents, firent d'eux la cible de leur colère. En novembre 1977, le *Boston Globe* écrivait : « Hier, les six membres d'une famille hispanique ont quitté leur appartement de Savin Hill, à Dorchester, après avoir été victimes pendant toute une semaine de jets de pierres et de bris de fenêtres perpétrés par de jeunes Blancs. Selon la police, il s'agirait d'agressions racistes. »

À Boston, le transport par bus des enfants noirs vers les écoles blanches et vice versa provoqua une série d'agressions de la part des Blancs. Ces ramassages scolaires – financés par le gouvernement en réponse au mouvement noir – étaient une ingénieuse concession faite aux protestataires. Ils entraînèrent une véritable concurrence entre Noirs pauvres et Blancs pauvres pour accéder aux écoles misérables et sous-équipées que le système réservait à tous les pauvres sans discrimination.

La population noire – concentrée dans les ghettos, divisée par l'émergence d'une classe moyenne noire, décimée par la pauvreté, attaquée par le gouvernement et entraînée dans un conflit avec les Blancs les plus démunis – était-elle définitivement maîtrisée ? S'il n'y eut pas à l'évidence de mouvements noirs importants durant les années 1970, une nouvelle conscience noire s'était néanmoins développée et continuait d'exister. En outre, Blancs et Noirs du Sud transgressaient les frontières raciales pour s'unir en une seule classe ouvrière confrontée aux employeurs. En 1971, au Mississippi, deux mille ouvriers de l'industrie du bois, Blancs et Noirs confondus, s'opposèrent à un nouveau procédé de mesure du bois qui entraînait des baisses de salaire. Dans les usines de textile de J. P. Sternes, où quarante-quat.e mille ouvriers travaillaient dans quatre-vingt-un sites principalement localisés dans le Sud, Blancs et Noirs militaient dans les mêmes syndicats. En 1977, à Tifton et à Milledgeville (Géorgie), Blancs et Noirs participèrent ensemble aux comités syndicaux de leurs usines.

Un nouveau mouvement noir pourrait-il dépasser les limites du militantisme des années 1960 en faveur des droits civiques; aller au-delà de la spontanéité des révoltes urbaines des années 1970; au-delà du séparatisme pour forger une nouvelle alliance historique entre Blancs et Noirs? En 1978, il était impossible de le deviner. Cette année-là, six millions de Noirs subissaient le chômage.

Langston Hughes se demandait ce que devient un rêve suspendu : se dessèche-t-il ou bien explose-t-il? Étant donné les conditions de vie des Noirs en Amérique, il **ris**quait, comme par le passé, d'exploser. Et parce que personne ne pouvait savoir quand elle aurait lieu, cette explosion surprendrait à nouveau immanquablement tout le monde.

Chapitre VII

Vietnam : l'impossible victoire

ENTRE 1964 ET 1972, la nation la plus puissante et la plus riche du monde a fourni un gigantesque effort militaire, usant de toutes les armes disponibles, à l'exception de la bombe atomique, pour venir à bout d'un mouvement révolutionnaire nationaliste dans un petit pays à la population essentiellement rurale. En vain. Cette guerre américaine contre le Vietnam fut un combat entre la technologie moderne organisée et des êtres humains organisés. Et ce sont ces derniers qui l'emportèrent.

C'est à l'occasion de cette guerre que se développa le plus important mouvement pacifiste que les États-Unis aient jamais connu. Mouvement qui joua un rôle crucial dans l'arrêt des hostilités. Nous sommes là devant un autre aspect surprenant des années 1960.

À l'automne 1945, le Japon vaincu dut évacuer l'Indochine, ancienne colonie française qu'il avait occupée dès le début de la guerre. Entre-temps, un mouvement révolutionnaire était né dans cette région du monde, résolu à mettre fin à la colonisation et à changer la vie des paysans indochinois. Emmenés par le communiste Ho Chi Minh, les révolutionnaires avaient combattu les Japonais et célébré leur départ, en 1945, de manière spectaculaire avec un million de personnes dans les rues de Hanoi. Ils rédigèrent ensuite une Déclaration d'indépendance inspirée à la fois de la Déclaration des droits de l'homme et du citoyen de la Révolution française et de la Déclaration d'indépendance américaine. Le texte débutait ainsi : « Tous les hommes sont égaux. Leur Créateur les a dotés de droits inaliénables parmi lesquels la Vie, la Liberté et la Recherche du bonheur. » À l'image des Américains qui, en 1776, avaient dressé la liste de leurs griefs à l'encontre de la monarchie anglaise, les Vietnamiens y faisaient part de leurs critiques à l'égard de la domination française : « [Les Français] ont appliqué des lois inhumaines. [...] Ils ont construit plus de prisons que d'écoles. Ils ont impitoyablement assassiné les patriotes et noyé les révoltes dans des flots de sang. Ils ont muselé l'opinion publique. [...] Ils se sont emparés de nos rizières, de nos mines, de nos forêts et de nos matières premières. [...] Ils ont institué des taxes injustes et plongé notre peuple et plus particulièrement les paysans dans la plus extrême misère. [...] Entre la fin de l'année dernière et le début de cette année [...], plus de deux millions de nos concitoyens sont morts de faim. [...] Le peuple vietnamien tout entier, animé par un objectif commun, est déterminé à combattre jusqu'au bout toute tentative de la France colonialiste pour reconquérir ce pays. »

Le rapport sur la guerre du Vietnam du département américain de la Défense, destiné à rester confidentiel mais rendu public par Daniel Ellsberg et Anthony Russo dans leur fameux *Pentagon Papers*, décrit ainsi l'action de Ho Chi Minh : « Il a fait du Viêt-minh la seule force d'envergure nationale capable de combattre aussi bien les Japonais que les Français. Pendant la guerre, il était le seul leader vietnamien à bénéficier d'un soutien d'envergure nationale et il a su s'assurer la loyauté du peuple vietnamien lorsque, en août-septembre 1945, il expulsa les Japonais [...], fonda la République démocratique du Vietnam et se prépara à recevoir les futures forces alliées d'occupation. [...] En septembre 1945, le Vietnam fut pendant quelques semaines – pour la première et unique fois de son histoire récente – libéré de toute domination étrangère et unifié du nord au sud sous l'autorité de Ho Chi Minh. »

Mais les puissances occidentales envisageaient déjà de mettre fin à cette indépendance. L'Angleterre, qui occupait le Sud de l'Indochine, finit par le rendre aux Français. Les États-Unis persuadèrent la Chine nationaliste (dirigée par Chiang Kai-Shek avant la révolution communiste), qui occupait le Nord de l'Indochine, d'en faire autant. Ho Chi Minh déclara alors à un journaliste américain : « Nous nous retrouvons apparemment seuls. [...] Il va nous falloir compter sur nos propres forces. »

Entre octobre 1945 et février 1946, Ho Chi Minh adressa huit lettres au président Truman, lui rappelant les promesses d'autodétermination inscrites dans la charte de l'Atlantique. L'un de ces courriers fut également adressé aux Nations unies : « Je souhaite attirer l'attention de Votre Excellence, pour des raisons humanitaires, sur la question suivante. Deux millions de Vietnamiens sont morts de faim pendant l'hiver 1944 et au printemps 1945 des suites de la politique de privation menée par les Français qui se sont emparés de notre riz et l'ont stocké jusqu'à ce qu'il pourrisse. [...] Les trois quarts de nos terres cultivées ont été inondés au cours de l'été 1945 avant de subir une terrible sécheresse. Les cinq sixièmes de la récolte attendue ont été perdus. [...] Nombreux sont ceux qui souffrent de la famine. [...] Si les grandes puissances mondiales et les organisations humanitaires internationales ne nous viennent pas en aide, nous allons au-devant d'une catastrophe imminente. »

Truman ne daigna même pas répondre.

En octobre 1946, les Français bombardèrent Haiphong, un port situé au nord du Vietnam. Ainsi commençait une guerre de huit ans entre le mouvement Viêt-minh et la France pour déterminer lequel des deux dirigerait le Vietnam. Après la victoire des communistes en Chine en 1949 et la guerre de Corée l'année suivante, les États-Unis commencèrent à apporter une aide militaire massive à la France. Jusqu'en 1954, l'Amérique équipa toute l'armée française d'Indochine de fusils et de mitrailleuses et y investit un milliard de dollars. Au total, les États-Unis financèrent 80 % de l'effort de guerre français.

Pour quelles raisons? On expliquait à l'opinion publique américaine qu'il s'agissait d'aider à stopper la progression du communisme en Asie. Dans les notes confidentielles du Conseil national de sécurité (qui conseillait le Président en matière d'affaires étrangères), on trouve trace, en 1950, de conversations concernant ce qui serait plus tard désigné sous le nom de « théorie des dominos ». Comme pour une rangée de dominos, on pensait que si un pays tombait aux mains des communistes, son voisin le plus proche succomberait également et ainsi de suite. Il fallait donc à tout prix empêcher le premier pays de tomber.

En juin 1952, ces mêmes notes confidentielles évoquaient le réseau constitué par les bases militaires américaines situées le long de la côte chinoise, aux Philippines, à Taïwan, au Japon et en Corée du Sud : « Le contrôle du Sud-Est asiatique par les communistes rendrait particulièrement précaire la position américaine dans les îles du Pacifique et mettrait en péril les intérêts américains en matière de sécurité en Extrême-Orient. [...] Le Sud-Est asiatique, et en particulier la Malaisie et l'Indonésie, fournit la plus grande part de caoutchouc naturel et d'étain de notre marché intérieur, et regorge de pétrole et autres matières premières d'une importance stratégique évidente. »

On ajoutait que le sort du Japon dépendait largement du riz de cette région du monde : si le communisme devait s'imposer dans le Sud-Est asiatique, il serait donc « extrêmement difficile d'empêcher le Japon de s'entendre avec les communistes ».

En 1953, une commission d'enquête du Congrès déclarait : « L'Indochine est extrêmement riche en riz, caoutchouc, charbon et minerai de fer. Sa situation en fait la clef stratégique de tout le Sud-Est asiatique. » La même année, un rapport du département d'État affirmait que la France était en train de perdre sa guerre en Indochine pour ne pas avoir su « s'assurer un soutien indigène suffisant ». Ce rapport redoutait qu'un accord négocié « n'entraîne finalement la perte, au profit des communistes, non seulement de l'Indochine mais de tout le Sud-Est asiatique » et concluait : « Si les Français décidaient vraiment de se retirer, les États-Unis seraient contraints d'envisager très sérieusement la possibilité d'intervenir dans cette région. »

En effet, en 1954, les Français, confrontés à une population vietnamienne qui soutenait massivement Ho Chi Minh et le mouvement révolutionnaire, durent se retirer.

À Genève, une conférence internationale présida aux accords de paix entre la France et le Viêt-minh. Les Français devaient se retirer momentanément dans le sud du Vietnam tandis que le Viêt-minh resterait dans le nord. Deux ans plus tard, une élection serait organisée dans un pays réunifié et les Vietnamiens désigneraient alors leur propre gouvernement.

Les États-Unis s'empressèrent d'empêcher cette réunification et placèrent le Sud-Vietnam dans la sphère d'influence américaine. Ils installèrent à la tête du gouvernement de Saigon un ancien dirigeant vietnamien, Ngo Dinh Diem, qui avait vécu dans le New Jersey. Les Américains l'incitèrent à rejeter les élections prévues pour la réunification du pays. Au début de 1954, le compte rendu d'une réunion des chefs d'état-major expliquait que, pour les services de renseignements, « un règlement de la situation par l'intermédiaire d'élections libres entraînerait presque à coup sûr le passage sous contrôle communiste des États Associés [Laos, Cambodge et Vietnam] ». Diem bloqua à plusieurs reprises les élections demandées par le Viêt-minh et, grâce à l'aide financière et militaire américaine, son gouvernement s'imposa de plus en plus fermement. Selon les *Pentagon Papers*, « le Sud-Vietnam était avant tout la créature des États-Unis ».

Le régime de Diem devint de plus en plus impopulaire. Ngo Dinh Diem était catholique dans un pays en grande partie bouddhiste, et proche des grands propriétaires terriens dans un pays essentiellement peuplé de petits paysans. Ses vagues tentatives de réforme agraire n'apportèrent aucun changement véritable. Il remplaça les chefs de province locaux par ses propres hommes. En 1962, 88 % de ces chefs de province étaient des militaires. Diem emprisonna massivement les opposants qui l'accusaient de corruption ou d'immobilisme dans les réformes.

L'opposition augmentait rapidement dans les zones rurales que l'appareil administratif de Diem ne parvenait pas à contrôler. Aux environs de 1958, la guérilla se mit à harceler le régime en place. Le gouvernement communiste de Hanoi lui prodigua son aide, ses encouragements et envoya certains de ses habitants au Sud pour supporter le mouvement de guérilla – la plupart étaient des Vietnamiens du Sud qui avaient émigré au Nord à la suite des accords de Genève. Le Front national de libération fut créé dans le Sud en 1960. Il rassemblait les différents courants d'opposition au régime et tirait sa force des paysans sud-vietnamiens qui voyaient en lui le moyen de changer leur vie quotidienne. Dans son livre *Viet Cong*, qui réunissait interviews de rebelles et documents saisis, Douglas Pike, conseiller auprès du gouvernement américain, tenta de donner une image réaliste de ce qui attendait les États-Unis : « Dans les deux mille cinq cent soixante et un villages du Sud-Vietnam, le Front national de libération [FNL] a créé une foule d'organisations sociopolitiques d'envergure nationale dans un pays où les mouvements de masse [...] étaient jusque-là parfaitement inconnus. Avant le FNL, il n'y avait jamais eu de véritables partis politiques de masse au Sud-Vietnam. [...] Les communistes ont apporté dans les villages du Sud-Vietnam des changements sociaux substantiels, et ce par le simple moyen de la communication. » Et en effet, il s'agissait plus de militants que de soldats. « Ce qui m'a le plus surpris avec le FNL, c'est qu'il place la révolution sociale avant la guerre », continuait Pike. Il fut également impressionné par la participation massive des paysans au mouvement : « Le paysan vietnamien n'était pas considéré comme un simple pion dans le rapport des forces mais comme un élément actif de la dynamique. Il était cette dynamique elle-même. [...] L'objectif de cet effort d'organisation sur une grande échelle était [...] de reconstruire l'ordre social du village et de former les communautés villageoises à se prendre en main. C'était là l'objectif premier du FNL depuis le début et certainement pas de tuer les soldats de Saigon, d'occuper le territoire ou de préparer quelque grande bataille. Non, il s'agissait avant tout d'organiser en profondeur la population rurale par le biais de l'autogestion. »

Pike estimait qu'il y avait environ trois cent mille membres du FNL au début de 1962. Les *Pentagon Papers* affirment qu'à cette époque « seul le Viêt-cong possédait une véritable influence dans les zones rurales ».

Lorsque Kennedy prit ses fonctions en 1961, il poursuivit la politique de Truman et d'Eisenhower dans le Sud-Est asiatique. Immédiatement, il approuva un plan secret qui prévoyait diverses interventions militaires au Vietnam et au Laos, parmi lesquelles, selon les *Pentagon Papers*, « l'expédition d'agents au Nord-Vietnam » pour y organiser des « sabotages et des opérations ciblées ». En 1956, Kennedy avait déjà célébré « le formidable succès du président Diem » et affirmé, au sujet du Vietnam de Diem, que « son libéralisme politique [était] une source d'inspiration ».

Un jour de mai 1963, un moine bouddhiste s'immola par le feu sur une place de Saigon. D'autres moines bouddhistes suivirent son exemple pour faire connaître au monde, de manière spectaculaire, leur opposition au régime de Diem. La police s'en prit aux pagodes et aux temples bouddhistes, blessant trente moines et arrêtant mille quatre cents personnes. Diem décida de faire fermer temples et pagodes, et la ville fut le théâtre de nombreuses manifestations. La police tira sur la foule, tuant quatre personnes. En signe de protestation, dix mille personnes manifestèrent à leur tour à Huê, l'ancienne capitale du pays.

Les accords de Genève autorisaient les États-Unis à envoyer six cent quatre-vingt-cinq conseillers militaires au Sud-Vietnam. Eisenhower en expédia plusieurs milliers. Sous Kennedy, leur nombre passa à seize mille et certains d'entre eux commencèrent à participer aux opérations militaires sur le terrain. Malgré tout, Diem courait à la défaite. La plupart des zones rurales du Sud-Vietnam étaient désormais contrôlées par les villageois eux-mêmes, encadrés par le FNL.

Diem devint vite une gêne, un obstacle à la mainmise effective des Américains sur le Vietnam. Quelques généraux vietnamiens complotèrent pour renverser le régime tout en gardant contact avec le responsable local de la CIA, Lucien Conein. Celui-ci rencontra secrètement l'ambassadeur américain, Henry Cabot Lodge, qui accepta avec enthousiasme le projet de coup d'État. Le 25 octobre 1963, Lodge informait le conseiller de Kennedy, McGeorge Bundy, qu'il avait « personnellement approuvé toutes les rencontres entre le général Tran Van Don et Conein. Ce dernier a fait part de mes ordres de manière explicite à chacune de ces occasions ». Kennedy semblait hésiter, mais rien ne fut fait pour prévenir Diem, bien au contraire. Juste avant le coup d'État et après être entré en contact avec les conjurés par l'intermédiaire de Conein, Lodge passa un week-end avec Diem dans une station balnéaire. Lorsque les généraux prirent d'assaut le palais présidentiel, le 1ᵉʳ novembre 1963, Diem appela l'ambassadeur et ils échangèrent les propos suivants :

DIEM – Certains régiments se sont rebellés et je veux savoir quelle sera l'attitude des États-Unis.

LODGE – Je ne me considère pas comme assez bien informé pour vous répondre. J'ai entendu les coups de feu mais ne suis pas au courant de tout ce qui se passe. En outre, il est quatre heures trente du matin à Washington et le gouvernement américain n'a probablement rien décidé pour le moment.

DIEM – Mais vous devez bien avoir une petite idée.

Lodge dit à Diem de l'appeler s'il désirait qu'il fasse quoi que ce soit pour assurer sa sécurité personnelle.

Ce fut la dernière conversation entre un Américain et Diem. Ce dernier s'enfuit du palais présidentiel puis fut rapidement arrêté avec son frère par les généraux insurgés, transporté dans un camion et enfin exécuté.

Au début de cette année 1963, le sous-secrétaire d'État de l'administration Kennedy, U. Alexis Johnson, s'était exprimé devant l'Economic Club de Detroit : « Quelle est cette attraction que le Sud-Est asiatique exerce depuis des siècles sur les grandes puissances qui l'entourent ? Pourquoi est-il si désirable et pourquoi est-il si important ? D'abord, parce qu'il présente un climat avantageux, un sol fertile, de nombreuses ressources naturelles, une population peu dense dans bien des régions et donc des possibilités d'expansion. Les pays du Sud-Est asiatique produisent des excédents exportables de riz, de caoutchouc, de teck, de blé, d'étain, d'épices, de pétrole et bien d'autres choses encore. »

Ce n'est bien entendu pas là le discours que le président Kennedy tenait à la nation américaine. Il parlait de communisme et de liberté. Au cours de la conférence de presse du 14 février 1962, il déclarait : « Comme vous le savez, les États-Unis volent depuis plus de dix ans au secours du gouvernement vietnamien et de la population vietnamienne pour garantir leur indépendance. »

Trois semaines après l'exécution de Diem, Kennedy était assassiné et remplacé par son vice-président, Lyndon Johnson.

Les généraux qui succédèrent à Diem ne parvinrent pas à se débarrasser du Front national de libération. Les responsables américains ne cessaient de s'étonner de la popularité du FNL et de la ténacité de ses troupes. Les historiens du Pentagone rapportaient que, lorsque Eisenhower rencontra Kennedy, le nouveau président élu en janvier 1961, il s'étonna de ce que, « au cours des interventions de ce genre, il semble que le moral des forces communistes soit toujours meilleur que celui des forces démocratiques ». De son côté, le général Maxwell Taylor déclarait fin 1964 : « La capacité du Viêt-cong à renouveler continuellement ses unités et à tirer avantage de ses pertes est un des mystères de cette guerre de harcèlement. [...] Non seulement les troupes du Viêt-cong renaissent de leurs cendres tel le phénix, mais elles ont une stupéfiante capacité à conserver un moral élevé. Rares ont été les occasions où nous avons pu constater une dégradation du moral chez les Viêt-congs capturés ou à la lecture des documents saisis chez eux. »

Au début du mois d'août 1964, le président Johnson prétextait une étrange concordance d'événements qui s'étaient déroulés dans le golfe du Tonkin, au large des côtes nord-vietnamiennes, pour démarrer une guerre de grande ampleur au Vietnam. Johnson et son secrétaire d'État à la Défense, Robert McNamara, informèrent la population américaine que des torpilleurs nord-vietnamiens avaient attaqué des destroyers américains. McNamara prétendit que, « au cours d'une patrouille de routine dans les eaux internationales, le destroyer américain *Maddox* [avait] été l'objet d'une agression injustifiable ». Il apparut plus tard que cet épisode du golfe du Tonkin était un coup monté et que les plus hauts responsables américains avaient menti au peuple comme Kennedy quelques années auparavant au sujet de la baie des Cochons. En réalité, la CIA était bel et bien engagée dans une opération secrète dont la cible était les installations côtières nord-vietnamiennes. Ainsi, s'il y avait bien eu une attaque, elle n'était certes pas « injustifiable ». En outre, il ne s'agissait pas d'une patrouille de routine, le *Maddox* étant en mission d'espionnage. De même, il ne naviguait pas dans les eaux internationales, mais en zone vietnamienne. Par ailleurs, contrairement à ce qu'avait prétendu McNamara, aucune torpille ne fut tirée contre le *Maddox*. Une autre « attaque » contre un autre destroyer américain, deux nuits plus tard – événement que Johnson qualifia d'« agression délibérée » – semble également avoir été inventée de toutes pièces.

À l'époque de l'incident, le secrétaire d'État Rusk fut interviewé, à propos de « cette agression injustifiée », sur la chaîne de télévision NBC : « Eh bien, franchement, je ne suis toujours pas en mesure de vous donner une explication satisfaisante. Il y a un gouffre d'incompréhension entre leur monde et le nôtre, idéologiquement parlant. Ce que nous estimons être le monde réel, ils le voient de manière bien différente. Leur logique est complètement différente. Aussi est-il très difficile d'entrer en contact les uns avec les autres par-dessus ce fossé idéologique. »

L'« agression » du Tonkin entraîna le vote d'une résolution du Congrès (à l'unanimité pour la Chambre des représentants et avec deux voix contre seulement au Sénat) qui autorisait le président Johnson à déclencher une opération militaire dans le Sud-Est asiatique s'il l'estimait nécessaire.

Deux mois avant les événements du Tonkin, les responsables du gouvernement américain s'étaient réunis à Honolulu et avaient discuté de l'éventualité d'une telle résolution. Lors de cette réunion, si l'on en croit les *Pentagon Papers*, Rusk aurait prévenu que « l'opinion américaine [était] pour le moment sérieusement divisée au sujet de notre politique dans le Sud-Est asiatique. En conséquence, le Président [avait] besoin d'un soutien certain ».

La résolution sur le Tonkin donnait au président le pouvoir de déclarer la guerre sans avoir à demander au préalable, comme l'exigeait la Constitution, la permission du Congrès. La Cour suprême, gardienne prétendument vigilante du respect de cette constitution, reçut pendant toute la durée de la guerre des pétitions lui demandant de décréter l'inconstitutionnalité de la guerre. Elle refusa, à chaque fois, d'envisager la question.

Juste après cette affaire du Tonkin, l'aviation américaine commença à bombarder le Nord-Vietnam. En 1965, plus de deux cent mille soldats américains furent envoyés au Sud-Vietnam et deux cent mille autres en 1966. Début 1968, ils étaient plus de cinq cent mille et l'aviation américaine se livrait à des bombardements d'une ampleur rarement atteinte dans l'histoire du monde. Rares étaient les témoignages des souffrances humaines provoquées par ces bombardements qui réussissaient à sortir du Vietnam. Le 5 juin 1965, le *New York Times* publiait une dépêche en provenance de Saigon : « Alors que les communistes abandonnaient Quang Ngai lundi dernier, les bombardiers américains ont pilonné les collines dans lesquelles ils s'étaient abrités. De nombreux Vietnamiens – environ cinq cents – sont morts sous les bombes. Selon les Américains, il s'agissait de soldats viêt-congs, mais les trois quarts des blessés qui se rendirent ensuite dans un hôpital vietnamien pour y faire soigner les brûlures dues au napalm étaient de simples villageoises. »

Le 6 septembre, nouvelle dépêche en provenance de Saigon : « Le 15 août, dans la province de Bien Hoa, au sud de Saigon, l'aviation américaine a bombardé accidentellement une pagode bouddhiste et une église catholique. [...] C'est la troisième fois que cette pagode est bombardée cette année. Un temple de la secte religieuse Cao Dai, dans la même région, a été bombardé deux fois cette année. Dans une autre province du delta, une femme a eu les deux bras complètement brûlés par le napalm et ses paupières sont si gravement touchées qu'elle ne peut plus fermer les yeux. Lorsqu'il est l'heure de dormir, sa famille doit lui mettre une couverture sur la tête. Au cours de la même attaque, cette femme a vu deux de ses enfants mourir. Rares sont les Américains qui se réjouissent de ce que leur pays fait subir au Sud-Vietnam. [...] Des civils innocents [y] meurent tous les jours. »

De vastes régions du Sud-Vietnam furent déclarées « *Free Fire Zones* », c'est-à-dire que tous ceux qui y demeuraient – civils, personnes âgées et enfants compris – étaient considérés comme des ennemis. Les bombardements y étaient permanents. Les villages soupçonnés de recueillir des Viêt-congs étaient la cible de la stratégie dite « Trouve et détruis ». Les hommes en âge de porter une arme étaient exécutés, les maisons étaient incendiées, et femmes, enfants et vieillards étaient expédiés dans des camps de réfugiés. Dans son livre *The Village of Ben Suc*, Jonathan Schell décrit une de ces opérations : le village avait été cerné, pris d'assaut ; un homme à bicyclette fut abattu, trois personnes qui déjeunaient près de la rivière furent tuées également, les maisons détruites, les femmes, les enfants et les vieillards regroupés et expulsés de leurs demeures ancestrales.

Au cours d'une opération surnommée « Opération Phénix », la CIA fit exécuter secrètement et sans procès plus de vingt mille personnes suspectées d'appartenir au parti communiste clandestin. En février 1975, un analyste progouvernemental écrivit dans le *Foreign Affairs* : « Bien que le programme Phénix ait indubitablement fait de nombreuses victimes innocentes, il a réussi à éliminer nombre de membres de l'infrastructure communiste. »

Après la guerre, les documents que la Croix-Rouge internationale mit à la disposition du public apportaient la preuve qu'au plus fort de la guerre, dans les camps de prisonniers du Sud-Vietnam, entre soixante-cinq mille et soixante-dix mille personnes avaient été détenues, battues ou torturées en présence et parfois même avec la participation active des conseillers américains. Les observateurs de la Croix-Rouge avaient pu observer des brutalités continuelles et systématiques dans les deux principaux camps de prisonniers du Sud-Vietnam (Phu Quoc et Qui Nohn), où étaient cantonnés des conseillers américains.

À la fin de la guerre, sept millions de tonnes de bombes avaient été larguées sur le Vietnam – plus de deux fois la quantité de bombes tombées en Europe et en Asie pendant la Seconde Guerre mondiale. On estime à une vingtaine de millions le nombre de cratères formés par ces bombes dans le pays. En outre, des produits toxiques avaient été répandus pour détruire toute végétation. Une région de la taille du Massachusetts fut ainsi détruite par ces défoliants. Les mères vietnamiennes purent constater de nombreux problèmes de naissance chez leurs enfants. Des biologistes de Yale qui, après avoir testé ce même produit sur les souris, avaient constaté des infirmités de naissance, déclarèrent qu'il n'y avait pas de raison de penser que les effets sur l'être humain soient différents.

Le 16 mars 1968, une compagnie de soldats américains investit le hameau de My Lai 4, dans la province de Quang Ngai. Tous les habitants du village furent regroupés dans une fosse, y compris des vieillards et des femmes tenant des enfants dans leurs bras, avant d'y être tous exécutés méthodiquement par les soldats. Lorsque le procès du lieutenant William Calley eut lieu plus tard, le *New York Times* publia le témoignage du soldat James Dursi : « Le lieutenant Calley et un fusilier qui pleurait nommé Paul D. Meadlo – il avait donné des bonbons aux enfants avant de les exécuter – poussèrent les prisonniers dans la fosse. [...] Le lieutenant Calley a donné l'ordre de tirer, je ne me souviens plus exactement comment, mais c'était quelque chose comme "Feu à volonté!" Meadlo s'est tourné vers moi et m'a dit : "Mais tire, bon Dieu, pourquoi tu tires pas?" Il pleurait en même temps. J'ai dit que je ne pouvais pas. Que je ne le ferai pas. Alors le lieutenant Calley et Meadlo ont pointé leurs fusils vers la fosse et ils ont tiré. Les gens tombaient les uns sur les autres et les mères essayaient de protéger leurs enfants. »

Dans son livre *My Lai 4*, le journaliste Seymour Hersh raconte que, « lorsque les enquêteurs de l'armée sont arrivés dans la zone interdite en novembre 1969 pour l'affaire de My Lai, ils ont découvert des fosses communes dans trois endroits différents et une fosse pleine de cadavres. On pense que quatre cent cinquante à cinq cents personnes, pour la plupart des femmes, des enfants et des personnes âgées, ont été mises à mort et enterrées à cet endroit. »

L'armée tenta de cacher ce qui s'était passé à cette occasion, mais la lettre de Ron Ridenhour, un GI qui avait entendu parler du massacre, commença à circuler. Ronald Haeberle, un photographe de l'armée, avait également pris des photos de l'événement. Seymour Hersh, qui travaillait alors sur place pour Dispatch News Service, une agence de presse anti-guerre, écrivit un article sur le sujet. En outre, le récit de ce massacre était paru en mai 1968 dans deux publications françaises (*Vietnam en lutte* et une autre publiée par la délégation nord-vietnamienne aux pourparlers de paix de Paris), sans que la presse américaine y prête la moindre attention.

Plusieurs officiers impliqués dans le massacre de My Lai furent jugés, mais seul le lieutenant William Calley fut reconnu coupable et condamné à la perpétuité. La sentence fut révisée deux fois et Calley fit trois ans de prison – Nixon ordonna qu'il soit assigné à résidence plutôt que détenu dans une prison ordinaire – avant d'être libéré sur parole. Des milliers d'Américains prirent sa défense. Certains par patriotisme et pour justifier son action comme nécessaire à la lutte contre le communisme ; d'autres parce qu'il leur semblait que Calley servait de bouc émissaire dans une guerre où de nombreuses atrocités du même genre avaient été commises. Le colonel Oran Henderson, lui-même accusé d'avoir couvert les exactions de My Lai, affirmait en 1971 que « toutes les unités de cette taille [avaient] leur My Lai ».

My Lai ne fut en effet unique que par les détails de son déroulement. Hersh cite une lettre adressée par un soldat à sa famille et publiée dans le journal local : « Chers parents, aujourd'hui nous sommes partis en mission et je ne suis pas très fier de moi, de mes camarades et de mon pays. Nous avons brûlé toutes les maisons que nous avons rencontrées. C'était un petit groupe de villages et les gens étaient incroyablement pauvres. Mon unité a brûlé et saccagé le peu de biens qu'ils possédaient. Laissez-moi vous expliquer la situation. Les huttes sont faites de feuilles de palmier. Dans chacune d'elles, il y a une sorte d'abri en terre séchée pour protéger la famille, comme une sorte d'abri anti-aérien. Les officiers de mon unité ont pourtant décidé de considérer que ces abris étaient à usage offensif. C'est pourquoi ils nous ont ordonné de réduire en cendres toutes les huttes dans lesquelles nous avons trouvé ces abris. Quand les dix hélicoptères se sont posés ce matin au milieu des maisons, nous sommes tous sortis des appareils et on a commencé à tirer sur tout ce qu'on pouvait avant même que nos pieds touchent le sol. [...] C'est là que nous avons incendié les huttes. [...] Tout le monde pleurait, priait, nous implorait de ne pas les séparer et de ne pas arrêter leurs maris, leurs pères, leurs fils ou leurs grands-pères. Les femmes gémissaient. Puis ils ont assisté, terrorisés, à la destruction de leurs maisons, de leurs biens et de leurs réserves. Oui, on a détruit leur riz et abattu tout leur bétail. »

Le massacre de My Lai par une unité de simples soldats était un événement infime au regard des plans de destruction massive des populations civiles du Vietnam envisagés par la hiérarchie militaire et les autorités politiques. Le sous-secrétaire à la Défense, John McNaughton, constatant au début de 1966 que les bombardements intensifs sur les villages nord-vietnamiens ne produisaient pas l'effet escompté, suggéra une autre stratégie. Les frappes aériennes contre les villages entraîneraient selon lui « un élan contre-productif d'indignation à l'étranger aussi bien qu'à domicile ». Il proposa donc la « destruction des écluses et des barrages, qui pourrait en revanche – une fois menée à bien – porter ses fruits. On devrait étudier cela. Une telle destruction ne tue pas et ne noie pas les individus. Inonder les rizières provoque pourtant après un certain temps une famine généralisée (touchant environ un million de personnes ?) si on ne fournit pas de nourriture – ce que nous pourrions proposer à la "table des négociations". »

Plus le gouvernement de Saigon devenait impopulaire, plus les efforts pour y remédier se faisaient désespérés. À la fin de 1967, un rapport confidentiel émanant du Congrès reconnaissait que les Viêt-congs distribuaient cinq fois plus de terres aux paysans que le gouvernement sud-vietnamien, dont le programme de réforme agraire était « quasiment au point mort ». Ce rapport ajoutait que « les Viêt-congs [avaient] aboli la domination des propriétaires terriens et alloué les terres appartenant à des propriétaires absentéistes et au gouvernement vietnamien aux paysans sans terres et à ceux qui [coopéraient] avec les autorités viêt-congs ».

L'impopularité du gouvernement de Saigon explique le succès de l'infiltration, au début de 1968, du Front national de libération à Saigon et dans d'autres villes tenues par le gouvernement. Le FNL put ainsi lancer l'offensive surprise du Têt (le Nouvel An vietnamien), qui le mena jusqu'au cœur de Saigon, lui permit de bloquer l'aéroport de Tan San Nhut et même d'occuper brièvement l'ambassade américaine. L'offensive fut repoussée, mais elle prouva que toute la puissance de feu américaine qui s'abattait sur le Vietnam n'avait réussi à détruire ni le FNL, ni le moral de ses partisans, ni le soutien populaire dont il jouissait, ni sa volonté de se battre. Le gouvernement des États-Unis dut réévaluer la situation et de nouveaux doutes s'insinuèrent dans les esprits américains.

Les bombardements intensifs visaient à saper la volonté de résistance des Vietnamiens, à l'instar des bombardements sur les populations allemande et japonaise durant la Seconde Guerre mondiale. Le président Johnson continuait pourtant de prétendre que seules des cibles militaires étaient visées. Le gouvernement utilisait des expressions telles que « donner un nouveau tour de vis » pour évoquer ces bombardements. Les *Pentagon Papers* indiquent que la CIA proposait en 1966 un « programme de bombardements intensifiés » dirigé, selon ses propres termes, contre « la volonté du régime en tant que cible systématique ».

Pendant ce temps, de l'autre côté de la frontière vietnamienne, au Laos, où un régime de droite installé par la CIA était confronté à une rébellion, la plaine de Jars – l'une des plus belles régions du monde – était complètement détruite par les bombes américaines. Aux États-Unis, ni la presse ni le gouvernement n'en parlèrent, mais un Américain qui vivait au Laos, Fred Branfman, raconta cette histoire dans son livre *Voices from the Plain of Jars* : « De mai 1964 à septembre 1969, plus de vingt-cinq mille attaques aériennes ont pris pour cible la plaine de Jars sur laquelle soixante-quinze mille tonnes de bombes ont été larguées, faisant des milliers de morts et de blessés. Des dizaines de milliers de personnes entrèrent dans la clandestinité et la société civile fut complètement détruite. »

Branfman, qui parlait le laotien et vivait dans un village avec sa famille laotienne, interviewa des centaines de réfugiés fuyant les bombardements pour se rendre à Vientiane, la capitale. Il enregistra leurs témoignages et conserva leurs dessins. Une infirmière de vingt-six ans, originaire de Xieng Khouang, racontait la vie dans son village : « Je ne faisais qu'un avec la terre, l'air, les champs des hauts plateaux, les rizières et les cultures de mon village. Chaque jour et chaque nuit, à la lumière de la lune, moi et mes amies nous promenions en riant et en chantant à travers la forêt et les champs au milieu des chants d'oiseaux. À l'époque des récoltes et à celle des semailles, nous travaillions tous ensemble, qu'il pleuve ou qu'il fasse beau, luttant contre la pauvreté et la misère en cultivant la terre comme l'avaient fait nos ancêtres avant nous. Mais en 1964 et 1965, j'ai senti la terre trembler et entendu le bruit des bombes qui explosaient aux alentours. On a commencé à entendre le bruit des avions qui tournaient sans cesse dans le ciel. L'un d'entre eux piqua finalement sur nous dans un bruit de tonnerre pendant qu'une lumière aveuglante et de la fumée recouvraient tout, si bien qu'on n'y voyait plus rien. Tous les jours nous échangions des nouvelles des bombardements avec les villages voisins : les maisons détruites, les blessés et les morts. "Dans les trous, dans les trous !" À cette époque, nous n'avions que les trous pour sauver notre peau. Nous, les jeunes, nous creusions des trous à la sueur de notre front pour nous protéger au lieu d'être dans les rizières et dans les forêts à cultiver ce dont nous avions besoin pour vivre. »

Une autre jeune fille explique pourquoi le mouvement révolutionnaire laotien, le Neo Lao, l'avait séduite, elle et nombre de ses amis : « En tant que jeune fille, je trouvais que le passé n'avait jamais été très bon pour nous parce que les hommes nous maltraitaient et se moquaient de nous, le sexe faible. Mais lorsque le Neo Lao a commencé à gouverner la région [...], cela s'est mis à changer. Avec le Neo Lao, les choses ont aussi changé psychologiquement. Ils nous disaient que les femmes devaient être aussi braves que les hommes. Par exemple, même si j'étais déjà allée à l'école auparavant, les aînés voulaient m'empêcher de continuer. Ils m'avaient dit que ça ne me servirait à rien puisque je ne pourrais jamais espérer, même avec des diplômes, obtenir un des postes élevés qui étaient réservés aux enfants de l'élite riche. Mais le Neo Lao disait que les femmes devaient avoir la même éducation que les hommes et ils nous accordaient les mêmes avantages à tous et ne permettaient à personne de nous exploiter. [...] Les anciennes organisations étaient remplacées par de nouvelles. Par exemple, la plupart des nouveaux professeurs et des nouvaux médecins qui étaient formés étaient des femmes. Ils ont changé la vie des plus pauvres. [...] Parce qu'ils partageaient les terres de ceux qui possédaient de nombreuses rizières avec ceux qui n'en avaient pas. »

Un jeune homme de dix-sept ans raconta l'arrivée de l'armée révolutionnaire du Pathet Lao dans son village : « Certains avaient peur. En particulier ceux qui avaient de l'argent. Ils offraient des vaches aux soldats du Pathet Lao pour qu'ils puissent manger, mais les soldats refusaient de les prendre. Et lorsqu'ils les prenaient tout de même, ils en offraient un prix raisonnable. En vérité, ils incitaient la population à ne plus avoir peur de rien. Après, ils ont organisé l'élection du chef de village et de district. C'étaient les gens qui choisissaient eux-mêmes. »

En désespoir de cause, la CIA impliqua la tribu des Hmongs dans une campagne militaire qui se solda par la mort de plusieurs milliers d'entre eux. Comme tout ce qui se déroula au Laos, cela se fit dans le secret et le mensonge. En septembre 1973, Jerome Doolittle, un ancien représentant du gouvernement américain au Laos, écrivit dans le *New York Times* : « Les récents mensonges du Pentagone sur les bombardements au Cambodge me rappellent une question que je me posais souvent lorsque j'étais à l'ambassade américaine de Vientiane au Laos : Pourquoi nous obstinons-nous à mentir ? À mon arrivée au Laos, on me conseilla de répondre aux questions de la presse à propos de notre campagne de bombardement intensive et impitoyable sur ce petit pays par une phrase type : "À la requête de la monarchie laotienne, les États-Unis effectuent une reconnaissance aérienne pacifique protégée par une escadrille autorisée à répondre en cas d'agression." C'était un mensonge. Tous les journalistes auxquels je répondais cela savaient qu'il s'agissait d'un mensonge. Tout membre du Congrès un peu curieux et tout lecteur assidu de la presse savaient également que c'était un mensonge. [...] En fin de compte, ces mensonges servaient à cacher quelque chose à quelqu'un, et ce quelqu'un c'était nous-mêmes. »

Début 1968, pas mal d'Américains commencèrent à prendre conscience de la cruauté de cette guerre. Beaucoup d'autres s'inquiétaient surtout du fait que les États-Unis semblaient incapables de la gagner. Quarante mille soldats américains étaient déjà morts et deux cent cinquante mille autres blessés sans que la victoire ne se profile à l'horizon. N'oublions pas pour autant que les pertes vietnamiennes étaient incomparablement plus nombreuses.

La popularité de Lyndon B. Johnson, qui avait engagé l'escalade de cette guerre, était au plus bas, et il ne pouvait se montrer en public sans qu'une manifestation soit organisée contre lui et contre la guerre. Le slogan « LBJ, LBJ, combien as-tu tué d'enfants aujourd'hui ? » était repris dans tout le pays par les manifestants. Au printemps 1968, Johnson annonça qu'il ne se représenterait pas au poste de président et que des négociations avec les Vietnamiens allaient débuter à Paris.

À l'automne 1968, Après s'être engagé à sortir les États-Unis du Vietnam, Richard Nixon fut élu président. Les soldats commencèrent à revenir : en février 1972, il n'en restait plus que cent cinquante mille. Néanmoins, les bombardements continuaient. Nixon menait une politique de « vietnamisation » du conflit. Le gouvernement de Saigon et les troupes au sol vietnamiennes continueraient la guerre avec le soutien de l'aviation et de l'argent américains. En fait, Nixon ne finissait pas la guerre, il ne faisait qu'en gommer l'aspect le plus impopulaire en faisant cesser l'engagement de soldats américains sur un sol étranger.

Au printemps 1970, Nixon et son secrétaire d'État, Henry Kissinger, se lancèrent dans l'invasion du territoire cambodgien après une campagne intensive de bombardements qui ne fut jamais révélée à l'opinion publique américaine. Cette invasion, qui provoqua un mouvement de protestation aux États-Unis, fut un échec militaire. Le Congrès décréta que Nixon ne pourrait utiliser de troupes américaines pour poursuivre la guerre sans obtenir son accord. L'année suivante, sans participation des troupes américaines, les États-Unis appuyèrent l'invasion du Laos par les Sud-Vietnamiens. Nouvel échec. En 1971, huit cent mille tonnes de bombes furent larguées par les États-Unis sur le Laos, le Cambodge et le Vietnam. Dans le même temps, le gouvernement de Saigon, dirigé par le président Nguyen Van Thieu, le dernier d'une longue série de chefs d'État sud-vietnamiens, jetait des milliers d'opposants en prison.

Aux États-Unis, certains des premières manifestations d'opposition à la guerre émanèrent du mouvement pour les droits civiques. L'expérience des Noirs avec le gouvernement américain les incitait à douter de toute déclaration selon laquelle il se battait pour la défense de la liberté. Le jour même où Lyndon Johnson annonça aux Américains, à la mi-août 1964, les événements du golfe du Tonkin et les bombardements sur le Nord-Vietnam, des militants noirs et blancs se réunirent aux environs de Philadelphie (Mississippi) pour un service funéraire à la mémoire des trois travailleurs sociaux du mouvement des droits civiques qui y avaient été assassinés durant l'été. L'un des orateurs s'en prenait violemment à l'usage de la force en Asie, qu'il comparait aux violences infligées aux Noirs du Mississippi.

Au milieu de l'année 1965, à McComb (Mississippi), des jeunes Noirs qui venaient d'apprendre qu'un de leurs camarades était mort au Vietnam distribuèrent un prospectus rédigé en ces termes : « Aucun Noir du Mississippi ne devrait se battre au Vietnam pour défendre la liberté du Blanc tant que le peuple noir ne sera pas libre au Mississippi. Les jeunes Noirs ne doivent pas accepter la conscription ici au Mississippi. Les mères devraient encourager leurs enfants à désobéir. [...] Nul n'a le droit de nous demander de risquer nos vies et d'aller tuer d'autres gens de couleur à Saint-Domingue et au Vietnam dans le seul but d'enrichir l'Américain blanc. »

Lorsque, lors d'une visite au Mississippi, le secrétaire à la Défense, Robert McNamara, qualifia le sénateur John Stennis, raciste notoire, d'« homme de grande qualité », des étudiants noirs et blancs manifestèrent en signe de protestation avec des écriteaux à la « mémoire des enfants brûlés du Vietnam ».

Le Student Nonviolent Coordinating Committee (SNCC) déclara au début de 1966 que « les États-Unis [menaient] une politique agressive en parfaite violation des lois internationales » et exigea le retrait des troupes américaines du Vietnam. Cet été-là, six membres du SNCC furent arrêtés pour s'être introduits dans un bureau d'incorporation à Atlanta. Ils furent reconnus coupables et condamnés à sept ans de prison. Au même moment, Julian Bond, un militant du SNCC nouvellement élu à la Chambre des représentants de Géorgie, s'exprima contre la guerre et l'incorporation. La Chambre vota son éviction pour avoir tenu des propos contrevenant au Selective Service Act et « visant à porter le discrédit sur la Chambre ». Lui reconnaissant la liberté d'expression en accord avec le Premier Amendement de la Constitution, la Cour suprême le réintégra.

L'un des plus grands sportifs américains, le boxeur noir et champion du monde des poids lourds, Muhammad Ali, refusa de servir dans ce qu'il appelait une « guerre de l'homme blanc ». Il fut déchu de son titre par les autorités du monde de la boxe. De son côté, Martin Luther King déclarait en 1967 à la Riverside Church de New York : « D'une manière ou d'une autre, cette folie doit cesser. Maintenant. Je parle en enfant de Dieu et en frère de tous ceux qui souffrent au Vietnam. Je parle au nom de ceux dont le pays est ravagé, dont les maisons sont détruites, dont la culture est soumise. Au nom des pauvres d'Amérique qui souffrent d'un double mal : le désespoir chez eux et la mort et la corruption au Vietnam. Je parle en tant que citoyen du monde et pour ce monde atterré par le cours que prennent les choses. Je parle en Américain aux dirigeants de mon propre pays. L'initiative de cette guerre nous revient et c'est à nous qu'il revient d'y mettre fin. »

De plus en plus nombreux, les jeunes refusèrent de s'inscrire pour l'incorporation et de s'y présenter. À partir de mai 1964, le slogan « Nous n'irons pas » apparut partout. Certains de ceux qui avaient reçu leur avis d'incorporation se mirent à brûler leurs papiers militaires en public pour protester contre la guerre. Un certain David O'Brien, de Boston, les brûla également. La Cour suprême rejeta l'argument selon lequel il s'agissait d'un acte protégé par l'amendement sur la liberté d'expression. En octobre 1967, une opération nationale de « retour à l'envoyeur » des convocations d'incorporation fut organisée. À San Francisco, trois cents convocations furent réexpédiées au gouvernement. Juste avant la gigantesque manifestation organisée devant le Pentagone le même mois, le département de la Justice reçut un énorme sac plein de ces cartes.

Au milieu de 1965, trois cent quatre-vingts poursuites judiciaires furent intentées contre les réfractaires. En 1968, ce chiffre était passé à trois mille trois cent cinq. Fin 1969, ils étaient trente-trois mille neuf cent soixante insoumis dans tout le pays.

En mai 1969, le centre d'incorporation d'Oakland, dont dépendaient tous les jeunes appelés du nord de la Californie, informa que deux mille quatre cents appelés sur quatre mille quatre cents ne s'étaient pas présentés. Au premier trimestre 1970, pour la première fois, le système de *selective service* ne put remplir ses quotas.

Philip Supina, étudiant en histoire de la Boston University, écrivit le 1er mai 1968 au bureau d'incorporation de Tucson (Arizona) : « Vous trouverez ci-joint la convocation à me présenter au pré-examen physique en vue de mon incorporation. Je n'ai en effet aucune intention de me rendre à ce pré-examen, ni d'ailleurs de servir dans l'armée, ni d'aider en quoi que ce soit l'effort de guerre américain contre le peuple vietnamien. »

À la fin de sa lettre, il citait le philosophe espagnol Miguel de Unamuno qui, pendant la guerre civile espagnole, avait affirmé que, « parfois, garder le silence c'est mentir ». Supina fut condamné à quatre ans de prison.

Au début de la guerre s'étaient produits deux événements auxquels la plupart des Américains n'avaient pas prêté attention. À Washington, dans la soirée du 2 novembre 1965, devant l'immeuble du Pentagone, alors que des milliers d'employés quittaient le bâtiment, Norman Morrison, un pacifiste de trente-deux ans, père de trois enfants, s'aspergea de kérosène et s'immola sous les fenêtres du secrétaire à la Défense, Robert McNamara, pour protester contre la guerre. La même année, à Detroit, Alice Hertz, âgée de quatre-vingt-deux ans, s'immolait également par le feu pour protester contre les atrocités commises en Indochine.

Un renversement d'opinion significatif s'opéra. Début 1965, après les premiers bombardements contre le Nord-Vietnam, une petite centaine de gens investissaient l'hôtel de ville de Boston pour exprimer leur opposition à la guerre. Quatre ans plus tard, le 15 octobre 1969, toujours à Boston, ils étaient cent mille. Quelque deux millions de personnes manifestèrent ce même jour dans des villes et des villages qui n'avaient jamais connu de réunion pacifiste.

À l'été 1965, une poignée de gens s'étaient rassemblés à Washington pour manifester contre la guerre, avec en tête du cortège l'historien Staughton Lynd, le militant de la SNCC Bob Moses et le fameux pacifiste David Dellinger, qui tous trois furent aspergés de peinture rouge par des provocateurs. En 1970, les rassemblements pour la paix qui se tenaient à Washington attiraient des centaines de milliers de personnes. En 1971, vingt mille individus se rendirent à Washington pour exprimer leur indignation devant la poursuite des violences au Vietnam et essayèrent de bloquer le trafic routier. Quatorze mille d'entre eux furent finalement interpellés au cours de ce qui restera comme la plus grande arrestation de l'histoire américaine.

Des centaines de volontaires des Peace Corps [1] protestèrent également contre la guerre. Au Chili, quatre-vingt-douze d'entre eux s'opposèrent au directeur de leur organisation et publièrent une circulaire contre la guerre. Huit cents de leurs vétérans signèrent une déclaration commune contre les événements du Vietnam.

Le poète Robert Powell refusa de se rendre à une invitation de la Maison-Blanche. Arthur Miller, également invité, fit répondre que « lorsque les armes parlent, les arts se meurent ». La chanteuse Eartha Kitt, également invitée à déjeuner à la Maison-Blanche, choqua tout le monde en s'exprimant contre la guerre devant la

---

1. Organisation américaine de coopération et d'aide aux pays en voie de développement.

femme du président. Enfin, à la Maison-Blanche toujours, un adolescent invité à recevoir un prix se présenta pour critiquer la guerre. À Hollywood, des artistes édifièrent une tour de protestation de dix-huit mètres de haut sur Sunset Boulevard. Lors de la remise du National Book Award à New York, une cinquantaine d'écrivains et d'éditeurs sortirent de la salle pendant le discours du vice-président Humphrey pour protester contre son rôle dans la conduite de la guerre.

À Londres, deux jeunes Américains firent irruption au beau milieu de l'élégante fête de l'Indépendance organisée par l'ambassadeur et portèrent un toast à « tous les morts et mourants du Vietnam ». On les fit rapidement expulser. Dans l'océan Pacifique, deux jeunes marins américains détournèrent un navire qui transportait des bombes destinées au Vietnam. Durant quatre jours, ils restèrent aux commandes du navire et de son équipage en se dopant aux amphétamines afin de rester éveillés jusqu'à ce que le bateau atteigne le Cambodge. Fin 1972, une dépêche de l'Associated Press en provenance de York (Pennsylvanie) annonçait que « cinq militants pacifistes [avaient] été arrêtés par la police et [étaient] soupçonnés de s'être livrés au sabotage de matériel ferroviaire aux environs d'une usine fabriquant des bombes utilisées au Vietnam ».

La classe moyenne et les professions libérales, d'ordinaire peu enclines au militantisme, se mirent également à hausser le ton. En mai 1970, le *New York Times* titrait : « Mille éminents hommes de loi se joignent aux pacifistes ». Le milieu des affaires se mit à craindre que la guerre n'aille finalement à l'encontre de ses intérêts à long terme. Le *Wall Street Journal* alla jusqu'à critiquer la poursuite de la guerre.

À mesure que la guerre devenait plus impopulaire, certaines personnalités proches du gouvernement et même certains membres du gouvernement commencèrent à briser la loi du silence. Daniel Ellsberg en fournit l'exemple le plus spectaculaire.

Économiste formé à Harvard et ancien officier de l'armée, Ellsberg travaillait pour la RAND Corporation, qui effectuait des recherches spéciales et parfois secrètes pour le gouvernement américain. Daniel Ellsberg participa à la rédaction de l'histoire du Vietnam par le département à la Défense, avant de décider avec l'aide de son ami Anthony Russo, un ancien employé de la RAND, de rendre public ce document ultra-confidentiel. Les deux amis s'étaient rencontrés à Saigon où ils avaient été scandalisés par leur expérience directe de la guerre et horrifiés par ce que l'Amérique faisait subir au peuple vietnamien.

Les deux hommes passèrent de nombreuses nuits dans les bureaux d'un ami à photocopier les sept mille pages du document. Ellsberg fit parvenir ces copies à quelques membres du Congrès et au *New York Times*. En juin 1971, ce journal fit paraître des extraits de ce qui allait bientôt être connu sous le nom de *Pentagon Papers*. Ce fut un tollé général.

L'administration Nixon tenta de faire interdire par la Cour suprême la publication intégrale du document, mais la Cour déclara qu'il s'agissait là d'une « atteinte fondamentale », et donc inconstitutionnelle, à la liberté de la presse. Le gouvernement poursuivit alors Ellsberg et Russo, au nom de la loi sur l'espionnage, pour avoir fourni à des personnes non autorisées des documents classés confidentiels. Les deux hommes risquaient de passer de très longues années en prison s'ils étaient reconnus coupables, mais le procès fut finalement annulé en pleine délibération du jury, l'enquête en cours sur le Watergate[1] révélant des comportements illégaux de la part de l'accusation.

L'acte courageux d'Ellsberg rompait avec l'attitude habituelle des dissidents au sein de l'administration américaine, qui préféraient bien souvent garder le silence en attendant que se produisent de menus changements politiques. Un collègue d'Ellsberg lui conseilla vivement de « ne pas tout foutre en l'air, de ne pas [se] suicider », de ne pas quitter le gouvernement où il était « dans la place ». Ellsberg lui répondit qu'il existait « une vie en dehors du pouvoir exécutif ».

Assez tôt, le mouvement pacifiste fut rejoint par d'étranges soutiens : des prêtres et des religieuses de l'Église catholique. Certains avaient été sensibilisés par le mouvement des droits civiques ; d'autres par leur expérience en Amérique latine, où ils avaient pu constater la misère et l'injustice qui régnaient dans les pays sous influence américaine. À l'automne 1967, le père Philip Berrigan (un prêtre joséphite[2] qui avait participé à la Seconde Guerre mondiale), accompagné par l'artiste Tom Lewis et ses amis David Eberhardt et James Mengel, se rendit dans un bureau d'incorporation de Baltimore (Maryland), aspergea les registres de sang et attendit qu'on vienne l'arrêter. Ils furent jugés et condamnés à des peines allant de deux à six ans de prison.

Au mois de mai suivant, Philip Berrigan (en liberté surveillée durant l'instruction de son procès), son frère Daniel (un jésuite qui

---

1. Lire p. 609-612.
2. Ordre religieux catholique américain entièrement voué à l'évangélisation de la communauté afro-américaine.

s'était rendu au Nord-Vietnam où il avait pu constater les effets des bombardements américains) et sept autres personnes se rendirent au bureau d'incorporation de Catonsville (Maryland) et s'emparèrent des registres pour y mettre le feu. Cette affaire devint fameuse sous le nom des « Neuf de Catonsville ». Daniel Berrigan écrivit ensuite une « Méditation » : « Toutes nos excuses, chers amis, pour avoir troublé l'ordre public, brûlé des papiers au lieu d'enfants, et irrité les gardiens du charnier. Que Dieu nous pardonne, nous ne pouvions faire autrement. [...] Nous déclarons : le meurtre c'est le désordre ; la vie, la douceur, l'altruisme et le sens de la communauté constituent le seul ordre que nous reconnaissions. Pour la sauvegarde de cet ordre nous risquons notre liberté et notre honneur. Les temps sont révolus où les hommes de bien peuvent continuer de se taire, où l'obéissance peut protéger l'homme de tous dangers, où le pauvre peut mourir sans qu'on le défende. »

Lorsque son appel fut définitivement rejeté et qu'il lui fallut se rendre en prison, Daniel Berrigan disparut. Le FBI le rechercha assidûment. Il participa aux fêtes pascales de la Cornell University où il avait enseigné. Il monta sur scène sous les yeux d'une douzaine d'agents du FBI qui le cherchaient dans la foule. À l'extinction des lumières, il se cacha dans l'une des figurines géantes de la troupe Bread and Puppet exposées sur la scène. Il finit par trouver refuge dans une ferme voisine, où il vécut dans la clandestinité pendant quatre mois, écrivant poèmes et articles et donnant des interviews. Il alla même jusqu'à se rendre dans une église de Philadelphie pour y faire un sermon avant de disparaître à nouveau. Daniel Berrigan fut finalement localisé, grâce à l'interception d'un courrier par un informateur du FBI, et emprisonné.

Mary Moylan, ex-religieuse et seule femme parmi les Neuf de Catonsville, refusa également de se rendre au FBI. Dans la clandestinité, elle revenait sur son expérience et expliquait comment elle en était arrivée là : « Nous savions tous que nous irions en prison. J'étais totalement épuisée. J'ai pris ma petite valise et je l'ai mise sous mon lit, puis je me suis couchée. Toutes les femmes détenues dans la prison du comté de Baltimore étaient noires, sauf une, je crois. Ces femmes m'ont réveillée et elles m'ont demandé si je n'allais pas me mettre à pleurer. J'ai demandé pourquoi. "Parce que tu es en prison", m'ont-elles répondu. Alors j'ai dit que je savais que j'allais m'y retrouver. Je dormais entre deux de ces femmes et tous les matins, quand je me réveillais, elles étaient là, la tête posée sur leurs bras, à me regarder. Elles me disaient : "Tu as dormi toute la nuit." Elles n'arrivaient pas à y croire. C'étaient de braves femmes. On s'est bien amusées. [...] Le tournant politique de ma vie a sans doute eu lieu lorsque j'étais en Ouganda, tout près de la frontière avec le Congo. J'y étais quand les avions américains ont bombardé le Congo. Un jour, les avions sont arrivés et ont bombardé deux villages ougandais. [...] Mais d'où diable pouvaient-ils venir, ces avions américains ? Plus tard, j'étais à Dar es-Salaam lorsque Chou En-lai y vint en visite. L'ambassade des États-Unis fit savoir qu'aucun Américain ne devait sortir dans les rues parce que ce type était un sale dirigeant communiste. Mais je décidai d'aller le voir tout de même parce qu'il était en train d'écrire l'histoire. [...] Quand je suis revenue d'Afrique, je me suis installée à Washington. J'ai pu constater la brutalité des flics et observer le type de vie que menaient la plupart des gens qui y vivaient – des Noirs pour 70 %. [...] Puis ce fut le Vietnam, le napalm, les défoliants et les bombes. [...] Il y a un an, je me suis impliquée dans le mouvement féministe. [...] Au moment de Catonsville, aller en prison avait du sens à mes yeux. En particulier à cause de la situation des Noirs – tant de Noirs croupissaient en prison. [...] Mais je ne pense plus que c'est une stratégie efficace. [...] Je ne veux plus voir personne entrer en prison en souriant. Je ne veux plus qu'ils y aillent. Les années 1970 vont être dures et je ne veux pas que nos sœurs et nos frères gâchent leurs vies en prison. »

La guerre ainsi que le courage de ces prêtres et religieuses eurent pour effet de briser le conservatisme de la communauté catholique. Le 15 octobre 1969, jour de la commémoration nationale du Vietnam Moratorium Day, le portail du Newton Collège of the Sacred Heart, près de Boston, d'ordinaire emprunt d'un calme bucolique et paradis du bon goût politique, arborait un gigantesque poing rouge. Au Boston College, institution catholique, six mille personnes se rassemblèrent le même jour pour manifester contre la guerre.

Les étudiants furent très impliqués dans les toutes premières manifestations pacifistes. Une enquête de la Urban Research Corporation, portant sur les six premiers mois de 1969 et sur seulement deux cent trente-deux universités parmi les deux mille que comptait le pays, montre que deux cent quinze mille étudiants avaient participé à au moins une manifestation pacifiste ; que trois mille six cent cinquante-deux d'entre eux avaient été arrêtés, dont neuf cent cinquante-six avaient été suspendus ou expulsés. Même dans les lycées, à la fin des années 1960, on comptait quelque cinq cents journaux clandestins. À la remise des diplômes de 1969, les deux tiers des étudiants diplômés de la Brown University tournèrent ostensiblement le dos à Henry Kissinger venu faire un discours.

L'apogée de la protestation eut lieu au printemps 1970 lorsque le président Nixon ordonna l'invasion du Cambodge. Le 4 mai 1970, la garde nationale tira sur les étudiants de la Kent State University (Ohio) qui s'étaient rassemblés pour protester contre la guerre, faisant quatre morts et un blessé (ce dernier devait rester paralysé à vie). Les étudiants de quatre cents universités et collèges se lancèrent alors dans la plus grande grève étudiante de toute l'histoire des États-Unis. Pendant l'année scolaire 1969-1970, le FBI enregistra mille sept cent quatre-vingt-cinq manifestations étudiantes dont trois cent treize occupations de locaux.

Les cérémonies de remise de diplômes qui suivirent les assassinats de Kent State ressemblaient bien peu à celles que le pays avait connues auparavant. Une dépêche en provenance d'Amherst (Massachusetts) nous informe que « la centième remise de diplôme de l'université du Massachusetts a pris la forme d'une manifestation, d'un appel à la paix. Le roulement funèbre du tambour rythmait la marche de deux mille six cents jeunes qui exprimaient ainsi "leur crainte, leur tristesse et leur frustration". Des poings gantés de rouge, des symboles de la paix et des colombes bleues étaient dessinés sur le fond noir des toges universitaires et les manifestants les plus âgés portaient presque tous un brassard en signe de paix ».

Les manifestations étudiantes contre le ROTC (Reserve Officers Training Program) provoquèrent sa disparition dans plus de quarante collèges et universités. En 1966, cent quatre-vingt-onze mille sept cent quarante-neuf étudiants s'étaient inscrits au ROTC. En 1973, ils n'étaient plus que soixante-treize mille quatre cent cinquante-neuf. Le ROTC était censé former la moitié des officiers américains au Vietnam. En septembre 1973, pour le sixième mois d'affilée, il ne put remplir son quota. Un responsable militaire déclara : « J'espère que nous ne serons pas impliqués dans une autre guerre, parce que si cela arrivait je doute que nous soyons en mesure de nous battre. »

La publicité faite à ces manifestations étudiantes donna l'impression que l'opposition à la guerre était exclusivement le fait de la petite bourgeoisie intellectuelle. Lorsque des ouvriers new-yorkais du bâtiment agressèrent des étudiants, la nouvelle fut relayée par les médias nationaux. Pourtant, un certain nombre d'élections dans les villes américaines – parmi lesquelles des villes traditionnellement ouvrières – démontraient que le sentiment pacifiste était également fort au sein de la classe ouvrière. À Dearborn (Michigan), une ville centrée sur l'industrie automobile, un sondage effectué dès 1967 montrait que 41 % de la population était favorable à un retrait des troupes américaines du Vietnam. En 1970, dans deux comtés de Californie (San Francisco et Marin) où la question fut mise aux voix, le retrait recueillit une majorité de voix.

Fin 1970, lorsqu'un sondage Gallup posa la question de savoir si « les États-Unis [devaient] retirer leurs troupes du Vietnam à la fin de l'année » suivante, 65 % des sondés répondirent par l'affirmative. À Madison (Wisconsin), au printemps 1971, une résolution appelant au retrait immédat des troupes américaines du Sud-Est asiatique l'emporta par trente et un mille voix contre seize mille (une résolution identique avait échoué en 1968).

Mais l'information la plus surprenante se trouvait dans une enquête menée par l'université du Michigan. Elle montrait clairement que, sur toute la durée de la guerre du Vietnam, les Américains les plus modestement diplômés avaient été plus vivement en faveur du retrait des troupes que les Américains de niveau scolaire supérieur. En juin 1966, 27 % des individus possédant un diplôme de collège étaient favorables à un retrait immédiat contre 41 % de ceux qui n'avaient qu'un diplôme scolaire. En septembre 1970, les deux populations étaient majoritairement pacifistes : 47 % pour les plus diplômés et 61 % pour les autres.

D'autres sources confirment ce fait. Dans un article de l'*American Sociogical Review* de juin 1968, Richard F. Hamilton tire de son enquête la conclusion que « le penchant pour une politique "musclée" est plus fréquent dans les groupes suivants : les individus les plus diplômés, les professions les plus valorisées, les plus hauts revenus, les populations les plus jeunes et les lecteurs assidus de la presse ». De son côté, Harlan Hahn, spécialiste des sciences politiques, observait, après s'être penché sur divers référendums municipaux concernant le Vietnam, que la volonté de mettre fin à la guerre était la plus forte chez les catégories socio-économiques défavorisées. Il remarquait également que les sondages réguliers fondés sur des échantillons de la population minimisaient l'opposition à la guerre chez les classes les moins favorisées.

Tout cela était le résultat d'un changement général dans la population américaine. En août 1965, 61 % de la population estimait que l'engagement américain au Vietnam n'était pas une mauvaise chose. En mai 1971, 61 % des Américains pensaient le contraire. Bruce Andrews, un étudiant de Harvard travaillant sur les mouvements de l'opinion publique, découvrit que les groupes les plus clairement critiques à l'égard de la guerre étaient les plus de cinquante ans, les Noirs et les femmes. Il remarquait également qu'une enquête effectuée au printemps 1964, alors que le Vietnam restait un sujet mineur pour la presse, révélait que 53 % des personnes ayant fréquenté le collège étaient en faveur de l'envoi de troupes au Vietnam contre 33 % seulement de ceux qui n'avaient pas dépassé l'école primaire.

Il semble que les médias les plus bellicistes, eux-mêmes dirigés par des individus au niveau d'instruction très élevé et aux revenus conséquents, aient tenté de donner l'impression que la classe ouvrière était particulièrement patriote et favorable à la guerre. En 1968, dans un sondage sur les Noirs et les Blancs pauvres du Sud, Lewis Lipsitz paraphrasait ainsi une position qu'il qualifiait de typique : « La seule manière d'aider les pauvres est de sortir de cette guerre du Vietnam. [...] Les impôts – très élevés – sont utilisés là-bas pour tuer des gens et je ne vois vraiment pas pourquoi. »

La capacité des Américains ordinaires à se forger une opinion personnelle s'observe tout particulièrement dans le glissement progressif vers une attitude plus pacifiste des soldats américains eux-mêmes – les engagés volontaires et les appelés étant pour la plupart issus des populations les plus modestes. L'histoire américaine avait déjà connu des exemples de désaffection des soldats : mutineries sporadiques pendant la Révolution américaine ; refus de se ré-engager au beau milieu de la guerre du Mexique ; désertions et objection de conscience pendant les deux Guerres mondiales. Néanmoins, ce fut à l'occasion de la guerre du Vietnam que l'opposition des soldats et des vétérans atteignit un niveau jamais égalé auparavant.

Ce furent d'abord des protestations isolées. Dès juin 1965, Richard Steinke, un diplômé de West Point en poste au Vietnam, refusa de monter à bord d'un avion qui devait le transporter vers un village reculé. « La guerre du Vietnam ne vaut pas qu'on lui sacrifie une seule vie américaine », déclara-t-il. Steinke passa en cour martiale et fut chassé de l'armée. L'année suivante, trois soldats, un Noir, un Portoricain et un Italo-Lituanien, tous de milieux défavorisés, refusèrent de partir pour le Vietnam, dénonçant le caractère « immoral, illégal et injuste » de la guerre. Ils passèrent également en cour martiale et furent jetés en prison.

Au début de 1967, le capitaine Howard Levy, médecin militaire à Fort Jackson (Caroline du Sud), refusa d'enseigner aux bérets verts, une force spéciale d'élite de l'armée américaine. Il déclara que ces gens étaient des « assassins de femmes et d'enfants » et des « tueurs de paysans ». Il fut également jugé par une cour martiale pour avoir tenu des propos appelant à la désertion. Le président du tribunal militaire – un colonel – déclara que « la véracité des propos tenus ne [faisait] pas l'objet du procès en cours ». Levy fut condamné et emprisonné.

Les actes individuels se multiplièrent. Un soldat noir refusa d'embarquer dans un transport de troupes à destination du Vietnam. Une infirmière de la marine, le lieutenant Susan Schnall, fut jugée pour avoir participé à une manifestation pacifiste en uniforme et jeté du haut d'un avion des tracts pacifistes sur une installation de la marine américaine. À Norfolk (Virginie), un marin refusa d'entraîner des pilotes de l'armée parce qu'il jugeait la guerre immorale. Un lieutenant fut arrêté à Washington DC, au début de 1968, pour avoir stationné devant la Maison-Blanche avec un écriteau proclamant : « Cent vingt mille vies américaines. Et pour quoi faire ? » Deux soldats noirs, George Daniels et William Harvey, furent également lourdement condamnés (six ans de prison pour le premier et dix pour le second) pour avoir tenus des propos pacifistes à d'autres soldats noirs.

Les désertions se multiplièrent. Des milliers de jeunes réfractaires s'enfuirent en Europe – en France, en Suède, aux Pays-Bas –, mais la plupart d'entre eux trouvèrent refuge au Canada. On parle de cinquante mille à cent mille déserteurs. D'autres restaient aux États-Unis et certains défièrent ouvertement les autorités militaires en se réfugiant dans les églises où, protégés par des amis et des militants pacifistes, ils attendaient qu'on vienne les arrêter pour les juger. Dans la chapelle de l'université de Boston, un millier d'étudiants se relayèrent jour et nuit durant cinq jours pour protéger Ray Kroll, un jeune déserteur de dix-huit ans.

L'histoire de Kroll est caractéristique. Issu d'un milieu pauvre, il fut un jour jugé pour ivresse. Le tribunal lui donna le choix entre la prison et l'armée. Il choisit l'armée. Ce n'est qu'ensuite qu'il se mit à réfléchir à la nature de cette guerre.

Un dimanche matin, des agents fédéraux se présentèrent devant la chapelle de l'université de Boston, traversèrent les lieux – bondés d'étudiants –, enfoncèrent des portes et se saisirent de Kroll. De l'intérieur de la prison militaire, il criait à ses camarades : « Je ne tuerai pas, c'est contre mes convictions. » Un ami rencontré dans la chapelle lui fit porter quelques livres. Plus tard, il cita une phrase qu'il y avait trouvée : « Ce que nous avons fait ne sera pas perdu pour l'Éternité. Tout vient à son heure et porte ses fruits en temps voulu. »

Au sein de l'armée, le mouvement pacifiste s'organisait. Près de Fort Jackson, le premier « GI coffeehouse » ouvrit ses portes. Il s'agissait d'un lieu où les soldats pouvaient consommer des cafés et des beignets, lire des publications pacifistes et discuter librement les uns avec les autres. Il fonctionna quelques années avant d'être

considéré comme une « nuisance publique » et fermé par décision
de justice. Mais d'autres GI coffeehouses ouvrirent dans une douzaine de villes du pays, et des librairies pacifistes furent créées aux
environs de Fort Devens (Massachusetts) et près de la base navale
de Newport (Rhode Island).

Des journaux clandestins commencèrent à paraître dans les différentes bases militaires du pays. En 1970, on en comptait plus de
cinquante dont *About Face* à Los Angeles, *Fed-up!* à Tacoma
(Washington), *Short Times* à Fort Jackson, *Vietnam GI* à Chicago,
Graffiti à Heidelberg en Allemagne, *Bragg Briefs* en Caroline du
Nord, *Last Harass* à Fort Gordon (Géorgie), *Helping Hand* sur la
base aérienne de Mountain Home (Idaho). Ces journaux publiaient
des articles contre la guerre, donnaient des informations sur le harcèlement subi par les soldats et des conseils pratiques sur leurs droits
et sur les manières de résister à la hiérarchie militaire.

En plus du sentiment pacifiste, on pouvait également déceler
une profonde colère contre la cruauté et la déshumanisation de la
vie militaire. Cela était particulièrement vrai pour les soldats détenus dans les prisons de l'armée et dans les cellules des casernes. En
1968, à la prison de la base de Presidio (Californie), un prisonnier
psychologiquement fragile avait été abattu par un garde pour avoir
abandonné sa corvée. Vingt-sept prisonniers cessèrent immédiatement de travailler et s'assirent en entonnant *We Shall Overcome*.
Jugés par une cour martiale, ils furent condamnés pour mutinerie
à quatorze ans de prison. La peine fut ensuite réduite devant les
réactions d'indignation de l'opinion publique.

La protestation s'étendit au front vietnamien. Lorsque les grandes
manifestations du Moratorium Day eurent lieu aux États-Unis en
octobre 1969, certains soldats cantonnés au Vietnam arborèrent
des brassards noirs en signe de solidarité. Un photographe de presse
déclara avoir rencontré près de Da Nang une patrouille dont la
moitié des soldats portaient ce brassard. Un soldat cantonné à Cu
Chi écrivit le 26 octobre 1970 à l'un de ses amis que des compagnies spéciales avaient été organisées pour réunir les soldats qui
refusaient de combattre. « Ce n'est plus très rare ici qu'on refuse
d'y aller. » *Le Monde* révélait qu'en l'espace de quatre mois cent
neuf soldats avaient été jugés pour refus de combattre. Le correspondant de ce journal ajoutait qu'il n'était « pas rare de voir un soldat noir lever le poing gauche en signe de protestation contre une
guerre qu'il n'a jamais considérée comme le concernant ».

Wallace Terry, un reporter noir-américain de *Time*, enregistra des
conversations avec des centaines de soldats noirs. On y découvre
leur amertume vis-à-vis du racisme dans l'armée, leur dégoût de la

guerre et leur moral plutôt bas. Les *fraggings*, attentats perpétrés par les soldats qui plaçaient une grenade dans la tente des officiers qui les commandaient ou dont ils voulaient se venger, se multiplièrent. Durant la seule année 1970, le Pentagone fit état de deux cent neuf *fraggings*. De retour du Vietnam, des soldats formèrent le Vietnam Veterans Against the War. En décembre 1970, plusieurs centaines d'entre eux se rendirent à Detroit, lors de l'enquête dite du « Winter Soldier », pour témoigner publiquement des atrocités auxquelles ils avaient participé ou assisté – atrocités commises par les Américains contre les Vietnamiens. En avril 1971, plus d'un millier de ces vétérans se rendirent à Washington DC pour manifester contre la guerre. Les uns après les autres, ils lancèrent de l'autre côté du grillage qui entoure le Capitole les médailles qu'ils avaient reçues au Vietnam. Après quoi, ils prononcèrent de brefs discours, émus ou amers, sur la guerre.

À l'été 1970, vingt-huit officiers de l'armée, parmi lesquels quelques vétérans du Vietnam, déclarèrent représenter deux cent cinquante autres officiers et fondèrent le Concerned Officers Movement contre la guerre. Ce fut aux environs des fêtes de Noël, en 1972, qu'eurent lieu les premières défections de pilotes de B-52, qui refusaient de remplir leur mission de bombardements intensifs sur Hanoi et Haiphong.

Le 3 juin 1973, le *New York Times* révélait que de nombreux cadets de West Point abandonnaient leurs études. Le journaliste ajoutait que les responsables de cette école militaire reliaient ce fait « au caractère moins discipliné, plus sceptique et plus exigeant de la nouvelle génération, ainsi qu'au sentiment pacifiste qu'une petite minorité radicale et la guerre du Vietnam [avaient] réussi à créer ».

Pourtant, la plupart des actes pacifistes furent le fait de soldats ordinaires – Noirs, Blancs, Indiens, Chinois ou Chicanos (de retour en Amérique les soldats chicanos manifestèrent par milliers contre la guerre) –, dont la grande majorité était issue de milieux pauvres.

Sam Choy, un jeune new-yorkais de vingt et un ans d'origine chinoise, s'était engagé à dix-sept ans dans l'armée américaine. Au Vietnam, où il servait en tant que cuisinier, il fut la cible des violences racistes de ses camarades, qui prétendaient qu'il ressemblait à l'ennemi. Un jour, il prit un fusil et tira en guise d'avertissement en direction de ceux qui le raillaient. « À ce moment-là, j'étais près du périmètre de la base et j'ai pensé rejoindre les Viêt-congs. Eux au moins auraient confiance en moi. »

Choy fut arrêté par la police militaire et jugé par une cour martiale. Il fit dix-huit mois de travaux forcés à Fort Leavenworth, où il fut battu quotidiennement. En conclusion de l'interview qu'il

accorda à un journal du quartier chinois de New York, il déclara :
« Je veux dire à tous les jeunes Chinois que l'armée m'a rendu
malade. Elle m'a rendu si malade que je ne peux plus la supporter. »
Datée d'avril 1972, une dépêche en provenance de Phu Bai annonçait que cinquante soldats sur les cent quarante-deux que comptait l'une des compagnies avaient refusé de partir en patrouille. Ils
hurlaient : « Cette guerre n'est pas la nôtre ! » Le 14 juillet 1973, le
New York Times écrivait que des prisonniers de guerre américains
auxquels des officiers américains également prisonniers demandaient de ne pas coopérer avec l'ennemi s'étaient écrié : « Mais qui
est l'ennemi ? » Ils formèrent un comité pour la paix dans le camp
de prisonniers. Un sergent du comité se souvenait plus tard de
l'interminable marche qui le conduisit du lieu de sa capture au
camp de prisonniers : « Tout au long du chemin qui menait au premier camp, on n'a pas vu un seul village intact. Ils étaient tous
détruits. Je me suis assis par terre au milieu d'un village et je me
suis demandé si cela était juste, si on avait le droit de détruire des
villages, le droit d'assassiner autant de gens. Il ne m'a pas fallu
longtemps pour trouver la réponse. »

Après qu'en 1973 les États-Unis eurent finalement décidé de retirer leurs troupes du Vietnam, les responsables du Pentagone à
Washington et le porte-parole de la marine à San Diego annoncèrent que l'armée allait se débarrasser de ses éléments « indésirables »,
c'est-à-dire d'environ six mille hommes du contingent Pacifique,
« pour la plupart des Noirs ». Près de sept cent mille soldats avaient
quitté l'armée avec une mention « moins qu'honorable ». En 1973,
un cinquième des libérés reçurent cette mention « moins qu'honorable », qui signalait en général une attitude particulièrement
peu respectueuse à l'égard des autorités militaires. En 1971, environ 18 % des soldats avaient été signalés « absents sans permission »,
trois ou quatre fois de suite pour certains d'entre eux. Le nombre
des désertions était passé de quarante-sept mille en 1967 à quatre-
vingt-neuf mille en 1971.

Ron Kovic n'avait pas déserté. Il s'était battu avant de devenir un
militant pacifiste convaincu. En 1963, à l'âge de dix-sept ans, il
s'était engagé dans l'armée. Deux ans plus tard, un éclat d'obus
l'ayant blessé à la colonne vertébrale, il resta paralysé des deux
jambes et ne se déplaça plus qu'en fauteuil roulant. De retour aux
États-Unis, il fut témoin du traitement brutal infligé aux blessés
de la guerre dans les hôpitaux de l'armée. Cela le fit réfléchir sur la
guerre et il adhéra aux Vietnam Veterans Against the War. Il se rendit à des manifestations pour s'exprimer contre la guerre. Un soir,
il entendit l'acteur Donald Sutherland lire *Johnny s'en va-t-en guerre*.

Ce roman de Donald Trumbo écrit après la Première Guerre mondiale raconte l'histoire d'un soldat dont les membres et le visage ont été emportés par un éclat d'obus. Ne reste plus qu'un torse muni d'un cerveau qui invente un moyen de communiquer avec le monde extérieur pour lancer un message si fort qu'on ne peut l'entendre sans frémir.

« Sutherland s'est mis à lire un passage et quelque chose que je n'oublierai jamais s'est passé en moi. C'était comme si quelqu'un racontait tout ce que j'avais vécu à l'hôpital. [...] Je me suis mis à trembler et je me souviens que j'avais les larmes aux yeux. »

Kovic manifesta contre la guerre et fut arrêté. Dans son livre *Né un 4 juillet*, il raconte cette expérience : « Ils me remirent sur mon fauteuil et m'emmenèrent dans un autre endroit de la prison pour m'inscrire. "Comment vous appelez-vous ?" me demanda l'officier qui se trouvait derrière le bureau. "Ron Kovic", ai-je répondu. "Profession ? — Vétéran du Vietnam contre la guerre. — Quoi ?" m'a-t-il demandé avec ironie. "Je suis un vétéran du Vietnam contre la guerre", ai-je répété en criant. "T'aurais dû y mourir", me dit-il. Il s'est tourné vers son assistant et il a ajouté : "J'ai bien envie de jeter ce type du haut du toit." Après, ils prirent mes empreintes, me photographièrent et me mirent dans une cellule. Je commençai à mouiller mon pantalon comme un bébé. Le tube avait glissé quand le médecin m'avait examiné. J'essayai de m'endormir mais, même épuisé, la colère était là, en moi, comme une grosse pierre dans ma poitrine. J'ai posé ma tête contre le mur et j'ai écouté le bruit des chasses d'eau toute la nuit. »

En 1972, Kovic et d'autres vétérans se rendirent à la convention nationale du parti républicain à Miami. Ils pénétrèrent en fauteuil roulant dans la salle de la convention et, au moment où Nixon allait commencer son discours d'investiture, ils se mirent à hurler : « Arrêtez les bombardements ! Arrêtez la guerre ! » Ils furent traités de traîtres par les délégués républicains et furent jetés dehors par les agents des renseignements.

À l'automne 1973, comme la victoire ne s'annonçait toujours pas et que les troupes nord-vietnamiennes s'installaient dans différentes régions du Sud-Vietnam, les États-Unis acceptèrent d'envisager un compromis : les soldats américains se retireraient tandis que les troupes révolutionnaires resteraient où elles étaient jusqu'à ce qu'un nouveau gouvernement élu, comportant des communistes et des non-communistes, se mette en place. Saigon rejeta cette solution et les États-Unis décidèrent de se livrer à un ultime assaut pour faire plier le Nord-Vietnam. Des vagues de B-52 survolèrent Hanoi et Haiphong pour y pilonner les maisons et les hôpitaux, faisant de très nombreuses victimes civiles. Finalement, cette opération fut elle aussi un échec. De nombreux B-52 furent abattus en plein vol et les protestations internationales obligèrent Kissinger à retourner à Paris pour signer un accord de paix qui ressemblait fort au précédent.

Après avoir retiré leurs troupes, les États-Unis continuèrent à soutenir le gouvernement de Saigon. Mais lorsque les Nord-Vietnamiens se lancèrent au début de 1975 à l'assaut des principales villes du Sud, ce gouvernement s'effondra. Fin avril, les troupes nord-vietnamiennes entraient dans la capitale. Le personnel de l'ambassade américaine s'enfuit avec de nombreux Vietnamiens qui redoutaient le régime communiste. La longue guerre avec le Vietnam avait pris fin. Saigon fut rebaptisée Ho Chi Minh-Ville et les deux Vietnams furent réunifiés en une République démocratique du Vietnam.

Il est traditionnel en histoire de toujours mettre l'arrêt des guerres au crédit des responsables politiques – au travers de négociations à Paris, à Genève, à Versailles ou à Bruxelles – et les « peuples » sont souvent rendus responsables de les avoir voulues. La guerre du Vietnam démontra pourtant clairement que, au moins dans son cas, les dirigeants politiques furent les derniers à se résoudre à faire un pas en direction de la paix. Si le « peuple » avait en ce domaine une sérieuse avance, le Président était loin derrière, la Cour suprême se gardait bien de décréter l'inconstitutionnalité de la guerre et le Congrès était à la traîne de l'opinion publique.

Au printemps 1971, les journalistes d'agence Rowland Evans et Robert Novak, deux ardents défenseurs de la guerre, notaient avec regret « une explosion soudaine du sentiment pacifiste » à la Chambre des représentants et déclaraient que les « activités antiguerre, si répandues de nos jours chez les démocrates de la Chambre, sont moins dirigées directement contre Nixon que provoquées par la pression de l'électorat ».

Le Congrès américain ne vota la résolution selon laquelle les troupes américaines ne pouvaient être envoyées au Cambodge sans son accord qu'après la fin de l'intervention armée dans ce pays et la gigantesque agitation qu'elle provoqua sur les campus universitaires. Il attendit la fin de 1973, date à laquelle les troupes américaines se retiraient du Vietnam, pour voter un texte interdisant au président d'engager une guerre sans l'accord préalable du Congrès. Le texte précisait néanmoins que le Président pouvait se passer de cet accord pendant une période de soixante jours.

Le gouvernement américain était en train de perdre la guerre au Vietnam tandis que le mouvement pacifiste l'emportait aux États-

Unis. Occultant ces faits, l'administration essaya de faire croire aux Américains que la guerre cessait parce que le gouvernement avait finalement décidé de négocier la paix. Mais les documents confidentiels du gouvernement prouvent au contraire qu'il se souciait au plus haut point des « opinions publiques » américaines et étrangères.

En juin 1964, les plus hauts responsables de l'armée américaine et du département d'État se réunirent à Honolulu en présence de l'ambassadeur Henry Cabot Lodge. « Rusk fit remarquer que notre "opinion publique" était sérieusement divisée sur notre politique dans le Sud-Est asiatique. C'est pourquoi le Président avait besoin d'un soutien ferme. » Diem venait d'être renversé par le général Khanh. Les historiens du Pentagone poursuivent : « Dès son retour à Saigon, le 5 juin, l'ambassadeur Lodge appela le général Khanh. [...] Le principal objectif de cette discussion avec Khanh était de lui faire savoir que le gouvernement allait dans un futur proche préparer l'opinion publique américaine à l'éventualité d'actions contre le Nord-Vietnam. » Deux mois plus tard, l'affaire du golfe du Tonkin éclatait.

Le 2 avril 1965, une note du directeur de la CIA, John McCone, proposait d'intensifier les bombardements parce qu'ils ne causaient pas « suffisamment de dégâts » pour obliger le Nord-Vietnam à changer de politique. « D'un autre côté, il faut nous attendre à une pression accrue pour que cessent les bombardements [...] de la part de diverses factions du public américain, de la presse, des Nations unies et de l'opinion internationale. » Selon McCone, les États-Unis devaient tenter de porter l'estocade au Nord-Vietnam avant que de telles pressions puissent se mettre en place.

Comme nous l'avons déjà vu, le sous-secrétaire à la Défense, John McNaughton, préconisait, début 1966, la destruction des digues et des barrages de manière à provoquer « une famine généralisée » – « les frappes sur des objectifs civils » risquant de produire « un élan contre-productif d'indignation à l'étranger aussi bien qu'aux États-Unis ». En mai 1967, les historiens du Pentagone écrivaient que « McNaughton était également très attentif à l'ampleur et à l'intensité des réactions et du mécontentement de l'opinion publique vis-à-vis de la guerre. [...] En particulier chez les jeunes, les classes défavorisées, l'intelligentsia et les femmes. » McNaughton s'interrogeait : « Le rappel de vingt mille soldats de réserve [...] provoquera-t-il une réaction telle que nous ne pourrions plus contrôler les "colombes" [1] américaines ? Seront-ils nombreux à refuser de

---

1. Partisans d'un règlement pacifique des conflits internationaux, les « colombes » s'opposent aux « faucons », adeptes de l'impérialisme militarisé.

servir, de combattre, de coopérer, et même pire ? » Il prévenait qu'il
« pourrait bien y avoir une limite au-delà de laquelle de nombreux
Américains et de nombreux pays dans le monde ne soutiendraient
plus les États-Unis. L'image de la plus grande puissance du monde
tuant ou blessant gravement mille civils par semaine en essayant de
soumettre un minuscule pays attardé, pour des raisons que de nombreuses personnes trouvent discutables, n'est pas très glorieuse. Cela
pourrait bien provoquer une dangereuse remise en question de la
conscience nationale américaine ».

Cette « dangereuse remise en question » semble bien avoir eu lieu
au printemps 1968. Après l'attaque soudaine et inquiétante du Têt
menée par le Front national de libération, le général Westmoreland
demanda au président Johnson de lui envoyer deux cent mille
hommes supplémentaires, qui s'ajouteraient aux cinq cent vingt-
cinq mille déjà présents sur place. Johnson demanda conseil à un
petit groupe d'officiers de terrain. Ils étudièrent la situation et parvinrent à la conclusion que ces soldats supplémentaires « améri-
caniseraient » définitivement la guerre sans pour autant aider le
gouvernement de Saigon, tant ce dernier « ne semble pas souhaiter – et encore moins pouvoir – s'assurer le soutien ou la loyauté
nécessaires du peuple ». En outre, toujours selon ce rapport, l'envoi de troupes supplémentaires nécessiterait un recours à l'armée
de réserve et une augmentation du budget de la Défense, donc
plus de pertes humaines et plus d'impôts. « Le mécontentement
croissant – accompagné, comme il le sera assurément, de refus de
servir et de troubles urbains accrus par le sentiment que l'on
néglige les affaires intérieures – risque fort de provoquer une crise
nationale d'une ampleur inconnue jusque-là. »

Ces « troubles urbains accrus » faisaient sans doute allusion aux
soulèvements de certains Noirs qui, en 1967, avaient souligné – que
les acteurs en aient eu clairement conscience ou non – le lien entre
la guerre à l'étranger et la pauvreté aux États-Unis.

Il apparaît donc clairement dans les *Pentagon Papers* que la décision prise par Johnson, au printemps 1968, de refuser à Westmoreland des soldats supplémentaires, comme celle de ralentir pour
la première fois l'escalade des violences et les bombardements et de
se rendre à la table de négociations, fut grandement influencée par
tout ce que les Américains avaient pu faire pour exprimer leur
opposition à la guerre.

Lorsque Nixon devint président, il tenta lui aussi de faire croire
à l'opinion publique qu'il resterait insensible aux protestations.
Pourtant, il devint fou de rage lorsqu'un pacifiste manifesta seul
devant la Maison-Blanche. Le caractère hystérique des actions

conduites par Nixon à l'encontre des opposants – cambriolages, mises sur écoute, ouvertures du courrier – révèle l'emprise du mouvement pacifiste sur l'esprit des responsables nationaux.

Autre signe que les idées du mouvement pacifiste faisaient leur chemin dans l'opinion publique américaine : les jurés hésitaient de plus en plus à condamner les activistes pacifistes et les juges se mirent également à les traiter différemment. À Washington, en 1971, les juges acquittèrent certains manifestants pour des actes qu'ils auraient deux ans plus tôt jugés dignes de la prison. Les groupes pacifistes qui s'en prenaient aux bureaux d'incorporation, comme l'avaient fait avant eux les Quatre de Baltimore, les Neuf de Catonsville, les Quatorze de Milwaukee, les Cinq de Boston et d'autres, se voyaient dorénavant infliger – pour des actes identiques – des peines plus légères.

Le dernier de ces groupes, les Vingt-Huit de Camdem, était composé de prêtres, de religieuses et de laïcs qui avaient lancé une opération contre le bureau d'incorporation de Camdem (New Jersey) en août 1971. C'était exactement ce qu'avaient fait, quatre ans plus tôt, les Quatre de Baltimore, qui avaient tous été condamnés à plusieurs années de prison. Pourtant, dans le cas de Camdem, les accusés furent franchement acquittés par le jury. L'un des jurés, un chauffeur de taxi noir de trente-trois ans originaire d'Atlantic City, Samuel Braithwaite, avait passé près de onze ans dans l'armée. Il laissa une lettre à l'attention des accusés : « À vous, les médecins de l'âme armés des talents que Dieu vous a donnés, je dis bravo. Bravo pour tenter de guérir ces malades irresponsables, ces hommes qui ont été choisis par la population pour la gouverner et la diriger, ces hommes qui ont trompé la population en faisant pleuvoir la mort et la destruction sur une nation sans défense. [...] Vous êtes sortis pour faire votre part quand vos frères restent enfermés dans leur tour d'ivoire à regarder. [...] Un jour, dans un futur proche, la paix et l'harmonie pourraient régner sur toutes les nations du monde. »

Cela se passait en mai 1973. Les troupes américaines quittaient le Vietnam. C. L. Sulzberger, un correspondant du *New York Times* proche du gouvernement, écrivait : « Les États-Unis sortent grands perdants de cette guerre et les manuels d'histoire devront l'admettre. [...] C'est dans la vallée du Mississippi que nous avons perdu la guerre et non dans celle du Mékong. Les gouvernements successifs n'ont jamais su s'assurer le soutien nécessaire de l'opinion publique américaine. »

En vérité, les États-Unis avaient perdu la guerre à la fois dans la vallée du Mékong et dans celle du Mississippi. Il s'agissait de la première défaite évidente de l'empire américain édifié après la Seconde Guerre mondiale. Et cette défaite fut administrée à la fois par des paysans révolutionnaires à l'étranger et par un incroyable mouvement de protestation en Amérique même.

Quelques années auparavant, le 26 septembre 1969, le président Richard Nixon avait déclaré, devant l'activisme croissant du mouvement pacifiste à travers tout le pays, que « quelles que soient les circonstances [il ne se laisserait] jamais influencer par ce mouvement ». Pourtant, neuf ans plus tard, dans ses Mémoires, il admettait que ce mouvement l'avait contraint à abandonner ses plans d'intensification de la guerre : « Bien que continuant publiquement d'ignorer la furieuse controverse pacifiste, [...] je savais malgré tout que, à la suite des manifestations et des événements du Vietnam Moratorium Day, l'opinion publique américaine se retrouverait terriblement divisée par toute escalade militaire de la guerre. » Nous sommes là devant l'une des rares reconnaissances de la force de la protestation publique émises par un président.

Pourtant, d'un point de vue plus large, quelque chose d'autrement important encore s'était sans doute produit. Aux États-Unis même, la révolte ne se limitait plus à la seule question du Vietnam.

Chapitre VIII
Surprises

« **N**OUS VOTONS ? Mais qu'est-ce que cela change ? » s'interrogeait Helen Keller en 1911. À peu près à la même époque, Emma Goldman affirmait que « le suffrage universel [était] un fétiche moderne ». Et en effet, si les femmes votèrent au même titre que les hommes après 1920, elles conservèrent peu ou prou leur statut social subalterne.

Peu de temps après que les femmes eurent obtenu le droit de vote, on put juger de la véritable ampleur de cette avancée sociale à la simple lecture d'un article de Dorothy Dix publié dans plusieurs journaux du pays. La femme ne doit pas se contenter de s'occuper du foyer familial, assurait-elle. « L'épouse d'un homme est la vitrine grâce à laquelle il expose sa réussite sociale. [...] Les affaires les plus importantes se concluent bien souvent au cours des repas. [...] Nous invitons à dîner les gens qui peuvent nous faire progresser dans la société. [...] L'épouse qui sait cultiver un cercle de relations utiles, qui fréquente les clubs, qui sait être intéressante et se rendre agréable [...] est un atout majeur pour son mari. »

Au cours de leur enquête sur la ville de Muncie (Indiana) à la fin des années 1920, Robert et Helen Lynd notaient que le jugement porté sur une femme dépendait principalement de son comportement et de ses vêtements. Ils remarquaient également que les hommes, lorsqu'ils parlaient franchement des femmes, avaient « tendance à [les] juger plus pures et moralement supérieures aux hommes, mais malgré tout relativement dépourvues d'esprit pratique, émotives, instables, enclines aux préjugés, facilement choquables et parfaitement incapables d'affronter la réalité ou de mener une réflexion approfondie ».

Au début des années 1930, un écrivain vantait l'industrie des produits de beauté en commençant ainsi son article : « L'Américaine moyenne possède 1,5 mètre carré de peau. » Puis il évoquait les quarante mille instituts de beauté américains et les 2 milliards de chiffre d'affaires annuel de l'industrie du cosmétique. Tout cela lui semblait fort insuffisant : « Pourtant, les Américaines ne dépensent pas ne serait-ce que le cinquième de l'argent nécessaire à parfaire leur apparence. » Il énumérait ensuite les produits « annuellement indispensables à la beauté de toute femme » : douze massages à l'huile chaude, cinquante-deux masques faciaux, vingt-six épilations de sourcils, etc.

En fait, les femmes s'étaient montrées capables d'échapper au carcan de la femme au foyer, de la mère, de l'épouse, de l'idéal féminin et de l'isolement chaque fois que leur participation avait été absolument nécessaire, que ce soit dans l'industrie de guerre ou dans les mouvements sociaux. Dès que leur aide n'était plus indispensable, les hommes tentaient à nouveau de réenfermer ces femmes que l'on avait pourtant quasiment arrachées à leur prison – en liberté conditionnelle, en quelque sorte. C'est cela que le mouvement féministe entendait bien changer.

La Seconde Guerre mondiale augmenta la part du travail des femmes dans des proportions jamais atteintes auparavant. En 1960, 36 % des femmes de plus de seize ans (23 millions) étaient salariées. Mais parmi les 43 % de femmes ayant un emploi et des enfants, 2 % seulement bénéficiaient de places dans les crèches. Les autres devaient se débrouiller par leurs propres moyens. D'autre part, si les femmes représentaient 50 % de l'électorat, elles n'occupaient (même en 1967) que 4 % des sièges dans les assemblées législatives et 2 % des postes de juges. Le salaire moyen de la femme équivalait à un tiers seulement de celui de l'homme. Dans l'ensemble, le statut social des femmes ne semblait pas avoir beaucoup évolué depuis les années 1920.

En 1964, la sociologue et féministe Alice Rossi écrivait : « S'il n'y a pas d'antiféminisme déclaré dans notre société, ce n'est certes pas parce que l'égalité des sexes y est acquise, mais parce qu'il n'y a quasiment plus la moindre étincelle de féminisme chez les Américaines. »

C'est au sein du mouvement pour les droits civiques des années 1960 que l'on peut trouver les premiers indices de l'émergence d'une conscience collective féminine. Comme toujours dans les mouvements sociaux, les femmes se trouvaient en première ligne, mais comme simples soldats, jamais comme généraux. Au bureau du Student Nonviolent Coordinating Committee d'Atlanta

(SNCC), Ruby Doris Smith, une étudiante du Spelman College qui avait été emprisonnée durant les occupations de locaux, s'éleva contre la manière dont les femmes étaient systématiquement réduites aux travaux de secrétariat. Sandra Hayden et Mary King, également du SNCC, en firent autant. Les dirigeants masculins du SNCC les écoutèrent attentivement, étudièrent l'exposé de leurs revendications et les documents réunis pour les étayer, mais rien ne changea réellement. Ella Baker, forte personnalité de Harlem qui militait alors dans le Sud, admettait savoir ce qui l'attendait : « Je savais dès le départ qu'en tant que femme, et même vieille femme, au sein d'un groupe de religieux habitués à ce que les femmes les servent avec vénération, il n'était pas question que j'occupe un rôle de premier plan. »

Certaines femmes avaient pourtant joué un rôle crucial et pris des risques au cours des premières années de militantisme dans le Sud, et elles étaient considérées avec respect et admiration. La plupart d'entre elles étaient assez âgées, telles Ella Baker justement, Amelia Boynton de Selma (Alabama) ou « Mama Dolly » d'Albany (Géorgie). D'autres, plus jeunes – Gloria Richardson dans le Maryland, Annelle Ponder dans le Mississippi –, n'étaient pas seulement des militantes, mais également des meneuses. Des femmes de tous âges manifestaient et étaient emprisonnées. Fannie Lou Hammer, fermière à Ruleville (Mississippi), devint célèbre pour ses talents d'activiste et d'oratrice. Elle chantait des hymnes, manifestait de sa démarche claudicante (elle avait eu la polio étant enfant) et galvanisait les foules. « J'en ai marre d'en avoir marre ! » disait-elle souvent.

À peu près à la même époque, certaines femmes de la petite bourgeoisie blanche commencèrent à prendre la parole. Betty Friedan écrivit un livre prophétique, inspiré et inspirant : *The Feminine Mystique*. « Quel était ce malaise indicible ? Quels mots utilisaient-elles lorsqu'elles essayaient de l'exprimer ? Parfois, une femme disait : "Il m'arrive de me sentir vide [...], incomplète." Ou bien encore : "J'ai l'impression de ne pas exister." D'autres fois : "Un sentiment de fatigue. [...] Je suis si en colère après mes enfants que cela me fait peur. [...] Je pleure sans raison." »

Si Friedan ne parlait apparemment que de son expérience de ménagère de la petite bourgeoisie blanche, ce qu'elle exprimait concernait toutes les femmes : « Le problème restait enfoui, inexprimé dans l'esprit des Américaines. En ce milieu du XXᵉ siècle, les femmes américaines avaient un étrange sentiment d'insatisfaction, d'attente. Dans les banlieues, chaque femme luttait seule contre ce sentiment. Quand elle faisait les lits, les courses, quand elle mettait les housses sur les meubles, quand elle préparait des sandwichs au beurre de cacahuète pour ses enfants, quand elle était étendue aux côtés de son mari, elle s'effrayait de se poser à elle-même cette question : "Est-ce là tout ?" [...] Mais un matin d'avril 1959, dans une maison de banlieue à une vingtaine de kilomètres de New York, j'ai entendu évoquer sur un ton de profond désespoir "le problème" par une mère de quatre enfants qui prenait le café avec quatre autres mères. Immédiatement, sans l'exprimer, ces femmes comprirent qu'elle ne parlait pas d'un problème avec son mari, ses enfants ou son ménage. Elles prirent soudainement conscience qu'elles avaient toutes ce même problème – ce malaise indicible. Elles commencèrent à en parler prudemment. Plus tard, après avoir été chercher leurs enfants à la crèche pour la sieste, deux de ces femmes s'effondrèrent en larmes, soulagées de savoir qu'elles n'étaient plus seules. »

Cette « mystique » féminine dont parlait Friedan s'appuyait sur cet idéal de la femme comme mère et épouse, ne vivant que par son mari et par ses enfants et sacrifiant ses propres aspirations. Friedan en concluait que « l'unique façon pour une femme – comme pour un homme, d'ailleurs – de se retrouver, de se connaître elle-même en tant qu'individu, [était] de se réaliser dans un travail créatif qui lui soit propre ».

Durant l'été de 1964 à McComb (Mississippi), dans la Freedom House (local des droits civiques où les gens travaillaient et vivaient en communauté), les femmes se mirent en grève contre les hommes qui les reléguaient à la cuisine et au ménage pendant qu'ils allaient militer. À l'évidence, ce fameux sentiment dont parlait Friedan existait dans tous les milieux et quelle que soit la situation.

En 1949, les femmes représentaient déjà 40 % de la force de travail américaine, mais un grand nombre d'entre elles restaient confinées aux emplois de secrétaires, femmes de ménage, institutrices de l'enseignement élémentaire, vendeuses, serveuses ou infirmières. Les maris d'un tiers de ces femmes salariées gagnaient moins de 5 000 dollars par an.

Quant aux femmes non salariées, elles n'en travaillaient pas moins durement chez elles. Mais ce travail n'était pas considéré comme tel puisque la société capitaliste (ou plutôt la société moderne pour laquelle les biens et les individus ont une valeur marchande) ne reconnaît que le travail rémunéré. Au cours des années 1960, les femmes s'interrogèrent de plus en plus sur ce fait et Margaret Benston lui consacra un article, « The Political Economy of Women's Liberation ». Selon Benston, les femmes au foyer étaient en dehors du système économique moderne et leur statut s'apparentait donc à celui des serfs et des paysans d'autrefois.

Les femmes qui occupaient des emplois dits « féminins » – secrétaires, réceptionnistes, dactylos, vendeuses, femmes de ménage ou infirmières – subissaient exactement le même type d'humiliations que les hommes travaillant dans les emplois subalternes, humiliations auxquelles il faut ajouter les plaisanteries sur leur intelligence, leur statut symbolique d'objet sexuel, les grossièretés et le harcèlement sexuel, et enfin l'exigence d'efficacité supérieure à celle que l'on demandait aux hommes. Un manuel sur le *Rythme des activités de secrétariat* présentait un enchaînement de questions-réponses :

> *Question* – Je suis un homme d'affaires et ma secrétaire me semble terriblement lente. Combien de fois par minute doit-elle pouvoir ouvrir et refermer un tiroir contenant mes dossiers ?
> *Réponse* – Vingt-cinq fois exactement. Si vous vous inquiétez au sujet de ses activités à son poste de travail, confrontez-la à ces durées calibrées : se lever de sa chaise (33 dixièmes de seconde), se tourner sur son fauteuil à roulettes (9 centièmes de secondes).

Au début des années 1970, une ouvrière d'une usine de New Bedford (Massachusetts) travaillant dans une entreprise de taille moyenne (où les revenus annuels du président-directeur général s'élevaient à 325 000 dollars) témoignait dans un journal syndical que 9 % des employés de son service étaient des femmes, mais que la totalité des surveillants étaient des hommes. « Il y a quelques années, j'ai été suspendue pendant trois jours parce que je dois prendre sur mon temps de travail quand mes enfants sont malades. [...] Ce qu'ils veulent, ce sont des gens qui se tiennent tranquilles, qui se dénoncent les uns les autres et se conduisent comme de gentils petits robots. Ils ne semblent pas s'inquiéter du fait que de nombreuses personnes prennent des calmants avant même de commencer la journée et qu'il ne se passe pas une semaine sans que deux ou trois employés ne piquent une crise de nerfs. [...] Mais les choses sont en train de changer. Désormais, nombreux sont ceux qui s'expriment et exigent que leurs soi-disant patrons les traitent comme ils voudraient qu'on les traite eux-mêmes. »

Les choses étaient en effet en train de changer. Vers 1967, les femmes de différents mouvements – droits civiques, Étudiants pour une société démocratique, pacifistes – commencèrent à se regrouper entre femmes et *en tant que* femmes. Début 1968, lors d'un rassemblement des Femmes contre la guerre, des centaines de femmes portant des torches défilèrent dans l'Arlington National Cemetary pour accompagner ironiquement l'« enterrement de l'éternel féminin ». Dès cette époque, certains désaccords apparurent chez les militantes – et plus encore chez les militants : devaient-elles se battre sur des questions spécifiquement féminines ou continuer de s'inscrire dans des mouvements de protestation plus généraux contre le racisme, le capitalisme ou la guerre, par exemple. Quoi qu'il en soit, le féminisme prenait de plus en plus d'importance.

À l'automne 1968, le groupe des Radical Women se fit remarquer en manifestant contre l'élection de Miss Amérique, en qui elles voyaient un « idéal féminin tyrannique ». Elles jetèrent soutiens-gorge, porte-jarretelles, bigoudis, faux cils, perruques et autres objets du même genre, qu'elles qualifiaient d'« oripeaux féminins », dans la « poubelle de la liberté ». Une brebis fut ensuite intronisée Miss Amérique. C'est à partir de ce moment que l'on commença à parler de mouvement de « libération de la femme ».

Certaines Radical Women de New York formèrent peu après le WITCH[1] (Women's International Terrorist Conspiracy from Hell), dont les membres, déguisées en sorcières, firent une apparition surprise à la Bourse de New York. Selon leur tract, « dans toute femme, une Sorcière vit et ricane. Elle est l'être libre qui est en chacune de nous, derrière les sourires timides, l'acceptation de l'absurde domination masculine, le maquillage ou les vêtements qui torturent nos corps et que la société nous impose. Nulle n'est tenue de "rejoindre" les WITCH. Si vous êtes une femme et que vous osez regarder en vous-même, vous êtes une Sorcière et vous dictez vos propres règles ».

De leur côté, les Sorcières de Washington manifestèrent devant les locaux de la United Fruit Company pour protester contre ses activités dans le tiers-monde et contre le traitement réservé aux femmes employées par cette entreprise. À Chicago, elles protestèrent contre le licenciement de Marlene Dixon, une enseignante féministe.

Les femmes pauvres et les femmes noires exprimaient à leur manière le problème universel des femmes. En 1964, Robert Coles (*Children of Crisis*) s'entretenait avec une Noire originaire du Sud, récemment installée à Boston. Elle évoquait son désespoir, la difficulté d'accéder au bonheur : « Pour moi, le seul moment où je me sens vraiment en vie, c'est lorsque j'attends un enfant. »

---

1. *Witch* : sorcière.

Sans qu'il soit expressément question de féminisme, de nombreuses femmes des milieux pauvres firent comme elles avaient toujours fait. Elles se mobilisaient dans leurs quartiers pour combattre les injustices et obtenir les équipements et les services de première nécessité. Au milieu des années 1960, les dix mille habitants de Vine City, un quartier noir d'Atlanta, mirent sur pied un groupe d'entraide et une boutique de fripes, un centre médical, des repas communautaires mensuels, un journal et un service de conseil aux familles. L'une des responsables de cette opération, Helen Howard, évoqua quelques années plus tard cette période devant Gerda Lerner (*Black Women in White America*) : « J'ai lancé ce mouvement avec deux hommes et six femmes. Les débuts ont été assez difficiles. Mais des tas de gens nous ont rejoints un peu plus tard. Pendant près de quatre mois, on a fait des réunions presque tous les soirs. On a appris à travailler ensemble. […] Beaucoup de gens avaient peur de passer à l'action. On avait peur d'aller à l'hôtel de ville ou de s'adresser à un service social quelconque. On ne demandait jamais rien au propriétaire, on avait trop peur de lui. Alors on a fait des réunions et on n'avait plus aussi peur qu'avant. […] Pour obtenir le terrain de jeu, on a juste bloqué la circulation. On laissait personne passer, pas même le tramway. Tout le quartier y était. On passait des disques et on dansait. Ça a duré une bonne semaine. On ne s'est pas fait arrêter parce qu'on était trop nombreux. Alors la municipalité nous a fait ce terrain de jeux pour les enfants. »

Patricia Robinson écrivit un petit livre, *Poor Black Woman*, dans lequel elle établissait un lien entre la question féministe et la nécessité de changer fondamentalement la société : « La révolte de la femme noire et pauvre, ce marais de la hiérarchie sociale dont on n'a jamais parlé jusqu'ici, pose la question de savoir ce qu'elle exige et pour quel type de société elle est prête à se battre. Pour commencer, elle exige de pouvoir jouir du contrôle des naissances au même titre que les Blanches et la femme noire de la petite bourgeoisie. Elle est également consciente que le processus d'oppression se joue à deux et que, comme les autres pauvres, elle ne veut plus jouer. Elle est l'alliée de tous ceux qui, à travers le monde, ne possèdent rien, et elle soutient leurs luttes révolutionnaires. Les conditions historiques l'ont contrainte à soustraire ses enfants à la domination masculine, à les élever et à subvenir seule à leurs besoins. De ce fait, la domination et l'exploitation de la femme par l'homme s'est sérieusement affaiblie. En outre, elle a conscience que ses enfants sont voués à servir – comme tous les enfants pauvres de toute éternité – de mercenaires misérables et sous-payés dans le seul

but de maintenir et de promouvoir une élite toute-puissante. [...]
Comprenant tout cela, elle a d'ores et déjà commencé à remettre
en question la domination masculine et la société de classes qui la
sous-tend : le capitalisme. »

En 1970, Dorothy Bolden, blanchisseuse à Atlanta et mère de
six enfants, expliquait pourquoi elle avait commencé à militer
activement, en 1968, pour former la National Domestic Workers
Union : « J'estime que les femmes devraient être écoutées au sein
de leur communauté lorsqu'il s'agit d'améliorer les conditions de
vie. En effet, les femmes travaillent dur chez elles, et elles mettent
toute leur intelligence dans tout ce qu'elles font. Elles ont été trop
méprisées pendant trop d'années. J'estime, aujourd'hui, qu'on doit
les écouter. »

Même les joueuses de tennis protestèrent et une femme dut aller
en justice pour devenir la première femme jockey de l'histoire. Les
artistes femmes manifestèrent contre une exposition du Whitney
Museum, accusant un sculpteur de discrimination sexuelle. Les
femmes journalistes manifestèrent également devant le Giridon
Club de Washington, qui n'acceptait pas les femmes en son sein.
C'est en 1974 que démarrèrent les premières Women Studies :
quelque deux mille cours universitaires sur la question des femmes
furent proposés sur près de cinq cents campus.

De nombreux magazines et journaux féministes – locaux et
nationaux – virent le jour et les librairies durent consacrer un rayon
spécifique aux nombreux livres d'histoire des femmes qui parurent
à cette époque. Toutes les séries télévisées qui évoquaient également
la question – que ce fût pour ou contre le féminisme – révélèrent
l'ampleur du phénomène. Certaines publicités télévisées qui provoquaient la colère des féministes disparurent du petit écran.

En 1967, à la suite d'une intense campagne de sensibilisation
menée par les mouvements féministes, le président Johnson signa
un décret interdisant la discrimination sexuelle dans l'administration fédérale. Au cours des années suivantes, les groupes féministes
se mobilisèrent pour que ce décret soit appliqué dans les faits. Plus
d'un millier de procès furent intentés par la NOW (National Organization for Women, fondée en 1966) à des entreprises accusées de
discrimination sexuelle.

L'avortement devint à son tour l'une des questions majeures de
la société américaine. On pratiquait avant 1970 près d'un million
d'avortements chaque année, dont 10 % seulement étaient légalement autorisés. Environ un tiers des femmes qui avortaient – pour
la plupart issues des milieux les plus pauvres – étaient hospitalisées

à la suite de complications. On ne saura jamais exactement combien de milliers de femmes sont finalement mortes, victimes de ces avortements clandestins. Quoi qu'il en soit, le caractère illégal de l'avortement pénalisait surtout les femmes pauvres, les riches ayant le choix entre garder leur enfant ou avorter dans des conditions de sécurité suffisantes.

Entre 1968 et 1970, plusieurs actions en justice furent intentées dans une vingtaine d'États pour faire disparaître les lois interdisant l'avortement. En outre, l'opinion publique était de plus en plus en faveur du droit des femmes à décider elles-mêmes en dehors de tout contrôle gouvernemental. Dans le livre *Sisterhood is Powerful*, important recueil de textes féministes rédigés autour de 1970, un article de Lucinda Cisler, « Unfinished Business : Birth Control », affirmait que « l'avortement est un droit des femmes […], personne ne peut s'opposer à leur décision et les obliger à porter un enfant contre leur volonté ». Au printemps 1969, un sondage de l'institut Harris indiquait que 64 % des personnes interrogées pensaient que la décision concernant l'avortement était de l'ordre de la vie privée.

Finalement, en 1973, la Cour suprême décréta (Roe *vs* Wade, Doe *vs* Bolton) que l'État ne pouvait interdire l'avortement que dans les trois derniers mois de la grossesse, qu'il pouvait intervenir au cours du deuxième trimestre pour des raisons de santé et que, pendant le premier trimestre, la décision revenait à la femme et à son médecin.

Malgré le relatif immobilisme du gouvernement dans ce domaine et devant la forte demande des familles, des milliers de crèches coopératives furent ouvertes.

Les femmes commencèrent également à prendre ouvertement la parole sur la question du viol. Si environ cinquante mille viols étaient recensés chaque année, on en ignorait un nombre bien plus important. Les femmes se mirent à prendre des cours d'autodéfense. On protesta contre la manière dont la police traitait les femmes, les interrogeait ou les insultait lorsqu'elles déclaraient avoir été violées. Le livre de Susan Brownmiller, *Against Our Will*, fut un énorme succès. Cette analyse historique émouvante et indignée du viol prônait, entre autres, l'autodéfense tant individuelle que collective : « Répliquer. À divers niveaux, c'est l'engagement que nous devons prendre ensemble si nous voulons, nous les femmes, rétablir l'équilibre et balayer une bonne fois pour toutes, pour nous et pour les hommes, l'idéologie qui sous-tend le viol. Le viol doit être éradiqué – pas seulement évité ou contrôlé sur le plan individuel. L'approche de ce phénomène doit se faire sur le long terme et de manière collective. Elle doit être comprise et soutenue aussi bien par les hommes que par les femmes. »

De nombreuses femmes demandèrent qu'un amendement à la Constitution, l'ERA (Equal Rights Amendement), soit voté par un nombre suffisant d'États. Mais il était clair qu'un amendement ne suffirait pas. En effet, tout ce que les femmes avaient obtenu jusqu'alors l'avait été par l'action, la protestation et le militantisme. Même quand la loi s'avérait être d'une certaine aide, elle ne l'était que si le militantisme poussait à la roue. Shirley Chilsom, une représentante noire du Congrès, déclarait : « La loi ne peut pas le faire pour nous. Nous devons le faire nous-mêmes. Les femmes de ce pays doivent être révolutionnaires. Nous devons refuser d'assumer les vieux rôles et les vieux stéréotypes traditionnels. […] Nous devons remplacer les vieux modes de pensée négatifs concernant notre féminité par des manières positives de penser et d'agir. »

L'effet le plus profond du mouvement féministe des années 1960 – outre les victoires réelles sur l'avortement et l'égalité devant l'emploi – fut sans doute ce qu'on appela « la prise de conscience », souvent réalisée dans les « groupes de femmes » qui se réunissaient partout dans le pays. Elle entraîna une redistribution des rôles, le refus de l'infériorité, la confiance en soi, le sentiment d'une certaine communauté féminine, une nouvelle solidarité entre mères et filles. La poétesse Esta Seaton d'Atlanta écrivit *Her Life* :

> *Voici l'image qui reste en moi :*
> *Ma jeune mère, à peine dix-sept ans,*
> *Cuisinant leur repas cascher sur le poêle à charbon,*
> *Ce premier hiver dans le Vermont,*
> *Et mon père, muré dans ses sentiments,*
> *Sauf lorsqu'il criait,*
> *Mangeant pour lui prouver son amour.*
>
> *Cinquante ans plus tard son regard bleu devenu glacé*
> *Par le souvenir de cette maison grise*
> *Et les bébés les uns après les autres.*
> *Et le docteur qui lui disait :*
> *« Si vous n'en voulez plus,*
> *Il faut quitter cette maison. »*

Pour la première fois, on se mit à discuter ouvertement de la spécificité biologique des femmes. Certains théoriciens du féminisme (Shulamith Firestone dans *The Dialectics of Sex*, par exemple) pensaient qu'il s'agissait d'un élément plus fondamental que le système économique pour expliquer l'oppression que subissaient les femmes. On se libérait en parlant de ce qui était resté si longtemps caché, secret, honteux et embarrassant : les règles, la masturbation, la ménopause, l'avortement et l'homosexualité. Un recueil d'articles rédigés par onze femmes du Boston Women's Health Book Collective, *Our Bodies, Ourselves*, eut un impact énorme au début des années 1970. Il donnait un nombre extraordinaire d'informations pratiques sur l'anatomie féminine, sur la sexualité et les relations sexuelles, sur l'homosexualité féminine, sur l'alimentation et la santé, sur le viol, l'autodéfense, les maladies vénériennes, la contraception, l'avortement, la grossesse, la procréation et la ménopause. Mais, plus importants encore que ces informations, les photos, l'exploration franche de tout ce qui était resté tu jusque-là, un sentiment d'exubérance, de plaisir du corps, une joie de mieux se comprendre, de former une communauté féminine avec toutes les femmes, quel que soit leur âge, illuminaient ce livre. Les auteurs citaient la suffragette anglaise Christabel Pankhurst :

> *N'oublie pas la dignité*
> *D'être une femme.*
> *N'appelle pas au secours,*
> *Ne supplie pas,*
> *Ne rampe pas.*
> *Reprends courage et*
> *Saisis nos mains,*
> *Reste à nos côtés.*
> *Combats avec nous.*

Pour de nombreuses femmes, ce combat commençait forcément par ce corps qui leur semblait être à l'origine de leur exploitation – comme objet sexuel (faible et incompétent), comme génitrice (démunie), comme femme entre deux âges (à la beauté déclinante) et pour finir comme femme âgée (négligée et rejetée). Une prison biologique créée par les hommes et la société. Selon Adrienne Rich (*A Woman Born*) : « On maîtrise les femmes en [les] enchaînant à leurs propres corps. » Elle ajoutait : « Je garde le souvenir précis du lendemain de mon mariage. J'ai lessivé le sol. Sans doute le sol n'en avait-il pas besoin mais je ne savais pas quoi faire d'autre. Pendant que je lessivais ce sol, je pensais : "Maintenant je suis une femme. C'est un acte ancestral. C'est ce que les femmes ont toujours fait." Je me sentais liée à d'anciennes traditions. Trop anciennes pour être remises en cause. *C'est ce que les femmes ont toujours fait.* Dès que j'ai été visiblement et assurément enceinte, je me suis sentie, pour la première fois de toute ma vie, innocente. Cette atmosphère d'approbation dans laquelle je baignais – même de la part des passants dans la rue, me semblait-il – était comme une aura qui me suivait partout et par laquelle les doutes, les peurs, les méprises étaient complètement abolies. *C'est ce que les femmes ont toujours fait.* »

Rich affirmait également que les femmes devaient considérer leur corps « comme une ressource et non comme une fatalité ». Les systèmes patriarcaux, disait-elle, qu'ils soient capitalistes ou « socialistes », emprisonnent le corps féminin dans les limites fixées par leurs propres besoins. Elle analysait l'apprentissage de la passivité chez les femmes. Des générations d'écolières avaient été éduquées à la lecture de *Little Women*, livre dans lequel la mère de Jo lui dit : « Je suis en colère presque chaque jour de ma vie, Jo, mais j'ai appris à ne pas le montrer. J'espère apprendre à ne plus l'être, mais il va me falloir peut-être encore quarante ans pour cela. »

Dans cette « ère de procréation assistée et technicisée », les médecins hommes utilisaient des instruments pour mettre au monde les enfants en lieu et place des mains sensibles des sages-femmes d'autrefois. Rich n'était pas d'accord avec sa camarade féministe Firestone, qui voulait changer le caractère inévitablement biologique de la maternité sous prétexte qu'elle était douloureuse et à l'origine de la soumission féminine. Rich pensait au contraire que, dans des conditions sociales différentes, l'accouchement pouvait être une source de joie physique et spirituelle.

Rich affirmait en outre qu'on ne pouvait pas prétendre que l'ignorance de Freud concernant les femmes n'était que le « point aveugle » de sa théorie, comme si sur tout le reste sa vision était parfaitement claire. Une telle ignorance des femmes mettait forcément en cause tout son travail. Il existait, selon Rich, un dilemme du corps : « Je ne connais pas de femme – vierge, mère, lesbienne, célibataire, mariée –, qu'elle soit femme au foyer, serveuse ou échographe, pour qui le corps ne représente pas un problème fondamental : sa signification obscure, sa fertilité, ses désirs, sa prétendue frigidité, son langage de sang, ses silences, ses bouleversements et ses mutilations, les viols qu'il subi et son vieillissement. »

En réponse, Rich préconisait « la repossession [des] corps [...] dans un monde où chaque femme serait le génie qui préside à son propre corps ». Repossession fondamentale afin de ne pas se contenter de mettre des enfants au monde mais également de nouveaux idéaux, un nouveau sens à la vie, un nouveau monde.

Pour toutes les femmes qui n'étaient pas forcément des intellectuelles, la question était encore plus concrète : comment éliminer

la faim, la soumission, la souffrance et l'humiliation, ici et maintenant. Une certaine Johnnie Tillmon écrivit en 1972 : « Je suis
femme. Je suis noire. Je suis pauvre et je suis grosse. Je suis d'âge
moyen. Et je touche des allocations sociales. [...] J'ai élevé six
enfants. [...] J'ai grandi en Arkansas, où j'ai travaillé quinze ans
dans une blanchisserie avant de venir en Californie. En 1963, je
suis tombée trop malade pour pouvoir continuer à travailler. Des
amis m'ont aidée à obtenir des aides sociales. Les allocations, c'est
comme les accidents de la route, ça peut arriver à n'importe qui,
mais ça arrive surtout aux femmes. Et c'est pour ça que les allocations sociales sont un problème féminin. Pour pas mal de femmes
des classes moyennes de ce pays, la libération de la femme est une
question de prise de conscience. Pour celles qui vivent avec les
allocations, c'est une question de survie. »

Selon elle, les prestations sociales représentaient une forme de
« mariage super sexiste. Vous échangez *un homme* contre *l'Homme.*
L'homme décide de tout [...] C'est lui qui gère votre argent. »
Johnnie Tillmon et d'autres femmes vivant la même situation fondèrent le National Welfare Rights Organization. Elles réclamaient
que les femmes soient payées pour leurs activités : faire le ménage,
élever les enfants. « Aucune femme ne sera libre tant que toutes les
femmes n'auront pas cessé de vivre à genoux. »

Dans la question féministe, on trouvait en germe une solution
susceptible de répondre non seulement à l'oppression des femmes,
mais également à toutes les oppressions. Le contrôle exercé par la
société sur les femmes était d'une redoutable efficacité, mais l'État
ne l'exerçait pas directement. C'est la famille qui en était chargée :
l'autorité des hommes sur les femmes, celle des femmes sur les
enfants. Tous se préoccupant les uns des autres, se demandant de
l'aide, s'accusant en cas de problème, voire exerçant des violences
mutuelles quand rien n'allait vraiment plus. Ne pouvait-on faire
autrement ? Les femmes pouvaient-elles se libérer elles-mêmes ? Et
les enfants ? Les deux sexes pourraient-ils tenter de mieux se comprendre et rechercher dans la société extérieure l'origine de leur
soumission plutôt que de se la reprocher mutuellement ? Ils
seraient alors en mesure de tirer une certaine force de leurs relations et de faire naître ainsi des millions d'embryons de révoltes.
Ils pourraient dès lors bouleverser les modes de pensée et de comportement à l'intérieur même du carcan familial sur lequel le système comptait tant pour accomplir sa mission de maintien de
l'ordre et d'endoctrinement. Peut-être pourraient-ils ensemble –
homme, femme, parents, enfants – entreprendre de changer en
profondeur la société elle-même ?

C'était, nous l'avons dit, une époque de révoltes. Si l'on pouvait envisager une révolution au sein de la plus subtile et de la plus complexe des prisons – la famille –, on pouvait alors également s'attendre à ce que des émeutes éclatent dans la plus brutale et la plus évidente d'entre elles : le système carcéral. Dans les années 1960 et au début des années 1970, ces émeutes se multiplièrent, présentant, en outre, un caractère politique inédit et une violence de type lutte des classes. L'apogée de ces soulèvements carcéraux eut lieu en septembre 1971 dans la prison d'Attica (État de New York).

L'institution de la prison s'était mise en place aux États-Unis à la suite d'une réforme voulue par les quakers pour remplacer la mutilation, la pendaison ou l'exil (châtiments classiques de l'époque coloniale). De l'isolement carcéral devaient naître le repentir et le salut. Mais les prisonniers sombraient le plus souvent dans la folie et mourraient finalement assez vite. Au XIXe siècle, le système carcéral américain reposait sur le travail forcé agrémenté de divers châtiments : le cachot, les fers et l'isolement. L'objectif général de ce système fut résumé par le directeur de la prison d'Ossining à New York : « Pour réformer un criminel, il vous faut d'abord briser son esprit. » Cette approche se perpétua très longtemps.

Les autorités pénitentiaires se réunissaient chaque année pour se congratuler mutuellement sur les progrès accomplis. Lors du discours inaugural de 1966, le président de l'American Correctionnal Association commenta en ces termes la nouvelle édition du *Manual of Correctionnal Standards* : « Il nous autorise à nous attarder, si nous le souhaitons, aux portes du Walhalla correctionnel avec une juste fierté du travail magnifiquement accompli ! Nous pouvons être fiers, satisfaits et heureux ! » Cette déclaration fut faite au beau milieu d'émeutes carcérales qui allaient être suivies de la plus impressionnante période de révoltes de détenus que le pays eût jamais connue.

Il y avait toujours eu des révoltes dans les prisons. Une vague d'émeutes s'était achevée dans les années 1920 avec le soulèvement des mille six cents détenus de la prison de Clinton (État de New York) qui prit fin avec la mort de trois prisonniers. Entre 1950 et 1953, plus de cinquante soulèvements importants se produisirent dans les prisons américaines. Au début des années 1960, les membres d'une équipe de condamnés aux travaux forcés utilisèrent leurs masses pour se briser les jambes afin d'attirer l'attention sur les violences quotidiennes qu'ils subissaient.

La prison de San Quentin (Californie), qui comptait quatre mille détenus, connut également une série d'émeutes à la fin des années 1960 : une émeute raciale en 1967, une grève générale des détenus, noirs et blancs confondus, au début de 1968, qui fit cesser pratiquement toute l'activité industrielle carcérale, puis une seconde révolte durant l'été de la même année.

À l'automne 1970, les prisonniers prirent le contrôle de la maison d'arrêt de Queens à Long Island. Ils prirent des otages et firent part de leurs revendications. Le comité de détenus chargé de la négociation était composé d'un Portoricain, quatre Noirs et un Blanc. Ils exigeaient des auditions immédiates de mise en liberté sur parole concernant quarante-sept cas de détenus qu'ils estimaient faire l'objet de discrimination raciale. Les juges se rendirent à la prison, accordèrent quelques libertés conditionnelles et réductions de peine. Les otages furent relâchés mais, lorsque les prisonniers s'obstinèrent, la police mit fin à la révolte en faisant irruption dans la prison avec gaz lacrymogènes et matraques.

Presque au même moment, en novembre 1970, ce fut le tour de la prison de Folsom (Californie). La grève qui toucha cette prison reste la plus longue de l'histoire américaine. La plupart des deux mille quatre cents détenus demeurèrent dans leurs cellules pendant environ trois mois, sans nourriture, malgré les menaces et les intimidations. La grève fut finalement brisée par un mélange de brutalités et de fausses promesses. Quatre prisonniers furent changés de prison et durent faire quatorze heures de route, enchaînés et complètement nus, dans un fourgon de police. L'un des protagonistes de cette révolte écrivit ensuite : « La prise de conscience a eu lieu. [...] La graine est semée. »

Les prisons américaines avaient été longtemps le reflet accentué du système américain lui-même : l'incroyable écart caractérisant les modes de vie des riches et des pauvres, le racisme, l'instrumentalisation des opprimés les uns contre les autres, l'absence de liberté de parole pour les classes les plus défavorisées, les éternelles « réformes » qui ne changent pratiquement rien. Dostoïevski ne disait-il pas que le « degré de civilisation d'une société [pouvait] se juger à l'état de ses prisons » ?

Ce n'était que trop vrai, et les prisonniers américains le savaient mieux que quiconque. Plus vous étiez pauvre, plus vous aviez de chance de finir en prison. Non seulement parce que les pauvres commettaient plus de crimes que les riches – qui n'avaient pas besoin de se mettre hors la loi pour obtenir ce qu'ils désiraient –, mais aussi parce que, même lorsque les riches commettaient des crimes, ils n'étaient le plus souvent pas poursuivis. Et quand ils l'étaient, ils bénéficiaient d'une rapide mise en liberté sur parole, s'offraient les meilleurs avocats et obtenaient des juges des peines plus légères. En fin de compte, le public des prisons se composait essentiellement de détenus pauvres et noirs.

En 1969, il y eut cinq cent deux condamnations pour fraude fiscale. De tels crimes sont d'ordinaire le fait de gens relativement riches. Seuls 20 % de ces condamnations se concluent par des emprisonnements. Ces fraudes fiscales portaient en moyenne sur 190 000 dollars et la peine était en général de sept mois. La même année, 60 % des condamnations pour cambriolage ou vol de voiture (crimes le plus souvent commis par des pauvres) se soldèrent par des emprisonnements. Le montant moyen estimé des vols de voitures s'élevait à 992 dollars et la peine était en général de dix-huit mois. Pour les cambriolages : 321 dollars en moyenne et trente-trois mois de prison.

Dans son livre *Partial Justice*, le psychiatre Willard Gaylin fait état d'un cas qui, à quelques détails près, peut être répété des milliers de fois. Après avoir rencontré dix-sept témoins de Jéhovah réfractaires de la guerre du Vietnam et condamnés en conséquence à deux ans d'emprisonnement, il interviewa un jeune Noir ayant informé son centre d'incorporation qu'il ne pouvait, en conscience, faire la guerre. Il fut condamné à cinq ans de prison. Gaylin se souvient : « Hank était la première condamnation à cinq ans d'emprisonnement que je rencontrais. Mais il était aussi le premier Noir. » Dans son cas, d'autres facteurs avaient joué :

— Comment étais-tu coiffé ? ai-je demandé.
— À l'afro.
— Et qu'est-ce que tu portais ?
— Une tunique africaine.
— Tu penses que ça a joué pour la sentence ?
— C'est sûr.
— Ça valait de perdre une année ou deux de ta vie ?
— C'est toute ma vie, dit-il en me regardant avec un mélange d'étonnement et de confusion. Mec, tu te rends pas compte ? C'est exactement de ça qu'il s'agit ! Est-ce que oui ou non je suis libre d'avoir mon style ? Est-ce que j'ai le droit d'avoir mes cheveux ? Est-ce que j'ai le droit d'avoir ma couleur de peau ?

Gaylin découvrait l'immense liberté laissée aux juges pour fixer les peines. Dans l'Oregon, sur trente-trois hommes accusés d'avoir enfreint la loi d'incorporation, dix-huit bénéficièrent d'une liberté surveillée. Pour le même délit, dans le sud du Texas, aucun des seize accusés n'en bénéficia et dans le sud du Mississippi tous les accusés furent condamnés, dont certains à cinq ans d'emprisonnement. À un bout du pays (la Nouvelle-Angleterre), la durée moyenne de la peine, tous cas confondus, était de onze mois ; à l'autre bout (dans le Sud), elle était de soixante-dix-huit mois. Mais il ne s'agissait pas simplement d'une question de Nord ou de Sud. À New York, un juge ayant vu comparaître devant lui six cent soixante-treize cas d'ivresse sur la voie publique (tous des pauvres : les riches boivent chez eux) en acquitta cinq cent trente et un alors que, pour le même délit, un autre juge n'en acquitta qu'un sur cinq cent soixante-six.

Face à un tel pouvoir de décision abandonné aux tribunaux, les pauvres, les Noirs, les étrangers, les homosexuels et les radicaux avaient peu de chances de se voir traités équitablement par des juges pour la plupart blancs, issus de la bourgeoisie et conservateurs.

En 1972, par exemple, il y avait environ trois cent soixante-quinze mille détenus dans les prisons (municipales ou de comté) et dans les pénitenciers (fédéraux ou d'État) ainsi que cinquante-quatre mille adolescents en détention, auxquels il faut ajouter neuf cent mille individus en liberté surveillée et trois cent mille en liberté conditionnelle – soit un million six cent mille individus concernés par la justice criminelle américaine. Si l'on prend en compte le phénomène de roulement, c'était plusieurs millions de personnes qui entraient et sortaient de ce système chaque année. La population carcérale était quasiment « invisible » pour la petite bourgeoisie américaine : si vingt millions de Noirs étaient restés également « invisibles » pendant tant d'années, pourquoi pas quatre ou cinq millions de « criminels » ? Une enquête menée par le Children Defense Fund (le *Children in Jail* de Thomas Cottle) au milieu des années 1970 révélait que plus de neuf cent mille jeunes de moins de seize ans passaient par la prison chaque année.

Il est relativement difficile de décrire la réalité des prisons. Un détenu de la prison de Walpole (Massachusetts) écrivait : « Tout programme qu'on nous impose est immédiatement retourné contre nous comme une arme. Le droit d'aller à l'école, à l'église, d'avoir des visites, d'écrire, de voir des films. Tout ça est utilisé comme une arme ou comme une punition. Aucun de ces programmes ne nous appartient réellement. Tout devient un privilège qui peut nous être ôté à tout moment. Il en découle un sentiment d'insécurité, de frustration, qui ne cesse de nous ronger. »

Écoutons un autre détenu de Walpole : « Je n'ai pas mangé à la cantine depuis quatre ans. Je ne pouvais plus supporter ça. Quand on venait faire la queue au service du matin, les cafards s'enfuyaient par centaines des plateaux. Les plateaux étaient graisseux et la nourriture était soit crue soit pourrie et pleine de vers. Il y a des nuits où j'ai vraiment faim parce que je ne mange que des sandwichs ou du beurre de cacahuète avec une tranche de pain ou une bouchée de n'importe quoi par-ci par-là. D'autres types ne peuvent même pas avoir ça parce qu'ils n'ont pas mon réseau ou pas d'argent pour cantiner. »

La communication avec le monde extérieur était très difficile. Les gardiens déchiraient les lettres. D'autres lettres pouvaient être interceptées et lues. Jerry Sousa, incarcéré à Walpole en 1970, adressa deux courriers – l'un au juge et l'autre au bureau des libérations sur parole – pour se plaindre des gardiens qui le battaient. Il ne reçut jamais de réponse. Huit ans plus tard, il découvrit lors d'une audience au tribunal que les autorités de la prison avaient intercepté et gardé ses lettres.

Les familles des détenus souffraient également : « Lors de ma dernière détention, mon fils de quatre ans a marché sur la pelouse pour me cueillir une fleur. Le gardien a vu ça de son mirador et il a appelé le bureau de surveillance. Un surveillant est arrivé avec un représentant de la police d'État pour dire que, si un autre gamin s'avisait de marcher sur la pelouse et de cueillir des fleurs, toutes les visites seraient suspendues. »

Les émeutes carcérales de la fin des années 1960 et du début des années 1970 étaient différentes des précédentes. Les détenus de la maison d'arrêt de Queens se revendiquaient « révolutionnaires ». Dans tout le pays, les prisonniers étaient manifestement touchés par le bouleversement général de la société américaine, la révolte des Noirs, l'irruption de la jeunesse dans la société et le mouvement pacifiste.

Les événements de ces années-là mirent en relief ce que les détenus ressentaient profondément : quels que soient leurs délits, les pires crimes étaient le fait des autorités qui contrôlaient le système carcéral, c'est-à-dire le gouvernement des États-Unis. Le Président violait quotidiennement la loi en envoyant des bombardiers tuer et des soldats se faire tuer, au mépris de la Constitution et de « la loi suprême du pays ». L'État et les autorités locales violaient aussi quotidiennement les droits civiques de la population noire mais n'étaient jamais poursuivis.

C'est également ce système qui condamna à trente ans de prison Martin Sostre, cinquante-deux ans, qui tenait une librairie afro-asiatique à Buffalo (État de New York). Sostre était accusé d'avoir vendu de l'héroïne à un informateur de police qui revint pourtant par la suite sur son témoignage. Ce dernier fait ne changea rien au sort de Sostre car il ne trouva aucune cour de justice – Cour suprême comprise – pour casser le jugement. Il passa huit ans en prison où il fut continuellement roué de coups par les gardiens, qu'il ne cessa de défier jusqu'à sa libération.

Il y avait toujours eu aux États-Unis des prisonniers politiques, des individus emprisonnés pour leur appartenance à des mouvements radicaux ou pour leur opposition à la guerre. Pourtant, un nouveau type de prisonnier politique apparut : le condamné (ou la condamnée) de droit commun dont la conscience politique s'éveillait en prison. Certains prisonniers se mirent à établir un lien entre leur destin personnel et le système social. Au lieu d'entreprendre des actes individuels, ils se lancèrent alors dans des actions collectives. Malgré un environnement caractérisé par une extrême brutalité, qui exigeait que l'on prît soin de sa propre sécurité, et une rivalité de tous les instants, ils se sentaient concernés par les droits et la sécurité des autres détenus.

George Jackson fut l'un de ces nouveaux prisonniers politiques. Détenu à la prison de Soledad (Californie), où il avait déjà effectué dix ans pour un vol évalué à 70 dollars, Jackson se mua en révolutionnaire. La violence de ses propos reflétait celle de ses conditions de détention : « Ce monstre – le monstre qu'ils ont engendré en moi – se retournera contre son créateur pour son malheur. Du fond de la tombe, du trou, du plus profond du trou. Précipitez-moi dans l'autre monde, la descente aux enfers n'y changera rien. […] Ils me le paieront de leur sang. Je chargerai comme un éléphant blessé, fou de rage, les oreilles déployées, la trompe dressée, barrissant de fureur. […] C'est la guerre sans merci. »

Un prisonnier de ce calibre ne pouvait pas survivre longtemps. Lorsque son livre, *Soledad Brother*, devint l'un des livres les plus lus par les mouvements favorables aux Noirs américains, par les prisonniers, par les Noirs et par les Blancs, il devint évident qu'il risquait sa peau.

« Toute ma vie, j'ai fait exactement ce que je voulais faire lorsque je voulais le faire, rien de plus, parfois moins que je ne souhaitais, mais jamais plus. Et c'est pour cela que je suis en prison. […] Je ne me suis jamais rangé et je refuse toujours de le faire aujourd'hui alors que j'ai déjà passé la moitié de ma vie en prison. »

Il savait ce qui allait lui arriver : « Né pour mourir avant l'heure, domestique, salarié précaire, homme des petits boulots dégueulasses, balayeur, enchaîné, homme de fond de cale, privé de sa liberté – c'est moi, la victime coloniale. Toute personne passant aujourd'hui les concours de la fonction publique peut avoir ma peau demain […], dans la plus complète impunité. »

En août 1971, il fut abattu dans le dos par un surveillant de la prison de San Quentin au cours d'une prétendue tentative d'évasion.

La version donnée par l'État (analysée dans le détail par Eric Mann dans son livre *Comrade George*) était pleine de lacunes et d'inexactitudes. Tous les prisonniers des prisons et des pénitenciers savaient – avant même le rapport final d'autopsie et avant que des éléments de dernière heure ne viennent suggérer un complot des autorités pour se débarrasser de Jackson – qu'il avait été assassiné pour avoir osé appeler à la révolution de sa prison. Peu après la mort de Jackson, une vague d'émeutes éclatèrent à travers le pays : à la centrale de San Jose, dans la prison du comté de Dallas, dans celle de Suffolk, à Boston, dans le comté de Cumberland (New Jersey) et à San Antonio (Texas). La conséquence immédiate de la mort de George Jackson fut le soulèvement de la prison d'Attica en septembre 1971, une révolte nourrie de ressentiments profonds et anciens qui éclata à la nouvelle de la mort de Jackson. Attica était entourée par un mur de neuf mètres de haut et de soixante centimètres d'épaisseur, surveillé par quatorze miradors. 54 % des détenus étaient des Noirs, 100 % des surveillants étaient blancs. Les prisonniers passaient entre quatorze et seize heures par jour dans leurs cellules, leur courrier était surveillé, leurs lectures contrôlées, les visites des familles se déroulaient à travers un grillage, les soins médicaux étaient misérables et le système de remise en liberté surveillée parfaitement inéquitable. Le racisme était roi, l'arbitraire était loi. Le complet décalage entre la direction de la prison et ce que vivaient concrètement les détenus se mesure aisément à la lecture d'une déclaration du superintendant de la prison d'Attica pendant l'émeute : « Mais enfin, pourquoi détruisent-ils leur propre maison ? »

La plupart des détenus d'Attica se trouvaient là à la suite d'une procédure de peine négociée entre les deux parties. Seules quatre à cinq mille condamnations, sur les trente-deux mille annuelles pour l'État de New York, faisaient l'objet d'un véritable procès. Le reste (près de 75 %) était traité selon la procédure imposée dite de « peine négociée », ainsi décrite dans le rapport du comité interparlementaire sur le crime à New York : « L'acte final de la procédure de peine négociée est une vaste supercherie qui rivalise elle-même de malhonnêteté avec le crime dont il est question dans bien des cas. L'accusé est contraint de reconnaître publiquement sa culpabilité pour un crime que, bien souvent, il n'a pas commis – certains allant jusqu'à s'accuser de crimes inexistants. Il doit ensuite préciser qu'il a avoué sans y être contraint [...] et sans qu'on lui ait fait aucune promesse en retour. Dans la peine négociée, l'accusé plaide coupable, qu'il le soit ou non, épargnant ainsi à l'État, contre la promesse d'une réduction de sa condamnation, la peine d'avoir à le juger. »

Lorsque les détenus d'Attica étaient entendus pour décider de leur libération conditionnelle, le temps moyen de l'audience, temps de lecture du dossier et de délibération entre les trois membres de la commission compris, était de cinq minutes et cinquante-quatre secondes. La décision était ensuite communiquée au détenu sans autre explication.

Le rapport officiel sur l'émeute d'Attica révèle qu'un cours de sociologie donné à certains détenus s'était progressivement transformé en véritable forum où l'on échangeait des points de vue sur ce qui devait être changé. Puis une série de manifestations furent organisées et, en juillet, un manifeste rédigé par les détenus énuméra une série de revendications relativement modérées. Ensuite, « les tensions à l'intérieur de la prison d'Attica s'accrurent », culminant lors d'une journée de protestation contre le meurtre de George Jackson, au cours de laquelle la plupart des détenus refusèrent de manger et portèrent un brassard noir en signe de deuil.

Le 9 septembre 1971, après une série de conflits entre prisonniers et gardiens, quelques prisonniers réussirent à sortir de leur baraquement et investirent l'une des quatre cours de la prison, prenant quarante gardiens en otages. Au cours des cinq jours suivants, les prisonniers retranchés dans cette cour formèrent une étrange communauté. Un groupe d'observateurs extérieurs fut invité par les prisonniers. Parmi eux se trouvait Tom Wicker, journaliste au *New York Times*. Il écrivit ensuite dans son livre *A Time to Die* : « L'harmonie raciale qui régnait parmi les prisonniers était parfaitement stupéfiante. [...] Cette cour de prison est le premier endroit que j'aie jamais vu où il n'y eût aucun racisme. » Un détenu noir déclara également plus tard : « Je ne pensais vraiment pas que les Blancs s'y feraient. [...] Mais j'ai du mal à dire à quoi cette cour ressemblait. J'ai pleuré à l'idée que nous étions tous si proches. Tous unis. »

Au bout de cinq jours, l'État perdit toute patience. Le gouverneur Nelson Rockefeller approuva l'idée d'une opération militaire contre la prison (il faut voir à ce sujet le formidable film de Cinda Firestone, *Attica*). La garde nationale, les gardiens de la prison et la police locale se livrèrent, armés de fusils automatiques, de carabines et de mitraillettes, à une attaque en règle des prisonniers désarmés, faisant trente et un morts. Les premières informations livrées à la presse par les autorités carcérales prétendaient que neuf gardiens retenus en otages avaient été égorgés par les prisonniers pendant l'assaut. Les autopsies officielles démontrèrent immédiatement qu'il s'agissait d'un pur mensonge : les neuf gardiens avaient été victimes des mêmes tirs en rafales que les prisonniers.

Les conséquences des événements d'Attica sont difficiles à déterminer. Deux mois après ce soulèvement, les prisonniers de la prison de Norfolk (Massachusetts) se mobilisaient à leur tour. Le 8 novembre 1971, des gardiens armés et des policiers de l'État avaient effectué une opération surprise dans les cellules de Norfolk à la suite de laquelle seize prisonniers avaient été conduits dans d'autres prisons. Un détenu décrit la scène : « Entre une heure et deux heures du matin, je me suis réveillé (je ne dors plus très bien depuis le Vietnam) et j'ai regardé par la fenêtre. Il y avait des soldats et des matons. Il y en avait des masses. Ils avaient des flingues et des grosses matraques. Ils rentraient dans les dortoirs et ils viraient les gens. N'importe lesquels. [...] Ils ont pris un de mes copains. [...] Après, deux soldats et un gardien m'ont traîné dehors vers une heure et demie, en sous-vêtements et les pieds nus. En regardant ces soldats avec leurs fusils, leurs masques et leurs matraques, la lumière de la lune se reflétant sur les casques, on pouvait voir la haine sur leurs visages. Rien que de penser que c'est avec ça que ces mecs vivaient – avec les armes et la haine et les casques et les masques –, et vous en train d'essayer de vous réveiller, ça faisait penser à Kent State et à George Jackson, à Chicago et à Attica. Surtout à Attica. »

La même semaine, la prison de Concord (Massachusetts) fit l'objet d'un autre raid policier. Comme si, dans les semaines qui suivirent les événements d'Attica, les autorités avaient voulu prévenir et briser toute tentative d'organisation de prisonniers. À Concord, Jerry Sousa, un jeune meneur du Mouvement pour la réforme dans les prisons, fut expulsé de sa cellule, conduit immédiatement à la prison de Walpole et incarcéré au bloc 9, une unité d'isolement effroyable. Assez rapidement, il s'arrangea pour faire parvenir un rapport à des amis. Le contenu de ce rapport en dit long sur ce qui se passait dans l'esprit des prisonniers avant et après les événements d'Attica :

> Voici un terrible rapport sur les circonstances et les événements qui ont entraîné la mort du détenu Joseph Chesnulavich, il y a environ une heure, dans le bloc 9.
> Depuis la veille de Noël, ces vicelards de surveillants du bloc 9 font régner la terreur sur nous. Quatre d'entre nous ont été roués de coups, en particulier le détenu Donald King. Pour échapper au harcèlement continuel et aux traitements inhumains, le prisonnier George Hayes a avalé des lames de rasoir et Fred Arshen une aiguille. [...] Tous les deux ont été transportés d'urgence au Mass General Hospital. Vers six heures ce soir, les gardiens Baptist, Sainsbury et Montiega ont vidé le contenu d'un

extincteur sur Joe et l'ont enfermé dans sa cellule avant de partir
en hurlant qu'ils auraient « la peau de ce minable ». À neuf heures
vingt-cinq, Joe a été trouvé mort dans sa cellule. [...] Les
autorités de la prison et la presse vont prétendre que Joe s'est
suicidé mais les gars du bloc 9 qui ont assisté à ce meurtre savent
tout, eux. Serons-nous les prochains à y passer ?

Il ne s'agissait à cette époque que d'un début de mobilisation de
la part des prisonniers. Ils commençaient à se préoccuper les uns
des autres, tentaient de transformer la haine et la colère inscrite
dans la révolte individuelle en un effort collectif pour obtenir le
changement de leurs conditions de vie. À l'extérieur, quelque chose
se produisait également : des groupes de soutien aux mouvements
de prisonniers furent créés un peu partout dans le pays et de nombreux textes au sujet des prisons furent publiés. On étudiait plus
souvent le crime et le châtiment. Certains demandèrent même la
fermeture des prisons en s'appuyant sur le fait qu'elles ne préve-
naient pas contre le crime ni ne l'empêchaient, mais qu'au contraire
elles le favorisaient ou le provoquaient. On discuta d'alternatives à
la prison : maisons communes (sauf pour les criminels violents)
dans un premier temps et prestations économiques minimales pré-
ventives à plus long terme. Les prisonniers s'interrogeaient également sur des problèmes qui dépassaient le cadre de la prison et
s'intéressaient à d'autres victimes. À Walpole, une pétition exigeant
le retrait des troupes américaines du Vietnam circula pendant
quelque temps. Tous les prisonniers l'avaient signée : victoire excep-
tionnelle de la part d'une poignée de détenus. Lors de la célébration de Thanksgiving, la plupart des prisonniers, non seulement à
Walpole mais dans trois autres prisons, refusèrent de s'asseoir au
repas, expliquant qu'ils souhaitaient rendre hommage à tous les
Américains qui mouraient de faim.

Quelques prisonniers étudièrent attentivement certaines affaires
criminelles et remportèrent même quelques victoires devant les tribunaux. La publicité faite aux événements d'Attica et le soutien
que les émeutiers avaient pu obtenir eurent des effets. Les lourdes
accusations qui pesaient sur les révoltés d'Attica, qui risquaient
plusieurs peines perpétuelles, furent abandonnées. Mais la justice
persista à se tenir à l'écart du monde clos des prisons et les prisonniers restèrent en conséquence seuls, comme toujours, face à
leurs gardiens.

Même lorsqu'une victoire occasionnelle se produisait au tribunal, une lecture attentive suffisait à faire comprendre que cela ne
changeait pas grand-chose dans les faits. En 1973 (Procunier *vs*

Martinez), la Cour suprême déclara le caractère inconstitutionnel de certaines procédures de censure du courrier mises en place par le département des Peines de l'État de Californie. Mais si l'on observe à la loupe la décision de la Cour, avec tous ses beaux discours sur les « libertés reconnues par le Premier Amendement » de la Constitution, on y voit qu'elle confirme que « la censure du courrier carcéral peut se justifier lorsque [certains] critères sont réunis ». Lorsqu'elle pouvait être supposée « s'appliquer dans l'intérêt du gouvernement » ou « lorsqu'elle sert ses intérêts dans les domaines primordiaux de la sécurité, du maintien de l'ordre et du redressement national », la censure restait autorisée.

En 1978, la Cour suprême décréta que le droit d'accéder aux prisons ou aux pénitenciers n'était pas garanti aux médias. Elle décidait également que les autorités carcérales étaient en droit d'interdire aux détenus de communiquer entre eux, de se réunir ou de distribuer des textes réclamant la formation d'un syndicat de prisonniers.

Il devenait clair – et les prisonniers semblent l'avoir compris dès le début – que les conditions de détention ne seraient pas modifiées par voie législative mais par la protestation, le militantisme, la résistance, l'invention d'une culture spécifique, d'une littérature spécifique et la mise en place de liens avec le monde. Des dizaines de milliers d'Américains étaient passés derrière les barreaux pendant la lutte pour les droits civiques ou contre la guerre du Vietnam. Ils avaient connu le système carcéral et pouvaient difficilement oublier cette expérience. Il y avait là l'opportunité pour les prisonniers de briser le long isolement et de trouver du soutien dans la communauté. Le mouvement ne faisait que commencer au milieu des années 1970.

Ce fut donc bien l'époque de toutes les révoltes. Celle des femmes confinées dans leurs foyers. Celle des prisonniers, ces êtres « invisibles » enfermés derrière les barreaux. Mais la plus grande des surprises restait à venir.

On se rassurait à l'idée que les premiers occupants du continent, après avoir été refoulés et anéantis par l'envahisseur blanc, ne feraient plus jamais parler d'eux. Peu après la Noël 1890, l'armée américaine perpétra son dernier massacre collectif d'Indiens à Pine Ridge (Dakota), près de la rivière Wounded Knee. Sitting Bull, le grand chef sioux, venait juste d'être assassiné par la police indienne à la solde des États-Unis et ce qui restait de son peuple avait trouvé refuge à Pine Ridge : cent vingt hommes et deux cent trente femmes et enfants, cernés par la cavalerie américaine armée de deux canons pouvant expédier des obus à plus de trois kilomètres et placés en surplomb du campement indien. Lorsque les soldats ordonnèrent aux Indiens de rendre les armes, un Sioux répondit par un coup de fusil. Les soldats se déchaînèrent et les canons situés sur la colline tirèrent sur les tipis, faisant entre deux et trois cents morts. Les vingt-cinq morts américains de Wounded Knee furent sans doute, pour la plupart, tués par leur propre camp, les Indiens ne possédant que quelques fusils.

Les tribus indiennes battues, soumises, affamées, avaient été réparties sur des réserves où elles vivaient dans une pauvreté totale. En 1887, la loi de parcellisation des terres tribales avait voulu détruire le système des réserves en distribuant à titre individuel de petites parcelles de terres aux Indiens afin d'en faire des petits fermiers américains types. Mais la plupart de ces parcelles finirent entre les mains de spéculateurs blancs et les réserves furent finalement maintenues.

Pendant le New Deal, cependant, avec John Collier – un véritable ami des Indiens – à la tête du bureau des Affaires indiennes, on avait tenté de restaurer l'organisation traditionnelle. Au cours des décennies suivantes, on ne constata pourtant pas de changements radicaux. La plupart des Indiens demeurèrent sur les réserves misérables, que seuls – et en grand nombre – les jeunes quittaient. Un anthropologue indien déclarait : « Une réserve indienne est le système colonial le plus parfait que je connaisse au monde. »

Un temps, la disparition ou l'assimilation complète des Indiens avait semblé inévitable. Au début du XXe siècle, sur le million d'Indiens qui vivaient à l'origine sur ce qui deviendrait le territoire des États-Unis, il ne restait plus que trois cent mille individus. Mais la population recommença à croître comme une plante qui refuse de mourir. En 1960, on comptait environ huit cent mille Indiens, dont une moitié vivait sur les réserves et l'autre dans les différentes villes du pays.

Les autobiographies écrites par des Indiens prouvaient leur refus de se laisser absorber par la culture des Blancs. L'un d'entre eux écrivit : « En effet, je suis allé dans les écoles des Blancs. J'ai appris à lire dans leurs livres, leurs journaux et leur Bible. Mais au bout du compte, je pensais que cela ne suffisait pas. Les peuples civilisés dépendent trop de tous ces papiers écrits par la main de l'homme. Alors je me suis tourné vers le livre du Grand Esprit qui concerne toute la Création. »

Sun Chief, un Indien hopi, déclarait pour sa part : « J'ai appris de nombreux mots anglais et je pourrais réciter une partie des dix commandements. Je savais comment dormir dans un lit, prier

Jésus, me peigner les cheveux, manger avec un couteau, utiliser les toilettes. [...] J'ai aussi appris que les gens pensent avec leur tête plutôt qu'avec leur cœur. »

Chief Luther Standing Bear écrivit en 1933 dans son autobiographie *From the Land of the Spotted Eagle* : « C'est vrai, l'homme blanc a apporté de grands progrès. Mais si les fruits de sa civilisation brillent de mille feux et sont terriblement désirables, ils n'en sont pas moins empoisonnés et mortels. Et si le rôle d'une civilisation est de mutiler, voler et s'opposer à autrui, alors où est le progrès ? Laissez-moi penser que l'homme assis sur le sol de son tipi, méditant sur la vie, acceptant la nature de toute chose et assumant son unité avec l'univers, incorporait en lui la véritable essence de la civilisation. »

Au moment même où se développaient, dans les années 1960, les mouvements en faveur des droits civiques et le militantisme pacifiste, les Indiens rassemblaient leur force pour résister, travailler à changer leurs conditions de vie et s'organiser en conséquence. En 1961, cinq cents responsables indiens issus des réserves et des villes se réunirent à Chicago. Lors de cette réunion naquit le National Indian Youth Council, rassemblement de jeunes Indiens fréquentant les universités. Mel Thom, un Paiute, premier président de ce conseil, écrivit : « Du côté indien, on assiste à un regain d'activisme. On se dispute, on rit, on chante et parfois même on tente de s'organiser. [...] Les Indiens se mettent à penser que leur cause est juste et ils reprennent courage. [...] La lutte continue. [...] Les Indiens se réunissent pour discuter de leur avenir. »

À la même époque, les Indiens se mirent à soulever une question délicate pour le gouvernement américain : celle des traités. Dans *Custer Died for Your Sins*, livre qui eut un certain succès en 1969, Vine Deloria Jr faisait remarquer que le président Lyndon Johnson invoquait souvent les « engagements » de l'Amérique et que Nixon reprochait aux Russes de ne pas respecter les traités. Deloria nous apprend que « les Indiens se tordent de rire lorsqu'ils entendent ce genre de choses ».

Les gouvernements américains avaient signé plus de quatre cents traités avec les Indiens et les avaient tous violés, sans exception. Sous George Washington, par exemple, un traité avait été signé avec les Iroquois de New York : « Les États-Unis reconnaissent que toutes les terres comprises entre les frontières susnommées sont la propriété de la nation seneca. » Mais au début des années 1960, sous Kennedy, les États-Unis ignorèrent ce traité pour construire un barrage sur ces terres, inondant la majeure partie de la réserve seneca.

La résistance s'organisait à travers tout le pays. Dans l'État de Washington, un autre traité confisquait leurs terres aux Indiens en leur laissant seulement des droits de pêche. Cette décision fut très impopulaire au sein de la population blanche de la région, qui désirait que ces droits de pêche lui soient exclusivement réservés. En 1964, après que les tribunaux de l'État eurent interdit certaines zones de pêche aux Indiens, ces derniers organisèrent des « *fish-in* » sur la Nisqually River en dépit des décisions de justice et allèrent en prison dans l'espoir de rendre leur cause publique.

L'année suivante, un juge local décréta que la tribu Puyallup n'existait pas et que ses membres ne pouvaient plus pêcher dans la rivière qui portait pourtant leur nom, la Puyallup River. Les policiers s'en prirent aux groupes de pêcheurs indiens en détruisant bateaux et filets et en maltraitant les individus. Sept Indiens furent arrêtés. En 1968, la Cour suprême reconnaissait les droits des Indiens selon les termes du traité mais précisait néanmoins qu'un État était en droit de « réglementer la pêche » dans la mesure où il n'y avait pas de discrimination contre les Indiens. L'État confirma sa décision et les arrestations de pêcheurs indiens se poursuivirent. Ce faisant, l'État de Washington se comportait à l'égard des décisions de la Cour suprême comme les Blancs du Sud l'avaient fait pendant de nombreuses années à l'égard du Quatorzième Amendement sur la citoyenneté : en l'ignorant totalement. Manifestations, opérations policières et arrestations se poursuivirent jusqu'au début des années 1970.

Certains Indiens impliqués dans ces *fish-in* étaient également des anciens du Vietnam. Parmi eux, Sid Mills, arrêté lors d'un *fish-in* à Frank's Landing sur la Nisqually River le 13 octobre 1968. Il déclara ceci : « Je suis un Indien yakima et cherokee, et je suis un homme. Pendant deux ans et quelques mois, j'ai été soldat des États-Unis. J'ai combattu au Vietnam jusqu'à ce que j'y sois gravement blessé. [...] Je renonce, ici, à tout service ou engagement futurs dans les rangs de l'armée des États-Unis. Mon premier devoir est désormais de me tenir auprès des peuples indiens qui luttent pour le respect du traité autorisant la pêche dans les eaux traditionnelles des rivières Nisqually, Columbia et autres, [...] et de les soutenir dans leur combat autant que je le peux. Ma décision s'appuie sur le fait que, bien que des pêcheurs indiens soient morts au Vietnam, des pêcheurs indiens vivent ici sans protection et sont continuellement victimes d'agressions. [...] Il y a trois ans jour pour jour, le 13 octobre 1965, à Frank's Landing, sur la rivière Nisqually, dix-neuf femmes et enfants ont été victimes des violences commises par quarante-cinq agents armés de l'État de

Washington au cours d'une opération lâche et pernicieuse. Rappelons que le plus vieux squelette humain jamais découvert dans l'hémisphère occidental l'a été récemment sur les rives de la Columbia River. Ce sont les restes d'un pêcheur indien. Par quelle aberration un gouvernement ou une société peuvent-ils consacrer des millions de dollars à collecter nos ossements, à reconstituer la vie de nos ancêtres ou à protéger les plus vieux témoignages de notre culture millénaire du moindre dommage et en même temps exploiter notre peuple vivant ? Nous nous battrons pour nos droits. »

Les Indiens se défendaient, non seulement physiquement mais également avec les armes fournies par la culture des Blancs : les mots, les journaux, les livres. En 1968, les membres de la nation mohawk d'Akwesasne, sur le Saint-Laurent, lancèrent un excellent journal, les *Akwesasne Notes*, avec des informations et de la poésie, le tout habité d'un remarquable esprit combatif et, ce qui ne gâtait rien, d'un sens certain de l'humour. Vine Deloria Jr y écrivait : « Il m'arrive d'être surpris par le mode de pensée des non-Indiens. J'étais à Cleveland l'an dernier et je discutais de l'histoire américaine avec un non-Indien. Il me dit qu'il était réellement désolé pour tout ce qui était arrivé aux Indiens mais qu'il y avait de bonnes raisons à cela. Le continent devait se développer et, les Indiens se trouvant au travers de la route, il avait fallu les déplacer. "Après tout, me disait-il, qu'avez-vous fait de cette terre quand elle vous appartenait ?" Je n'ai pas compris ce qu'il voulait dire jusqu'à ce que j'apprenne plus tard que la rivière Cuyahoga qui traverse Cleveland était inflammable. De si grandes quantités de produits polluants y sont déversées que les habitants de Cleveland doivent prendre garde, en été, de ne pas y mettre le feu. Songeant aux propos de mon ami non indien, je me rangeai à son avis. Les Blancs avaient fait un formidable usage de cette terre. Combien d'Indiens, en effet, auraient imaginé rendre les rivières inflammables ? »

Le 9 novembre 1969, un événement spectaculaire attira l'attention sur les revendications des Indiens comme aucun autre ne l'avait fait auparavant. Il fit l'effet d'une bombe et annonça au monde entier que les Indiens étaient toujours vivants et bien décidés à se battre pour défendre leurs droits. Ce jour-là, avant l'aube, soixante-dix-huit Indiens débarquèrent sur l'île d'Alcatraz, dans la baie de San Francisco, pour investir les lieux. Alcatraz était une prison fédérale abandonnée, un lieu terrible et maudit surnommé « The Rock ». En 1964 déjà, une poignée de jeunes Indiens l'avaient occupée pour y établir une université indienne, mais ils avaient été expulsés et personne n'en avait rien su.

Cette fois-ci, ce fut différent. Le groupe était emmené par Richard Oakes, un Mohawk qui dirigeait le département des études indiennes au collège d'État de Chicago, et par Grace Thorpe, une Indienne sac et fox, fille de Jim Thorpe, le fameux footballeur et athlète olympique indien. D'autres Indiens se joignirent au groupe d'origine et, fin novembre, quelque six cents Indiens, représentant cinquante tribus différentes, vivaient à Alcatraz. Ils se baptisèrent « Indiens de toutes les tribus » et firent une déclaration publique intitulée « Nous tenons The Rock ». Ils y proposaient d'acheter Alcatraz avec des perles de verre et des chiffons de toile rouge comme les Blancs l'avaient fait pour Manhattan environ trois siècles auparavant. Ils ajoutaient :

> Nous pensons que cette île que vous appelez Alcatraz est idéale pour recevoir une réserve indienne telle que les Blancs la conçoivent. En fait, nous pensons que cet endroit présente déjà toutes les caractéristiques des réserves indiennes :
>
> 1 – Elle est éloignée de tous services et n'est desservie par aucun moyen de transport adéquat.
>
> 2 – Il n'y a pas d'eau courante.
>
> 3 – Les services sanitaires sont défectueux.
>
> 4 – Pas de pétrole ou de minerais.
>
> 5 – Pas d'industrie et donc un chômage très élevé.
>
> 6 – Aucun service de santé.
>
> 7 – Le sol est rocheux, impropre à toute culture, et il n'y a pas de gibier.
>
> 8 – Pas d'équipements scolaires.
>
> 9 – Il y a toujours eu surpopulation dans cette île.
>
> 10 – La population a toujours été considérée comme prisonnière et tenue dans une totale dépendance des autres.

Ils annoncèrent qu'ils feraient de l'île un centre d'études indiennes pour l'écologie : « Nous nous consacrerons à dépolluer les eaux et l'atmosphère de la baie de San Francisco [...] ainsi qu'à y restaurer la faune aquatique. »

Au cours des mois suivants, le gouvernement fit couper les lignes téléphoniques, l'électricité et l'eau sur l'île d'Alcatraz. De nombreux Indiens durent quitter l'île mais d'autres insistèrent pour y rester. Un an plus tard, ils y étaient encore et adressaient un message à leurs « frères et sœurs de toutes races et de tous langages qui vivent à la surface de notre mère la Terre » : « Nous continuons de tenir l'île d'Alcatraz au nom de la liberté, de la justice et de l'égalité parce que vous, frères et sœurs de cette Terre, nous avez soutenus dans notre juste cause. Nous tendons nos mains et notre cœur vers vous et adressons à chacun d'entre vous des messages par l'esprit. Nous tenons The Rock. Nous savons que la violence engendre plus de violence encore. C'est pour cela que notre occupation d'Alcatraz est pacifiste et que nous espérons que le gouvernement américain se conduira pacifiquement envers nous. [...] Nous sommes un peuple fier! Nous sommes les Indiens! Nous avons observé puis rejeté la plupart de ce que peut offrir la prétendue civilisation. Nous sommes les Indiens! Nous préserverons notre mode de vie et nos traditions en les communiquant à nos propres enfants. Nous sommes les Indiens! Nous joindrons nos mains en une union inconnue jusqu'alors. Nous sommes les Indiens! Notre mère la Terre attend que nous parlions. Nous sommes les Indiens de toutes les tribus! Nous tenons The Rock! »

Six mois plus tard, les forces fédérales prenaient l'île d'assaut et expulsaient les Indiens qui y étaient installés.

On avait également imaginé qu'on n'entendrait plus jamais parler des Navajos. Au milieu des années 1880, les soldats américains, commandés par « Kit » Carson, avaient incendié des villages navajos, détruit les récoltes et expulsé les Indiens de leurs terres. Pourtant les Navajos de la Black Mesa, au Nouveau-Mexique, n'avaient jamais fait leur soumission. À la fin des années 1960, la compagnie des Charbons Peabody commença à forer sur leurs terres au nom d'un prétendu contrat signé avec certains d'entre eux. On pensa aussitôt aux traités antérieurs signés avec les Indiens pour mieux les expulser de leurs terres.

Cent trente Navajos se rassemblèrent au printemps 1969 pour affirmer que ces mines allaient polluer l'eau et l'atmosphère, détruire les pâturages des troupeaux et épuiser les maigres ressources en eau potable. Une jeune femme qui brandissait une brochure publicitaire produite par Peabody représentant des lacs pour la pêche, des terres riches et des arbres déclara : « Nous n'aurons rien de tout ce que vous pouvez voir sur ces photos. [...] À quoi ressemblera le futur pour nos enfants et les enfants de nos enfants? » Une Navajo très âgée qui avait participé à l'organisation de la manifestation affirmait : « Les monstres de Peabody creusent dans le cœur de notre mère la Terre, de notre montagne sacrée, et nous en ressentons la douleur. [...] Cela fait des années que je vis ici et je ne suis pas près d'en partir. »

Les Indiens hopis subissaient également les activités de la compagnie Peabody. Ils protestèrent auprès du président Nixon : « Aujourd'hui, les terres sacrées sur lesquelles vivent les Hopis ont été profanées par des hommes qui cherchent du charbon et de l'eau sur notre sol dans le seul but de fournir de l'énergie aux villes de l'homme blanc. [...] Le Grand Esprit a commandé de ne pas prendre à la Terre – de ne pas détruire les êtres vivants. [...] Il disait aussi que, si une calebasse emplie de cendres tombait sur le sol, une foule de personnes trouveraient la mort et que la vie ne serait jamais plus la même. Nous pensons que c'est cela qui s'est produit avec les bombes atomiques sur Nagasaki et Hiroshima. Nous ne voulons pas que cela arrive encore à d'autre pays et à d'autres peuples. Au contraire, nous devrions utiliser toute cette énergie à des fins pacifiques et non pour la guerre. »

À l'automne 1970, une revue intitulée *La Raza*, l'une des innombrables publications locales nées au cours de ces années d'activisme et qui offraient des informations négligées par les m   as traditionnels, donna des nouvelles des Indiens de la Pıt River, au nord de la Californie. Une soixantaine de ces Indiens occupaient des terres qu'ils revendiquaient comme leurs. Ils s'opposèrent aux services forestiers quand il leur fut ordonné de quitter les lieux. L'un d'eux, Darryl B. Wilson, se souvint plus tard : « Alors que les flammes orangées dansaient, donnant vie aux arbres, que le froid se glissait hors des ténèbres pour lutter avec le crépitement du feu et que notre respiration se transformait en buée, nous avons pris la parole ». Ils demandèrent au gouvernement quel traité l'autorisait à se saisir de cette terre. Il n'y en avait pas. Les Indiens invoquèrent un statut fédéral (25 USCA 194) selon lequel, lorsqu'une dispute a lieu entre un Blanc et un Indien, « la charge de la preuve incombe au Blanc ».

Ils avaient construit une cabane. Le responsable de la police locale leur dit qu'elle était affreuse et qu'elle déparait le paysage. Wilson écrivit par la suite : « Le monde entier pourrit. L'eau est empoisonnée, l'air pollué, la politique corrompue, la terre est bouffée de l'intérieur, la forêt pillée, les rivages défigurés, les villes incendiées, les vies des gens détruites, [...] et les fédéraux ont passé presque tout le mois d'octobre à nous dire que notre cabane était "affreuse". Pour nous, elle était très belle. C'était le début de notre école, notre lieu de rassemblement, un abri pour ceux qui n'en avaient pas, un sanctuaire pour ceux qui avaient besoin de repos. C'était notre église, notre quartier général, le symbole de notre accession à la liberté. D'ailleurs, elle est toujours debout. C'était aussi le foyer de la renaissance de notre culture, abattue, diluée, mise en pièces. C'était notre soleil levant au matin d'un jour de printemps quand le ciel est sans nuages. Il était bon et doux à notre cœur de la regarder. Ce petit lieu sur la terre. Notre lieu. »

Finalement, on fit venir cent cinquante policiers avec mitrailleuses, fusils, revolvers, matraques, chiens, chaînes et menottes. « Les vieux avaient peur. Les jeunes se sont opposés avec bravoure.

Les enfants étaient comme de jeunes daims qui auraient été frappés par la foudre. Les cœurs battaient très fort comme lorsqu'on a couru à perdre haleine sous le soleil d'été. » Les policiers se mirent à jouer de la matraque et le sang ne tarda pas à couler. Wilson s'agrippa à l'une des matraques et fut traîné par terre puis menotté. Tandis qu'il était maintenu face contre terre, il reçut plusieurs coups à la tête. Un homme de soixante-six ans fut roué de coups jusqu'à perdre conscience. Un journaliste blanc fut arrêté et sa femme battue. Ils furent ensuite emmenés dans les fourgons de la police et accusés d'avoir agressé des agents fédéraux et abattu des arbres. On se garda bien de les accuser d'avoir pénétré sur les terres par effraction afin de ne pas soulever le problème de la propriété des terres. Après cet épisode, les manifestations indiennes se poursuivirent.

Ceux qui avaient servi au Vietnam se mirent à établir un lien entre les deux situations. Lors des Winter Soldiers Investigations de Detroit, au cours desquelles les vétérans du Vietnam étaient venus témoigner de leur expérience, Evan Haney, un Indien oklahoma, déclara : « Les Indiens ont subi le même genre de massacres il y a un siècle. Des armes biologiques ont été utilisées à cette époque : ils donnaient des couvertures contaminées par la variole aux Indiens. [...] J'ai appris à connaître le peuple vietnamien et je me suis aperçu qu'il était comme nous. [...] Nous sommes en train de nous détruire nous-mêmes en même temps que la planète. [...] Toute ma vie, j'ai connu le racisme. Lorsque j'étais enfant et que je regardais les films de cow-boys, c'est la cavalerie que j'admirais, pas les Indiens. C'était aussi grave que cela. Mon autodestruction allait jusque-là. [...] 50 % des enfants de l'école du patelin où j'habitais dans l'Oklahoma étaient des Indiens mais l'école, la télé ou la radio ne parlaient jamais de la culture indienne. Il n'y avait pas de livres sur l'histoire des Indiens. Pas même à la bibliothèque. [...] Je sentais bien que quelque chose n'allait pas. J'ai commencé à lire et à apprendre sur ma propre culture. [...] J'ai compris que le peuple indien avait connu une grande joie à Alcatraz ou à Washington pour défendre son droit de pêche. Enfin, ils se sentaient des êtres humains. »

Les Indiens se mirent alors à lutter contre leur « autodestruction », contre l'annihilation de leur culture. En 1969, lors de la première convention des universitaires amérindiens, ils exprimèrent leur indignation devant le traitement insultant, voire tout simplement inexistant, réservé aux Indiens dans les manuels d'histoire des écoles primaires américaines. Cette année-là fut créée l'Indian Historian Press. Elle évalua quelque quatre cents manuels de l'école primaire et du collège et n'en trouva aucun qui traçât un portrait fidèle de l'Indien.

Ce fut précisément dans les écoles que la contre-attaque se mit en place. Début 1971, quarante-cinq étudiants indiens de la Copper Valley School de Glennalen (Alaska) adressèrent un courrier à leur représentant au Congrès pour exprimer leur refus de la construction d'un pipeline à travers l'Alaska, projet aussi ruineux écologiquement que menaçant pour « la paix, la tranquillité et la sécurité de l'Alaska ».

D'autres Américains se mirent à s'intéresser au problème et à questionner leur propre culture à ce sujet. Les premiers films essayant de rendre justice à l'histoire des Indiens datent de cette époque : l'un d'entre eux, *Little Big Man*, était une adaptation d'un roman de Thomas Berger. De plus en plus de livres parurent sur l'histoire indienne, au point de donner naissance à un domaine de recherche à part entière. Les professeurs, devenus méfiants à l'égard des vieux stéréotypes, jetèrent les anciens manuels aux orties et travaillèrent à partir de ces nouveaux matériaux. Au printemps 1977, une enseignante new-yorkaise, Jane Califf, fit une expérience avec ses élèves. Elle apporta en classe les manuels traditionnels concernant les Indiens et demanda aux élèves d'en pointer les stéréotypes. Elle lisait ensuite des auteurs indiens et des articles publiés dans les *Akwesasne Notes* et collait des affiches protestataires dans la classe. Les enfants écrivirent alors une lettre aux éditeurs des livres qu'ils avaient pu lire. Par exemple : « Cher Monsieur, je n'aime pas votre livre intitulé *The Cruise of Christopher Columbus*. Je ne l'aime pas parce que vous dites des choses sur les Indiens qui ne sont pas vraies. [...] Il y a une autre chose que je n'ai pas aimée en page 69 de votre livre. On y dit que Christophe Colomb invita des Indiens à se rendre en Espagne alors qu'en réalité il les avait enlevés. Sincèrement vôtre, Raymond Miranda. »

En 1970, pendant Thanksgiving, commémoration annuelle de l'arrivée des Pères Pèlerins, les autorités décidèrent de faire quelque chose d'un peu différent : inviter un Indien – Frank James, un Indien wampanoag – à faire le discours de célébration. Quand les responsables de la célébration virent le discours qu'il s'apprêtait à prononcer, ils le refusèrent. Ce discours qu'on n'entendit donc pas à Plimouth (Massachusetts) disait entre autres (l'intégralité du texte se trouve dans le recueil *Chronicles of American Indian Protest*) : « Je m'adresse à vous en tant qu'homme. En tant qu'Indien wampanoag. [...] C'est avec un sentiment mitigé que je me trouve ici pour vous communiquer mes impressions. [...] Les Pèlerins venaient juste d'aborder aux rivages du Cape Cod quatre jours auparavant lorsqu'ils pillèrent les tombes de mes ancêtres, volèrent leur maïs et leur blé. [...] Notre esprit refuse de mourir. Hier, nous marchions le long des sentiers dans les forêts et sur les dunes. Aujourd'hui, c'est sur le macadam des routes et des autoroutes que nous avançons. Nous sommes pourtant ensemble. Nous n'habitons plus nos wigwams mais dans vos tipis en béton. Nous nous tenons debout et fiers, et avant que ne passent trop de lunes nous aurons redressé les torts que nous vous avons autorisés à nous faire. »

Pour les Indiens, il n'y a jamais eu de distinction bien claire entre prose et poésie. Lorsqu'un étudiant indien du Nouveau-Mexique fut félicité pour la qualité de sa poésie, il déclara : « Dans ma tribu, les poètes n'existent pas. Tout le monde s'exprime en poèmes. » Il existe pourtant des poèmes indiens, tels ceux recueillis dans *The Last Americans* de William Brandon et dans *The Way* de Shirley Hill et Stan Steiner.

À commencer par un « poème de printemps » :

> *Comme mon regard*
> *Court à travers la prairie*
> *Je sens le soleil*
> *Du printemps.*

Ou bien encore *Snow the Last* de Joseph Concha :

> *La neige vient la dernière*
> *Et apporte le calme à toute chose.*

Et cet autre écrit par un groupe d'élèves au cours d'un programme spécial Navajos dans les années 1940 et intitulé *Sûrement pas!* :

> *La réserve navajo, un lieu isolé?*
> *Sûrement pas!*
> *Le ciel y est lumineux,*
> *Clair, bleu,*
> *Ou gris lorsqu'il pleut.*
> *Chaque jour est un bienfait*
> *De la nature.*
> *Ce n'est sûrement pas un lieu isolé.*
> *La maison navajo, sombre et petite?*
> *Sûrement pas!*
> *À l'intérieur on y trouve l'amour,*
> *La joie de vivre,*
> *Et de longues discussions.*

Mais, mieux encore,
C'est chez nous
La porte toujours ouverte
Et de la place pour tous.
Un château n'en offrirait pas plus.

En février 1973, eut lieu une formidable démonstration du renouveau de vitalité des Indiens d'Amérique du Nord. Sur les lieux mêmes du massacre de 1890 (la réserve de Pine Ridge), plusieurs centaines de Sioux Oglala et de sympathisants de la cause indienne se rendirent au village de Wounded Knee et l'occupèrent pour exiger qu'on reconnaisse leurs droits et leurs terres. L'histoire de cet événement est racontée dans un livre assez rare publié par les *Akwesasne Notes* en 1973 : *Voices from Wounded Knee.*

Dans les années 1970, 54 % des hommes adultes de la réserve de Pine Ridge étaient au chômage. Un tiers des familles vivaient d'allocations ou de pensions. L'alcoolisme et le suicide y régnaient. L'espérance de vie d'un Sioux Oglala était alors de quarante-six ans. Juste avant l'occupation de Wounded Knee, des actes de violence avaient eu lieu à Custer. Un Indien du nom de Wesley Bad Heart Bull avait été tué par un garagiste blanc. L'homme avait été relâché contre 5 000 dollars et accusé d'homicide involontaire. Il risquait donc une peine pouvant aller jusqu'à dix ans de prison. Un rassemblement d'Indiens décidés à protester contre cette décision se finit en affrontements avec la police. La mère de la victime, Sarah Bad Heart Bull, fut arrêtée à cette occasion et risquait d'être condamnée à une trentaine d'années de prison.

Le 27 février 1973, près de trois cents Sioux Oglala, pour la plupart militants du tout récent American Indian Movement (AIM), investirent le village de Wounded Knee et annoncèrent la libération de ce territoire. Ellen Moves Camp raconta plus tard : « Nous avions décidé que nous avions besoin de l'appui de l'AIM ici parce que nos hommes avaient peur. Ils ne voulaient pas y aller. Ce sont les femmes et les enfants qui sortaient le plus souvent pour prendre la parole. »

En quelques heures, plus de deux mille agents du FBI, des policiers fédéraux et des représentants du bureau des Affaires indiennes cernèrent la ville et organisèrent un blocus. Ils avaient des véhicules blindés, des fusils automatiques, des mitrailleuses, des lance-grenades et des lacrymogènes. Les tirs commencèrent. Trois semaines plus tard, Gladys Bissonette témoignait : « Depuis que nous sommes à Wounded Knee, on n'a pas cessé de nous tirer dessus et toujours à la nuit tombée. Mais c'est la nuit dernière que ç'a été le plus dur. Le Grand Esprit doit être avec nous car il n'y a eu aucun blessé. Une nuit, il a fallu courir sous un véritable déluge de balles. […] Nous tiendrons jusqu'à ce que nous soyons reconnus en tant que nation. La nation des Sioux Oglala. »

Une fois le siège organisé, la nourriture se fit rare. Des Indiens du Michigan affrétèrent un avion de ravitaillement qui atterrit directement à l'intérieur du campement. Le jour suivant, le FBI arrêta le pilote de l'avion et le médecin du Michigan qui l'avait loué. Au Nevada, onze Indiens furent arrêtés pour avoir collecté de la nourriture, des vêtements et des médicaments pour les assiégés du Dakota du Sud. Mi-avril, trois autres avions larguèrent du ravitaillement. Quand les gens voulurent ramasser les vivres, un hélicoptère du gouvernement se mit à leur tirer dessus à la lumière des projecteurs. Frank Clearwater, un Indien qui se reposait dans une église, fut blessé par une balle. Sa femme l'accompagna à l'hôpital puis fut arrêtée et emprisonnée. Clearwater mourut peu après.

Il y eut d'autres coups de feu et un autre mort. Finalement, une paix négociée fut signée et les deux camps acceptèrent de désarmer (les Indiens avaient refusé de jeter leurs armes tant que les forces armées les encerclaient – se souvenant sans doute du massacre de 1890). Le gouvernement américain promit d'enquêter sur les Affaires indiennes et de nommer une commission présidentielle pour réexaminer le traité de 1868. Le siège prit fin : cent vingt occupants indiens furent arrêtés. Le gouvernement américain déclara ensuite qu'il avait étudié le traité de 1868 : il était en effet toujours valide mais n'en tombait pas moins sous le coup du principe de l'utilité publique selon lequel, en dernier ressort, toutes les terres américaines relèvent du gouvernement américain.

Les Indiens avaient résisté soixante et onze jours, instaurant une remarquable communauté au sein du territoire assiégé. On avait organisé des cantines communautaires, ainsi qu'un service de santé et un hôpital. Un Navajo, vétéran du Vietnam, affirmait que « le calme des gens était réellement stupéfiant étant donné qu'on nous tirait dessus sans arrêt. […] Mais ils restaient parce qu'ils avaient une cause à défendre. C'est pour ça qu'on a perdu au Vietnam, parce que la cause était mauvaise. On a fait une guerre de riches pour les riches. […] À Wounded Knee, on a fait du bon boulot et le moral était bon. On continuait à rigoler malgré tout ».

Des messages de soutien arrivaient d'Australie, de Finlande, d'Italie, du Japon et d'Angleterre. Un message adressé par certains des anciens d'Attica, parmi lesquels deux Indiens : « Vous vous battez pour notre mère la Terre et ses enfants. Notre esprit est à vos côtés. » Wallace Black Elk répondit : « Notre petit Wounded Knee est devenu un gigantesque monde. »

Après Wounded Knee, et en dépit des morts, des procès, de l'intervention de la police et des tribunaux pour briser le mouvement, l'activisme indien se poursuivit.

Au sein de la communauté akwesasne elle-même, qui publiait les *Akwesasne Notes*, les Indiens avaient toujours insisté sur le fait que leur territoire était inviolable et que la loi des Blancs ne s'y exerçait pas. Un jour, un policier de l'État de New York dressa trois procès-verbaux à l'encontre d'un camionneur mohawk. Un conseil de la communauté indienne rencontra le lieutenant de police. Ce dernier déclara tout d'abord qu'il était de son devoir d'obéir aux ordres et de dresser des contraventions, y compris sur le territoire akwesasne. Pourtant, il semblait disposé à se montrer conciliant. Finalement, il accepta de ne plus arrêter d'Indiens sur le territoire akwesasne ni en dehors sans d'abord en référer au conseil mohawk. Ensuite, le lieutenant s'assit par terre et alluma un cigare. Le chef indien Joahquisoh, homme d'une rare dignité aux longs cheveux, se dressa et demanda au lieutenant avec le plus grand sérieux : « J'ai encore une question à vous poser avant que vous ne partiez. Je veux savoir, ajouta-t-il en regardant le lieutenant droit dans les yeux, si vous n'avez pas un cigare en rab. » Tout le monde éclata de rire.

Les *Akwesasne Notes* continuaient à paraître. À la fin de l'automne 1976, on pouvait y lire des poèmes qui reflétaient bien l'esprit du temps. Ila Abernathy écrivait par exemple :

> *Je suis l'herbe qui pousse et celui qui la coupe,*
> *Je suis le saule et le fendeur de bois,*
> *Le tisserand et le tissage, le saule et l'herbe unis.*
> *Je suis le gel sur la terre et la vie de la terre,*
> *La respiration et la bête, la pierre acérée et foulée.*
> *En moi la montagne vit et le hibou chasse,*
> *En eux je vis aussi. Je suis le frère jumeau du soleil,*
> *Verseur de sang et sang versé.*
> *Je suis le daim et la mort du daim.*
> *Je suis le fardeau de votre conscience*
> *Connaissez-moi.*

Un autre poème de Buffy Sainte-Marie :

> *Vous croyez que j'ai des visions*
> *Parce que je suis indien.*
> *Mais j'ai des visions*
> *Parce qu'il y a des choses à voir.*

Au cours de ces années 1970, il n'était pas question seulement de mouvements féministe, de prisonniers ou d'Indiens. Il s'agissait également d'une révolte plus générale contre des conditions de vie oppressives, artificielles et jamais remises en question. Cette révolte touchait tous les aspects de la vie personnelle : la procréation, l'enfance, l'amour, le sexe, le mariage, les vêtements, la musique, l'art, le sport, le langage, la nourriture, le logement, la religion, la littérature, la mort ou la scolarité.

Ce nouvel esprit, ces nouveaux comportements choquèrent de très nombreux Américains. Il y eut de très fortes tensions qu'on qualifiait parfois de « conflit des générations » – la jeune génération semblant se distinguer de l'ancienne dans son mode de vie. Mais au bout de quelque temps, on put se rendre compte que l'âge n'y était pas pour grand-chose. Certains jeunes restaient relativement « stricts » quand des individus d'âge moyen changeaient de comportement et que des personnes âgées se conduisaient de manière surprenante pour leurs semblables.

Le comportement sexuel connut une révolution radicale. La vie sexuelle avant le mariage se mit à faire l'objet de discussions. Des hommes et des femmes vivaient ensemble en dehors du mariage et essayaient d'exprimer la situation par des phrases du type : « Je voudrais vous présenter mon... ami(e). » Les couples mariés discutaient ouvertement de leurs aventures et on publiait des ouvrages sur le « couple libre ». On pouvait parler ouvertement, voire favorablement, de la masturbation. L'homosexualité n'était plus taboue. Gays et lesbiennes militaient contre la discrimination, pour une reconnaissance de la communauté homosexuelle et pour sortir de la honte et de l'isolement.

Des décisions de justice levèrent la censure sur les livres érotiques et même pornographiques. Des livres apprenaient aux hommes et aux femmes à atteindre l'accomplissement sexuel. Les films n'hésitaient plus à montrer des corps nus, bien que l'industrie cinématographique, aussi soucieuse de préserver les principes que les profits, inventât une classification (R pour les films à public restreint et X pour les films interdits aux enfants). Le vocabulaire sexuel fit son entrée aussi bien dans les livres que dans la conversation quotidienne.

Tout cela allait de pair avec les nouveaux modes de vie. Une vie de type communautaire vit le jour, en particulier chez les jeunes. Certains formèrent de véritables collectivités (avec mise en commun de l'argent et des décisions et création d'une communauté d'affection, d'intimité et de confiance) dont la plupart avaient surtout un caractère pratique, avec partage du loyer et divers degrés d'amitié et d'intimité. On ne s'étonna plus de voir les hommes cohabiter avec les femmes à deux, trois ou plus, sans pour autant entretenir de relations sexuelles.

Il y eut également des bouleversements dans le domaine des vêtements. Pour les femmes, il ne s'agissait après tout que de la continuation d'un mouvement régulier initié par les féministes et leur refus de se laisser enfermer dans des vêtements contraignants prétendument plus « féminins ». De nombreuses femmes abandonnèrent le soutien-gorge. Le fameuse « gaine », qui tenait de l'uniforme dans les années 1940 et 1950, disparut presque totalement. Les jeunes, femmes et hommes, s'habillaient presque de la même manière : en jeans ou en surplus de l'armée américaine. Les hommes cessèrent de porter la cravate et les femmes, quel que soit leur âge, se mirent presque toutes au pantalon, comme en un hommage ultime à Amelia Bloomer.

En musique, on assista à un renouveau de la « *protest song* ». Pete Seeger chantait déjà ce genre de chansons depuis les années 1940, mais il touchait désormais un public plus large et écrivait son propre répertoire. Bob Dylan et Joan Baez ne chantaient pas exclusivement des *protest songs* mais également des chansons qui reflétaient les libertés nouvelles et la nouvelle culture. Ils devinrent rapidement de véritables idoles populaires. Malvina Reynolds, une femme d'âge moyen, écrivait et interprétait des chansons d'inspiration socialiste et libertaire ainsi que des textes critiquant la culture consumériste de l'époque moderne. Les gens, chantait-elle, vivaient à présent dans de « petites boîtes » et « en sortaient tous pareils ».

Quant à Bob Dylan, c'est un phénomène unique. Son répertoire se compose de formidables *protest songs*, de chansons plus personnelles exprimant l'esprit de liberté et de chansons intimes. Dans *Masters of War*, il souhaite que les profiteurs de guerre meurent afin d'avoir le plaisir de suivre leur enterrement « par un après-midi blafard ». *A Hard Rain's A-Gonna Fall* raconte les terribles événements des décennies précédentes, famines, guerres, larmes, eaux polluées, prisons humides et sales. Avec *With God on Our Side*, il écrit une chanson pacifiste pleine d'amertume, et, dans *Only a Pawn in Their Game*, il évoque l'assassin du militant noir Medgar Evers. Enfin, dans *The Times They are A-Changin'*, il défie le passé et place tous ses espoirs en l'avenir.

Le soutien apporté par certains catholiques au mouvement contre la guerre du Vietnam reflétait la révolte générale au sein de cette Église qui, depuis si longtemps, servait de rempart au conservatisme et était intimement liée au racisme, au patriotisme et à la guerre.

Quelques prêtres et religieuses renoncèrent au célibat et vécurent des expériences sexuelles. Ils se marièrent et eurent des enfants – parfois même sans se soucier de quitter officiellement l'Église. Bien sûr, des millions de gens continuaient d'admirer Billy Graham et son courant de préservation du dogme traditionnel, mais plusieurs courants modernisateurs s'affrontaient désormais aux tenants de l'ordre catholique établi.

On commençait également à soupçonner, de nouveau, que la seule recherche du profit motivait réellement les milieux d'affaires et qu'elle avait des conséquences terribles sur la qualité de l'environnement. On s'offusquait souvent (comme dans le livre de Jessica Mitford, *The American Way of Death*) de l'« industrie de la mort » et de ces funérailles ruineuses avec leurs pierres tombales hors de prix.

Parallèlement à cette perte générale de confiance dans le pouvoir des institutions – le monde des affaires, le gouvernement, la religion –, le sentiment de confiance en soi s'accrut, que ce soit sous la forme de l'individualisme ou du communautarisme. Les experts en tout genre étaient considérés avec méfiance : on commençait à penser que les gens pouvaient décider eux-mêmes de leur mode d'alimentation, de leur mode de vie et de la meilleure façon de vivre. On pouvait aussi constater une méfiance certaine à l'égard de l'industrie pharmaceutique, des produits conservateurs, de la nourriture insipide et de la publicité. La démonstration scientifique de la nocivité du tabac était désormais si criante que le gouvernement finit par interdire sa publicité dans les médias.

L'éducation traditionnelle fut également remise en question. Les écoles avaient inculqué à des générations d'élèves les vertus du patriotisme et de l'obéissance à l'autorité et avaient perpétué l'ignorance sinon le mépris à l'égard des autres nations, peuples et races, comme à l'égard des Amérindiens ou des femmes. Il ne s'agissait pas seulement de discuter le contenu de l'éducation mais aussi la manière même d'enseigner – son formalisme, sa bureaucratie, son insistance sur la soumission à l'autorité. Bien sûr, cela n'ébranla pas le puissant système traditionnel de l'éducation nationale, mais on vit néanmoins apparaître une nouvelle génération d'enseignants et une nouvelle littérature sur la question.

Jamais, dans toute l'histoire des États-Unis, une telle volonté de changement ne s'était exprimée sur une si courte période. Mais le système, au cours de ses deux siècles d'existence, avait découvert et amélioré les moyens de conserver le contrôle de la population. La réaction eut lieu dès le milieu des années 1970.

Chapitre IX
Années 1970 : tout va bien ?

AU DÉBUT DES ANNÉES 1970, le système semblait être devenu parfaitement incontrôlable : il ne pouvait plus garantir la loyauté de la population. Dès 1970, selon le Centre de recherche sur l'opinion publique de l'université du Michigan, « le taux de confiance envers le gouvernement » s'était affaibli dans tous les secteurs de la population. On constatait cependant des différences significatives selon les catégories socioprofessionnelles classiques. Pour les professions libérales, le taux de faible confiance envers le gouvernement était de 40 %. Le chiffre atteignait 66 % pour la classe ouvrière.

Les sondages d'opinions de 1971 – après sept années de guerre au Vietnam – révélaient une certaine réticence à « venir en aide » aux pays supposés être sous la menace de forces soutenues par les communistes. Même quand il s'agissait de pays membres de l'OTAN ou encore du Mexique, pourtant situé juste à la frontière méridionale du territoire américain, aucune majorité ne se dessinait en faveur d'une intervention des forces américaines. De même pour la Thaïlande : dans l'hypothèse d'une attaque communiste, seulement 12 % des Blancs et 4 % des Noirs étaient favorables à l'envoi de troupes.

À l'été 1972, les militants pacifistes de la région de Boston manifestèrent devant le siège de la compagnie Honeywell. Les tracts distribués à cette occasion accusaient l'entreprise de produire des armes antipersonnel utilisées au Vietnam (telle la terrible bombe à fragmentation qui avait criblé des milliers de Vietnamiens de morceaux de métal terriblement dangereux et difficiles à extraire). Environ six cents questionnaires furent remis à cette occasion aux employés de la compagnie Honeywell, leur demandant s'ils pensaient que l'entreprise devait cesser de fabriquer ces bombes. Sur les deux cent trente et une réponses reçues, cent trente et une déclaraient que Honeywell devait en cesser la fabrication, quatre-vingt-huit qu'elle devait continuer. Les sondés étaient invités à commenter leurs réponses. La réponse négative type était : « Honeywell n'est pas responsable de ce que fait le département de la Défense avec le matériel qu'il lui achète. » Réponse positive type : « Comment pouvons-nous être fiers de notre travail quand il repose sur un principe parfaitement immoral ? »

Le Centre de recherche sur l'opinion publique de l'université du Michigan avait quant à lui posé la question suivante : « Le gouvernement est-il aux mains de grands intérêts économiques qui travaillent pour leur seul profit ? » En 1964, 26 % des gens avaient répondu par l'affirmative. En 1972, ils étaient 53 %. Dans un article paru dans l'*American Political Science Review*, Arthur H. Miller commentait ce sondage : il montrait « un mécontentement fondamental de grande envergure et un désintérêt certain pour la politique ». Il ajoutait (tant les experts en sciences politiques partagent bien souvent les inquiétudes des pouvoirs en place) que « ce qui est stupéfiant, et d'une certaine manière inquiétant, c'est le rapide renversement d'attitude qui s'est produit dans ce domaine en seulement six ans ».

Un nombre accru d'électeurs refusaient de s'identifier comme démocrates ou républicains : 20 % des personnes interrogées se revendiquaient « indépendants » en 1940, 34 % en 1974.

Les tribunaux, les juges et les jurys ne se comportaient plus comme on pouvait s'y attendre. Les jurys acquittaient les militants radicaux : Angela Davis, une communiste notoire, fut acquittée par un jury exclusivement composé de Blancs. Les Black Panthers, que le gouvernement avait essayé de calomnier et de détruire par tous les moyens, furent également acquittés par les jurys dans divers procès. Un juge du Massachusetts rejeta une plainte déposée contre Sam Lovejoy, un jeune militant qui avait détruit une tour élevée par une entreprise publique en vue d'installer une centrale nucléaire. À Washington DC, en août 1973, un autre juge refusa de condamner six hommes qui avaient profité d'une visite organisée de la Maison-Blanche pour manifester contre les bombardements sur le Cambodge.

Il est certain que ce sentiment général d'hostilité vis-à-vis du gouvernement trouvait son origine dans la guerre du Vietnam et ses cinquante-cinq mille morts américains, dans la honte et la révélation des mensonges et des atrocités commis par le gouvernement.

Pour couronner le tout, l'administration Nixon fut touchée par le scandale du « Watergate », qui entraîna, en août 1974, la démission – historique parce que unique – d'un président américain : Richard Nixon.

En pleine campagne présidentielle, en 1972, cinq cambrioleurs furent surpris, avec leurs appareils photo et leurs appareils enregistreurs, en train de pénétrer par effraction dans les locaux du comité national du parti démocrate situés au Watergate, à Washington. L'un de ces cinq personnages, James McCord Jr., travaillait dans l'équipe de campagne de Richard Nixon comme « responsable de la sécurité » du Comité de réélection du président, dirigé par le secrétaire à la Justice, John Mitchell. Un autre détenait un carnet sur lequel on trouva le nom de E. Howard Hunt. Domicilié à la Maison-Blanche, Hunt était l'assistant de Charles Colson, conseiller spécial du président Nixon.

Les deux hommes avaient travaillé de nombreuses années pour la CIA. Hunt avait même été l'agent de la CIA dans le projet d'invasion de Cuba (la baie des Cochons) en 1961 – opération à laquelle avaient également participé trois autres des « cambrioleurs » du Watergate.

Ainsi, grâce à l'arrestation inopinée de ces hommes par une police qui ignorait tout de leurs éminentes relations, l'information fut rendue publique avant qu'on puisse rien faire pour l'empêcher. Les cambrioleurs furent rapidement identifiés comme des relations proches d'importants responsables du comité de campagne de Nixon, de la CIA et du secrétaire à la Justice de Nixon. Mitchell nia toute relation avec les cambrioleurs et Nixon, au cours d'une conférence de presse tenue quelques jours plus tard, déclara que « la Maison-Blanche n'[était] impliquée en aucune manière dans les récents événements ».

L'année suivante, lorsqu'un grand jury mit en accusation les cinq hommes du Watergate, Howard Hunt et G. Gordon Liddy, responsables subalternes de l'administration Nixon, craignant des poursuites judiciaires, décidèrent de parler. Ils donnèrent à la presse et au comité d'enquête mis en place par le Sénat certaines informations qui impliquaient non seulement John Mitchell mais également Robert Haldeman et John Erlichman, les plus proches conseillers du président Nixon. Enfin, ils mettaient également en cause le Président lui-même, au-delà du seul cas Watergate, dans toute une série d'actions illégales menées contre des opposants politiques ou des militants pacifistes. Nixon et ses conseillers mentirent autant qu'ils le purent et tentèrent de dissimuler leur implication dans toutes ces affaires.

Voici les faits tels que différents témoignages les révélaient :

1 – Le secrétaire à la Justice, John Mitchell, gérait un fonds secret dont le budget était de l'ordre de 350 000 à 700 000 dollars. Ce budget était destiné à combattre le parti démocrate en fabriquant de faux courriers, en faisant filtrer de fausses informations dans les médias et en volant des dossiers de campagne.

2 – La Gulf Oil Corporation, ITT (International Telephone and Telegraph), American Airlines et quelques autres grandes entreprises avaient illégalement subventionné la campagne de réélection de Nixon en versant des millions de dollars.

3 – En septembre 1971, peu après que le *New York Times* eut fait paraître les copies des *Pentagon Papers* de Daniel Ellsberg, l'administration Nixon avait organisé et mis en œuvre le cambriolage du cabinet du psychiatre de Daniel Ellsberg afin de dérober le dossier de ce dernier. Howard Hunt et Gordon Liddy s'étaient chargés eux-mêmes de l'opération.

4 – Quand les cambrioleurs du Watergate eurent été pris la main dans le sac, Nixon s'engagea personnellement à les faire bénéficier de la clémence de l'exécutif en cas d'emprisonnement et leur proposa jusqu'à un million de dollars en échange de leur silence. Ils touchèrent en effet 450 000 dollars sur ordre d'Erlichman.

5 – L. Patrick Gray, le nouveau directeur du FBI que Nixon venait juste de nommer à la suite du décès de J. Edgar Hoover, avoua avoir transmis les dossiers du FBI concernant le Watergate au conseiller juridique de Nixon, John Dean. En outre, le nouveau secrétaire à la Justice, Richard Kleindienst (Mitchell venait de démissionner sous un prétexte quelconque), lui avait ordonné de ne pas évoquer l'affaire du Watergate avec le comité judiciaire sénatorial.

6 – John Mitchell et Maurice Stans, deux anciens membres du cabinet de Nixon, furent accusés d'avoir accepté 250 000 dollars du financier Robert Vesco pour intervenir auprès d'une commission qui enquêtait sur ses activités financières.

7 – On découvrit également que certains documents qui avaient disparu du FBI – une série d'enregistrements illégaux (ordonnés par Henry Kissinger) des conversations téléphoniques de quatre journalistes et de treize responsables gouvernementaux – se trouvaient à la Maison-Blanche, dans le coffre-fort de John Erlichman.

8 – L'un des cambrioleurs du Watergate, Bernard Barker, avoua qu'il avait également participé à un projet d'agression physique sur la personne de Daniel Ellsberg lors d'un rassemblement pacifiste au cours duquel ce dernier avait pris la parole.

9 – Un directeur adjoint de la CIA déclara qu'Erlichman et Haldeman lui avaient assuré que Nixon en personne ne souhaitait pas voir le FBI et la CIA pousser trop loin leurs enquêtes sur le Watergate.

10 – Un témoin révéla par mégarde devant le comité sénatorial que le président Nixon possédait des enregistrements de toutes les conversations personnelles et téléphoniques de la Maison-Blanche. Nixon refusa dans un premier temps de livrer ces enregistrements. Lorsqu'il le fit ultérieurement, on s'aperçut que dix-huit minutes en avaient été effacées.

11 – Au beau milieu de toute cette affaire, le vice-président Spiro Agnew fut accusé d'avoir touché des pots-de-vin de la part de fournisseurs de l'État du Maryland en échange de son soutien politique. Il démissionna en octobre 1973 et Nixon désigna Gerald Ford au poste de vice-président.

12 – Plus de 10 millions de dollars de fonds publics avaient été utilisés pour « assurer la sécurité » des propriétés privées de Nixon à San Clemente et Key Biscayne.

13 – Nixon s'était illégalement accordé 576 000 dollars de déductions fiscales sur les organes de presse qu'il possédait.

14 – On apprit enfin que pendant plus d'un an, en 1969-1970, les États-Unis avaient bombardé secrètement mais massivement le Cambodge sans que ni le Congrès ni l'opinion publique n'en aient été officiellement informés.

La dégringolade fut brutale. Aux élections de novembre 1972, Nixon et Agnew avaient remporté près de 60 % des votes exprimés et gagné tous les États sauf le Massachusetts, battant ainsi un candidat opposé à la guerre du Vietnam, le sénateur George McGovern. En juin 1973, un sondage indiquait que 67 % des personnes interrogées pensaient que Nixon était impliqué dans le cambriolage du Watergate ou qu'il avait menti afin de le couvrir.

À l'automne 1973, huit résolutions différentes avaient été proposées à la Chambre des représentants en faveur de l'*impeachment* du président. Les conseillers de Nixon l'informèrent que l'*impeachment* serait inévitablement voté à la majorité requise par la Chambre et que les deux tiers du Sénat requis par la Constitution pour enclencher cette procédure étaient également assurés. Le 8 août 1974, Nixon démissionnait.

Six mois avant cette démission, le magazine économique *Dun's Review* publiait un sondage effectué auprès de trois cents dirigeants d'entreprises, dont la quasi-totalité avaient voté Nixon en 1972. Désormais, ils demandaient dans leur grande majorité la démission du président. « Aujourd'hui, Wall Street se féliciterait à 90 % de la démission de Nixon », déclarait un vice-président de Merryl Lynch Government Securities. Lorsque Nixon s'exécuta, le milieu des affaires poussa un grand soupir de soulagement.

Gerald Ford déclara en prenant ses fonctions : « Notre long cauchemar national prend fin. » Les journaux, qu'ils aient ou non soutenu Nixon, conservateurs ou libéraux, se félicitèrent également de la fin pacifique et heureuse de cette crise du Watergate. « Le système fonctionne », déclarait un opposant de longue date à la guerre du Vietnam, le journaliste du *New York Times* Anthony Lewis. Les deux journalistes qui avaient été à l'origine de l'enquête et des révélations sur Nixon, Bob Woodward et Carl Bernstein, du *Washington Post*, écrivirent qu'avec le départ de Nixon on pouvait espérer une sorte de « restauration ». Tout cela baignait dans une atmosphère de soulagement et de gratitude.

Aucun journal important n'évoqua ce qu'écrivait pourtant Claude Julien, dans *Le Monde diplomatique*, en septembre 1974 : « L'élimination de Richard Nixon laisse intacts tous les méca-nismes et toutes les fausses valeurs qui ont permis le scandale du Watergate. » Claude Julien soulignait que le secrétaire d'État de Nixon resterait en place – en d'autres termes, que la politique étrangère de Nixon allait continuer. « C'est-à-dire, écrivait-il, que Washington continuera à soutenir le général Pinochet au Chili, le général Geisel au Brésil, le général Stroessner au Paraguay, etc. »

Quelques mois après l'article de Claude Julien, on apprit que les responsables des partis démocrate et républicain à la Chambre des représentants avaient secrètement garanti à Nixon qu'ils n'engage-raient pas de poursuites judiciaires à son encontre s'il acceptait de démissionner. L'un de ces personnages, le représentant républicain au comité judiciaire sénatorial, déclara : « Nous avons tous pris conscience avec inquiétude de ce que deux semaines de débats télé-visés autour de l'*impeachment* pourraient entraîner. Cela pourrait gravement diviser le pays et affecter notre politique étrangère. » Le *New York Times*, qui avait auparavant révélé le souhait de Wall Street de voir Nixon démissionner, citait néanmoins un financier qui jugeait qu'avec la démission de Nixon « nous [aurions] la même pièce avec des acteurs différents ».

Lorsque Gerald Ford – républicain conservateur qui avait sou-tenu toutes les politiques de Nixon – fut élu, le sénateur libéral de Californie, Alan Cranston, fit devant le Sénat un discours favo-rable au nouveau président. Il affirmait qu'après avoir personnel-lement sondé pas mal de gens, tant républicains que démocrates, il avait découvert qu'« un consensus quasi unanime s'[était] formé autour de [Ford] ». Quand Nixon démissionna et que Ford prit ses fonctions, le *New York Times* se félicita que « du désespoir né du Watergate [soit] sorti une nouvelle et heureuse démonstration de la singularité et de la vitalité de la démocratie américaine ». Quelques jours plus tard, le même journal déclarait que le « passage pacifique de pouvoir » provoquait « un profond soulagement dans la population américaine ».

L'exposé des charges rédigé par le comité de la Chambre pour la procédure d'*impeachment* contre Nixon laissait clairement entendre que ce comité ne souhaitait pas insister sur certains aspects du comportement de Nixon. Et précisément sur ceux qu'il partageait avec tous ses prédécesseurs et que l'on retrouvera chez tous ses successeurs. Ce document gardait le plus complet silence sur les relations de Nixon avec les milieux d'affaires et n'évoquait pas les bombardements au Cambodge. Il se focalisait sur la personne spécifique de Nixon et non sur sa politique, fondamentalement identique à celles de tous les autres présidents américains.

On se passait le mot : « On se débarrasse de Nixon mais on ne touche pas au système. » Theodore Sorensen, ancien conseiller de Kennedy, écrivait en plein Watergate : « Les raisons sous-jacentes du mauvais fonctionnement général de notre système d'application des lois sont, dans ce cas précis, moins d'ordre institutionnel que personnel. Certains changements structurels sont nécessaires. Tous les fruits pourris doivent être jetés, mais il faut sauver l'arbre. »

Et c'est ce que l'on fit. La politique étrangère resta inchangée. Les relations du gouvernement avec les milieux d'affaires se poursuivirent. Les plus proches amis de Ford à Washington appartenaient aux lobbys de ces mêmes milieux. Alexander Haig – qui avait été l'un des plus proches conseillers de Nixon et qui l'avait aidé dans l'affaire des enregistrements illégaux – fut nommé par Ford à la tête de l'OTAN. Du reste, l'un des premiers actes de Ford fut de pardonner Nixon, le sauvant ainsi de probables poursuites judiciaires et lui permettant de se retirer en Californie, bienheureux bénéficiaire d'une très confortable retraite.

Le système s'était lui-même débarrassé des membres du club qui avaient enfreint ses règles – en s'efforçant toutefois de ne pas les traiter trop durement. Les rares à être condamnés à la prison le furent pour une courte durée, dans des prisons fédérales accueillantes, où ils bénéficièrent de privilèges refusés aux prisonniers ordinaires. Richard Kleindienst plaida coupable : il fut condamné à payer une amende de 100 dollars et à un mois de prison qu'il ne fit d'ailleurs jamais.

Le départ de Nixon ne changea rien à la généreuse latitude laissée au président en matière de « sécurité nationale » – latitude confirmée par une décision de la Cour suprême en juillet 1974. La Cour décrétait que Nixon devait livrer les enregistrements illégaux faits à la Maison-Blanche au procureur exclusivement chargé de l'enquête sur le Watergate. Elle confirmait ensuite la « confidentialité des communications présidentielles », qu'elle ne pouvait pas soutenir dans le cas de Nixon mais qui restait un principe absolu lorsqu'un président invoquait « la nécessité de protéger des secrets dans les domaines militaire, diplomatique ou de sécurité nationale ».

Les retransmissions télévisées des auditions du comité sénatorial sur le Watergate cessèrent brusquement quand on en vint à traiter des relations du président avec les milieux d'affaires. Illustration typique de la couverture médiatique sélective des événements par l'industrie médiatique télévisuelle : des imbroglios compliqués comme le Watergate faisaient l'objet d'une impressionnante couverture de la part des médias alors que des agissements plus fondamentaux tels le massacre de My Lai, les bombardements tenus secrets sur le Cambodge, le comportement de la CIA ou du FBI n'étaient que rarement et très rapidement traités. Les coups tordus contre le parti socialiste des Travailleurs, contre les Black Panthers et d'autres groupes radicaux n'étaient évoqués que dans un très petit nombre de journaux. Il n'y eut jamais de grandes émissions traitant de la crise provoquée par la guerre du Vietnam, mais toute la nation put se repaître du moindre détail du cambriolage des locaux du parti démocrate.

Au cours des procès de John Mitchell et de Maurice Stans, accusés d'avoir fait obstruction à la justice en empêchant une enquête de la Securities and Exchange Commission (SEC) sur l'homme d'affaires Robert Vesco (généreux donateur de Nixon), George Bradford Cook, ancien conseiller général de la SEC, déclara avoir avoué à Maurice Stans, le 13 novembre 1972, qu'il briguait le poste de directeur de la SEC. En échange de quoi, il s'engageait à faire disparaître du rapport de la SEC sur Vesco un paragraphe concernant la contribution de ce dernier à la campagne de Nixon à hauteur de 250 000 dollars.

L'influence des milieux d'affaires sur la Maison-Blanche est l'une des constantes du système américain. Si elle reste la plupart du temps dans un cadre légal, elle en sort parfois, comme ce fut le cas sous Nixon. Lors de l'enquête sur le Watergate, le dirigeant d'une entreprise alimentaire affirma qu'il avait été approché par un responsable de la campagne de Nixon qui lui avait dit que, si une contribution financière de 25 000 dollars serait certes appréciée à sa juste valeur, « pour 50 000 dollars il pourrait parler personnellement au président ».

La plupart de ces entreprises versaient de l'argent aux deux partis, de manière à avoir toujours des amis dans l'administration. Chrysler demanda à ses dirigeants de « soutenir le parti et le candidat de leur choix » puis, après avoir collecté leurs chèques, la direction de l'entreprise redistribua l'argent soit aux démocrates soit aux républicains.

ITT, le géant des télécommunications, versait régulièrement de l'argent aux deux partis. En 1960, la compagnie avait illégalement versé des fonds à Bobby Baker, qui travaillait pour les sénateurs démocrates parmi lesquels se trouvait Lyndon Johnson. D'après l'un des assistants de Baker, un ancien vice-président de ITT avait déclaré au cours d'une réunion du bureau exécutif de l'entreprise : « Arrangez-vous pour "graisser la patte" des deux camps pour que nous soyons en bonne position quel que soit le gagnant. » En 1970, John McCone (un responsable de ITT, ancien directeur de la CIA) disait à Henry Kissinger (secrétaire d'État) et à Richard Helms (directeur de la CIA) que ITT souhaitait verser un million de dollars au gouvernement pour l'aider à renverser le gouvernement de Salvador Allende au Chili.

En 1971, ITT souhaitait s'emparer de la Hartford Fire Insurance Company, d'une valeur d'un milliard et demi de dollars, ce qui constituait alors la plus importante fusion de l'histoire américaine. Le département anti-trust du secrétariat à la Justice engagea des poursuites contre ITT pour violation de la loi anti-trust. Pour finir, ITT ne fut pas poursuivi et reçut même l'autorisation de fusionner avec Hartford. Tout s'arrangea en dehors des tribunaux et fut conclu par un accord secret aux termes duquel ITT s'engageait à verser 400 000 dollars au parti républicain. Il semble bien que Richard Kleindienst, sous-secrétaire à la Justice, ait rencontré une demi-douzaine de fois un dirigeant de ITT, Felix Rohatyn, et qu'il ait touché quelques mots au directeur du département anti-trust, Richard McLaren, dans le but de le persuader que l'interdiction de cette fusion avec Hartford causerait de « graves dommages » aux actionnaires de ITT. McLaren accepta le marché et fut nommé plus tard au poste de juge fédéral.

Autre sujet dont on ne parla pas dans l'exposé des charges contre Nixon, ni d'ailleurs pendant les auditions sénatoriales retransmises à la télévision : la coopération du gouvernement avec l'industrie laitière. Début 1971, le secrétaire à l'Agriculture annonça que le gouvernement n'augmenterait pas ses subventions – qui profitaient généralement aux gros producteurs laitiers. L'Association des

producteurs laitiers se mit alors à subventionner la campagne électorale de Nixon. Ses dirigeants rencontrèrent le Président et le
secrétaire à l'Agriculture et décidèrent de verser plus d'argent encore
à Nixon. Quelque temps après, le secrétaire à l'Agriculture annonça
qu'une « nouvelle analyse » de la situation imposait une augmentation sérieuse des subventions gouvernementales aux produits laitiers. Les contributions de ce secteur à la campagne approchèrent
les 400 000 dollars. Quant à l'augmentation du prix du lait, elle
entraîna, aux dépens des consommateurs, un profit de 500 millions de dollars environ pour les producteurs laitiers (pour la plupart de grandes entreprises). Quel que soit le Président, Nixon,
Ford ou n'importe quel démocrate ou républicain, le système fonctionnait sensiblement de la même manière. Un sous-comité sénatorial enquêtant sur le comportement des multinationales
découvrit un document (dont on parla peu dans la presse) dans
lequel les professionnels de l'industrie pétrolière préconisaient de
limiter la production afin de maintenir le prix de l'essence assez
haut. En 1973, l'ARAMCO (Arabian American Oil Corporation),
dont les stocks appartenaient en partie aux Américains (75 %) et
en partie à l'Arabie saoudite (25 %), gagnait environ 1 dollar par
baril. En 1974, ce gain était passé à 4,5 dollars. Rien de cela ne
dépendait de la personnalité installée à la présidence.

Même dans la plus appliquée des enquêtes sur le Watergate –
celle menée par Archibald Cox, un procureur spécial qui sera plus
tard chassé de son poste par Nixon –, les entreprises n'étaient
guère inquiétées. American Airlines, qui reconnaissait avoir versé
illégalement des fonds pour la campagne de Nixon, ne fut
condamnée qu'à 5 000 dollars d'amende. Goodyear à 5 000 dollars également. L'entreprise 3M à 3 000 dollars. Un dirigeant de
Goodyear et un dirigeant de 3M furent condamnés respectivement à 1 000 et 500 dollars d'amende. Le *New York Times* du 20
octobre 1973 écrivit à cette occasion : « M. Cox n'a retenu contre
eux qu'un délit : celui d'avoir versé des contributions illégales.
Juridiquement, la notion de délit suppose une contribution "involontaire". Une comptabilité criminelle qui montrerait une contribution volontairement illégale entraîne généralement une amende
de 10 000 dollars et/ou deux ans de prison. Le délit ramène la
somme à 1 000 dollars et/ou un an de prison. Interrogé devant le
tribunal sur la question de savoir comment deux responsables qui
ont, par ailleurs, admis avoir versé cet argent pouvaient être reconnus l'avoir fait « involontairement », M. McBride [membre de
l'équipe de Cox] a répondu : "Franchement, c'est un point de droit
qui me surprend autant que vous." »

Une fois Gerald Ford installé à la présidence, la politique globale de l'Amérique resta inchangée. Les États-Unis persévérèrent dans le soutien au régime de Saigon tel que l'avait pratiqué Nixon – dans l'espoir, semble-t-il, que le gouvernement Thieu se maintiendrait. John Calkins, président d'un comité du Congrès en visite au Sud-Vietnam au moment de la chute de Nixon, déclara que « l'armée sud-vietnamienne [montrait] tous les signes d'une armée efficace et décidée. [...] L'exploration pétrolière commencera bientôt. Le tourisme peut être encouragé en assurant la sécurité des régions historiques et spectaculaires et par la construction d'un nouvel hôtel *Hyatt*. [...] Le Sud-Vietnam a besoin d'investissements étrangers pour financer ces projets et bien d'autres encore. [...] Il existe ici une importante réserve de main-d'œuvre qualifiée et pleine de talents d'un coût bien moins élevé qu'à Hong Kong, à Singapour ou même en Corée ou à Taïwan. [...] Je pense également qu'il y a pas mal de profits à faire ici. L'alliance de Dieu et de Mammon s'est révélée attractive pour les Américains et certains autres par le passé. [...] Le Vietnam pourrait être la prochaine vitrine du capitalisme en Asie. »

Au printemps 1975, tout ce qu'avaient affirmé les critiques radicales de la politique américaine au Vietnam fut confirmé – en particulier que l'absence de soutien populaire au gouvernement de Saigon éclaterait au grand jour dès le départ des troupes américaines. Une offensive des troupes nord-vietnamiennes restées dans le Sud au terme de la trêve de 1973 progressa ville après ville.

Mais Ford restait optimiste. Il fut finalement le dernier d'une longue liste de dirigeants – et de journalistes – à promettre la victoire (le secrétaire à la Défense McNamara déclarait le 19 février 1963 : « La victoire est proche » ; le général William Westmoreland, le 15 novembre 1967 : « Je n'ai jamais été aussi optimiste au cours des quatre années que j'ai passées au Vietnam » ; le journaliste Joseph Alsop, le 1er novembre 1972 : « Hanoi reconnaît être au bord de la défaite »). Le 16 avril 1975, Ford déclarait à son tour : « Je suis absolument convaincu que, si le Congrès vote les 722 millions de dollars d'aide militaire à la date que j'ai indiquée, [...] le Sud-Vietnam sera en mesure de stabiliser la situation militaire au Vietnam. »

Deux semaines après, le 29 avril 1975, les troupes nord-vietnamiennes entraient dans Saigon et la guerre prenait fin.

La plupart des pouvoirs en place – à l'exception de Ford et de quelques autres va-t-en-guerre de son acabit – avaient depuis longtemps perdu tout espoir au sujet du Vietnam. Il leur importait avant tout d'estimer la capacité de l'opinion publique américaine à soutenir désormais d'autres interventions militaires à l'étranger.

Il y avait eu, en effet, plusieurs autres raisons de s'inquiéter dans la période qui avait précédé la défaite au Vietnam.

Début 1975, John C. Culver, sénateur de l'Iowa, déplorait que les Américains refusent de se battre pour la Corée. « Le Vietnam a sérieusement nui à la vitalité nationale du peuple américain », disait-il. Peu avant, le secrétaire à la Défense, James Schlesinger, avait déclaré devant le Georgetown Center for Strategics and International Studies – sur un ton « plutôt mélancolique » selon certains – que « le monde ne [craignait] désormais plus la puissance américaine ».

En mars 1975, un organisme catholique effectua un sondage sur l'attitude des Américains sur l'avortement. Ce sondage reflétait d'autres phénomènes fort intéressants. Plus de **83** % des personnes interrogées répondaient par l'affirmative à la proposition : « Les responsables qui dirigent ce pays (les personnalités gouvernementales, politiques, religieuses et civiles) ne disent pas la vérité. »

Début 1975, le correspondant international du *New York Times* en poste à Ankara (C. L. Sulzberger, partisan inconditionnel de la politique de guerre froide menée par le gouvernement) estimait – tout aussi mélancolique – que « l'enthousiasme qui régnait à l'époque de la doctrine Truman [avait] disparu » (époque à laquelle, rappelons-le, les États-Unis apportaient leur aide militaire à la Grèce et à la Turquie). « Et on ne peut pas dire que le piteux état dans lequel se trouve cette région soit équilibré par de brillants succès américains en Grèce, par exemple, où une foule imposante s'en est pris dernièrement à l'ambassade des États-Unis. [...] Il doit y avoir quelque chose de sérieusement inadapté dans la manière dont nous nous présentons aux autres ces derniers temps », concluait-il. Selon Sulzberger, donc, le problème n'était pas tant le comportement effectif des États-Unis que la manière dont ce comportement était présenté au reste du monde.

Quelques mois plus tard, en avril 1975, Henry Kissinger, le secrétaire d'État de l'époque, invité à prendre la parole à l'occasion de la cérémonie de remise des diplômes à l'université du Michigan, se vit contester cette invitation en raison de son rôle dans la guerre du Vietnam. Une contre-cérémonie ayant été organisée, Kissinger renonça à l'invitation. Rude époque pour l'administration américaine. Le Vietnam était « perdu » (comme s'il avait jamais appartenu aux États-Unis). Au cours de ce même mois d'avril, le *Washington Post* citait Kissinger : « Les États-Unis se doivent d'entreprendre quelque chose quelque part dans le monde pour affirmer leur volonté de demeurer une puissance mondiale. »

L'« affaire Mayaguez » éclata le mois suivant.

Le *Mayaguez* était un cargo américain qui se rendait du Sud-Vietnam en Thaïlande au cours du mois de mai 1975, trois semaines seulement après la victoire des forces révolutionnaires au Vietnam. Au large d'une île cambodgienne (pays dans lequel un régime révolutionnaire venait également de prendre le pouvoir), le navire fut interpellé par des Cambodgiens et convoyé vers cette île. L'équipage fut conduit sur le continent où l'accueil, selon les marins, fut plutôt courtois : « Un homme parlant l'anglais nous serra la main et nous souhaita la bienvenue au Cambodge. » La presse confirma que « ni le capitaine Miller ni aucun de ses hommes [n'avaient] subi de violence de la part de leurs gardiens. On a même parlé parfois de bons traitements. Les soldats cambodgiens laissaient les Américains manger avant eux et ne mangeaient eux-mêmes que ce que ces derniers leur laissaient. D'autres soldats cambodgiens [avaient] proposé leurs matelas aux marins américains ». Les Cambodgiens interrogèrent néanmoins les marins américains sur des questions d'espionnage et leur appartenance éventuelle à la CIA.

Le président Ford adressa au gouvernement cambodgien un message exigeant la libération du navire et de son équipage. Après trente-six heures sans réponse (le message avait été confié à la mission chinoise de Washington mais, selon un journaliste, il ne fut jamais délivré aux autorités cambodgiennes), le Président ordonna une opération militaire. Des appareils américains bombardèrent des bateaux cambodgiens, dont celui qui conduisait les marins américains sur le continent.

Ces derniers avaient été capturés le lundi matin ; le jeudi suivant, les Cambodgiens les embarquaient sur un bateau de pêche pour les remettre à la marine américaine qui croisait dans les environs. Le même après-midi, bien qu'ayant été informé que les marins avaient quitté l'île de Tang, Ford ordonna une opération militaire sur cette île. L'attaque commença vers dix-neuf heures quinze, alors que depuis déjà une heure les marins américains étaient en route vers la flotte américaine – leur libération avait été annoncée sur les ondes de Bangkok à dix-neuf heures. En outre, le bateau qui transportait l'équipage avait bien été localisé par un appareil de reconnaissance américain qui l'avait immédiatement signalé.

Un fait qui n'avait été ni mentionné dans la presse ni officiellement reconnu par le gouvernement fut révélé en 1976 lorsque le General Accounting Office fit un rapport sur l'affaire Mayaguez : les États-Unis avaient reçu le message d'un diplomate chinois assurant que la Chine usait de toute son influence sur le Cambodge

dans cette affaire « et s'attendait à ce que tout soit réglé rapidement ». Ce message avait été reçu quatorze heures avant le début
de l'attaque américaine.

Aucun marin américain n'avait été blessé par les Cambodgiens.
Les soldats qui envahirent l'île de Tang rencontrèrent cependant
une résistance farouche et inattendue : un tiers des deux cents soldats participant à l'opération furent rapidement tués ou blessés.
Cinq des onze hélicoptères de la force d'invasion furent abattus ou
endommagés. En outre, vingt-trois Américains trouvèrent la mort
dans un accident d'hélicoptère au-dessus de la Thaïlande alors
qu'ils allaient se joindre à l'opération. Le gouvernement tenta de
cacher ce fait. Au total, ce sont quarante et un Américains qui
trouvèrent la mort au cours de ces opérations décidées par Ford.
Il y avait trente-cinq marins sur le *Mayaguez*. Pourquoi tant d'empressement à bombarder, à pilonner ? Quelles étaient les raisons
de cette opération ? Alors même que le bateau et son équipage
avaient été restitués, pourquoi Gerald Ford ordonna-t-il malgré
tout que l'aviation américaine bombarde le territoire cambodgien,
entraînant des pertes non chiffrées dans la population ? Comment
pouvait-on justifier une telle combinaison d'aveuglement moral
et de fureur guerrière ?

La réponse ne se fit pas longtemps attendre : il était indispensable de montrer au reste du monde que le géant américain vaincu
par le nain vietnamien restait néanmoins puissant et déterminé. Le
New York Times du 16 mai 1975 écrivait : « Les responsables de l'administration, dont le secrétaire d'État, Henry Kissinger, et le secrétaire à la Défense, James Schlesinger, semblaient impatients de
trouver un moyen spectaculaire d'illustrer l'intention du président
Ford de "maintenir notre leadership à l'échelle mondiale". Cette
occasion s'est présentée avec l'arraisonnement du navire. [...] Les
responsables de l'administration [...] n'ont pas caché qu'ils se
réjouissaient de cette occasion. »

Une autre dépêche, rédigée au beau milieu de l'affaire Mayaguez,
annonçait : « Des personnalités haut placées et familières des
domaines stratégiques et militaires confient officieusement que la
capture du navire pourrait être ce test de la détermination américaine à se maintenir dans le Sud-Est asiatique que les États-Unis
recherchent depuis l'effondrement des gouvernements alliés du
Vietnam et du Cambodge. »

Le journaliste James Reston écrivait pour sa part : « L'administration semble se réjouir de cette occasion de démontrer que le
Président sait agir rapidement. [...] Les responsables politiques qui
étaient depuis un certain temps la cible de commentaires ironiques

au sujet d'une Amérique transformée en "tigre de papier" espèrent bien que l'armée a suffisamment répondu à ces railleries. »

On ne s'étonnera pas que Schlesinger, le secrétaire à la Défense, ait parlé d'« opération parfaitement réussie » menée « pour le bien-être de la société ». Mais on peut se demander pourquoi le prestigieux journaliste du *New York Times* James Reston, critique acerbe de Nixon et du Watergate, jugea l'opération Mayaguez « spectaculaire et réussie ». En outre, pour quelle raison le *New York Times*, qui avait critiqué la guerre du Vietnam, évoqua-t-il la « remarquable efficacité » de l'opération ?

En fait, il semble bien que les forces en place – républicains, démocrates, presse et télévision – aient voulu resserrer les rangs derrière Ford et Kissinger, et surtout conforter l'idée que l'autorité américaine restait puissante et stable dans le monde entier.

Le Congrès de l'époque se comporta exactement comme il l'avait fait pendant les premières années de la guerre du Vietnam, c'est-à-dire en troupeau bêlant. En 1973, comme par lassitude et par dégoût de la guerre du Vietnam, le Congrès avait voté un War Powers Act, qui exigeait que le Président le consulte avant d'entreprendre une action militaire. Dans l'affaire Mayaguez, Ford ignora ostensiblement cette loi et se contenta de demander à ses conseillers de passer quelques coups de fil à une poignée de membres du Congrès afin de les informer qu'une opération militaire était en cours. Comme l'écrivit I. F. Stone – ce journaliste franc-tireur qui publiait le *I.F. Stone's Weekly*, un hebdomadaire non conformiste –, « le Congrès s'[était] laissé violer aussi facilement que lors de l'affaire du golfe du Tonkin ». Parmi les rares exceptions, on trouve le représentant du Massachusetts, Robert Drinan, le sénateur McGovern, adversaire de Nixon aux précédentes élections présidentielles et éternel opposant à la guerre, ainsi que Gaylord Nelson, sénateur du Wisconsin. Le sénateur Brook posa bien quelques questions mais le sénateur Edward Kennedy resta muet, à l'instar d'autres membres du Sénat qui, pendant la guerre du Vietnam, avaient pourtant poussé le Congrès à refuser une intensification du conflit. À cette occasion, ils prétendirent que leur mandat ne s'appliquait pas à l'opération Mayaguez.

Pour sa part, Henry Kissinger déclara qu'« on nous [obligeait] à agir ainsi ». Lorsqu'on demanda à ce même Kissinger pourquoi les États-Unis risquaient la vie des marins du *Mayaguez* en tirant sur des navires sans savoir exactement où ils se trouvaient, il répondit qu'il s'agissait d'un « risque nécessaire ».

Kissinger déclara en outre que cet incident devait « faire comprendre clairement qu'il y a des limites au-delà desquelles on ne doit pas pousser les États-Unis. Les États-Unis sont prêts à défendre leurs intérêts, et le Congrès et l'opinion publique apporteront leur soutien à ces opérations ».

Et de fait, même les membres du Congrès, démocrates ou républicains, qui avaient critiqué la guerre du Vietnam, semblaient désormais désireux de démontrer qu'il existait un consensus. Une semaine avant l'affaire Mayaguez (et deux semaines après la chute de Saigon), cinquante-six élus avaient signé une déclaration affirmant qu'« aucune nation ne [devait] interpréter les événements d'Indochine comme un échec de la volonté américaine ». L'un d'entre eux, Andrew Young, était un élu noir de Géorgie.

En 1975, le système se lança donc dans une entreprise complexe de consolidation – qui comprenait des opérations militaires comme l'opération Mayaguez – afin d'affirmer son autorité dans le monde et à l'intérieur des frontières. Il était également nécessaire de satisfaire une opinion publique désenchantée et de lui faire croire que le système pratiquait l'autocritique et se corrigeait de lui-même. Pour ce faire, il suffisait comme bien souvent de mener des enquêtes tapageuses qui condamneraient quelques boucs émissaires tout en laissant le système inchangé. Le Watergate avait nui à l'image de la CIA comme à celle du FBI : ils avaient enfreint les lois qu'ils s'étaient engagés à défendre et coopéré avec Nixon dans ses opérations de cambriolages et d'enregistrements illégaux. En 1975, des comités du Congrès enquêtèrent donc sur le FBI et la CIA.

L'enquête sur la CIA révéla que l'Agence était allée au-delà de sa mission originelle de renseignements et menait des opérations secrètes de toutes sortes. On apprit par exemple qu'elle avait, dans les années 1950, administré à des citoyens américains, à leur insu, du LSD pour en tester les effets : un scientifique américain en prit sans le savoir une telle dose qu'il tomba de la fenêtre d'un hôtel de New York et s'écrasa sur le sol.

La CIA avait également été impliquée dans des projets d'assassinat contre Castro à Cuba et contre d'autres chefs d'État. Elle avait également introduit en 1971 le virus de la fièvre porcine à Cuba, provoquant l'abattage de cinq cent mille porcs.

On apprit également que la CIA, en coopération avec un comité secret de quarante personnalités dirigé par Kissinger, avait fait en sorte de déstabiliser le gouvernement chilien de Salvador Allende, dirigeant marxiste élu au terme d'une des rares élections démocratiques d'Amérique latine. ITT, qui possédait d'importants intérêts à Cuba, joua également un rôle dans cette opération. Quand David Popper, ambassadeur des États-Unis auprès de la junte militaire chilienne (qui avec l'aide des Américains avait renversé Allende), déclara en 1974 que cette dernière violait les droits de l'homme, il fut rappelé à l'ordre par Kissinger : « Dites à Popper d'arrêter de lire des sciences politiques. »

L'enquête sur le FBI révéla pour sa part de nombreuses années d'opérations illégales destinées à miner et à détruire les mouvements radicaux et les groupes de gauche de toutes sortes. Le FBI avait fabriqué de fausses correspondances, commis de nombreux cambriolages (le Bureau en avoua quatre-vingt-douze entre 1960 et 1966), ouvert illégalement du courrier et, semble-t-il, participé à un projet d'assassinat du leader des Black Panthers, Fred Hampton.

Des informations d'importance furent donc révélées au cours de cette enquête, dont les résultats furent contrôlés et accompagnés d'un traitement médiatique – une couverture de presse et télévisuelle plus que modeste et d'épais rapports réservés à un public restreint – destiné à donner l'impression d'une société honnête cherchant à s'amender.

Les enquêtes elles-mêmes révélèrent le peu d'empressement du gouvernement à se lancer dans une telle démarche. Le comité Church, mis en place par le Sénat, mena ses enquêtes en collaboration avec les organisations sur lesquelles il enquêtait, et alla jusqu'à soumettre ses conclusions sur la CIA à la CIA elle-même pour vérifier s'il ne s'y trouvait pas des documents que la CIA ne voulait pas rendre publics. Il est donc impossible de savoir ce que le rapport contenait véritablement à l'origine.

Si le comité Pike, mis en place par la Chambre des représentants, ne passa pas le même genre d'accord avec la CIA ou le FBI, le rapport final fut classé confidentiel par la Chambre. Quand il fut tout de même partiellement rendu public dans le *Village Voice* de New York par Daniel Schorr, journaliste à CBS, aucun des grands journaux nationaux ne relaya ses informations. Schorr fut ensuite suspendu par CBS : exemple supplémentaire de la connivence entre certains médias et le gouvernement lorsqu'il s'agit de « sécurité nationale ».

Le comité Church révéla un mode de pensée intéressant lorsqu'il se pencha sur les tentatives d'assassinat contre Castro et d'autres dirigeants étrangers. Le comité semblait en effet considérer que le meurtre d'un chef d'État constitue une violation impardonnable d'une sorte de *gentlemen's agreement* entre dirigeants, en d'autres termes que ce genre de meurtre est bien plus condamnable que les interventions militaires qui tuent les citoyens ordinaires. Le comité expliquait, dans l'introduction à la section concernant les tentatives d'assassinat : « Une fois que les méthodes de coercition et de violence ont été admises, la possibilité de pertes en vie humaine est toujours présente. Il y a cependant une nette différence entre l'assassinat intentionnel, ciblé et commis de sang-froid d'un dirigeant étranger et les autres formes d'interventions dans les affaires intérieures des nations étrangères. »

Le comité Church révélait également les méthodes employées par la CIA pour influencer discrètement l'opinion publique : « La CIA utilise actuellement plusieurs centaines d'universitaires américains (personnels administratifs, professeurs, doctorants chargés d'enseignement) qui, non contents de donner des avis et d'organiser des rencontres pour les services de renseignements, écrivent des livres ou autres brochures à l'usage de la propagande américaine dans des pays étrangers. [...] Ces universitaires sont dispersés dans plus de cent collèges, universités et autres institutions américaines. Dans la majorité de ces établissements, seul l'individu concerné connaît son lien avec la CIA. Dans les autres cas, un responsable au moins de l'université est au courant de l'emploi d'un universitaire sur son campus. [...] La CIA considère ces opérations dans la communauté universitaire américaine comme l'un de ses secteurs d'activité les plus sensibles et exerce un strict contrôle sur ces agents dans ce domaine. »

En 1961, le responsable du Covert Action Staff de la CIA écrivait que les livres étaient « l'arme la plus importante de la propagande stratégique ». Le comité Church découvrit que, fin 1967, plus d'un millier de livres étaient fabriqués, subventionnés ou sponsorisés par la CIA.

Lorsque Kissinger témoigna devant le comité Church sur la campagne secrète de bombardement du Laos organisée par la CIA, il déclara : « Avec le recul, je ne pense pas que la conduite de la guerre au Laos ait été une bonne décision pour le pays. Je pense que nous aurions dû trouver une autre manière de mener cette guerre. » Personne au comité, semble-t-il, n'émit le moindre doute devant cette déclaration que ce qui avait été fait aurait simplement dû l'être par d'autres moyens.

Ce fut ainsi qu'en 1974-1975 le système entreprit de purger le pays de ses « traîtres » et de lui rendre un État sinon sain, du moins présentable. La démission de Nixon, la nomination de Ford, les révélations sur les mauvais comportements de la CIA et du FBI, tout tendait à restaurer la confiance sérieusement ébranlée du peuple américain. Pourtant, malgré toute cette agitation, l'opinion publique montrait encore de nombreux signes de suspicion, voire d'hostilité, envers les responsables politiques, militaires et économiques.

Deux mois après la fin de la guerre du Vietnam, seuls 20 % des Américains interrogés pensaient que la chute du gouvernement de Saigon était une menace pour la sécurité des États-Unis.

Le 14 juin 1975, Ford prenait la parole à l'occasion du Flag Day à Fort Benning (Géorgie), où l'armée organisait un défilé commémorant son engagement dans treize conflits successifs. Ford déclara qu'il était heureux de voir tant de drapeaux. Mais un reporter qui couvrait l'événement écrivit : « En fait, il y avait bien peu de drapeaux américains près de l'estrade où se tenait le Président, et l'un d'entre eux, brandi par des manifestants, était barré d'une inscription proclamant : "Plus de génocides en notre nom !" Il fut déchiré par des spectateurs sous les applaudissements de leurs voisins. »

En juillet de la même année, un sondage évaluant la confiance du public à l'égard du gouvernement entre 1966 et 1975 révélait que la confiance en l'armée était passée de 62 % à 29 %, la confiance dans le monde des affaires de 55 % à 18 % et la confiance envers le Président et le Congrès de 42 % à 13 %. Peu après, un autre sondage révélait que « 65 % des Américains [s'opposaient] à l'idée d'une aide militaire américaine à l'étranger parce qu'ils [pensaient] qu'elle permettrait aux dictateurs d'opprimer leurs populations ».

Ce mécontentement général peut probablement être mis à l'actif de la dégradation de la situation économique de la majorité des Américains. L'inflation et le chômage avaient augmenté régulièrement depuis 1973, année au cours de laquelle un sondage révéla que le nombre d'Américains « désabusés » ou « indifférents » devant l'état général du pays était passé de 29 % (en 1966) à plus de 50 %. Après que Ford eut succédé à Nixon, le pourcentage des « indifférents » s'élevait à 55 %. Le sondage révélait que les gens s'inquiétaient surtout de l'inflation.

À l'automne de 1975, un autre sondage publié par le *New York Times* et portant sur mille cinq cent quatre-vingt-dix-neuf personnes ainsi que sur une série d'entretiens avec soixante familles de douze villes différentes révélait un « déclin substantiel de la confiance en l'avenir ». Le *Times* concluait : « L'inflation, l'apparente incapacité du pays à résoudre ses problèmes économiques et le pressentiment que la crise de l'énergie entraînera un véritable recul dans le mode de vie de la nation minent la confiance, les espoirs et les attentes des Américains. [...] Le pessimisme face à l'avenir est particulièrement sensible chez ceux dont le revenu annuel ne dépasse pas 7 000 dollars. Mais il est également élevé dans les familles dont les revenus annuels s'étalent de 10 000 à 15 000 dollars. [...] On s'inquiète aussi [...] de ce que l'ardeur au travail et l'économie consciencieuse ne suffisent plus à garantir l'acquisition d'une maison agréable dans un environnement calme. »

Selon ce sondage, même les plus hauts revenus « n'[étaient] plus aussi optimistes qu'ils [avaient] pu l'être ces dernières années, ce qui signale un glissement du mécontentement des bas et moyens revenus vers des classes économiquement plus favorisées ».

À la même époque, des analystes de l'opinion publique s'adressant à un comité du Congrès affirmaient, selon le *New York Times*, que « la confiance du public à l'égard du gouvernement et de l'avenir économique du pays [était] sans doute à son plus bas niveau depuis qu'il est possible de calculer scientifiquement ce genre de choses ».

Les statistiques gouvernementales donnent la clef de ce phénomène. Le Bureau du recensement fait état d'une augmentation de 10 % du nombre d'Américains vivant en dessous du seuil « légal » de pauvreté (c'est-à-dire 25,9 millions de personnes avec moins de 5 500 dollars de revenus annuels). Le taux de chômage, qui était de 5,6 % en 1974, était passé à 8,3 % en 1975, et le nombre de gens en fin de droits de 2 millions en 1974 à 4,3 millions en 1975.

Rappelons que les chiffres officiels sous-estiment généralement le chômage et surtout la pauvreté en fixant trop bas son seuil « légal ». Par exemple, en 1975, si 16,6 % de la population avaient connu six mois de chômage en moyenne et 33,2 % trois mois de chômage, le « chiffre moyen du chômage » fut fixé à 8,3 % – ce qui sonnait tout de même mieux.

En 1976, à l'approche des élections présidentielles, on s'inquiéta dans les sphères dirigeantes du manque d'adhésion de l'opinion publique envers le système. À l'automne 1976, William Simon, secrétaire au Trésor sous Nixon et Ford (et auparavant banquier émargeant à 2 millions de dollars annuels), prit la parole lors d'une réunion du Conseil économique à Hot Springs (Virginie) pour prévenir que lorsque, « la majeure partie de la population louche vers le socialisme ou le totalitarisme », il devient urgent de bien faire comprendre le système commercial américain. « L'entreprise privée est en train de perdre par défaut – dans grand nombre de nos écoles, dans les médias et dans une partie croissante de l'opinion publique », ajoutait-il. Son discours reflétait exactement l'opinion des milieux d'affaires américains : « Le Vietnam, le Watergate, l'agitation étudiante, le bouleversement des valeurs morales, la pire des récessions que notre génération ait connue et toute une série de chocs culturels se sont combinés pour créer un nouveau climat de doute et de questionnement. […] Tout cela se lit dans le malaise général d'une société en mal de confiance. »

Selon Simon, les Américains avaient trop souvent « entendu dénigrer la notion de profit et la motivation qu'elle représente, qui ont pourtant rendu possible notre prospérité. Ils pensent en outre que, d'une manière ou d'une autre, ce système – qui a pourtant fait plus qu'aucun autre pour combattre la souffrance humaine et la privation – est essentiellement cynique, égoïste et amoral ». « Nous devons, déclarait-il encore, mettre en avant l'aspect humain du capitalisme. »

En 1976, alors que les États-Unis se préparaient à célébrer le bicentenaire de la Déclaration d'indépendance, un groupe d'intellectuels et de responsables politiques du Japon, des États-Unis et d'Europe de l'Ouest se réunit pour former la « Commission trilatérale ». Cette commission publia un rapport intitulé « La gouvernance des démocraties ». Samuel Huntington, professeur de sciences politiques à Harvard et consultant régulier auprès de la Maison-Blanche pour la guerre du Vietnam, rédigea la partie du rapport consacrée aux États-Unis. Il l'intitula « Le vernis démocratique » et introduisait la question dont il allait discuter en ces termes : « Les années 1960 ont été l'occasion d'une spectaculaire expression de ferveur démocratique en Amérique. » Dans les années 1960, écrivait Huntington, on avait assisté à un sursaut de participation citoyenne « sous la forme de défilés, de manifestations, de mouvements protestataires et de "causes" à défendre ». Il se produisit également « une nette prise de conscience de la part des Noirs, des Indiens, des Chicanos, des groupes ethniques blancs, des étudiants, des femmes, bref de tous ceux qui se sont mobilisés et ont inventé de nouvelles manières de militer ». On avait pu assister également à « une croissance remarquable du syndicalisme dans le secteur tertiaire », et tout cela s'était combiné en « une réaffirmation du principe d'égalité en tant qu'horizon de la vie sociale, économique et politique ».

Huntington notait les signes du déclin de l'autorité gouvernementale : les exigences d'égalité des années 1960 avaient eu des conséquences sur le budget fédéral américain. En 1960, le budget des Affaires étrangères représentait 53,7 % du budget global et celui des Affaires sociales 22,3 %. En 1974, ils étaient respectivement de 33 % et 31 %. Cela semblait refléter un changement dans l'attitude générale de la population. Si 18 % seulement des gens estimaient en 1960 que le gouvernement dépensait trop pour la Défense, ils étaient 52 % en 1969.

Huntington s'inquiétait de ce constat : « Le moteur du sursaut démocratique des années 1960 était le défi général lancé aux systèmes d'autorité établis, qu'ils fussent publics ou privés. Sous une forme ou une autre, ce défi s'est manifesté contre la famille, l'université, le monde des affaires, les institutions publiques ou privées, la politique, la bureaucratie gouvernementale et l'armée. Les gens n'éprouvaient plus le besoin d'obéir à ceux qu'ils considéraient auparavant comme supérieurs à eux en âge, rang, statut, connaissances, caractère ou talent. »

Tout cela, affirmait Huntington, avait « posé quelques problèmes en termes de gouvernance des démocraties dans les années 1970 ».

Par-dessus tout, il y avait eu ce déclin de l'autorité présidentielle. Or, « si quelqu'un gouvernait les États-Unis depuis la Seconde Guerre mondiale, c'était bien le Président, agissant avec le soutien et la coopération de groupes ou d'individus indispensables à la bonne marche de l'exécutif, de l'administration fédérale, du Congrès et, plus important encore, du monde des affaires, des banques, des conseils juridiques, des médias, qui composent le versant privé des pouvoirs en place. »

Il s'agit là sans aucun doute de la déclaration la plus franche qu'ait jamais émise un conseiller de l'élite dirigeante.

Huntington ajoutait que, pour gagner les élections, un président devait s'assurer le soutien d'une large coalition. Mais « le lendemain de son élection, l'importance de sa majorité perd une part – si ce n'est la totalité – de son influence sur sa manière de gouverner le pays. Ce qui compte désormais, c'est d'obtenir le soutien des personnages clefs des grandes institutions au gouvernement et à la société dans son ensemble. […] Cette coalition doit comprendre des personnages incontournables du Congrès, de l'appareil exécutif ainsi que des représentants du secteur privé ».

Huntington donnait ensuite quelques exemples : « Truman a mis un point d'honneur à faire participer à son administration des personnalités non partisanes : des banquiers républicains et des conseillers juridiques de Wall Street. Il s'adressait directement aux sources du pouvoir réel dans le pays pour obtenir l'aide dont il avait besoin pour diriger le pays. Eisenhower hérita de cette coalition dont il était lui-même en partie le produit. […] Kennedy essaya de recréer une alliance structurelle du même type. »

Ce qui semble-t-il inquiétait le plus Huntington, c'était le déclin de l'autorité gouvernementale. Par exemple, le mouvement d'opposition à la guerre du Vietnam avait provoqué l'abandon du principe de la conscription. « La question se pose alors nécessairement de savoir si, en cas de nouvelles menaces planant sur la sécurité nationale (et cela se produira immanquablement), le gouvernement pourrait disposer de l'autorité suffisante pour exiger les moyens et les sacrifices nécessaires pour y faire face. »

Huntington envisageait la fin possible de la période « durant laquelle les États-Unis ont imposé leur pouvoir hégémonique sur l'ordre international ». Il déclarait pour finir que l'on assistait à « un abus de démocratie » et il appelait de ses vœux « une limitation souhaitable de la démocratie politique ».

Huntington rédigea ce rapport pour une institution qui allait avoir une grande importance pour l'avenir des États-Unis. La Commission trilatérale fut mise sur pied en 1973 par David Rockefeller et Zbigniew Brzezinski. Rockefeller était un dirigeant de la Chase Manhattan Bank et une figure de première importance dans le monde de la finance. Brzezinski, professeur à la Columbia University et spécialiste des relations internationales, était également consultant auprès du secrétariat d'État américain.

Robert Manning écrivit dans la *Far Eastern Economic Review* du 25 mars 1977 que « l'initiative de la commission revenait entièrement à Rockefeller. Selon George Franklin, le secrétaire général de cette commission, Rockefeller "était fort soucieux de la dégradation des relations entre les États-Unis, l'Europe et le Japon". Franklin expliquait que Rockefeller avait fait part de son inquiétude à d'autres membres de l'élite dirigeante : "Dans le cadre du Groupe Bilderberg – une organisation anglo-saxonne des plus respectables et qui opère depuis déjà pas mal de temps –, Mike Blumenthal a déclaré que la situation internationale était très inquiétante et se demandait si un groupe d'intérêt privé ne pouvait pas envisager de faire quelque chose à ce sujet. [...] David [Rockefeller] a alors réitéré sa proposition." Ensuite, Brzezinski, un proche de Rockefeller, a été chargé de mettre sur pied la commission avec des fonds fournis par ce dernier ».

Il semble plus que probable que la prétendue « situation internationale très inquiétante » qui avait entraîné la création de la Commission trilatérale dissimulait en fait la nécessité d'une plus grande unité d'action entre le Japon, l'Europe de l'Ouest et les États-Unis face à une menace nettement plus sérieuse pour le capitalisme tricontinental que le communisme monolithique : les mouvements révolutionnaires, relativement autonomes, qui secouaient alors le tiers-monde.

La Commission trilatérale entendait également faire face à un autre problème. Dès 1967, George Ball – directeur de Lehman Brothers (une banque d'investissements très importante) et jadis secrétaire aux Affaires économiques dans l'administration Kennedy – annonçait aux membres de la Chambre internationale de commerce : « Au cours des vingt années qui ont suivi la guerre, nous avons dû admettre, du moins dans les actes si ce n'est dans nos discours, que les frontières politiques des États-nations sont trop étroites et contraignantes pour satisfaire aux objectifs et aux activités du commerce moderne ».

Pour illustrer la croissance de l'internationalisation économique des entreprises américaines, il suffit d'observer le secteur bancaire. En 1960, huit banques américaines possédaient des filiales à l'étranger ; en 1974, elles étaient cent vingt-neuf. Le capital de ces filiales était de 3,5 milliards en 1960 et de 155 milliards en 1974.

Apparemment, la Commission trilatérale se voulait un soutien à la création des liens internationaux nécessaires au fonctionnement de cette nouvelle économie mondialisée. Ses membres étaient issus des plus hauts cercles de la politique, des affaires et des médias d'Europe de l'Ouest, du Japon et des États-Unis. On y trouvait des responsables de Chase Manhattan, Lehman Brothers, Bank of America, Banque de Paris, Lloyd's of London, Bank of Tokyo, etc. ; des industriels du pétrole, de l'acier, de l'automobile, de l'aéronautique et de l'énergie. D'autres membres de la commission appartenaient au magazine *Time*, au *Washington Post*, à Columbia Broadcasting System, au *Zeit*, au *Japan Times*, à l'*Economist* de Londres et à bien d'autres médias.

L'année 1976 ne fut pas seulement marquée par les élections présidentielles, ce fut également l'année tant attendue du bicentenaire de l'Indépendance. De nombreux événements triomphalement annoncés dans les médias devaient avoir lieu dans tout le pays. La quantité d'énergie dépensée à cette occasion laisse penser que la commémoration était considérée comme un moyen de restaurer un certain patriotisme américain en convoquant les symboles historiques susceptibles de réconcilier le peuple avec le gouvernement et de faire oublier l'atmosphère survoltée du passé proche.

Le bicentenaire de l'Indépendance n'atteignit pas, semble-t-il, son objectif. Lorsque le deux centième anniversaire de la Tea Party fut célébré à Boston, une énorme foule se rassembla. Mais au lieu de participer aux festivités officielles, la plupart des gens se rendirent à la contre-célébration, dite « Bicentenaire du peuple », au cours de laquelle des bidons étiquetés Gulf Oil et Exxon furent jetés dans le port de Boston en signe de refus de la prééminence du monde des affaires dans la société américaine.

Chapitre X

Carter-Reagan-Bush :
le consensus bipartisan

D ANS *The American Political Tradition* – écrit au milieu du XXᵉ siècle, l'historien Richard Hofstadter dressait le portrait des principaux responsables politiques américains, de Jefferson et Jackson à Herbert Hoover et aux Roosevelt – républicains et démocrates, libéraux et conservateurs. Il en concluait que « la position politique adoptée par les différents candidats ayant participé aux primaires des principaux partis s'est toujours limitée à l'horizon défini par les notions de propriété et d'entreprise. [...] Ils acceptaient l'idée que les vertus économiques de la culture capitaliste étaient inhérentes à la nature humaine. [...] Et cette culture a toujours été fondamentalement nationaliste ».

Pour les vingt-cinq dernières années du XXᵉ siècle, nous constatons la permanence de cette vision limitée dont parle Hofstadter – un capitalisme bénéficiant essentiellement aux grandes fortunes économiques, accompagné d'une immense pauvreté et d'un sentiment nationaliste favorable à la guerre et à ses préparatifs. Le pouvoir politique a beau basculer des républicains vers les démocrates et vice versa, aucun des deux partis ne semble en mesure de dépasser cet horizon.

Après le désastre de la guerre du Vietnam, il y eut le scandale du Watergate. La majorité de la population se trouvait dans une situation économique inquiétante, l'environnement était de plus en plus dégradé, les familles désemparées, et l'on assista à l'émergence d'une culture de violence. À l'évidence, ces questions de fond ne pouvaient pas être résolues sans modifier radicalement la structure économique et sociale du pays. Mais aucun candidat à la présidence américaine – quel que soit son parti – ne proposa de réaliser de tels changements. La « tradition politique américaine » tenait bon.

Conscients ou non de ce fait, les électeurs votaient sans enthousiasme ou s'abstenaient, exprimant de plus en plus clairement leur désaffection vis-à-vis du système politique. En 1960, 63 % des électeurs s'étaient déplacés pour voter lors des élections présidentielles. Ils n'étaient plus que 53 % en 1976. Lors d'un sondage effectué par CBS News et le *New York Times*, plus de la moitié des personnes interrogées estimaient que les dirigeants politiques ne s'occupaient pas d'eux. Un plombier fit une remarque assez représentative de l'opinion générale : « Le président des États-Unis ne va pas résoudre nos problèmes. Ils sont trop gros pour lui. »

Quelque chose d'assez absurde était en train de se produire. La politique électorale occupait l'espace médiatique, et les faits et gestes du président, du Congrès, des juges de la Cour suprême et d'autres responsables politiques étaient présentés comme de grands moments de l'histoire du pays. Tout cela semblait artificiel, exagéré, comme destiné avant tout à persuader une population plus que sceptique qu'il s'agissait bien de l'essentiel et que l'avenir du pays dépendait des responsables politiques de Washington. Aucun d'entre eux, pourtant, n'était très enthousiasmant, tant il semblait évident que, malgré leur éloquence, leur rhétorique sans faille et leurs promesses, ils se souciaient avant tout de leur propre carrière politique.

Ce fossé entre le peuple et les politiciens était particulièrement criant au niveau culturel. Sur les écrans de la télévision publique, qui, indépendante des intérêts privés, pouvait passer pour le meilleur des médias, le public n'était jamais présent. Dans l'émission politique quotidienne du service public, le « MacNeil-Lehrer Report », le public était réduit au rôle de spectateur de l'interminable défilé de congressistes, de sénateurs, de responsables gouvernementaux et d'experts en tout genre.

Sur les radios commerciales, le traditionnel consensus qui excluait toute critique radicale du système était également flagrant. Au milieu des années 1980, sous la présidence de Reagan, la doctrine d'équité appliquée par la Commission fédérale des communications, qui accordait un certain temps de parole aux opinions critiques, fut abandonnée. Dans les années 1990, les *talk-radio* ont soumis environ vingt millions d'auditeurs aux harangues quotidiennes de personnalités ultra-conservatrices sans jamais inviter les représentants de la gauche politique.

L'opinion publique, déçue par la politique et les débats politiques prétendument sérieux, se tourna – ou fut détournée – vers les émissions de divertissement, les ragots et les mille et une recettes du bonheur proposés par les différents médias. Les populations marginales s'abandonnèrent de plus en plus à la violence, cherchant des boucs émissaires au sein de leur propre communauté (par exemple les Noirs des milieux pauvres contre leurs semblables) ou dans d'autres groupes ethniques, chez les immigrés, les étrangers diabolisés, les mères vivant des allocations et les petits délinquants (la grande délinquance restant inaccessible).

Certains citoyens américains, restés fidèles aux modes de pensée et aux idéaux rescapés des années 1960-1970, ne se contentèrent pas de discuter. Ils agirent. En effet, à travers tout le pays, une partie de la population totalement ignorée par les médias et par le personnel politique militait au sein de milliers d'associations locales. Ces organisations luttaient pour la défense de l'environnement, pour les droits des femmes, pour le maintien de services de santé dignes de ce nom (surtout après l'apparition du virus du SIDA), pour l'octroi de logements aux sans-abri ou contre les dépenses militaires.

Ce militantisme n'avait aucune commune mesure avec celui des années 1960, quand le rejet de la ségrégation raciale et de la guerre avait donné naissance à un véritable mouvement d'envergure nationale. Il s'agissait plutôt d'une lutte perpétuelle contre des politiciens locaux impitoyables. Une lutte qui tentait de mobiliser les très nombreux citoyens américains qui ne croyaient plus ni dans la politique ni dans l'efficacité de la contestation.

La présidence de Jimmy Carter (1977-1980) a pu apparaître comme une tentative de la part d'une partie des pouvoirs en place – en l'occurrence le parti démocrate – de remobiliser une opinion publique désabusée. Pourtant, malgré quelques gestes en direction de la communauté noire et des pauvres, malgré quelques beaux discours sur les droits de l'homme à l'étranger, Carter demeura dans les limites historiques du système américain et continua de veiller sur les intérêts et les prérogatives du monde des affaires, en maintenant un appareil militaire phénoménal – qui accaparait une grande part du revenu national – et en confirmant les alliances avec les régimes dictatoriaux à l'étranger.

Carter apparaissait comme le véritable candidat de ce groupe d'influence international qu'était la Commission trilatérale. Selon la *Far East Economic Review*, deux des membres fondateurs de la commission (David Rockefeller et Zbigniew Brzezinski) estimaient que Carter était le candidat idéal pour les présidentielles de 1976 puisque « le parti républicain, empêtré dans le scandale du Watergate, [était] assuré de perdre ».

Du point de vue des pouvoirs en place, la mission de Carter était de mettre un terme au mouvement de désaffection du peuple américain vis-à-vis du gouvernement, du système économique et des désastreuses aventures militaires à l'étranger. Lors de sa campagne, Carter essaya de s'adresser aux électeurs les plus désabusés ou les plus vindicatifs. Il en appela en particulier aux électeurs noirs dont la révolte, à la fin des années 1960, avait constitué la plus grave menace pesant sur les autorités gouvernementales depuis les émeutes et les mouvements sociaux des années 1930.

Sa façon de faire était « populiste ». Il s'adressait aux diverses fractions de la population qui se jugeaient opprimées par les riches et les puissants. Bien qu'il fût lui-même un millionnaire ayant fait fortune dans la culture des cacahuètes, il se plaisait à se présenter comme un modeste fermier ordinaire. De même, bien qu'il eût soutenu jusqu'au bout la guerre du Vietnam, il prétendait être un sympathisant pacifiste et promettait d'effectuer des coupes dans le budget militaire.

Au cours d'un discours très médiatisé devant les professionnels de la justice, il déclara que la loi ne devait pas servir les intérêts des riches. Il nomma Patricia Harris, une Afro-Américaine, au poste de secrétaire au Logement et au Développement urbain, et un ancien militant des droits civiques, Andrew Young, au poste d'ambassadeur auprès des Nations unies. Il confia également la direction du bureau national de la Jeunesse à un ex-militant pacifiste, le jeune Sam Brown.

Mais les nominations aux postes essentiels obéissaient à la logique du rapport que Huntington, célèbre spécialiste des sciences politiques, avait rédigé pour la Commission trilatérale. Rappelons que Huntington y affirmait – et ce quel que soit le profil de l'électorat du président – qu'il fallait avant tout « obtenir le soutien des dirigeants des grandes institutions ». Brzezinski, intellectuel type de la guerre froide, obtint le poste de conseiller à la Sécurité nationale. Selon les *Pentagon Papers*, le secrétaire à la Défense de l'administration Carter, Harold Brown, avait envisagé pendant la guerre du Vietnam « la suppression de toutes les contraintes imposées aux opérations de bombardement ». Le secrétaire à l'Énergie, James Schlesinger, ancien secrétaire à la Défense de Nixon, avait fait à l'époque, selon un correspondant de presse à Washington, « tout ce qui était en son pouvoir pour renverser la tendance à la baisse du budget militaire ». En outre, Schlesinger était un fervent partisan de l'énergie nucléaire.

Les autres membres de cette administration entretenaient des liens étroits avec le milieu des affaires. Un analyste financier écrivit, peu après l'élection de Carter : « Jusqu'à présent, les décisions, les déclarations et en particulier les nominations de M. Carter se sont révélées très rassurantes pour la communauté des entrepreneurs. » Un journaliste chevronné de Washington, Tom Wicker, confirmait qu'il était « parfaitement clair que M. Carter [avait] choisi jusqu'ici de rassurer Wall Street ».

Carter se lança également dans une politique des plus sophistiquées à l'égard des gouvernements dictatoriaux à l'étranger. Par l'intermédiaire de son ambassadeur auprès des Nations unies, Andrew Young, il fit en sorte que les États-Unis soient vus d'un meilleur œil par les pays africains et insista pour que l'Afrique du Sud assouplisse sa politique envers sa population noire. Des raisons strictement stratégiques rendaient absolument nécessaire une pacification de la situation sud-africaine. L'Afrique du Sud était un des pivots du système radar d'observation et de renseignements. En outre, ce pays accueillait d'importants investissements américains et était l'une des principales sources de matières premières pour l'Amérique (le diamant en particulier). Les États-Unis souhaitaient par-dessus tout un gouvernement stable en Afrique du Sud ; or, la répression continuelle des populations noires risquait d'y entraîner une guerre civile.

Ce raisonnement valait également pour d'autres pays dont l'importance stratégique imposait des avancées dans le domaine des droits civiques. Néanmoins, comme la nécessité pratique l'emportait sur toute autre considération, il suffisait d'effectuer des changements de nature purement symbolique. Au Chili, par exemple, on libéra une poignée de prisonniers politiques. Mais lorsque Herman Badillo, membre du Congrès, proposa le vote d'une déclaration exigeant des représentants américains à la Banque mondiale et dans d'autres institutions monétaires internationales de voter contre tout prêt accordé à des pays qui pratiquaient la torture ou l'emprisonnement arbitraire, Carter demanda personnellement à tous les membres du Congrès de ne pas voter cet amendement. L'amendement l'emporta par une voix à la Chambre des représentants mais fut rejeté par le Sénat.

Avec Carter, les États-Unis continuèrent de soutenir, partout à travers le monde, des régimes qui emprisonnaient leurs dissidents, pratiquaient la torture et massacraient leurs populations : tels les Philippines, l'Iran, le Nicaragua et l'Indonésie (qui mena au Timor-Oriental une campagne de massacres qui s'apparentait à un génocide).

The New Republic, magazine supposé se situer à gauche sur l'échiquier politique, approuvait avec fermeté la politique de Carter : « La politique étrangère américaine perpétuera au cours des quatre années à venir la doctrine pratiquée pendant les années Nixon-Ford.

Ce n'est pas une perspective négative. Il devait y avoir continuité en ce domaine. Cela fait partie du processus historique. »

Carter prétendait être proche des mouvements pacifistes. Pourtant, lorsque Nixon avait fait miner le port de Haiphong et avait repris les bombardements sur le Nord-Vietnam au printemps 1973, Carter avait proclamé avec ferveur qu'il apportait son « soutien et [son] appui au président Nixon, même s'[il n'était] pas d'accord avec certaines décisions spécifiques ». Élu, Carter refusa l'aide américaine à la reconstruction du Vietnam – bien que le pays eût été complètement ruiné par les bombardements américains. Au cours d'une conférence de presse, Carter déclara même que les États-Unis n'avaient aucune obligation particulière envers le Vietnam, la « destruction [ayant] été mutuelle ».

Si l'on considère que les États-Unis, après avoir fait parcourir la moitié du globe à sa phénoménale force de frappe et à deux millions de soldats, avaient totalement ruiné, à l'issue d'une guerre de huit années, un minuscule pays et y avaient causé plus d'un million de morts, cette déclaration est proprement stupéfiante.

Il fallait que les générations futures ne puissent pas considérer cette guerre telle qu'elle apparaissait pourtant clairement dans les *Pentagon Papers* du département à la Défense – c'est-à-dire comme une agression pure et simple motivée par des intérêts stratégiques et commerciaux. Il fallait qu'elles y voient plutôt une malencontreuse erreur. Noam Chomsky, l'un des plus célèbres activistes contre la guerre du Vietnam, a étudié la manière dont, en 1978, l'histoire de cette guerre était présentée dans les principaux médias. Il se rendit compte qu'on niait « la réalité historique et [qu'on] la remplaçait par des faits beaucoup plus confortables [...], ramenant les "leçons" de l'histoire à des catégories socialement neutres telles que l'erreur, l'ignorance ou le coût ».

L'administration Carter tenta manifestement de freiner la désaffection du peuple américain consécutive à la guerre du Vietnam en mettant en place des politiques étrangères plus acceptables – c'est-à-dire moins franchement agressives. D'où l'accent mis sur les « droits de l'homme »; les pressions exercées sur l'Afrique du Sud et le Chili afin qu'ils libéralisent leurs politiques. Toutefois, après un examen minutieux, il apparaît que cette libéralisation était en fait destinée à conserver intactes l'autorité et l'influence militaire et commerciale de l'Amérique sur l'ensemble du monde.

La renégociation du traité concernant le canal de Panamá avec la minuscule république de Panamá en est une parfaite illustration. Le canal de Panamá économisait 1,5 milliard de dollars de taxes portuaires par an aux compagnies américaines et les États-Unis encaissaient 150 millions de dollars de droits de passage (sur lesquels ils prélevaient 2,3 millions de dollars environ au profit du gouvernement panaméen, tout en maintenant quatorze bases militaires sur le territoire de cette république).

En 1903, les États-Unis avaient fomenté en Colombie une révolution à l'issue de laquelle ils avaient inventé la petite république du Panamá et établi un traité leur accordant des bases militaires sur le territoire panaméen et surtout la gestion perpétuelle du canal. En 1977, à la suite d'un mouvement de révolte anti-américain au Panamá, l'administration Carter décida de renégocier le traité. Dans sa grande naïveté, le *New York Times* écrivit alors : « Après avoir volé ce canal, nous effaçons aujourd'hui de nos livres d'histoire les traces de ce crime. »

Plus prosaïquement, en 1977, le canal avait perdu de son importance stratégique. Il ne pouvait plus être utilisé par les supertankers ni par les gigantesques porte-avions. Ce fut surtout cette raison, ajoutée aux émeutes anti-américaines au Panamá, qui conduisit l'administration Carter, contre l'avis des conservateurs, à négocier un nouveau traité prévoyant un démantèlement progressif des bases américaines (qu'on pouvait d'ailleurs fort bien déplacer à proximité dans la région). La propriété légale du canal serait concédée au Panamá après un certain laps de temps. Le traité comportait, en termes vagues, quelques clauses pouvant servir à une intervention militaire américaine sous certaines conditions.

Quelle que soit la sophistication de la politique étrangère de Carter, certaines données fondamentales s'imposaient à la fin des années 1960 et dans les années 1970. Les entreprises américaines étaient plus que jamais actives sur toute la surface du globe. Au début des années 1970, il existait environ trois cents entreprises américaines – parmi lesquelles les sept plus grandes banques – dont 40 % des bénéfices provenaient des marchés étrangers. En outre, 98 % des équipes dirigeantes de ces entreprises, qualifiées de « multinationales », étaient composées d'Américains. Prises ensemble, elles constituaient la troisième puissance économique mondiale, juste derrière les États-Unis et l'Union soviétique.

Comme le prouvent les statistiques du département américain au Commerce, les relations entretenues par ces gigantesques entreprises avec les nations les plus pauvres étaient clairement des relations d'exploitation. Tandis qu'entre 1950 et 1965 les entreprises américaines avaient investi 8,1 milliards de dollars en Europe pour seulement 5,5 milliards de bénéfices, elles n'avaient investi en Amérique latine que 3,8 milliards de dollars pour un bénéfice de 11,2 milliards ;

et en Afrique, 5,2 milliards d'investissements pour 14,3 milliards de dollars de bénéfices.

Nous sommes là, bien entendu, devant un comportement impérialiste classique dans lequel les régions possédant les ressources naturelles sont les victimes de nations plus puissantes qui tirent justement leur puissance de ces ressources volées. Les États-Unis et leurs entreprises dépendaient des nations les plus pauvres pour 100 % du diamant, du café, du platine, du mercure, du caoutchouc et du cobalt ; 98 % du manganèse et 90 % de la potasse et de l'aluminium provenaient également de l'étranger. En outre, de 20 à 40 % de certaines de ces importations (le platine, le mercure, le cobalt, la potasse et le manganèse) provenaient d'Afrique.

La formation et l'entraînement des officiers étrangers constituent un autre invariant de la politique étrangère américaine – et ce quel que soit le parti installé à la Maison-Blanche. L'armée américaine dirigeait dans la zone du canal de Panamá une « École des Amériques », d'où sortaient des milliers d'officiers d'Amérique latine (entre autres exemples, six diplômés de cette école faisaient partie de la junte militaire qui renversa Salvador Allende en 1973). Le commandant américain de l'école déclarait à un journaliste : « Nous gardons le contact avec nos officiers diplômés et réciproquement. »

Les États-Unis avaient également la réputation d'être particulièrement généreux en matière d'aides financières. Ils avaient en effet apporté régulièrement leur soutien aux victimes de différentes catastrophes. Mais cette aide dépendait la plupart du temps de la loyauté politique des victimes. Suite à six années de sécheresse en Afrique de l'Ouest, cent mille Africains furent victimes de la famine. Un rapport du Carnegie Endowment révéla que l'Agence américaine pour le développement international s'était révélée inefficace et particulièrement négligente en ce qui concernait l'aide aux populations nomades du Sahel (région qui s'étend sur six pays d'Afrique occidentale). Pour toute réponse, l'agence déclara que ces pays n'avaient pas « de liens historiques, économiques ou politiques suffisants avec les États-Unis ». Début 1975, selon une dépêche de Washington, « le secrétaire d'État américain, Henry Kissinger, [avait] officiellement annoncé la mise en place d'une politique de sélection concernant l'aide apportée aux pays étrangers. Ceux qui se [seraient] rangés contre les États-Unis lors de votes aux Nations unies [verraient] la contribution américaine diminuer. Dans certains cas, ces restrictions [concerneraient] également la nourriture et l'aide humanitaire ».

Toutefois, la majeure partie de l'aide américaine était militaire. En 1975, les États-Unis exportaient pour 9,5 milliards de dollars

d'armement. Malgré la promesse de l'administration Carter d'arrêter la vente d'armes aux régimes autoritaires, celle-ci se poursuivit
à un rythme soutenu.

Par ailleurs, le budget de la Défense continuait de représenter
une part énorme du budget global de la nation. Pendant sa campagne électorale, Carter avait déclaré devant le comité du programme démocrate que, « sans pour autant mettre en danger la
défense de notre pays ni nos engagements vis-à-vis de nos alliés, il
[était] possible de réduire les dépenses militaires actuelles de près
de 5 à 7 milliards de dollars par an ». Le premier budget de la
période Carter augmenta néanmoins d'environ 10 milliards de dollars l'enveloppe de la Défense. Mieux encore, Carter proposa que
les États-Unis consacrent mille milliards de dollars à la Défense au
cours des cinq années suivantes. Au même moment, l'administration américaine assurait que le secrétariat à l'Agriculture pouvait
économiser 25 millions de dollars par an en supprimant la
deuxième ration de lait accordée à un million et demi d'écoliers
nécessiteux qui bénéficiaient de repas gratuits à l'école.

Si Carter voulait restaurer la confiance de l'opinion publique à
l'égard du système américain, il échoua manifestement à résoudre
les problèmes économiques du peuple. Le prix de la nourriture et
des produits de première nécessité continuèrent d'augmenter plus
rapidement que les salaires. Le chômage se maintenait officiellement entre 6 et 8 %, mais les taux officieux étaient nettement
plus élevés. Dans certaines catégories de la population – chez les
jeunes (et les jeunes Noirs en particulier) –, le taux de chômage
atteignait 20 à 30 %.

Il devint bientôt évident que les Noirs, catégorie qui avait le plus
soutenu Carter lors de son élection, n'appréciaient guère les politiques menées par le Président. Ce dernier s'opposa, par exemple,
à l'attribution d'allocations fédérales aux femmes qui désiraient
avorter. Lorsqu'on lui fit remarquer que cela était particulièrement
injuste puisque les femmes des milieux aisés avaient plus de facilités pour avorter, il répondit : « Certes, mais comme vous le savez,
il y a pas mal de choses dans la vie que les riches peuvent s'offrir
contrairement aux pauvres. »

La politique « sociale » de Carter n'influait manifestement pas
sur les excellentes relations que son administration entretenait avec
les industries du pétrole et du gaz. Carter prévoyait de mettre fin
à la politique de régulation des prix du gaz naturel. Dans ce
domaine, le plus important producteur était l'Exxon Corporation,
dont la famille Rockefeller était le plus gros actionnaire.

Dès le début de l'administration Carter, l'Administration fédérale de l'énergie découvrit que la Gulf Oil Corporation avait surestimé de 79,1 millions de dollars ses coûts d'extraction de pétrole brut dans ses filiales étrangères. Ces coûts erronés avaient néanmoins été répercutés sur la facture des consommateurs. À l'été 1978, l'administration annonçait qu'un « compromis » avait été trouvé avec la Gulf Oil Corporation, aux termes duquel l'entreprise acceptait de rembourser 42,2 millions de dollars. La Gulf informa ses actionnaires que ces « remboursements [n'auraient] aucune incidence sur les bénéfices puisque des provisions financières adéquates [avaient] été constituées pendant la période précédente ».

Le conseiller juridique de l'Administration fédérale de l'énergie déclara que ce compromis était destiné à éviter de ruineuses poursuites judiciaires contre l'entreprise. On est en droit de se demander si ces poursuites auraient jamais pu coûter les 36,9 millions de dollars offerts à la Gulf par le biais de ce compromis. Les autorités auraient-elles accepté de libérer un braqueur de banque contre la restitution de la moitié seulement du butin ? Cet arrangement illustrait parfaitement ce que Carter avait pourtant condamné au cours de sa campagne présidentielle : une justice au service des riches.

L'administration Carter ne menaçait certes pas de bouleverser les données fondamentales de l'inégale répartition des richesses en Amérique. Pas plus en tout cas que les administrations précédentes – conservatrices ou libérales. Comme le rapportait l'économiste américain Andrew Zimbalist dans un article paru dans *Le Monde diplomatique* en 1977, les 10 % des Américains les plus riches possédaient des revenus trente fois supérieurs à ceux des 10 % les plus pauvres. Les personnes situées dans le pour cent le plus haut de l'échelle des revenus détenaient 33 % de la richesse nationale. Les 5 % les plus riches possédaient 83 % des actions américaines détenues à titre individuel. Les cent plus grandes entreprises américaines – malgré l'impôt progressif sur le revenu qui permettait de faire croire que les plus hauts revenus payaient 50 % d'impôts – n'étaient imposées en moyenne qu'à 26,9 % et les principales compagnies pétrolières qu'à 5,8 % (selon les statistiques publiées en 1974 par l'International Revenue Service). Pour compléter le tableau, deux cent quarante-quatre personnes gagnant plus de 200 000 dollars par an ne payaient pas d'impôts du tout.

En 1979, Carter proposa sans enthousiasme des allocations sociales à destination des plus pauvres. Le Congrès refusa tout net. Marian Wright Edelman, directrice noire du Children's Defense Fund à Washington, rendit alors quelques chiffres publics. Un enfant américain sur sept (dix millions au total) n'avait jamais passé le moindre examen médical depuis sa naissance. Un enfant sur trois en dessous de dix-sept ans (dix-huit millions au total) n'avait jamais vu un dentiste. Dans un article publié à la une du *New York Times*, elle écrivait : « Le Comité sénatorial du budget a récemment amputé de 88 millions de dollars un budget déjà modeste de 288 millions de dollars destiné à renforcer le programme de détection des problèmes de santé chez les enfants. Au même moment, le Sénat trouvait 725 millions de dollars pour sauver les industries Litton et pour refourguer à la marine américaine deux destroyers qu'avait, en son temps, commandés le chah d'Iran. »

The Nation publia un article de l'économiste Robert Lekachman. Il soulignait l'incroyable augmentation des bénéfices engrangés par les entreprises au cours du dernier trimestre 1978 par rapport au dernier trimestre 1977. Lekachman écrivait : « L'acte le plus scandaleux du président a sans doute eu lieu en novembre dernier lorsqu'il a signé un décret qui accordait 18 milliards de réductions fiscales. Réductions qui bénéficiaient en premier lieu aux individus déjà fortunés et aux entreprises. »

En 1979, tandis que les pauvres subissaient la politique de restriction de l'administration Carter, le salaire du président de l'Exxon Oil atteignait 830 000 dollars par an. Quant au président de la Mobil Oil, il gagnait plus d'un million de dollars par an. Cette année-là, tandis que le revenu net d'Exxon augmentait de 56 % pour atteindre 4 milliards de dollars, trois mille petites stations-service indépendantes fermèrent leurs portes.

Carter s'efforça pourtant de mettre sur pied certains programmes sociaux, mais tous ses efforts échouèrent devant l'ampleur phénoménale de ses propres budgets militaires. Ces dépenses étaient censées protéger les États-Unis de la menace soviétique. Pourtant, lorsque l'URSS envahit l'Afghanistan, Carter ne put avoir recours qu'à quelques mesures symboliques comme le rétablissement de la conscription et le boycott des Jeux olympiques de Moscou (1980).

En revanche, des armes américaines étaient utilisées pour soutenir les régimes dictatoriaux contre leurs dissidents de gauche. En 1977, un rapport de l'administration Carter destiné au Congrès reconnaissait assez franchement qu'« un certain nombre de pays ayant un comportement déplorable en matière de droits de l'homme se [trouvaient] être également des pays dans lesquels nous [avions] des intérêts de politique étrangère et de sécurité à maintenir ».

Ainsi, au printemps 1980, Carter demanda-t-il au Congrès près de 5,7 millions de dollars en faveur de la junte militaire du Salvador confrontée à une révolte paysanne. Aux Philippines, après les élections législatives de 1978, le président Ferdinand Marcos fit emprisonner dix de ses vingt et un concurrents aux élections. De nombreux prisonniers étaient torturés et de nombreux civils assassinés. Néanmoins, Carter demanda pour le régime de Marcos une aide militaire de 300 millions de dollars pour les cinq années suivantes.

Au Nicaragua, les États-Unis avaient aidé à maintenir au pouvoir le dictateur Somoza pendant des décennies. En dépit de la faiblesse intrinsèque de ce régime et de la popularité des forces révolutionnaires qui le combattaient, l'administration Carter continua de soutenir la dictature de Somoza quasiment jusqu'à sa chute, en 1979.

En Iran, vers la fin de 1978, les longues années de ressentiment contre la dictature du chah explosèrent dans de gigantesques manifestations populaires. Le 8 septembre 1978, des centaines de manifestants furent massacrés par les troupes du chah. Le lendemain, selon une dépêche UIP en provenance de Téhéran, Carter renouvelait son soutien au chah : « Hier, les soldats ont tiré sur les manifestants pour la troisième fois en trois jours. Le président Jimmy Carter a téléphoné au palais royal pour confirmer son soutien au chah Mohammad Reza Pahlevi, confronté à la pire crise de ses trente-sept années de règne. Neuf membres du Parlement sont sortis pendant un discours du Premier ministre iranien en hurlant que ses "mains [étaient] couvertes du sang" des musulmans conservateurs et des autres opposants. »

Le 13 décembre 1978, Nicholas Gage écrivait pour le *New York Times* : « Selon des sources diplomatiques, le personnel de l'ambassade américaine [à Téhéran] a été rejoint par des dizaines de spécialistes venus apporter leur soutien au chah dont l'autorité est de plus en plus contestée. [...] Parmi les nouveaux venus, toujours selon des sources diplomatiques, se trouvent en plus du personnel diplomatique et militaire un certain nombre d'agents de la CIA spécialistes de l'Iran. »

Début 1979, alors que la crise iranienne s'aggravait, l'ancien responsable du département iranien de la CIA déclarait au reporter du *New York Times* Seymour Hersh que « lui et ses collègues étaient au courant des tortures pratiquées sur les opposants iraniens par le Savaki, police secrète iranienne mise en place dans les années 1950 par le chah avec l'aide de la CIA ». Il révélait également à Hersh qu'un des responsables de haut rang de la CIA était personnellement impliqué dans la formation des officiers de la Savaki aux techniques de tortures.

Devant cette gigantesque révolution populaire, le chah prit la fuite. Prétextant des raisons de santé, l'administration Carter décida un peu plus tard de l'accueillir sur le territoire américain. Le sentiment anti-américain atteignit alors son apogée chez les révolutionnaires iraniens. Le 4 novembre 1979, l'ambassade américaine de Téhéran était prise d'assaut par des militants étudiants qui, après avoir exigé que le chah soit renvoyé en Iran pour y être jugé, prirent en otages cinquante-deux employés de l'ambassade.

Au cours des quatorze mois suivants, l'affaire des otages occupa le devant de la scène étrangère dans les médias américains, provoquant un regain de nationalisme. Lorsque Carter ordonna au service d'immigration et de naturalisation de prendre des mesures d'expulsions contre les ressortissants iraniens dont les visas n'étaient plus valides, le *New York Times* approuva discrètement mais fermement cette décision. Les politiciens et la presse se lancèrent dans une campagne totalement hystérique. Une jeune Irano-Américaine qui devait faire un discours pour une remise de diplômes fut écartée. Un autocollant « Bombardons l'Iran » fit son apparition sur les voitures du pays.

Quand les cinquante-deux otages américains furent finalement relâchés vivants et en bonne santé, rares furent les journalistes assez courageux pour faire remarquer, à l'instar d'Alan Richman, du *Boston Globe,* que les réactions américaines quant aux comportements des pays étrangers en matière de droits de l'homme étaient dangereusement sélectives : « Il s'agissait de cinquante-deux otages, un chiffre assez facile à appréhender, contrairement aux mille cinq cents personnes qui disparaissent chaque année en Argentine. [Les otages américains] parlaient notre langue. L'an dernier, au Guatemala, on a exécuté sommairement trois mille personnes qui ne la parlaient pas. »

Les otages étaient encore aux mains des Iraniens lorsque Jimmy Carter dut affronter Ronald Reagan aux élections présidentielles de 1980. Ajouté au désarroi économique de très nombreux Américains, ce fait suffirait à expliquer la défaite de Carter.

La victoire de Reagan signifiait qu'une fraction des pouvoirs en place qui ne revendiquaient certes pas le libéralisme de Carter s'installait aux commandes de l'Amérique. La politique devint plus ouvertement agressive : suppression de certaines allocations sociales, réductions fiscales pour les riches, augmentation du budget de la Défense, mise au pas du système judiciaire fédéral par la nomination de juges conservateurs et attaques frontales destinées à abattre les mouvements révolutionnaires en Amérique centrale.

Les douze années des présidences Reagan-Bush ont transformé le système judiciaire fédéral (qui n'avait toujours été que modérément libéral) en une institution franchement conservatrice. À l'automne 1991, Reagan et Bush pouvaient se vanter d'avoir nommé plus de la moitié des huit cent trente-sept juges fédéraux et suffisamment de juges de la droite conservatrice pour transformer radicalement le fonctionnement de la Cour suprême.

Au cours des années 1970, alors que les juges libéraux William Brennan et Thurgood Marshall étaient encore à la tête de la Cour suprême, celle-ci avait décrété l'inconstitutionnalité de la peine de mort ; approuvé le droit à l'avortement et interprété la loi sur les droits civiques en un sens qui permettait de prêter une attention spéciale aux Noirs et aux femmes afin de les aider à combler leur retard (ce que l'on appela la discrimination positive).

William Rehnquist, nommé à la Cour suprême par Nixon, fut élevé à la présidence de celle-ci par Ronald Reagan. Pendant les années Reagan-Bush et sous la présidence de Rehnquist, la Cour suprême prit une série de décisions qui permettaient de revenir sur l'avortement et l'abolition de la peine de mort, de limiter les droits des détenus, d'accroître les pouvoirs de la police, d'interdire aux médecins du planning familial subventionné par l'État fédéral de donner des informations sur l'avortement. La Cour décida également que les plus pauvres pourraient être forcés à payer la scolarisation de leurs enfants dans le système public, l'enseignement ne faisant pas partie des « droits fondamentaux ».

Les juges Brennan et Marshall étaient les dernières personnalités libérales de la Cour suprême. Relativement âgés et malades, ils se retirèrent malgré leur envie d'en découdre. L'acte final de la mise en place d'une Cour suprême totalement conservatrice fut la nomination par Bush d'un Noir conservateur, Clarence Thomas, pour remplacer Marshall. Malgré le témoignage d'une de ses anciennes collègues, Anita Hill, une jeune professeur de droit qui l'accusait de harcèlement sexuel, Thomas fut accepté par le Sénat et la Cour suprême pencha désormais nettement à droite.

Avec une Cour suprême ultra-conservatrice et la nomination au National Labor Relations Board (NLRB) de personnalités favorables aux entreprises, les décisions de justice et les conclusions du NLRB affaiblirent considérablement les organisations syndicales déjà ébranlées par le déclin du secteur industriel. Les grévistes se retrouvaient privés de véritable protection légale. L'un des premiers actes de l'administration Reagan fut de licencier en masse les contrôleurs aériens qui s'étaient mis en grève. Il s'agissait d'un avertissement lancé aux futurs grévistes en même temps que d'un témoignage de la faiblesse d'un mouvement ouvrier qui avait pourtant représenté, dans les années 1930 et 1940, une formidable force.

Les entreprises américaines furent les premières bénéficiaires des années Reagan et Bush. Au cours des années 1960-1970, un mouvement pour la défense de l'environnement avait pris une certaine importance au niveau national, préoccupé par la pollution de l'air, des océans et des rivières ainsi que par les milliers de morts que les conditions de travail déplorables causaient chaque année. En novembre 1968, une explosion dans une mine de Virginie-Occidentale avait fait soixante-dix-huit victimes. La colère avait éclaté dans cette région minière et le Congrès avait finalement voté le Coal Mine Health and Safety Act en 1969. Le secrétaire au Travail de Nixon parlait alors d'un « nouveau combat national. Un véritable combat pour l'amélioration de l'environnement ».

L'année suivante, cédant aux fortes pressions du mouvement ouvrier et des groupes de consommateurs – non sans profiter de cette occasion de gagner le soutien de la classe ouvrière pour les élections à venir –, le président Nixon signa l'Occupational Safety and Health Act (OSHA). Il s'agissait d'une loi importante qui reconnaissait le droit universel à travailler dans un lieu sain et en toute sécurité. Cette loi instituait également un véritable appareil de mise en application des mesures envisagées. En revenant sur cette loi quelques années plus tard, Herbert Stein, jadis président du comité économique de Nixon, regrettait que « les forces engagées dans la réglementation gouvernementale [n'aient] jamais pu être maîtrisées par l'administration Nixon ».

En prenant ses fonctions, Carter vanta les mérites de l'OSHA tout en souhaitant surtout satisfaire les milieux industriels. La femme qu'il nomma à la tête de l'OSHA, Eula Bingham, se battit courageusement pour l'application de cette loi et remporta même quelques succès. Pourtant, à mesure que l'économie américaine montrait les signes d'une faiblesse due à l'inflation, à l'augmentation du prix du pétrole et à la hausse du chômage, Carter sembla de plus en plus soucieux des problèmes que posait cette loi. Il commença par proposer d'assouplir les réglementations imposées aux entreprises et suggéra de laisser à ces dernières plus de libertés – quand bien même ces libertés seraient prises aux dépens des travailleurs et des consommateurs. Les réglementations environnementales furent victimes des analyses de type « coûts-profits » pour lesquelles la réglementation assurant la santé et la sécurité de la population ne valait certes pas ce qu'elle coûtait aux entreprises.

Sous Reagan et Bush, l'« économie » – terme sous lequel on cachait mal la volonté de satisfaire les intérêts et d'accroître les bénéfices des entreprises – passait avant les préoccupations sociales des travailleurs et des consommateurs. Le président Reagan proposa de remplacer la mise en œuvre autoritaire de la législation environnementale par une approche « volontariste » qui laissait toute latitude dans ce domaine aux chefs d'entreprise. Il nomma à la tête de l'OSHA un homme d'affaires qui y était franchement hostile. L'une de ses premières décisions fut d'ordonner la destruction de 100 000 brochures gouvernementales soulignant les risques que faisaient courir aux travailleurs du textile les poussières de coton en suspension.

Dans son livre *The President as Prisoner* (pénétrante « critique structurale » des deux présidents), le spécialiste de sciences politiques William Grover concluait, après avoir évalué les politiques environnementales respectives de Carter et de Reagan : « L'OSHA semble prise au piège d'une alternance de présidents libéraux, qui veulent maintenir quelques programmes de santé et de sécurité tout en ayant besoin de la croissance économique pour assurer leur survie politique, et de présidents conservateurs, qui se focalisent presque exclusivement sur le facteur croissance de l'équation. Une telle situation tendra toujours à subordonner, même dans le cadre de l'OSHA, les besoins réels en termes de santé et de sécurité sur le lieu de travail à la volonté des entrepreneurs. »

George Bush prétendit être un « président écologiste ». Il se vantait de la signature du Clean Air Act en 1990. Pourtant, deux ans après, cette loi fut sérieusement affaiblie par une nouvelle directive de l'Environmental Protection Agency (EPA) qui autorisait les industriels à accroître de 245 tonnes par an leurs rejets d'agents polluants dans l'atmosphère.

En outre, le budget destiné à l'application de cette loi était bien faible. Selon un rapport de l'EPA, la contamination des eaux potables avait entraîné près de cent mille cas de maladies entre 1971 et 1985. Mais pendant les premières années de la présidence de Bush, alors que l'EPA avait reçu quatre-vingt mille plaintes pour contamination des eaux potables, seule une sur sept fit l'objet d'une enquête. Selon un groupe écologiste indépendant, le National Resources Defense Council, il y eut en 1991 et 1992 deux cent cinquante mille violations du Safe Water Drinking Act voté sous l'administration Nixon.

Peu de temps après que Bush eut pris ses fonctions, un scientifique désigné par le gouvernement prépara un rapport pour un comité du Congrès sur les dangers de l'utilisation industrielle du charbon et d'autres énergies fossiles contribuant au « réchauffement général » de la planète, conséquence de la dégradation de la couche d'ozone. Malgré les objections du scientifique, la Maison-Blanche modifia ce rapport de manière à minimiser les dangers encourus. Là encore, la mauvaise volonté des entreprises quant aux réglementations environnementales passa avant la sécurité de la population.

La crise écologique mondiale était si sérieuse que le pape Jean-Paul II lui-même éprouva le besoin d'accuser les classes dirigeantes des nations industrialisées d'en être à l'origine : « Aujourd'hui, la dramatique menace d'un désastre écologique nous apprend à quel point la cupidité et l'égoïsme, individuels ou collectifs, sont contraires à l'ordre de la Création. »

Lors des conférences internationales destinées à faire face au réchauffement de la planète, la Communauté européenne et le Japon proposèrent de fixer des quotas et d'établir un calendrier pour réduire les émissions de dioxyde de carbone dont les États-Unis étaient – et sont toujours – les premiers responsables. Mais, comme le faisait remarquer le *New York Times* à l'été 1991, « l'administration Bush [craignait] que […] cela ne nuise à l'économie nationale à court terme pour d'incertains bénéfices climatiques à long terme ». L'avis des scientifiques, pourtant assez clair sur les bénéfices à long terme de la réduction de ces émissions, n'y changea rien : une fois de plus, cela passait après l'« économie », c'est-à-dire l'intérêt des entreprises.

À la fin des années 1980, il devint de plus en plus évident que les énergies renouvelables (eau, vent, soleil) étaient en mesure de produire plus d'énergie utilisable que les centrales nucléaires – dangereuses, coûteuses et génératrices de déchets radioactifs ingérables. Pourtant, les gouvernements Reagan et Bush amputèrent les budgets destinés à la recherche sur les énergies renouvelables (la réduction atteignit 90 % sous Reagan).

En juin 1992, plus d'une centaine de pays participèrent au Sommet de la Terre, une conférence environnementale organisée au Brésil. Les statistiques apportaient la preuve que l'ensemble des forces armées du monde étaient responsables des deux tiers des émanations détériorant la couche d'ozone. Proposition fut faite que le Sommet de la Terre étudie les responsabilités du secteur militaire dans la dégradation de l'environnement. La délégation américaine s'y opposa. Elle fut donc rejetée.

La préservation d'un phénoménal appareil militaire et celle du niveau de profit des firmes pétrolières constituaient bien deux objectifs conjoints des administrations Reagan et Bush. Juste après que Reagan eut pris ses fonctions, un groupe de vingt-trois présidents de firmes pétrolières contribua à hauteur de 270 000 dollars à la réfection des appartements privés de la Maison-Blanche. Selon l'Associated Press, « cette décision fut prise quatre semaines après la décision du président de déréglementer les prix du pétrole. Une décision qui rapporte 2 milliards de dollars à l'industrie pétrolière. [...] Jack Hodges, propriétaire de la Core Oil & Gaz Company, a affirmé que "l'homme le plus important de ce pays se [devait] de vivre dans l'une des plus belles maisons du pays. M. Reagan a donné un bon coup de main à l'industrie du pétrole." »

Dans sa volonté de renforcer l'appareil militaire (plus de mille milliards de dollars au cours des quatre premières années de sa présidence), Reagan essaya de trouver de l'argent en réduisant de façon drastique l'aide sociale destinée aux populations les plus défavorisées. En 1984, les États-Unis réalisèrent 140 milliards d'économie sur les programmes sociaux. Parallèlement, ils dépensèrent 181 milliards de dollars pour la « défense ». Durant la même période, Reagan proposa également des réductions fiscales de 190 milliards, dont la plupart bénéficiaient aux riches.

En dépit de ces réductions fiscales et de l'augmentation du budget militaire, Reagan assurait que le budget de la nation serait tout de même équilibré, puisque les réductions fiscales ne manqueraient pas de stimuler l'économie, créant par là même de nouvelles sources de revenus. Le prix Nobel d'économie Wassily Leontief commenta sèchement cette affirmation : « Il y a peu de chance que ça marche. Et je peux même vous assurer personnellement que cela ne marchera pas. »

En effet, les données du département au Commerce pendant ces périodes de réductions fiscales (1973-1975 et 1979-1982) ne révèlent aucune augmentation des capitaux investis. Elles montrent au contraire un véritable effondrement. En revanche, la relative augmentation des investissements de capitaux entre 1975 et 1979 correspond exactement à la période durant laquelle le niveau d'imposition des entreprises fut légèrement plus élevé que les cinq années précédentes.

Les conséquences humaines et sociales des réductions de budget effectuées par Reagan étaient profondes. Par exemple, trois cent cinquante mille personnes se virent retirer l'aide sociale aux personnes handicapées. Un homme qui avait été gravement blessé sur un site d'extraction pétrolière dut reprendre le travail, après que le gouvernement fédéral eut rejeté non seulement l'avis de son médecin mais également celui d'un expert gouvernemental ayant confirmé que l'homme était trop handicapé pour retourner au travail. Quand le malade en question décéda, les autorités fédérales se contentèrent de reconnaître qu'ils allaient avoir « un sérieux problème de communication ». Roy Benavidez, un héros de la guerre du Vietnam qui avait reçu des mains mêmes de Ronald Reagan la médaille d'honneur du Congrès, s'entendit dire par les services sociaux que les éclats d'obus qu'il avait encore dans le cœur, les bras et les jambes ne l'empêchaient pas de travailler. Lorsqu'il comparut devant un comité du Congrès, il critiqua amèrement le Président.

Le chômage augmenta sous la présidence de Reagan. En 1982, trente millions de personnes connaissaient annuellement le chômage intégral ou partiel. En conséquence, seize millions d'Américains perdirent leur assurance médicale (la plupart du temps liée au fait d'avoir un travail). En 1981, dans le Michigan, qui présentait le taux de chômage le plus élevé du pays, le taux de mortalité infantile se mit également à augmenter.

De nouveaux critères d'attribution éliminèrent plus d'un million d'enfants de l'accès aux repas scolaires gratuits – qui représentaient pourtant la moitié de leur alimentation quotidienne. Des millions d'enfants firent leur entrée dans la catégorie officielle des « pauvres », et bientôt un quart des enfants américains – douze millions au total – vécurent effectivement dans la pauvreté. Dans certains quartiers de Detroit, un tiers des enfants mouraient avant d'avoir atteint leur premier anniversaire. Le *New York Times* affirmait : « Au regard de ce que vivent ceux qui ont faim en Amérique, cette administration ne peut éprouver que de la honte. »

Le système d'allocations sociales était évidemment, sous toutes ses formes, une cible privilégiée du gouvernement : l'aide aux mères isolées fournie par le programme AFDC (Aid to Families with Dependent Children), les tickets d'alimentation, le secours médical en faveur des plus pauvres à travers Medicaid, etc. Pour la plupart des bénéficiaires, les aides sociales (dont le montant différait selon les États) représentaient entre 500 et 700 dollars par mois, ce qui les laissait tout de même largement en dessous du seuil officiel de pauvreté fixé à environ 900 dollars mensuels. Les enfants noirs avaient quatre fois plus de « chances » d'être élevés dans ce système d'assistance que les enfants blancs.

Au début de l'administration Reagan, réagissant aux affirmations selon lesquelles l'aide gouvernementale n'était pas nécessaire puisque l'esprit d'entreprise privée réglerait le problème de la pauvreté, une mère adressa un courrier à son journal local : « Je vis grâce à l'AFDC et mes deux enfants vont à l'école. [...] Je suis diplômée avec mention du collège, reçue 128e sur 1 000. J'ai une licence d'anglais et de sociologie. J'ai une expérience de bibliothécaire, d'animatrice, de travailleuse et de conseillère sociale. Je suis allée au bureau d'aide à l'emploi, mais ils n'avaient rien pour moi. [...] Je vais également toutes les semaines à la bibliothèque pour consulter les annonces du journal *Help Wanted*. J'ai conservé un double de tous les courriers que j'ai envoyés avec mon curriculum vitæ. Le dossier fait plusieurs centimètres d'épaisseur. J'ai même répondu pour des emplois qui ne rapportaient que 8 000 dollars par an. Je travaille à temps partiel dans une bibliothèque pour 3,5 dollars de l'heure et mes allocations diminuent en conséquence. Il semble donc que nous ayons des agences pour l'emploi qui n'emploient pas ; un gouvernement qui ne gouverne pas et un système économique qui ne peut fournir de travail à ceux qui veulent travailler. La semaine dernière, j'ai vendu mon lit pour payer l'assurance de ma voiture, dont j'ai besoin – étant donné le manque de transports en commun – pour chercher du travail. Je dors sur un matelas pneumatique que quelqu'un m'a donné. C'est donc ça le grand rêve américain pour lequel mes parents sont venus dans ce pays : travaillez dur, ayez une bonne éducation, suivez les règles et vous serez riches. Je ne veux pas être riche. Je veux simplement pouvoir nourrir mes enfants et vivre avec un minimum de dignité. »

Les démocrates rejoignaient bien souvent les républicains dans la dénonciation du système d'aide sociale. Sans doute était-ce pour obtenir les voix de certains électeurs des classes moyennes estimant que leurs impôts servaient essentiellement à payer les allocations des mères mineures et des individus trop fainéants pour travailler. L'immense majorité de la population ne savait pas – et les hommes politiques et les médias se gardaient bien de le leur apprendre – qu'une part minime des recettes fiscales était destinée aux allocations tandis qu'une part bien plus importante alimentait le budget militaire. Quoi qu'il en soit, l'attitude générale de l'opinion publique vis-à-vis du système d'aide sociale était bien différente de celle des deux principaux partis. Il semble bien que les attaques incessantes des politiciens contre l'aide sociale, relayées par la presse et par la télévision, n'avaient pas réussi à éliminer un sentiment profond de générosité chez de nombreux Américains.

Un sondage *New York Times*/CBS News, paru au début de 1992, montrait que l'opinion de la population concernant l'aide sociale variait selon la formulation de la question. Si le terme « aide sociale » était mentionné, 44 % des sondés déclaraient qu'on dépensait trop pour ce système (tandis que 50 % pensaient que c'était suffisant, voire insuffisant). Lorsque la question évoquait l'« assistance apportée aux pauvres », seules 13 % des personnes interrogées pensaient que l'on dépensait trop et 64 % que l'on ne dépensait pas assez.

Ainsi les deux partis essayaient-ils de créer un sentiment de désolidarisation en dénigrant sans cesse le terme d'« aide sociale » pour pouvoir ensuite prétendre qu'ils ne faisaient que répondre aux exigences de l'opinion publique. Démocrates et républicains entretenaient des relations étroites avec les riches entreprises. Kevin Phillips, observateur républicain de la politique intérieure, écrivait en 1990 que le parti démocrate était « historiquement le deuxième parti le plus favorable au capitalisme ». Phillips remarquait également que les principaux bénéficiaires de la politique gouvernementale des présidences républicaines de Ronald Reagan et de George Bush étaient les classes les plus favorisées : « Ce sont les individus véritablement riches qui ont bénéficié de l'ère Reagan. [...] Les années 1980 ont marqué le triomphe de l'Amérique richissime [...], de l'ascension politique des riches et de la glorification du capitalisme, du libre marché et de la finance. »

Quand la politique gouvernementale enrichit les riches, on ne parle pas d'« aide sociale ». Il est certain que cela ne prenait pas une forme aussi concrète que les chèques mensuels accordés aux pauvres. Il s'agissait surtout de généreux changements dans la politique fiscale.

Deux journalistes d'investigation du *Philadelphia Inquirer*, Donald Barlett et James Steele, étudièrent dans *America : Who Really Pays the Taxes?* le processus qui avait conduit à diminuer progressivement le taux d'imposition des individus les plus riches. Ce ne furent pas les républicains mais bien les démocrates – et particulièrement les administrations Kennedy et Johnson – qui, par des réformes fiscales, firent baisser les taux d'imposition des revenus de plus de 400 000 dollars annuels : de 91 % durant la Seconde Guerre mondiale, ils passèrent à 70 % dans les années 1960. Pendant l'administration Carter (mais malgré lui), démocrates et républicains du Congrès votèrent ensemble de nouvelles réductions fiscales en faveur des plus riches.

L'administration Reagan, avec le soutien des démocrates du Congrès, ramena le taux d'imposition des plus hauts revenus à 50 % et, en 1986, une coalition réunissant des républicains et des démocrates s'exprima en faveur d'une nouvelle « réforme fiscale » qui les abaissa à 28 %. Barlett et Steele remarquaient qu'un enseignant, un ouvrier et un millionnaire pouvaient tous être imposés à 28 %. L'idée d'un impôt « progressif » sur le revenu – où les hauts revenus sont plus imposés que les autres – avait fait long feu.

Conséquence de ces multiples « réformes fiscales », le revenu net des « Forbes 400 » (personnalités les plus riches du pays désignées par *Forbes Magazine*, journal qui se qualifie lui-même d'« instrument du capitalisme ») avait triplé. Le gouvernement, lui, avait perdu environ 70 milliards de dollars de recettes fiscales. Pendant ces treize années de pouvoir républicain, les 1 % des individus les plus riches de la population engrangèrent mille milliards de dollars.

Comme le souligne William Greider dans son remarquable livre *Who Will Tell the People ? The Betrayal of American Democracy* : « À ceux qui reprochent aux républicains ce qu'il s'est passé et pensent que le retour des démocrates à la Maison-Blanche restaurera une imposition équitable, il faut rappeler ce fait regrettable : le tournant de la politique fiscale – c'est-à-dire le moment où les élites fortunées se sont mises à gagner encore plus – a eu lieu en 1978, quand les démocrates jouissaient de tous les pouvoirs, bien avant l'accession de Reagan à la présidence. En outre, chaque étape de ce processus de transformation radicale a été soutenu par les majorités démocrates. »

Tandis que l'impôt sur le revenu devenait de moins en moins progressif au cours des dernières décennies du xxᵉ siècle, le financement par l'impôt du système de sécurité sociale devenait de plus en plus régressif. C'est-à-dire que l'on imposait de plus en plus les pauvres sur les aides sociales elles-mêmes alors que les revenus supérieurs à 42 000 dollars n'étaient plus imposés au titre de l'aide sociale. Au début des années 1990, une famille au revenu annuel moyen de 37 800 dollars reversait 7,65 % de son revenu pour financer le système d'aide sociale. Une famille gagnant dix fois plus (378 000 dollars par an) ne payait pour sa part que 1,46 % de charges sociales.

Ces augmentations des contributions directes sur le salaire eurent une étonnante conséquence : les trois quarts des salariés payaient plus d'impôts au titre de l'aide sociale que d'impôts sur le revenu. Fait assez embarrassant pour le parti démocrate (supposé être le parti des classes laborieuses), ces augmentations des contributions directes sur le salaire avaient été initiées sous la présidence de Jimmy Carter.

Lorsque, dans un tel système bipartisan, les deux partis se moquent de l'opinion publique, les électeurs ne savent plus vers qui se tourner. Dans le domaine fiscal, il était clair que les citoyens américains avaient voulu un impôt qui soit vraiment progressif. William Greider rappelle qu'après la Seconde Guerre mondiale, lorsque le taux d'imposition des individus les plus riches était de 90 %, un sondage avait montré que 85 % des personnes interrogées jugeaient le système fiscal « équitable ». En revanche, en 1984, après que toutes ces « réformes fiscales » eurent été mises en place successivement par les démocrates et les républicains, une enquête d'opinion commandée par l'International Revenue Service indiquait que 80 % des sondés étaient d'accord avec l'affirmation suivante : « Le système fiscal actuel profite aux riches et est injuste envers le travailleur et la travailleuse ordinaires. »

À la fin des années Reagan, l'écart entre les riches et les pauvres s'était considérablement accru. Alors que les responsables des entreprises gagnaient en moyenne quarante fois plus que le salarié moyen dans les années 1980, ils gagnaient quatre-vingt-treize fois plus en 1989. Entre 1977 et 1989, le revenu brut des 1 % les plus riches avait augmenté de 77 %. En revanche, pour les deux cinquièmes de la population la plus pauvre, il n'y avait eu aucune augmentation. On pouvait, au contraire, constater un certain déclin.

En outre, en raison de l'évolution du système fiscal en faveur des riches, les 1 % les plus riches virent leurs revenus nets augmenter de 87 % au cours de la décennie 1980. Pour la même période, le revenu net des quatre cinquièmes de la population avait soit diminué de 5 % (au bas de l'échelle des revenus) soit n'avait augmenté que de 8,7 %.

Si parmi les plus bas revenus tout le monde éprouvait des difficultés, la plus importante dégradation du niveau de vie touchait particulièrement les Noirs, les Hispaniques, les femmes et les jeunes. Cet appauvrissement général des groupes les plus défavorisés qui caractérise les années Reagan-Bush frappa très durement les familles noires, par la diminution de leurs ressources financières et par la discrimination raciale à l'embauche. Le succès des mouvements pour les droits civiques avaient ouvert la porte à certains membres de la communauté noire tout en en laissant de nombreux autres à la traîne.

À la fin des années 1980, plus d'un tiers des familles afro-américaines vivaient sous le seuil officiel de pauvreté, et le chômage des Noirs était deux fois et demie plus élevé que celui des Blancs, avec un taux de chômage chez les jeunes allant de 30 à 40 %. L'espérance de vie des Noirs était de plus de dix ans inférieure à celle des Blancs. À Detroit, à Washington et à Baltimore, le taux de mortalité des nouveau-nés de la communauté noire était plus élevé qu'en Jamaïque ou au Costa Rica.

À la pauvreté s'ajoutaient les divorces, la violence familiale, le crime et la drogue. À Washington, au sein de la très forte concentration de population noire vivant à quelques centaines de mètres des édifices de marbre du gouvernement, 42 % des jeunes Noirs entre dix-huit et trente-cinq ans étaient en prison ou en liberté conditionnelle. Le taux de criminalité chez les Noirs, au lieu d'être considéré comme le signe criant de la nécessité de combattre la pauvreté, fut instrumentalisé par les politiciens pour exiger la création de prisons supplémentaires.

En 1954, une décision de la Cour suprême avait entamé le processus de déségrégation scolaire, mais la pauvreté maintenait les Noirs dans les ghettos. De nombreux établissements à travers le pays restaient, de fait, marqués par la ségrégation raciale et sociale. Certaines décisions de la Cour suprême des années 1970 affirmèrent qu'il n'était pas nécessaire que les fonds de fonctionnement soient les mêmes pour les écoles des quartiers pauvres et pour celles des quartiers riches. En outre, le ramassage scolaire entre quartiers résidentiels et ghettos noirs – destiné à promouvoir la mixité sociale dans les écoles – fut abandonné.

Pour les admirateurs de la libre entreprise et du *laissez-faire*, les pauvres étaient ceux qui ne travaillaient pas et ne produisaient rien. Aussi ne devaient-ils s'en prendre qu'à eux-mêmes. Bien entendu, ils négligeaient le fait que les femmes qui s'occupent de leurs enfants travaillent en fait très durement. Ils ne cherchaient pas non plus à savoir pour quelles raisons les bébés qui ne sont pas en âge de faire la démonstration de leurs capacités à travailler devraient être pénalisés – parfois au point d'en mourir – en naissant dans une famille pauvre.

C'est le républicain Kevin Phillips qui, paradoxalement, reconnaissait en analysant les années Reagan que « la richesse allait de moins en moins à ceux qui produisaient quelque chose. [...] En revanche, les acteurs des secteurs économique, juridique et culturel faisaient de véritables fortunes – des avocats aux conseillers financiers ».

Au milieu des années 1980, un gigantesque scandale éclata. La dérégulation de l'épargne et des prêts bancaires qui avait débuté sous Carter et s'était poursuivie sous Reagan avait entraîné des investissements à hauts risques qui « pompaient » les capitaux des banques, les laissant exsangues et incapables de réaliser les milliards de dollars de leurs déposants, pourtant garantis par le gouvernement.

Au fil des années – le problème continuant d'être soigneusement caché à l'opinion publique –, il fallut de plus en plus d'argent pour rembourser les déposants et renflouer les banques. Le montant s'éleva bientôt à 200 milliards de dollars. Au cours des élections présidentielles de 1988, le candidat démocrate, Michael Dukakis, n'osa pas pointer du doigt l'administration républicaine sur cette situation pour la bonne raison que les démocrates du Congrès en avaient été les premiers responsables et les premiers dissimulateurs.

Les sommes phénoménales attribuées par le Trésor au budget de la Défense avaient été autrefois qualifiées par le président Eisenhower de véritable « vol » contre les besoins vitaux de l'homme. Le vol fut commis par les deux partis, tant les démocrates souhaitaient paraître aussi « durs » que les républicains.

Une fois élu président, Jimmy Carter avait proposé une augmentation du budget militaire de l'ordre de 10 milliards de dollars : une décision qui s'apparentait exactement au vol dont parlait Eisenhower. Après la Seconde Guerre mondiale, tous les budgets colossaux de la Défense, de Truman à Reagan et à Bush, ont été approuvés à une immense majorité par les démocrates comme par les républicains.

L'affectation de milliards de dollars à la production d'armes nucléaires et non nucléaires était généralement justifiée par la crainte que l'Union soviétique – engagée elle aussi dans la course aux armements – n'envahisse l'Europe de l'Ouest. Pourtant, George Kennan, ex-ambassadeur en Union soviétique et spécialiste de la guerre froide, déclarait que cette peur ne reposait sur aucun fondement rationnel. Quant à Harry Rositzke, qui travailla à la CIA pendant vingt-cinq ans et fut même un temps directeur du renseignement américain sur la Russie soviétique, il écrivait en 1980 : « Pendant toutes ces années où je travaillais pour la CIA – et même depuis –, je n'ai jamais vu le moindre rapport d'espionnage qui expliquerait pourquoi l'Union soviétique aurait intérêt à envahir l'Europe de l'Ouest ou à attaquer les États-Unis. »

Faire croire à la réalité d'une telle menace permettait de justifier la fabrication d'armes aussi effroyables que superflues. Par exemple, le sous-marin *Trident*, capable de lancer des centaines d'ogives nucléaires, coûta 1,5 milliard de dollars. On ne pouvait pourtant l'utiliser qu'en cas de guerre nucléaire où il n'aurait fait qu'ajouter quelques centaines d'ogives aux dizaines de milliers déjà disponibles aux États-Unis. Selon Ruth Sivard (*World Military and Social Expenditures 1978-1988*), ce milliard et demi de dollars aurait suffi à financer pendant cinq ans un programme mondial de vaccination des enfants, évitant ainsi cinq millions de décès.

Au milieu des années 1980, un expert de la Rand Corporation qui effectuait des recherches pour le compte du département à la Défense déclara lors d'un entretien, avec une franchise peu courante, que le gigantesque arsenal américain n'était pas nécessaire d'un point de vue militaire : il servait plutôt à donner une certaine image de l'Amérique à l'intérieur comme à l'étranger. « Si nous avions un président et un secrétaire à la Défense assez solides, ils

pourraient temporairement se présenter devant le Congrès et déclarer : "Nous n'allons fabriquer que ce dont nous avons besoin [...],
et si les Russes fabriquent deux fois plus d'armes, grand bien leur
fasse." Mais ce serait politiquement déstabilisant. [...] Il vaut donc
mieux pour notre propre stabilité et pour notre image internationale que nous restions dans la compétition, même si le caractère
rationnel de cette compétition est [...] douteux. »

En 1984, la CIA admit qu'elle avait surestimé les dépenses militaires soviétiques : depuis 1975, elle affirmait que ces dépenses
augmentaient de 4 à 5 % par an alors qu'en réalité il ne s'agissait
que de 2 %. Ainsi, en désinformant – voire en mentant tout
bonnement –, on justifiait l'augmentation des dépenses militaires.

L'un des programmes militaires favoris de l'administration
Reagan, baptisé « Guerre des étoiles », engloutit des milliards de
dollars sous prétexte de construire un bouclier spatial pour inter-
cepter les missiles nucléaires ennemis en plein vol. Les trois premiers essais se soldèrent par des échecs technologiques. Un
quatrième essai fut entrepris qui devait décider du financement
définitif du programme. Ce fut un nouvel échec. Le secrétaire à la
Défense de Reagan, Caspar Weinberger, accepta cependant que
l'on falsifie les résultats afin de faire croire à un succès.

Lorsque l'Union soviétique se désintégra en 1989 – et la « menace
soviétique » avec elle –, le budget militaire fut quelque peu réduit.
Il demeura néanmoins colossal, toujours grâce à la coalition des
démocrates et des républicains. En 1992, le président du comité de
la Défense à la Chambre des représentants, le démocrate Les
Aspin, proposa qu'au vu de la nouvelle situation internationale le
budget militaire soit amputé de 2 % (passant de 281 milliards de
dollars à 275 milliards).

La même année, alors que démocrates et républicains s'entendaient sur une réduction ridicule du budget militaire, un sondage
commandé par le National Press Club révélait que 59 % des électeurs américains souhaitaient plutôt une réduction du budget de
l'ordre de 50 % sur les cinq années à venir.

Il semble bien que les deux partis n'aient pas su persuader les
citoyens que le budget militaire devait rester très important. Mais
ils s'obstinèrent à ignorer l'opinion publique qu'ils étaient censés
représenter. À l'été 1992, les démocrates et les républicains du
Congrès votèrent ensemble contre un projet de transfert de fonds
du budget de la Défense vers celui des Affaires sociales. En
revanche, ils affectèrent 120 milliards de dollars supplémentaires à
la « défense de l'Europe » – que tout le monde jugeait pourtant

n'être plus en danger, pour autant qu'elle l'eût jamais été un seul jour pendant la guerre froide.

Le même consensus bipartisan valait également pour la politique étrangère. Au cours des années Reagan-Bush, les gouvernements américains firent preuve d'une particulière agressivité dans leur usage de la force. Cette agressivité se concrétisait soit par des interventions assumées, soit par un soutien plus ou moins avoué à des dictatures d'extrême droite proches des États-Unis.

Reagan accéda au pouvoir juste après une révolution au Nicaragua, au cours de laquelle le mouvement populaire sandiniste (d'après Augusto Sandino, héros révolutionnaire des années 1920) avait renversé la dynastie corrompue des Somoza, soutenue depuis toujours par les États-Unis. Les sandinistes, une coalition de marxistes, de prêtres de gauche et de divers mouvements nationalistes, commencèrent à attribuer des terres aux paysans et à promouvoir l'alphabétisation et la santé chez les populations les plus pauvres.

L'administration Reagan, voyant là une menace « communiste » et un défi lancé à la suprématie américaine en Amérique centrale, décida immédiatement de renverser le gouvernement sandiniste. Elle se lança dans une guerre secrète par l'intermédiaire de la CIA, qui organisa une force contre-révolutionnaire (la « Contra ») dont la plupart des responsables étaient d'anciens officiers de la garde nationale de Somoza détestée par le peuple nicaraguayen.

Les Contras ne semblant pas bénéficier d'un quelconque soutien populaire au Nicaragua, ils étaient concentrés sur la frontière avec le Honduras, un pays très pauvre dominé par les États-Unis. Du Honduras, les Contras passaient la frontière pour effectuer des raids sur les fermes et les villages, tuant hommes, femmes et enfants et commettant les pires atrocités. Un ancien colonel des Contras, Eduardo Chamorro, témoigna plus tard devant la Cour internationale de justice : « La CIA nous avait dit que la seule manière de battre les sandinistes était d'utiliser la tactique des guérillas communistes partout dans le monde : tuer, prendre des otages, piller et torturer. [...] De nombreux civils ont été assassinés de sang-froid. Beaucoup d'autres ont été torturés, mutilés, violés ou maltraités. [...] Quand j'ai accepté de rejoindre les Contras, j'espérais que ce serait une force composée en majorité de Nicaraguayens. [...] Finalement, nous n'étions qu'un instrument du gouvernement américain. »

Les enquêtes d'opinion apportant la preuve que les Américains ne voulaient pas d'une intervention militaire, les activités américaines au Nicaragua restèrent confidentielles. En 1984, la CIA utilisa des agents latino-américains pour dissimuler son implication dans le sabotages des ports nicaraguayens. Lorsque l'information commença pourtant à circuler, le secrétaire à la Défense, Weinberger, déclara sur ABC News que « les États-Unis [n'avaient] rien à voir avec [ce] sabotage ».

La même année, sous la pression de l'opinion publique et se souvenant de la guerre du Vietnam, le Congrès interdit le soutien « direct ou indirect aux opérations militaires ou paramilitaires au Nicaragua ».

L'administration Reagan décida d'ignorer cette loi et chercha les moyens de financer secrètement les Contras en trouvant un « intermédiaire ». Reagan demanda personnellement une contribution d'au moins 32 millions de dollars à l'Arabie saoudite. La dictature bienveillante du Guatemala fut également utilisée pour fournir subrepticement des armes aux Contras. Israël, dépendant des États-Unis et toujours prêt à apporter son soutien, fut également de la partie.

En 1986, un magazine libanais livra une information qui fit sensation : des armes avaient été vendues par les États-Unis à l'Iran (ennemi déclaré de l'Amérique) en échange de la libération d'un certain nombre d'otages détenus par des mouvements musulmans extrémistes au Liban. Les bénéfices de cette vente avaient servi à acheter des armes aux Contras.

Pendant une conférence de presse, en novembre 1986, le président Reagan fut interrogé sur cette affaire. Il mentit quatre fois : il prétendit que le chargement pour l'Iran consistait en quelques missiles antichars (il y en avait en fait deux mille), que les États-Unis n'interdisaient pas les livraisons effectuées par des tiers, que les armes n'avaient pas été échangées contre la libération des otages, et enfin que l'objectif de la transaction était de promouvoir le dialogue avec les Iraniens modérés.

Un mois auparavant, lorsqu'un avion de transport acheminant des armes aux Contras avait été abattu par l'armée nicaraguayenne et son pilote américain capturé, on n'avait pas non plus cessé de mentir. Le sous-secrétaire d'État Elliot Abrams mentit. Le secrétaire d'État Schultz mentit – « Aucun lien avec le gouvernement des États-Unis ». On eut pourtant bientôt la preuve que le pilote travaillait pour la CIA.

Toute cette affaire Iran-Contras offrait la parfaite illustration de la double ligne de défense traditionnellement utilisée par l'appareil d'État américain. D'abord, nier la vérité. Ensuite, si cela ne marche pas, lancer une enquête mais en lui imposant des limites strictes. La presse rendait compte, mais sans jamais aller jusqu'au cœur du problème.

Une fois que le scandale eut éclaté au grand jour, ni les comités d'investigations du Congrès, ni la presse, ni même le procès du colonel Oliver North, qui supervisa toute l'opération de soutien aux Contras, ne soulevèrent la question cruciale : quelles sont les vraies motivations de la politique étrangère américaine? Comment le Président et son équipe peuvent-ils s'autoriser à soutenir des groupes terroristes en Amérique centrale pour renverser des gouvernements qui, quelles que soient leurs erreurs, sont tout de même mieux appréciés que les terribles dictatures soutenues par les États-Unis durant de longues années? Que nous apprend ce genre de scandale sur la démocratie, sur la liberté d'expression et sur la société américaine en général?

Malgré l'importante couverture médiatique du scandale de l'« Irangate », on n'entendit pas de critiques de fond sur les interventions secrètes du gouvernement ou sur les manquements démocratiques de ces opérations menées par une poignée d'hommes estimant ne rien devoir à l'opinion publique. Les médias américains se gardèrent bien d'informer le public sur les véritables questions soulevées par ce scandale.

Les limites des critiques émises par le parti démocrate furent illustrées par le sénateur démocrate Sam Nunn (Géorgie) qui, pendant l'enquête, affirma qu'il fallait « aider le Président à restaurer sa crédibilité dans le domaine des affaires étrangères ».

D'autres démocrates se permirent tout de même quelques critiques, ce que déplora James Q. Wilson, professeur à Harvard et membre du Foreign Intelligence Advisory Board de Reagan. Wilson déplorait cette atteinte au consensus bipartisan, qui évoquait pourtant fortement le parti unique des régimes totalitaires. Il s'inquiétait également beaucoup de « notre incapacité à nous conduire comme une grande puissance ».

Il devint vite évident que le président Reagan et le vice-président Bush étaient impliqués dans le scandale de l'Irangate. Mais seuls quelques sous-fifres payèrent. Comme d'habitude, selon la tactique bien éprouvée, les plus hauts responsables, protégés par leurs subordonnés, purent se permettre de nier de manière plausible toute implication. Lorsque Henry Gonzalez, représentant du Texas au Congrès, proposa d'avoir recours à la procédure d'*impeachment* contre Reagan, le Congrès repoussa fermement cette idée.

Ni Reagan ni Bush ne furent inquiétés. Le comité du Congrès convoqua en revanche quelques acteurs subalternes de l'affaire. Certains d'entre eux furent reconnus coupables. L'un des condamnés (Robert McFarlane, ancien conseiller à la Sécurité nationale de Reagan) fit une tentative de suicide. Un autre, le colonel Oliver

North, fut condamné pour avoir menti au Congrès. Cependant, il ne fut pas emprisonné. Reagan prit paisiblement sa retraite et Bush lui succéda.

Assez ironiquement, un obscur citoyen d'une petite ville de l'Indiana (Odon) devint l'un des acteurs indirects de l'Irangate. Il s'agissait d'un jeune homme nommé Bill Breeden, ancien pasteur qui vivait dans un tipi avec sa femme et ses deux enfants, dont il assurait personnellement l'éducation. La ville dans laquelle vivait Breeden était également celle de l'amiral John Poindexter, successeur de McFarlane au poste de conseiller de Reagan à la Sécurité nationale. Ce Poindexter était lui-même sérieusement impliqué dans le scandale de l'Irangate.

Un beau jour, Breeden découvrit que, pour honorer son « héros local », la municipalité d'Odon avait rebaptisé l'une de ses rues « John Poindexter Street ». Pacifiste et pourfendeur de la politique étrangère américaine, Breeden s'indigna de ce qu'il considérait comme une célébration du comportement immoral du gouvernement. Il déroba la plaque et exigea une rançon de 30 millions de dollars, c'est-à-dire l'équivalent de la somme qui avait été payée à l'Iran pour permettre la livraison d'armes aux Contras. Il fut arrêté, jugé, et il passa quelques jours en prison. C'est ainsi que Bill Breeden fut bel et bien la seule personne à être emprisonnée à la suite du scandale de l'Irangate.

Ce scandale n'est qu'un exemple parmi d'autres de ces opérations au cours desquelles le gouvernement américain viole ses propres lois pour poursuivre les objectifs qu'il s'est fixés en politique étrangère.

Rappelons que vers la fin de la guerre du Vietnam, en 1973, le Congrès avait voté le War Powers Act afin de limiter les prérogatives présidentielles dont on avait usé avec tant de brutalité en Indochine. Le War Powers Act stipulait : « Le président, dans tous les cas, doit consulter le Congrès avant d'engager les forces armées américaines dans une guerre ou dans des situations qui, au vu des circonstances, impliqueraient clairement un engagement imminent dans des hostilités. »

Cette loi, on l'a vu, fut presque immédiatement violée par le président Ford lors de l'affaire du *Mayaguez*. L'invasion de l'île cambodgienne et les bombardements eurent lieu sans que le Congrès ait été consulté.

À l'automne 1982, au Liban, où une terrible guerre civile faisait rage, le président Reagan engagea des troupes américaines dans une situation périlleuse. À cette occasion, il ne respecta pas le War Powers

Act. L'année suivante, environ deux cents de ces soldats furent tués dans un attentat à la bombe dirigé contre leur caserne.

Peu après, en octobre 1983 (certains observateurs prétendirent qu'il s'agissait justement de faire oublier le désastre libanais), Reagan donna l'ordre d'envahir la Grenade, petite île des Caraïbes. Le Congrès fut informé mais non consulté. Pour justifier cette invasion aux yeux de la population américaine, on prétendit que le coup d'État qui avait eu lieu dans l'île menaçait la vie de ressortissants américains (des étudiants de la faculté de médecine) et que les États-Unis ne faisaient que répondre à la demande expresse de l'Organisation des États des Petites Antilles.

Un article du *New York Times* du 29 octobre 1983 passé pratiquement inaperçu et signé du correspondant du journal, Bernard Gwertzman, niait complètement toutes ces explications : « La requête officielle d'aide militaire adressée aux États-Unis et à d'autres pays alliés a été faite par l'Organisation des États des Petites Antilles dimanche dernier à la demande des États-Unis eux-mêmes, qui souhaitaient démontrer qu'ils agissaient à l'appel de cette organisation. Les termes mêmes de la requête officielle ont été rédigés à Washington et transmis aux responsables antillais par des émissaires spéciaux américains. Cuba et la Grenade, lorsqu'ils apprirent que des navires américains naviguaient vers cette dernière, firent savoir au plus vite que les étudiants américains étaient sains et saufs et demandèrent que l'on renonce à cette invasion. [...] Il ne semble pas que l'administration ait jamais envisagé d'évacuer ces Américains par des moyens pacifiques. [...] Certains responsables ont confirmé qu'il n'y avait pas eu de tentative de négocier avec les autorités de la Grenade. [...] "Nous sommes arrivés à temps", a affirmé le Président. [...] Un autre point reste sérieusement discutable : les Américains présents sur l'île couraient-ils effectivement un risque justifiant une invasion ? Aucun responsable américain n'a fourni la moindre preuve tangible qu'on les ait maltraités ni même qu'on les ait empêchés de partir. »

Selon un haut responsable américain qui se confia à Gwertzman, la vraie raison de cette invasion était que les États-Unis (décidés à effacer la blessure de leur défaite au Vietnam) voulaient faire la démonstration qu'ils restaient une grande puissance : « À quoi peuvent bien servir les manœuvres et les démonstrations de force si on ne s'en sert jamais ? »

Le lien entre l'intervention militaire américaine et la promotion de l'entreprise capitaliste a toujours été d'une évidence criante dans les Antilles. Au sujet de la Grenade, par exemple, un article du *Wall*

Street Journal du 29 octobre 1991 (neuf ans après l'invasion militaire américaine de l'île), parlait d'une « invasion des banques » et remarquait que, avec ses sept mille cinq cents habitants, la capitale comptait quelque cent dix-huit banques offshore (une pour soixante-quatre habitants). « Saint George's est devenu le Casablanca des Antilles, un paradis en expansion pour le blanchiment de l'argent, l'évasion fiscale et autres fraudes financières. »

Après avoir étudié le déroulement de plusieurs interventions militaires américaines, Stephen Shalom (*Imperial Alibis*), spécialiste des sciences politiques, concluait que les soldats morts dans ces interventions n'étaient pas morts « pour sauver les ressortissants américains qui auraient sans doute été plus en sécurité sans l'invasion américaine, mais pour prouver que Washington régnait sur les Antilles et qu'il était prêt à se livrer aux pires violences pour faire respecter sa volonté ». Shalom poursuivait : « Il y eut bien certaines situations au cours desquelles des citoyens américains avaient couru un véritable danger : comme les quatre religieuses qui avaient été assassinées par les Escadrons de la mort au Salvador en 1980. Mais, à cette occasion, nulle intervention militaire américaine ; pas de débarquement de *marines* ; pas de bombardements préventifs. Au lieu de cela, Washington accordait son soutien militaire et économique au régime des Escadrons de la mort ainsi qu'une formation militaire, un soutien diplomatique et le partage des informations. »

Le rôle historique des États-Unis au Salvador, où 2 % de la population possédaient 60 % des terres, avait toujours été de s'assurer que les gouvernements de ce pays favoriseraient les intérêts des entreprises américaines, quels qu'en puissent être les effets catastrophiques sur l'immense majorité de la population. Les révoltes populaires susceptibles de nuire à ces intérêts devaient être réprimées. Lorsqu'une de ces révoltes éclata en 1932, menaçant le régime militaire en place, les États-Unis envoyèrent un croiseur et deux destroyers pour soutenir le gouvernement – qui massacra trente mille Salvadoriens.

L'administration de Jimmy Carter ne changea rien à cette politique. Elle souhaitait des réformes en Amérique latine, mais certainement pas des révolutions susceptibles de menacer les intérêts commerciaux américains. En 1980, Richard Cooper, expert économique au département d'État, déclarait devant le Congrès qu'une répartition plus équitable des richesses était souhaitable. « Cependant, nous avons également grandement intérêt à voir se perpétuer ces systèmes économiques plutôt favorables. [...] Des bouleversements majeurs de ces systèmes pourraient [...] avoir d'énormes conséquences sur notre propre bien-être. »

En février 1980, l'archevêque catholique du Salvador, Oscar Romero, adressa un courrier personnel au président Carter pour lui demander d'interrompre l'aide militaire américaine au régime salvadorien. Peu avant, la garde nationale et la police nationale salvadoriennes avaient ouvert le feu sur une foule de manifestants massée devant la cathédrale, faisant vingt-quatre morts. L'administration Carter poursuivit son soutien militaire et l'archevêque Romero fut assassiné le mois suivant.

On eut bientôt quasiment la preuve que cet assassinat avait été organisé par Roberto d'Aubuisson, un dirigeant de l'extrême droite salvadorienne qui bénéficiait de la protection de Nicolas Carranza, ministre adjoint à la Défense, et que la CIA gratifiait chaque année de 90 000 dollars. Terrible ironie, ce fut Elliot Abrams, sous-secrétaire d'État aux Droits de l'homme, qui fut chargé d'annoncer officiellement qu'Aubuisson n'était pas « impliqué dans ce meurtre ».

Lorsque Reagan fut élu président, l'aide militaire au gouvernement salvadorien augmenta de manière spectaculaire. De 1946 à 1979, elle avait été de 16,7 millions de dollars. Au cours de la première année de la présidence de Reagan, le montant passa à 82 millions de dollars.

Le Congrès fut tout de même suffisamment embarrassé par les assassinats au Salvador pour exiger, avant de voter de nouvelles aides, que le Président se porte garant du progrès des droits de l'homme dans ce pays. Mais Reagan s'en moquait. Le 28 janvier 1982, on apprit que plusieurs villages paysans du Salvador avaient été rasés par les forces gouvernementales. Le lendemain, Reagan assura que le gouvernement salvadorien faisait de grands progrès dans le domaine des droits de l'homme. Trois jours après cette déclaration, les soldats saccagèrent les domiciles de pauvres gens à San Salvador même, expulsant les habitants avant de les exécuter.

Lorsque, à la fin de 1983, le Congrès vota une loi pour confirmer cette exigence de changement d'attitude dans le domaine des droits de l'homme, Reagan y opposa son veto.

Comme le prouvent les documents publiés par Mark Hertsgaard dans son livre *On Bended Knee*, la presse fut particulièrement frileuse et obséquieuse sous Reagan. Lorsque le journaliste Raymond Bonner continua ses enquêtes sur les crimes gouvernementaux au Salvador et sur le rôle des États-Unis, le *New York Times* le releva de ses fonctions. En 1981, Bonner avait déjà rendu compte du massacre de centaines de civils perpétré à El Mozote par un régiment de soldats entraînés par les États-Unis. L'administration Reagan s'offusqua de telles calomnies. Pourtant, en 1992, une équipe d'anthropologues découvrit des squelettes sur les lieux du massacre. Il s'agissait pour la plupart de squelettes d'enfants. L'année suivante, une commission des Nations unies confirmait que des massacres avaient bien eu lieu à El Mozote.

L'administration Reagan, qui ne s'offusquait guère du comportement des juntes militaires au pouvoir en Amérique latine (au Guatemala, au Salvador, au Chili) tant qu'elles étaient « amicales » à l'égard des États-Unis, devenait hystérique dès qu'une dictature lui était hostile. Ce fut le cas du régime de Khadafi en Libye. En 1986, lorsque des terroristes non identifiés firent exploser une bombe dans une discothèque de Berlin-Ouest, tuant un soldat américain, la Maison-Blanche ordonna immédiatement des représailles. Khadafi était sans aucun doute responsable de divers actes terroristes, mais il n'y avait absolument aucune preuve qu'il l'ait été dans ce cas précis.

Reagan décida de frapper un grand coup. Des avions survolèrent Tripoli avec pour mission de bombarder le domicile de Khadafi. Les bombes tombèrent sur une ville surpeuplée, faisant selon certains diplomates en place à Tripoli une centaine de victimes. Khadafi en sortit indemne, mais l'une de ses filles adoptives fut tuée.

Le professeur Stephen Shalom écrit à propos de ces événements (*Imperial Alibis*) : « Si le terrorisme se définit comme une violence politiquement motivée perpétrée contre des cibles non militaires, alors l'un des actes de terrorisme international les plus spectaculaires de cette année est sans doute le raid américain sur la Libye. »

Au début de la présidence de Bush se produisit l'événement le plus important de la scène internationale depuis la fin de la Seconde Guerre mondiale. En 1989, alors qu'un nouveau dirigeant, Mikhail Gorbatchev, venait de s'installer aux commandes de l'Union soviétique, le mécontentement longtemps réprimé du peuple russe contre la dictature du prolétariat (qui était rapidement devenue une dictature *contre* le prolétariat) explosa dans tous les pays du bloc soviétique.

Il y eut des manifestations gigantesques à travers toute l'Union soviétique et dans tous les pays de l'Est qu'elle opprimait depuis si longtemps. L'Allemagne de l'Est accepta la réunification avec l'Allemagne de l'Ouest, et le mur qui coupait Berlin en deux, symbole du contrôle archi-autoritaire de la République démocratique allemande sur sa population, fut abattu sous les yeux des citoyens des deux Allemagnes, ivres de joie. En Tchécoslovaquie, un nouveau gouvernement non communiste fut mis en place, dirigé par un auteur dramatique, ancien dissident détenu dans les prisons du régime, Vaclav Havel. En Pologne, en Bulgarie, en Hongrie, de nouveaux régimes virent le jour, promettant la démocratie et la liberté. Et, chose extraordinaire, tout cela se passa sans guerres civiles, sous la seule pression de la volonté populaire.

Aux États-Unis, le parti républicain prétendit que la politique sans compromis de Reagan et l'augmentation des dépenses militaires avaient provoqué l'effondrement de l'Union soviétique. En fait, les changements avaient commencé bien avant, dès la mort de Staline, en 1953, et en particulier sous la responsabilité de Nikita Khrouchtchev. Un débat plus ouvert avait vu le jour à cette époque. Mais la ligne dure pratiquée par les États-Unis était vite devenue un obstacle à la libéralisation du régime. L'ancien ambassadeur américain en Union soviétique, George Kennan, écrivit que « l'extrémisme pendant la guerre froide avait plus retardé que hâté les grands changements qui ont renversé le régime soviétique à la fin des années 1980 ». Quand la presse et les politiciens américains exultèrent devant l'effondrement de l'Union soviétique, Kennan fit remarquer que non seulement la politique américaine durant la guerre froide avait retardé cet effondrement, mais qu'elle avait eu un coût terrible pour le peuple américain : « Cela nous a coûté quarante années de phénoménales et parfaitement vaines dépenses militaires. Nous devons également subir cette culture du nucléaire qui fait que le gigantesque et inutile arsenal nucléaire est devenu (et reste aujourd'hui encore) un véritable danger pour l'environnement et pour la planète. »

L'effondrement soudain de l'Union soviétique surprit totalement les responsables politiques américains. Des interventions militaires avaient eu lieu en Corée et au Vietnam – ainsi qu'à Cuba et en République dominicaine –, faisant de nombreux morts. L'aide militaire américaine s'était exportée partout à travers le monde – en Afrique, en Europe, en Amérique latine, au Moyen-Orient et en Asie – sous prétexte de répondre à la menace communiste de l'Union soviétique. Les citoyens américains avaient versé plusieurs milliers de milliards de dollars au travers de l'impôt pour maintenir un arsenal nucléaire et non nucléaire colossal ainsi que des bases militaires dans le monde entier. Tout cela pour contrer la « menace soviétique ».

Les États-Unis avaient désormais l'opportunité de redéfinir leur politique étrangère et de consacrer des milliards de dollars par an à des projets progressistes et sociaux.

Mais il n'en fut rien. Car en même temps que l'autosatisfaction exaltée (« Nous avons gagné la guerre froide ! »), un vent de panique se mit à souffler : « Comment continuer à soutenir notre complexe militaro-industriel ? »

Il apparut donc clairement – même si on avait pu le soupçonner auparavant – que la politique étrangère des États-Unis n'était pas essentiellement fondée son opposition à l'Union soviétique, mais plutôt sur la crainte que des révolutions n'éclatent dans certaines régions du monde. L'intellectuel radical Noam Chomsky affirme depuis longtemps que « le recours à la notion de sécurité nationale est un pur mensonge. Le cadre de la guerre froide aura finalement servi de prétexte à l'élimination des mouvements nationalistes indépendantistes, que ce soit en Europe, au Japon ou dans le tiers-monde » (*World Orders, Old and New*).

La menace que faisaient planer les « nationalismes indépendantistes » consistait en leur capacité à mettre en danger les gigantesques intérêts économiques américains. Les révolutions au Nicaragua, à Cuba, au Salvador ou au Chili menaçaient directement United Fruit, Anaconda Copper, ITT et bien d'autres multinationales. C'est ainsi que les interventions militaires à l'étranger, présentées à l'opinion publique comme motivées par l'« intérêt national », ne servaient en fait que des intérêts très spécifiques au bénéfice desquels le peuple américain a finalement dû sacrifier ses enfants et son argent.

Après l'effondrement de l'URSS, la CIA fut tenue de prouver qu'elle servait encore à quelque chose. Le *New York Times* du 4 février 1992 déclarait que, « dans un monde où l'ennemi de l'après-guerre a cessé d'exister, la CIA, avec sa poignée de filiales, avec ses satellites de plusieurs milliards de dollars et ses montagnes de dossiers confidentiels, doit d'une manière ou d'une autre se justifier devant l'opinion américaine ».

Le budget militaire resta considérable. La part consacrée spécifiquement à la guerre froide passa de 300 milliards de dollars à 280 milliards (7 % de réduction seulement). Le chef de l'état-major américain, Colin Powell, déclara : « Je veux que le reste du monde demeure terrifié. Et je ne dis pas ça de manière agressive. »

Comme pour démontrer que le phénoménal appareil militaire américain restait absolument nécessaire, l'administration Bush mena deux guerres en quatre ans : une « petite » guerre contre le Panamá et une guerre spectaculaire contre l'Irak.

À son arrivée au pouvoir en 1989, Bush ne fut pas satisfait pas la nouvelle attitude du dictateur du Panamá, le général Manuel Noriega. Le régime de Noriega était corrompu, brutal, autoritaire, toutes « qualités » qui n'avaient pas dérangé le président Reagan ni son vice-président George Bush tant que Noriega était resté utile aux États-Unis. Il avait coopéré avec la CIA dans bien des domaines. En particulier, nous l'avons dit, lors des opérations des Contras contre le gouvernement sandiniste du Nicaragua. Rappelons également que Bush, lorsqu'il était directeur de la CIA entre 1976 et 1977, avait protégé le général Noriega.

Quoi qu'il en soit, en 1987, Noriega avait perdu toute utilité et ses activités dans le commerce de la drogue éclataient au grand jour. Il devint une cible parfaite pour une administration soucieuse de prouver que les États-Unis, apparemment incapables de détruire le régime castriste à Cuba ou les sandinistes au Nicaragua, voire le mouvement révolutionnaire au Salvador, n'en gardaient pas moins la haute main sur l'Amérique centrale et les Antilles.

Sous prétexte de traîner Noriega devant les tribunaux pour trafic de drogue (une plainte avait été déposée contre lui en Floride) et de protéger quelques citoyens américains (un militaire et sa femme avaient été menacés par les soldats panaméens), vingt-six mille soldats américains envahirent Panamá en décembre 1989.

La victoire fut rapide. Noriega fut capturé et ramené en Floride pour y être jugé (où il fut condamné et emprisonné). Au cours de l'invasion, la banlieue de Panamá City fut bombardée et plusieurs centaines de civils, peut-être plusieurs milliers, trouvèrent la mort. Quatorze mille Panaméens se retrouvèrent sans abri. Mark Hertsgaard notait que les Américains, même en tenant compte des chiffres du Pentagone (quelques centaines de morts au cours de l'opération), avaient fait autant de victimes que les autorités chinoises lors de la tristement fameuse répression de la place Tiananmen à Pékin, six mois auparavant. Un gouvernement plus loyal vis-à-vis des États-Unis fut instauré au Panamá, mais la pauvreté et le chômage persistèrent. En 1992, le *New York Times* reconnaissait que l'invasion et le renversement de Noriega n'avaient pas « suffi à tarir l'afflux massif de stupéfiants en provenance du Panamá ». Mais un but au moins était atteint : rétablir l'autorité américaine au Panamá. Le journal révéla que « le président [du Panamá], ses principaux conseillers et l'ambassadeur des États-Unis, Dean Hinton, déjeunent ensemble une fois par semaine. Nombre de Panaméens estiment que c'est à ce moment-là que se prennent les décisions importantes concernant le pays ».

Certains démocrates libéraux, tels John Kerry et Edward Kennedy (Massachusetts), apportèrent leur soutien à cette opération militaire. Les démocrates, soucieux de montrer que la politique étrangère relevait essentiellement du consensus bipartisan, restaient ainsi fidèles à leur attitude traditionnelle de soutien fervent des interventions militaires à l'étranger. Ils semblaient également déterminés à prouver qu'ils étaient aussi « durs » que les républicains.

Néanmoins, l'intervention au Panamá était de trop faible envergure pour accomplir ce que les administrations Reagan et Bush désiraient à tout prix : lutter contre le rejet (depuis l'expérience du Vietnam en particulier) des interventions militaires à l'étranger de la part de l'opinion américaine.

Deux ans plus tard, la guerre contre l'Irak (dite « guerre du Golfe ») en fournit l'occasion. Sous la dictature impitoyable de Saddam Hussein, l'Irak avait envahi en août 1990 son petit voisin immensément riche en pétrole, le Koweït.

À cette époque, George Bush avait besoin de soigner sa popularité chez les électeurs américains. Le *Washington Post* du 16 octobre 1990 annonçait en une que « les sondages [montraient] une chute de confiance dans l'opinion publique : Bush plonge ». Le 28 octobre, le même journal annonçait que « certains observateurs au sein de son propre parti s'inquiètent de ce que le Président se voie contraint de se lancer dans une guerre pour lutter contre l'érosion de sa popularité ».

Le 30 octobre, on décida secrètement de déclarer la guerre à l'Irak. Les Nations unies avaient réagi à l'invasion du Koweït en décrétant des sanctions à l'encontre de l'Irak. Tous les témoignages apportés devant le Congrès à l'automne de 1990 certifiaient que ces sanctions avaient déjà porté leurs fruits et que cette politique devait se poursuivre. Un rapport confidentiel de la CIA destiné au Sénat confirmait que les importations irakiennes avaient chuté de plus de 90 % à la suite de ces sanctions.

Pourtant, lorsque les élections de novembre confirmèrent la progression du vote démocrate au Congrès, Bush doubla le nombre de soldats américains dans le Golfe (500 000 soldats), mettant clairement en place une force plus offensive que défensive. Selon Elizabeth Drew, journaliste au *New Yorker*, le conseiller de Bush, John Sununu, « déclarait à l'envi qu'une guerre brève et couronnée de succès ferait parfaitement l'affaire de Bush et assurerait sa réélection ».

L'historien John Wiener, observant après coup le contexte dans lequel fut décidée l'entrée en guerre, écrivit que « Bush avait abandonné la politique de sanctions et opté pour la guerre parce que son calendrier, à l'approche des élections présidentielles de 1992, était avant tout politique ».

Ainsi, les aléas de la politique intérieure et le perpétuel désir de peser de façon décisive sur le contrôle des ressources pétrolières du Moyen-Orient furent les éléments clefs de la déclaration de guerre contre l'Irak. Après la fin de la guerre, alors que les représentants des treize nations productrices de pétrole étaient sur le point de se réunir à Genève, le correspondant du *New York Times* affirma que, « suite à sa récente victoire militaire, l'Amérique [avait] désormais plus d'influence sur l'OPEP que n'importe quelle autre nation jusqu'ici ».

Bien entendu, ces motivations ne furent pas révélées à l'opinion publique. On prétendit que les États-Unis souhaitaient par-dessus tout libérer le Koweït de l'occupation irakienne. Les principaux médias se contentèrent de cette explication sans rappeler que d'autres pays avaient été envahis sans susciter un tel intérêt de la part des États-Unis (le Timor-Oriental par l'Indonésie, l'Iran par l'Irak, le Liban par Israël, le Mozambique par l'Afrique du Sud).

La plus stupéfiante justification de cette guerre fut que l'Irak était sur le point de fabriquer sa première bombe atomique. Les preuves avancées étaient pourtant extrêmement faibles. Avant la crise du Koweït, les services de renseignements occidentaux avaient estimé qu'il faudrait entre trois et dix ans à l'Irak pour fabriquer une arme nucléaire. Même si l'Irak était en mesure de fabriquer l'une de ces bombes en un an ou deux – estimation des plus pessimistes –, il n'avait pas les moyens de l'envoyer où que ce soit. En revanche, Israël disposait déjà d'armes nucléaires et les États-Unis en possédaient trente mille. L'administration Bush essayait clairement de créer une paranoïa nationale autour de cette bombe que l'Irak ne détenait pourtant pas encore.

Bush paraissait décidé à faire la guerre. À plusieurs occasions après l'invasion, il aurait été possible de négocier un retrait irakien du Koweït. Selon un article du *Newsday* du 29 août, l'Irak avait même fait quelques propositions en ce sens. Il n'y fut pas répondu. Lorsque le secrétaire d'État, James Bake, rencontra à Genève le ministre de la Défense irakien Tariq Aziz, les instructions de Bush se résumait à : « Pas question de négocier. »

Malgré des mois de campagne de la part de Washington à propos de la menace que représentait Saddam Hussein, les sondages montraient que moins de la moitié des Américains souhaitaient une intervention militaire.

En janvier 1991, éprouvant apparemment le besoin d'être soutenu, Bush demanda au Congrès de lui permettre de faire la guerre. Il ne s'agissait pas exactement d'une déclaration de guerre telle que l'exigeait la Constitution, mais depuis la Corée et le Vietnam cette clause de la Constitution semblait définitivement abandonnée. Même les « stricts constitutionnalistes » que se targuaient d'être les juges de la Cour suprême ne bougèrent pas.

Au Congrès, le débat fut assez vif. Il fut même interrompu, à un moment donné, par des manifestants installés dans la galerie et qui criaient : « Pas de sang en échange du pétrole ! » Ces manifestants furent rapidement expulsés. De surcroît, il est fort probable que Bush était assuré du résultat du vote, faute de quoi il se serait sans doute passé de l'approbation du Congrès. Il y avait eu en effet des précédents dans ce domaine lors de la guerre de Corée, du Vietnam, ainsi que pour le Panamá et la Grenade.

Le Sénat approuva l'intervention militaire à une courte majorité mais la Chambre des représentants vota favorablement à une majorité plus large. Lorsque Bush donna l'ordre d'attaquer l'Irak, les deux chambres, à l'exception de quelques dissidents démocrates et républicains, votèrent pour le « soutien à l'effort de guerre et aux soldats engagés sur le terrain ».

Cela se passait à la mi-janvier 1991. Après que Saddam Hussein eut rejeté l'ultimatum qui lui ordonnait d'évacuer le Koweït, les États-Unis commencèrent leur guerre contre l'Irak. Cette opération reçut le nom de « Tempête du désert ». Le gouvernement et les médias avaient présenté l'armée irakienne comme une formidable puissance militaire, ce qui était pourtant loin d'être le cas. L'aviation américaine prit rapidement le contrôle total de l'espace aérien irakien, ce qui lui permit de bombarder à volonté.

En outre, les autorités américaines avaient également le contrôle total des ondes. L'opinion publique américaine fut submergée d'images télévisées montrant des bombes « intelligentes » et de propos rassurants sur les bombes laser dirigées avec une parfaite précision sur des objectifs militaires. Les principaux médias présentaient tout cela sans le moindre recul critique et sans poser la moindre question.

Cette totale confiance dans les « bombes intelligentes » épargnant les civils peut expliquer le glissement de l'opinion publique américaine : partagée au départ sur cette guerre, elle finit par apporter à 85 % son soutien à l'invasion. Plus important encore, ressurgissait l'idée, partagée par nombre d'opposants à la guerre, que critiquer l'intervention américaine lorsque des soldats américains sont engagés sur le terrain équivalait à les trahir. Dans tout le pays, des rubans jaunes étaient distribués en signe de soutien aux soldats qui se battaient en Irak.

En fait, on mentait à l'opinion sur le degré d'« intelligence » des bombes. Après avoir rencontré des anciens agents du renseignement et des officiers de l'aviation américaine, un correspondant du *Boston Globe* affirmait qu'environ 40 % des bombes guidées par laser lâchées pendant l'opération Tempête du désert avaient manqué leur cible.

John Lehman, secrétaire à la Marine du président Reagan, estimait qu'il y avait eu des milliers de victimes civiles. Le Pentagone déclarait qu'il n'avait officiellement pas de chiffre précis. Un haut responsable du Pentagone déclara au *Boston Globe* : « À dire la vérité, nous ne nous intéressons guère à cet aspect des choses. »

Une dépêche de l'agence Reuters en provenance d'Irak fit état de la destruction d'un hôtel de soixante-treize chambres dans une ville au sud de Bagdad. Un Égyptien témoignait à cette occasion : « Ils ont bombardé l'hôtel avec des familles à l'intérieur, puis ils sont revenus pour frapper une seconde fois. » Reuters affirmait également que les raids aériens américains avaient commencé avec des bombes radioguidées, mais que quelques semaines plus tard on avait fait appel aux fameux B-52, qui transportaient des bombes conventionnelles impliquant évidemment moins de précision dans les bombardements.

Les journalistes américains présents ne pouvaient pas approcher de près le théâtre des opérations et leurs articles étaient soumis à la censure. À l'évidence, se souvenant de l'effet sur l'opinion publique des reportages effectués pendant la guerre du Vietnam, le gouvernement Bush avait décidé de ne prendre aucun risque.

Un reporter du *Washington Post*, se plaignant du contrôle exercé sur l'information, écrivait le 22 janvier 1991 : « Les bombardements [...] engagent des dizaines de B-52 à haute altitude équipés d'un nombre impressionnant de bombes conventionnelles. Mais le Pentagone interdit les entretiens avec les pilotes de ces B-52, se refuse à nous montrer des images des opérations en cours et ne répond à aucune de nos questions sur les objectifs fixés à cet appareil qui est l'un des plus meurtriers et l'un des moins précis de l'armada aérienne composée de deux mille avions américains et alliés présents dans la région du Golfe. »

À la mi-février, l'aviation américaine lâcha ses bombes sur un abri anti-aérien de Bagdad, tuant entre quatre et cinq cents personnes. Un journaliste de l'Associated Press, l'un des rares à avoir été autorisés à se rendre sur place, affirmait que « la plupart des corps retrouvés étaient carbonisés et mutilés, rendant impossible toute identification. À l'évidence, des cadavres d'enfants se trouvaient parmi ces corps ». Le Pentagone prétendit qu'il s'agissait d'une cible militaire, mais le journaliste de l'Associated Press déclara qu'« on ne trouvait aucune trace de présence militaire sous les décombres de l'abri ». D'autres journalistes qui se trouvaient sur place confirmèrent ses propos.

Après la guerre, quinze rédacteurs en chef de journaux publiés à Washington se plaignirent du « contrôle quasi total sur la presse américaine » exercé par le Pentagone pendant la guerre du Golfe.

Pourtant, durant cette guerre, les commentateurs des principales chaînes de télévision s'étaient comportés comme s'ils avaient été au service du gouvernement américain. Dan Rather, par exemple, correspondant de CBS en poste en Arabie saoudite et sans doute le plus omniprésent des journalistes au cours de la guerre, affirmait à propos d'un film qui montrait une bombe radioguidée ayant frappé un marché et fait de nombreuses victimes civiles qu'« on [pouvait] être sûr que Saddam Hussein [saurait] profiter de ces victimes à des fins de propagande ».

Comme le rapporte Ed Siegel, un journaliste du *Boston Globe*, lorsque le gouvernement soviétique proposa de négocier l'évacuation du Koweït avant qu'une guerre au sol ne fût entreprise, le correspondant de CBS, Lesley Stahl, demanda à un autre journaliste : « Ne serait-ce pas le pire des scénarios cauchemar? Les Soviétiques n'essaient-ils pas de nous arrêter? »

La dernière étape de cette guerre, six semaines après son début, fut une attaque au sol qui rencontra aussi peu de résistance que les raids aériens. Malgré la certitude de l'emporter sur une armée en totale déroute, l'aviation américaine continua de bombarder les soldats irakiens en fuite qui quittaient en masse Koweït City. Un journaliste qualifiait la scène d'« enfer sans nom, [...] testament sanglant. À l'est comme à l'ouest, le sable était jonché des corps des soldats en fuite ».

Michael Howard, professeur d'histoire militaire à Yale, citait dans le *New York Times* du 28 janvier 1991 le stratège militaire Clausewitz, qui affirmait en son temps que, si « un massacre sanguinaire est un acte assez atroce pour nous faire considérer plus sérieusement la guerre, cela ne nous autorise pas à suspendre notre glaive au nom de l'humanité ». Howard continuait : « Dans ce duel des volontés, il n'en reste pas moins qu'il s'agit en fin de compte de choisir entre tuer ou être tué. »

Les conséquences humaines de la guerre apparurent avec une brutale évidence lorsqu'elle fut terminée. On apprit alors que les bombardements sur l'Irak avaient entraîné la famine, la maladie ainsi que la mort de dizaines de milliers d'enfants. Une équipe des Nations unies visitant l'Irak juste après la guerre concluait que « le récent conflit [avait] eu des conséquences quasi apocalyptiques sur les infrastructures. [...] La plupart des outils permettant de garantir des conditions de vie modernes [avaient] été détruits ou terriblement endommagés ».

Une équipe médicale de Harvard nous apprit en mai 1991 que la mortalité infantile avait brusquement augmenté et que, par rapport à l'année précédente, cinquante-cinq mille enfants de plus étaient morts dans les quatre premiers mois de l'année (la guerre avait duré du 15 janvier au 28 février 1991).

Le directeur d'un service d'obstétrique de Bagdad déclara à un journaliste du *New York Times* que, pendant la première nuit de bombardement sur Bagdad, l'électricité avait été coupée : « Les mères sortaient leurs enfants des incubateurs, leur enlevaient leurs intraveineuses. D'autres ont été sortis des tentes à oxygène et les femmes allaient dans la cave, où il faisait moins chaud. Cette nuit-là, au cours des douze premières heures du bombardement, j'ai perdu quarante prématurés. »

Bien que Saddam Hussein eût été décrit par les autorités et par la presse américaines comme un nouvel Hitler, la guerre prit fin sans que l'armée alliée ne pénètre dans Bagdad, le laissant ainsi au pouvoir. Les États-Unis avaient apparemment choisi de le fragiliser sans toutefois l'éliminer, de manière à le maintenir en place contre l'Iran. Au cours des années qui avaient précédé la guerre du Golfe, les États-Unis avaient vendu aussi bien des armes à l'Iran qu'à l'Irak et soutenu alternativement l'un et l'autre selon la stratégie classique de l'« équilibre des forces ».

Pour la même raison, les États-Unis ne soutinrent pas, après la guerre, les opposants irakiens qui voulaient renverser le régime de Saddam Hussein. Datée du 26 mars 1991, une dépêche du *New York Times* émanant de Washington révélait que, « selon les affirmations de certains officiels et quelques informations anonymes, le président Bush [avait] décidé de laisser le président Saddam Hussein mater les mouvements de révolte intérieurs sans intervenir plutôt que de risquer de voir l'Irak s'effondrer ».

On abandonnait ainsi à leur triste sort la minorité kurde qui se rebellait contre Saddam Hussein et certains éléments anti-Hussein au sein de la population irakienne. Le *Washington Post* du 3 mai 1991 faisait état « d'importantes défections de militaires, au sein de l'armée irakienne, qui auraient pu prendre la tête de la rébellion kurde mais qui ne se sont jamais réellement décidés tant ils semblaient convaincus que les États-Unis ne les soutiendraient pas ».

Zbigniew Brzezinski, jadis conseiller de Carter à la Sécurité nationale, donna un mois après la fin de la guerre son avis sur ses avantages et ses inconvénients : « Les gains sont indubitablement fantastiques. D'abord, une scandaleuse agression a été condamnée et punie. [...] Ensuite, la puissance militaire américaine sera désormais prise au sérieux. [...] Enfin, le Moyen-Orient et le golfe Persique entrent maintenant clairement dans la zone d'influence américaine. »

Néanmoins, Brzezinski s'inquiétait de « certaines conséquences négatives » des événements. Par exemple, « l'extrême violence des bombardements aériens sur l'Irak pourrait apparaître comme la preuve que les Américains n'accordent aucune valeur aux vies arabes. [...] Et cela pose la question éthique de la proportionnalité de la réponse militaire ».

Cette question concernant le peu de valeur accordée aux vies arabes est particulièrement soulignée par le fait que la guerre du Golfe avait provoqué une forte réaction anti-arabe aux États-Unis même, où l'on vit d'ailleurs des Américains d'origine arabe insultés, battus et même menacés de mort. On vit également apparaître sur les pare-brise des autocollants affirmant : « Je ne freine pas pour les Irakiens. » Un homme d'affaires américain d'origine arabe fut roué de coups à Toledo (Ohio).

Le jugement modéré de Brzezinski sur la guerre du Golfe peut être considéré comme le reflet de la position du parti démocrate. Il avait soutenu l'administration Bush. Il était satisfait des résultats. Il regrettait quelque peu les victimes civiles. Mais il ne s'y opposait pas fermement.

Le président George Bush était également satisfait. À la fin de la guerre, il déclara sur les ondes des radios : « Le spectre du Vietnam a définitivement été enterré dans les sables du désert de la péninsule Arabique. »

L'appareil médiatique applaudit à tout rompre. Les deux principaux magazines d'informations, *Time* et *Newsweek*, firent paraître des éditions spéciales se réjouissant de la victoire américaine. Sans mentionner d'aucune façon les morts irakiens, ils soulignèrent le fait qu'il n'y avait eu que quelques centaines de pertes du côté américain. L'éditorial du *New York Times* du 30 mars 1991 déclarait : « La victoire de l'Amérique dans la guerre du Golfe [...] offre de bonnes raisons de féliciter l'armée américaine qui a brillamment exploité sa force de feu et sa mobilité en effaçant du même coup le souvenir de ses terribles difficultés au Vietnam. »

Un poète noir de Berkeley (Californie), June Jordan, voyait cela d'un autre œil : « Je vous avertis, c'est juste un flash. Exactement comme le crack. Ça ne dure jamais longtemps. »

Chapitre XI
La résistance ignorée

AU DÉBUT DES ANNÉES 1990, un collaborateur du magazine
New Republic, commentant favorablement, dans les colonnes
du *New York Times*, un livre sur l'influence d'éléments dangereusement antipatriotiques au sein de la communauté intellectuelle
américaine, informait ses lecteurs sur l'existence d'une « culture
d'opposition permanente » aux États-Unis.

Cette culture existait en effet. En dépit du consensus bipartisan
de Washington, qui limitait les possibilités de réforme et permettait au capitalisme et au militarisme de se maintenir et à une poignée d'individus d'accaparer richesse et pouvoir, des millions
d'Américains, voire des dizaines de millions, refusaient activement
ou silencieusement de rentrer dans le rang. Leur activisme fut très
largement ignoré par les médias. Ce sont pourtant eux qui formaient
cette « culture d'opposition permanente ».

Le parti démocrate, soucieux de l'opinion de ces Américains
dont il dépendait à chaque élection, lui portait une attention forcément limitée par son souci de servir les intérêts économiques privés. De même, le réformisme social des démocrates butait sur la
dépendance générale du système vis-à-vis du complexe militaro-industriel américain. Rappelons que la guerre contre la pauvreté
décrétée par le président Lyndon Johnson dans les années 1960
avait été victime de la guerre du Vietnam et que la politique sociale
de Jimmy Carter avait été contrecarrée par son souci d'affecter des
sommes phénoménales au budget de la Défense, destiné pour
l'essentiel à fabriquer un maximum d'armes nucléaires.

Durant les années Carter, un mouvement modeste mais résolu
contre l'armement nucléaire se développa. Ses initiateurs étaient

ces mêmes chrétiens pacifistes qui s'étaient déjà distingués pendant la guerre du Vietnam. On retrouvait parmi eux l'ancien prêtre Philip Berrigan et sa femme, Elizabeth McAlister, une ancienne religieuse. Les membres de ce groupe étaient continuellement arrêtés à la suite d'actes non violents – pénétrer dans des secteurs interdits, par exemple, ou verser leur sang sur les symboles de la machine de guerre américaine – au cours de manifestations antinucléaire devant le Pentagone et la Maison-Blanche.

En 1980, des délégations de militants pacifistes venus de tout le pays multiplièrent les manifestations devant le Pentagone. Plus d'un millier d'individus furent alors arrêtés pour désobéissance civile passive.

En septembre de la même année, Philip Berrigan, son frère Daniel (père jésuite et poète), Molly Rush (mère de six enfants) et Anne Montgomery (religieuse et travailleuse sociale auprès des jeunes fugueurs et des prostituées de Manhattan) réussirent à s'introduire, avec quatre de leurs amis, dans l'usine de la General Electric de King of Prussia (Pennsylvanie), qui produisait des ogives nucléaires. Ils endommagèrent à coups de masse deux têtes nucléaires et versèrent leur sang sur les missiles, les plans et les bureaux. Arrêtés et condamnés à plusieurs années d'emprisonnement, ils déclarèrent qu'ils voulaient illustrer un propos de la Bible qui préconisait de changer les « épées en socs de charrue ».

Ils soulignèrent la part énorme des impôts affectée à la production d'armement : « La General Electric ponctionne quotidiennement 3 millions de dollars sur le Trésor public, un formidable vol à l'égard des pauvres. » Avant le procès de ceux qu'on appela les « Huit à la Charrue », Daniel Berrigan écrivit dans le *Catholic Worker* : « Je ne suis pas en mesure de dire ce qu'il adviendra de tout cela, si nous serons entendus par d'autres qui répondront à notre appel – petit à petit ou rapidement – ou si nous ne réussirons pas à les entraîner – et alors le mouvement s'arrêtera pour un temps. Peut-être serons-nous montrés du doigt et tenus pour fous. Alors, on respire un bon coup et on tente sa chance. » En fait, le mouvement antinucléaire ne s'essouffla pas. Au cours des dix années suivantes, il se développa dans tout le pays. La petite poignée d'hommes et de femmes qui se faisaient emprisonner volontairement afin que d'autres s'arrêtent un instant pour réfléchir entraîna finalement derrière elle des millions d'Américains effrayés à l'idée d'un possible holocauste nucléaire et révoltés par les milliards de dollars affectés à la production d'armement alors même que certaines personnes manquaient du plus strict nécessaire.

Même les jurés, issus de la classe moyenne de Pennsylvanie, qui condamnèrent Berrigan et ses camarades, manifestèrent une étonnante sympathie pour leur cause. L'un d'entre eux, Michael DeRosa, déclara à un journaliste : « Je n'ai jamais pensé qu'ils désiraient vraiment commettre un crime, ils voulaient seulement protester. » Un autre juré, Mary Ann Imgram, avoua que le jury avait discuté de cela : « En fait, on ne voulait pas vraiment les condamner pour quoi que ce soit. Mais nous avons dû le faire quand même parce que le juge répétait qu'il fallait obéir à la loi. Ces gens ne sont pas des criminels. Ils essaient de faire quelque chose de bien pour leur pays. Mais le juge nous a dit que la question du nucléaire n'était pas le sujet. »

Le budget militaire colossal voulu par Reagan provoqua bien entendu un mouvement d'ampleur nationale contre les armes nucléaires. Lors des élections qui le portèrent à la présidence en 1980, des référendums locaux furent organisés dans trois districts de l'ouest du Massachusetts. Ils interrogeaient les électeurs sur la possibilité d'un accord américano-soviétique sur le gel de l'armement nucléaire et leur demandaient si le Congrès devrait consacrer une part du budget de l'armée à des usages civils. Deux groupes pacifistes travaillèrent pendant des mois sur cette campagne. Tous les districts répondirent par l'affirmative aux deux questions, y compris ceux qui votèrent ensuite pour Reagan. Entre 1978 et 1981, des référendums de même nature organisés à San Francisco, à Berkeley, à Oakland, à Madison et à Detroit obtinrent des résultats semblables.

Les femmes étaient aux avant-postes de ce mouvement. Randall Forsberg, jeune spécialiste des armes nucléaires, créa un Conseil pour le gel des armements nucléaires, dont le programme – un gel américano-soviétique de la production de nouvelles armes nucléaires – fut distribué dans tout le pays. Peu après l'élection de Reagan à la présidence, deux mille femmes se réunirent à Washington pour marcher sur le Pentagone. Elles formèrent un gigantesque cercle autour du bâtiment en se tenant par la main et par des écharpes. Cent quarante d'entre elles furent arrêtées pour avoir bloqué l'accès au Pentagone.

Un petit groupe de médecins organisa des réunions un peu partout afin d'expliquer aux citoyens les effets d'une guerre nucléaire sur la santé. Ils formaient le noyau des Physicians for Social Responsability. Helen Caldicott, la présidente du groupe, en était la responsable la plus célèbre et la plus éloquente. Au cours d'une réunion publique, Howard Hiatt, doyen de l'École de santé publique de Harvard, fit une description dramatique des conséquences de l'explosion d'une bombe nucléaire de vingt méga-tonnes larguée sur la ville de Boston. Deux millions de personnes en mourraient certainement. Les survivants seraient brûlés, rendus aveugles et/ou handicapés. En cas de guerre nucléaire, que ferait-on des vingt-cinq millions de brûlés graves, sachant que le pays ne pouvait faire face qu'à deux cents cas de ce type ?

Au début de l'administration Reagan, la majorité des évêques catholiques américains réunis en synode se déclarèrent contre l'usage de l'arme nucléaire. En novembre 1981, la question du nucléaire fit l'objet de cent cinquante et un rassemblements sur les campus universitaires. Le même mois, à Boston, lors d'élections locales, une résolution réclamant l'augmentation des fonds fédéraux affectés aux programmes sociaux par le biais d'une « réduction des budgets destinés à la fabrication d'armes nucléaires et aux programmes d'interventions militaires à l'étranger » l'emporta à la majorité dans les vingt-deux quartiers de la ville, y compris chez les ouvriers noirs et blancs.

Le 12 juin 1982, la plus grande manifestation politique de l'histoire du pays eut lieu au Central Park de New York. Près d'un million de gens s'y retrouvèrent pour affirmer leur volonté de mettre fin à la course aux armements.

Certains scientifiques qui avaient travaillé sur la bombe atomique rejoignirent ce mouvement en plein essor. George Kistiakowsky, professeur de chimie à Harvard, qui avait travaillé sur la première bombe atomique et était ensuite devenu le conseiller scientifique du président Eisenhower, fut l'un des porte-parole du mouvement pour le désarmement. Ses derniers propos publics, avant qu'il ne décède du cancer à l'âge de quatre-vingt-deux ans, furent reproduits dans l'éditorial du *Bulletin of Atomic Scientists* de décembre 1982 : « C'est un mourant qui vous parle. Laissez tomber les systèmes. Le temps nous est compté avant que le monde n'explose. Concentrez-vous plutôt sur le rassemblement de tous ceux qui pensent comme vous en un grand mouvement en faveur de la paix tel qu'il n'en a jamais existé auparavant. »

Au printemps 1983, l'idée du gel des armements nucléaires avait été acceptée par trois cent soixante-huit villes et conseils de comté à travers le pays, par quatre cent quarante-quatre assemblées municipales, par dix-sept parlements d'État et par la Chambre des représentants. Un sondage de l'Institut Harris indiquait alors que 79 % de la population souhaitait un accord américano-soviétique sur le gel des armements nucléaires. Selon un sondage de l'Institut Gallup, 60 % des chrétiens évangélistes (près de quarante millions d'individus pourtant plutôt conservateurs et partisans de Reagan) étaient favorables au gel des armements nucléaires.

Un an après le grand rassemblement de Central Park, on comptait environ trois mille groupes pacifistes aux États-Unis. De plus, le refus du nucléaire trouvait un écho dans le domaine de la culture – livres, magazines, théâtre, films. Le livre de Jonathan Schell contre la course aux armements, *The Fate of the Earth*, devint un best-seller national. Un documentaire sur la course aux armements réalisé au Canada fut interdit d'antenne par l'administration Reagan, mais une cour fédérale ordonna que l'interdiction soit levée.

En moins de trois ans, un retournement radical s'était opéré dans l'opinion publique. À l'époque de l'élection de Reagan, le patriotisme était très fort – exacerbé par les crises récentes des otages détenus en Iran et de l'invasion soviétique en Afghanistan. Une enquête du Centre de recherches sur l'opinion publique de l'université de Chicago avait révélé que seuls 12 % des individus interrogés pensaient que les dépenses américaines en armement étaient excessives. Lorsque ce centre fit un nouveau sondage au printemps 1982, le chiffre était passé à 32 %. Un an après, un sondage commandé par le *New York Times* et CBS News indiquait qu'il atteignait désormais 48 %. Le mouvement pacifiste exprimait également son refus de l'incorporation. Lorsque le président Carter, en réponse à l'invasion soviétique de l'Afghanistan, avait décidé le recensement des jeunes en vue d'une incorporation militaire, plus de huit cent mille personnes (10 % de la population concernée) n'avaient pas répondu à l'appel. Une certaine Isabella Leitner écrivit au *New York Times* : « Il y a trente-six ans, j'étais face aux fours crématoires. La plus ignoble des puissances mondiales s'était promis de me faire disparaître du cycle de la vie. De ne pas me laisser connaître la joie de donner la vie. Armée de ses formidables canons et de son immense haine, cette puissance pensait pouvoir rivaliser avec les forces de la vie. J'ai survécu aux formidables canons, et à chaque sourire de mon fils ils devenaient moins effrayants. Ce n'est pas à moi, monsieur, d'offrir le sang de mon fils pour servir de lubrifiant à la prochaine génération de canons. Moi et mon unique fils, nous ne participons plus au cycle de la mort. »

Un ancien proche de Nixon, Alexander Haig, déclara au cours d'un entretien accordé au journal français *Politique internationale* que les États-Unis pourraient à nouveau connaître la situation qui avait contraint Nixon à supprimer la conscription. « Aujourd'hui, ajoutait-il, il y a une Jane Fonda à tous les coins de rue. »

James Peter, l'un de ces jeunes qui refusèrent de s'inscrire sur les listes d'incorporation, écrivit une lettre ouverte au président Carter : « Monsieur le Président, le 23 juillet 1980, je suis supposé me rendre au bureau de poste local afin de m'inscrire pour le service armé. Je tiens donc à vous informer, Monsieur le Président, que je n'irai ni le 23 juillet ni à aucune date ultérieure. [...] Nous savons que le militarisme a fait tort à l'espèce humaine de toutes les manières imaginables. »

Lorsqu'il prit ses fonctions, Ronald Reagan hésita à continuer cette nouvelle politique d'incorporation. Selon son secrétaire à la Défense, Caspar Weinberger, « le président Reagan [pensait] que s'en remettre à l'incorporation pour résoudre les problèmes d'effectifs militaires ne [pouvait] qu'entraîner des troubles publics comparables à ceux des années 1960 et 1970 ». William Beecher, un ancien journaliste spécialiste du Pentagone, écrivit en novembre 1981 que Reagan était « visiblement soucieux, voire inquiet, du mécontentement et de la défiance croissante vis-à-vis de la stratégie nucléaire des États-Unis, tant dans les villes européennes que sur les campus universitaires américains ».

Dans l'espoir d'affaiblir cette opposition, l'administration Reagan se mit à poursuivre en justice les réfractaires. L'un de ceux qui furent menacés de prison, Benjamin Sasway, évoqua l'intervention militaire américaine au Salvador comme une excellente raison de refuser de se laisser enregistrer sur les listes d'incorporation.

Excédé par le cas de Benjamin Sasway, un journaliste de la droite conservatrice (William A. Rusher, de la *National Review*) s'indigna qu'on puisse compter, au sein de l'héritage des années 1960, une nouvelle génération de prêcheurs pacifistes : « Il est presque certain qu'un professeur – voire plusieurs professeurs – a appris à Benjamin Sasway à considérer la société américaine comme un ennemi cynique, exploiteur et matérialiste du progrès humain. La génération des manifestants du Vietnam entre aujourd'hui dans la trentaine et ceux qui sont devenus universitaires se sont d'ores et déjà infiltrés dans les facultés, les lycées et les collèges de notre pays. [...] Quelle pitié que notre jurisprudence ne nous autorise pas à atteindre et à châtier les véritables responsables de cette mentalité destructrice ! »

La politique reaganienne de soutien à la dictature du Salvador ne soulevait pas l'enthousiasme général. Le président venait à peine de prendre ses fonctions quand un reportage parut dans le *Boston Globe* : « On a pu assister à une scène digne des années 1960. Un rassemblement d'étudiants de Harvard hurlant des slogans pacifistes, une marche aux flambeaux à travers les rues de Cambridge. [...]

Deux mille personnes, pour la plupart des étudiants, se sont rassemblées pour protester contre l'implication des États-Unis au Salvador. [...] Les étudiants du MIT, de l'université et du collège de Boston, de l'université du Massachusetts, de Brandeis, de Suffolk, de Dartmouth, du Northeastern, de Vassar, de Yale et de Simmons étaient présents. »

Au printemps 1981, lors des cérémonies de remise des diplômes à l'université de Syracuse, alors que le secrétaire d'État de Reagan, Alexander Haig, se voyait remettre un doctorat *honoris causa* de service public, deux cents étudiants et enseignants de l'établissement lui tournèrent ostensiblement le dos. Selon les journalistes, « à chaque pause du discours [de Haig], qui dura quinze minutes, on entendait crier : "De l'humanitaire, pas du militaire!", "Quittons le Salvador!" ou "Les armes américaines tuent les religieuses américaines!" »

Ce dernier slogan faisait référence à l'exécution, à l'automne 1980, de quatre religieuses américaines par les soldats salvadoriens. Des milliers de citoyens salvadoriens étaient assassinés chaque année par des Escadrons de la mort soutenus par les États-Unis. L'opinion publique américaine commençait à s'intéresser aux événements qui se déroulaient dans ce petit pays d'Amérique centrale.

Comme il est d'usage dans le domaine de la politique étrangère des États-Unis, il n'était pas question de démocratie. On ignorait tout bonnement l'opinion publique. Un sondage commandé par le *New York Times* et CBS News au printemps 1982 indiquait que 16 % seulement des personnes interrogées étaient favorables à l'aide économique et militaire apporté par Reagan au Salvador.

Au printemps 1983, on apprit que Charles Clemens, un médecin américain, travaillait auprès des rebelles salvadoriens. Il avait été pilote dans l'aviation américaine dans le Sud-Est asiatique. Écœuré par la politique américaine dans cette région et témoin des mensonges gouvernementaux, il avait refusé d'accepter toute autre mission. Après avoir été mis en observation dans un hôpital psychiatrique, il fut déclaré psychologiquement inapte au service et renvoyé de l'armée. Il suivit ensuite des cours de médecine et rejoignit volontairement la guérilla salvadorienne.

Au début des années 1980, la presse parlait beaucoup de l'individualisme d'une nouvelle génération d'étudiants et de lycéens, dressant le portrait d'adolescents plus soucieux de leur propre avenir que de politique. Pourtant, à Harvard, lors de la remise des diplômes de 1983, l'écrivain mexicain Carlos Fuentes critiqua l'intervention américaine en Amérique latine et déclara : « Parce que nous sommes vos vrais amis, nous ne vous permettrons pas de vous conduire en Amérique latine comme l'Union soviétique le fait en Europe et en Asie centrale. » Il fut interrompu une vingtaine de fois par les applaudissements et reçut une véritable ovation à la fin de son discours.

Parmi mes propres étudiants à l'université de Boston, je n'ai jamais remarqué cet égoïsme et ce manque d'intérêt pour les autres que la presse évoquait constamment dans les années 1980. Dans les journaux d'étudiants de cette époque, on peut trouver des propos tels que ceux-ci :

Un étudiant : « Pensez-vous que tout ce qui a pu arriver de bon dans le monde ait le moindre rapport avec l'action des gouvernements ? Je travaille à Roxbury [un quartier noir des environs de Boston], je sais que le gouvernement ne fait rien pour les gens de Roxbury, ni pour les autres, d'ailleurs. Il ne se démène que pour ceux qui ont de l'argent. »

Un diplômé d'une école catholique : « L'Amérique, pour moi, c'est une société, une culture. L'Amérique, c'est chez moi. Si quelqu'un venait pour me voler cette culture, alors peut-être qu'il y aurait une raison de résister. En tout cas, je n'irai certainement pas mourir pour l'honneur du *gouvernement.* »

Une jeune fille : « Issue de la classe moyenne blanche, je n'ai jamais eu à subir la discrimination. Mais ce que je peux dire, c'est que si quelqu'un essayait de me faire asseoir dans des salles de classe séparées, utiliser des lavabos séparés ou des trucs comme ça, je lui foutrais mon pied au cul. [...] Les gens n'ont pas besoin qu'on écrive leurs droits sur des papiers. S'ils s'estiment trompés ou injustement traités par un gouvernement ou une quelconque autorité, ils peuvent lutter directement contre ces injustices. Si on regarde les déclarations [...] de droits ou les lois, on voit qu'en fait ce sont les gouvernements, les autorités et les entreprises qui ont besoin de lois et de droits pour se protéger de la pression directe, physique, du peuple. »

En dehors des campus universitaires, il existait dans tout le pays des formes de résistance à la politique gouvernementale très largement ignorées. Au début de la présidence de Reagan, une dépêche provenant de Tucson (Arizona) parlait de « manifestants, généralement d'âge moyen », qui protestaient devant le bâtiment fédéral contre l'implication de l'Amérique au Salvador. Plus d'un millier de personnes défilèrent dans la ville pour commémorer l'anniversaire de l'assassinat de l'archevêque salvadorien Romero, qui s'était opposé aux Escadrons de la mort.

Plus de soixante mille Américains s'engagèrent par écrit à se mobiliser par tous les moyens, y compris la désobéissance civile, si Reagan décidait d'envahir le Nicaragua. Lorsque le Président décréta un blocus à l'encontre de ce pays dans l'objectif d'en renverser le gouvernement, des manifestations eurent lieu dans tout le pays. Dans la seule ville de Boston, cinq cent cinquante manifestants furent arrêtés.

La politique de Reagan en Afrique du Sud suscita également des centaines de mouvements d'opposition. Reagan ne souhaitait manifestement pas que la minorité blanche aux commandes du pays cède la place au Congrès national africain (le parti de Nelson Mandela), qui représentait la majorité de la population noire. Dans ses mémoires, Cherster Crocker, sous-secrétaire d'État aux Affaires africaines, juge Reagan parfaitement « insensible » aux conditions de vie des Noirs en Afrique du Sud. En 1986, l'opinion publique obligea cependant le Congrès à voter, malgré le veto du président Reagan, des sanctions économiques contre le gouvernement d'Afrique du Sud.

La politique draconienne de Reagan à l'encontre des budgets sociaux fut considérée aux États-Unis comme l'expression d'un mépris manifeste vis-à-vis des besoins humains les plus fondamentaux. Cette politique entraîna de véritables réactions de colère. Au printemps et à l'été 1981, les habitants de l'est de Boston descendirent dans les rues. Pendant cinquante-cinq jours, les artères principales de la ville ainsi que le Summer Tunnel furent bloquées aux heures de pointe afin de protester contre les coupes pratiquées dans les budgets affectés aux pompiers, à la police et à l'éducation. Le superintendant de la police, John Doyle, déclara que « tout ces gens se [souvenaient] sans doute des leçons apprises au cours des années 1960-1970 ». Le *Boston Globe* indiquait que « les manifestants de l'est de Boston [étaient] pour la plupart d'âge moyen, issus des classes moyennes et ouvrières, et [reconnaissaient] n'avoir jamais manifesté pour quoi que ce soit auparavant ».

À l'automne 1982, l'agence United Press International écrivait : « Révoltés par les licenciements économiques, les diminutions de salaires et l'insécurité de l'emploi, de nombreux instituteurs [avaient] décrété une grève nationale. La grève des instituteurs qui a touché la semaine dernière sept États, du Rhode Island à Washington, a laissé près de trois cent mille élèves à la porte des établissements scolaires. »

Sous prétexte que l'art véritablement digne de ce nom serait toujours soutenu par le mécénat privé, l'administration Reagan réduisit également les subventions destinées aux milieux artistiques. À New York, bien que deux cents personnalités du spectacle aient manifesté, défilé, lu des pièces, chanté des chansons et refusé d'obéir aux ordres de dispersion donnés par la police, deux théâtres historiques de Broadway furent rasés afin de permettre l'édification d'un hôtel de luxe de cinquante étages. À cette occasion, la police arrêta même de nombreuses vedettes, parmi lesquelles l'acteur Richard Gere.

À propos de certains événements ayant eu lieu pendant la première semaine du mois de janvier 1983, David Nythan, du *Boston Globe*, écrivit : « Quelque chose se prépare dans ce pays qui n'augure rien de bon pour ceux qui, à Washington, feignent de l'ignorer. Les gens sont passés de l'inquiétude à la colère et expriment leurs frustrations en mettant à l'épreuve les forces de l'ordre. » Il dressait ensuite une liste d'exemples : « Au début de 1983, lorsqu'un professeur d'informatique de cinquante ans, leader d'une grève d'enseignants à Little Washington (Pennsylvanie), fut envoyé en prison, deux mille personnes manifestèrent devant le bâtiment pour exprimer leur soutien. La *Post-Gazette* de Pittsburgh qualifiait ce rassemblement de "plus important rassemblement protestataire dans le comté de Washington depuis la 'révolte du whisky' en 1794". »

Dans la région de Pittsburgh, lorsqu'on décida la vente des biens hypothéqués de petits patrons d'entreprises en faillite ou au chômage technique, soixante manifestants firent irruption dans la salle du tribunal pour protester. Le shérif du comté d'Allegheny, Eugene Coon, interrompit la procédure.

La mise en vente, pour de semblables raisons, d'une exploitation céréalière de 128 hectares à Springfield (Colorado) fut également interrompue par deux cents fermiers en colère que seuls les gaz lacrymogènes et les matraques réussirent à disperser.

Lors d'un déplacement de Reagan à Pittsburgh en avril 1983, une foule de trois mille personnes, composée en grande partie de chômeurs de la sidérurgie, manifesta son mécontentement devant son hôtel et sous une pluie battante. Des manifestations de chômeurs eurent également lieu à Detroit, à Flint, à Chicago, à Cleveland, à Los Angeles, à Washington…

Sensiblement à la même époque, les Noirs de Miami qui se soulevaient contre les brutalités policières se révoltèrent également contre leurs conditions de vie misérables. Le taux de chômage chez les jeunes Afro-Américains était d'environ 50 % et la seule réponse de l'administration Reagan à cette pauvreté consistait à construire toujours plus de prisons. Conscient de ce que la population noire ne voterait jamais pour lui, Reagan tenta vainement d'obtenir du Congrès qu'il supprime quelques paragraphes cruciaux du Voting Rights Act de 1965, qui avait jusqu'ici efficacement protégé le droit de vote des Noirs dans les États du Sud.

La politique de Reagan établissait clairement un lien entre le désarmement et les services sociaux : c'était les armes contre les enfants. Cela apparut de manière spectaculaire dans un discours que fit la présidente du Children's Defense Fund, Marian Wright Edelman, à l'été 1983, pour la cérémonie de remise des diplômes à l'Académie de Milton (Massachusetts) : « Vous faites vos débuts professionnels dans une nation et au sein d'un monde au bord de la banqueroute morale et économique. Depuis 1980, le Président et le Congrès nous montent les uns contre les autres et n'annoncent de bonnes nouvelles qu'aux riches au détriment des pauvres. [...] Les enfants en sont les premières victimes. Quotidiennement, nos choix nationaux et internationaux désastreux tuent – littéralement – des enfants. [...] Déjà, partout dans le monde, des gouvernements qui obéissent au nôtre dépensent plus de 600 milliards de dollars par an en armement alors qu'on estime à un milliard environ le nombre d'humains qui vivent dans la misère et à six cents millions le nombre de ceux qui sont au chômage ou sous-employés. Où sont l'engagement humaniste et la volonté politique nécessaires pour trouver la somme relativement ridicule qui permettrait aux enfants de survivre ? »

Elle ajoutait à l'attention de ses auditeurs : « Prenez l'aspect du problème que vous pouvez aider à régler et essayez de voir comment votre pièce pourrait s'intégrer à un projet plus large de modification de l'ensemble du puzzle social. »

Ce discours reflétait sans doute un changement d'attitude qui inquiéta l'administration Reagan. En conséquence, cette administration abandonna certains projets de coupes claires dans le budget. Le Congrès se chargea d'en rejeter d'autres. Lorsque Reagan, au cours de sa deuxième année d'exercice, proposa une diminution de 9 milliards de dollars du budget affecté à l'aide sociale aux enfants et aux familles pauvres, le Congrès ramena cette diminution à un milliard seulement. Le correspondant du *New York Times* à Washington déclara : « Les doutes exprimés sur le caractère équitable des programmes de monsieur Reagan ont obligé son administration à revoir à la baisse ses tentatives de réduire plus encore les programmes d'aide destinés aux populations les plus défavorisées. »

Les différentes élections et réélections à la présidence des États-Unis de candidats républicains, Reagan en 1980 et 1984 et Bush en 1988, furent qualifiées par la presse de « raz-de-marée » ou de « victoires écrasantes ». C'était ignorer quatre faits d'une particulière importance : presque la moitié de la population susceptible de voter ne vota pas ; ceux qui votaient n'avaient le choix qu'entre deux partis qui monopolisaient l'argent et les médias ; en conséquence, nombre de ces votants votaient sans enthousiasme ; en outre, il n'y avait pas forcément de lien entre le fait de voter pour un candidat et celui de voter pour des politiques spécifiques.

En 1980, Reagan l'emporta avec 51,6 % des votes exprimés contre 41,7 % à Jimmy Carter, John Anderson (un républicain libéral qui tentait sa chance comme troisième homme) n'obtenant que 6,7 % des voix. Seuls 54 % des électeurs s'étant déplacés pour voter, Reagan ne fut en fait élu que par un peu plus de 27 % des individus en âge de voter.

Un sondage commandé par le *New York Times* révélait que 11 % seulement des électeurs ayant voté Reagan l'avaient fait parce qu'ils estimaient que c'était un « vrai conservateur ». Ils furent trois fois plus nombreux à l'avoir fait parce qu'ils jugeaient qu'« il était temps de changer ».

Pour son second mandat et contre l'ancien vice-président Walter Mondale, Ronald Reagan fut élu avec 59 % des votes exprimés. En tenant compte des abstentions, il n'obtint que 29 % des voix de l'électorat total des États-Unis.

Aux élections de 1988, Bush fut opposé au candidat démocrate Michael Dukakis, et sa victoire avec 54 % des votes exprimés ne représentait que 27 % de l'électorat global.

Nos petits arrangements électoraux permettent à une petite fraction de l'électorat global de se transformer en une grosse majorité des suffrages exprimés. C'est ainsi que les médias peuvent parler de « victoire écrasante », mentant à leurs lecteurs et décourageant ceux qui ne regardent pas d'assez près les statistiques électorales. À partir des chiffres évoqués plus haut, peut-on sans rire affirmer que « le peuple américain » a voulu que Reagan ou Bush devienne président ? Il semble que l'on puisse, tout au plus, dire que, parmi les électeurs qui se sont exprimés, ils ont été plus nombreux à choisir les candidats républicains plutôt que leurs adversaires. Mais ils furent plus nombreux encore à ne vouloir ni des uns ni des autres. Reagan et Bush prétendirent pourtant que « le peuple » américain s'était exprimé.

Pourtant, lorsque les gens s'exprimaient sur certaines questions dans les sondages d'opinion, ils faisaient part de certains désirs auxquels ni les républicains ni les démocrates ne prêtaient la moindre attention.

Par exemple, pendant les années 1980 et au début des années 1990, les deux partis réduisirent de façon drastique les programmes sociaux destinés aux plus pauvres sous prétexte que le contraire entraînerait une hausse des impôts et que « le peuple » n'en voulait absolument pas.

Bien sûr, il est probable que les Américains souhaitaient globalement payer aussi peu d'impôts que possible. En revanche, quand on leur demandait s'ils accepteraient de payer plus d'impôts pour financer certains programmes spécifiques comme la santé ou l'éducation, ils répondaient par l'affirmative. En 1990, par exemple, un sondage effectué auprès des électeurs du district de Boston révélait que 54 % d'entre eux accepteraient volontiers de payer plus d'impôts si ceux-ci étaient affectés à la défense de l'environnement.

Lorsque la hausse des impôts était présentée en termes de classes sociales plutôt qu'en termes généraux, les réponses des personnes interrogées étaient encore plus nettes. Un sondage NBC News/*Wall Street Journal* de décembre 1990 indiquait que 84 % des sondés approuvaient l'idée d'une plus forte imposition des grandes fortunes (proposition qui fut, à peu près à la même époque, abandonnée lors d'un compromis budgétaire entre républicains et démocrates). Et bien que 51 % des personnes interrogées soient favorables à l'augmentation de l'impôt sur le capital, aucun des deux principaux partis ne la proposa.

En 1989, un sondage Harris/École de santé publique de Harvard indiquait que la plupart des Américains (61 %) étaient favorables à un système de santé de type canadien dans lequel médecins et hôpitaux seraient financés par le gouvernement, court-circuitant les diverses assurances médicales par l'instauration d'une couverture médicale universelle. Tout en prétendant vouloir réformer le système de santé, ni les démocrates ni les républicains ne reprirent cette idée.

En 1992, un autre sondage effectué par la Gordon Black Corporation pour le compte du National Press Club montrait que 59 % des électeurs souhaitaient une réduction de l'ordre de 50 % du budget de la Défense sur les cinq ans à venir. Là encore, ce projet ne fut jamais mis à l'ordre du jour des deux principaux partis.

Enfin, lorsque, à l'apogée de la présidence de Reagan, on demanda aux gens si le gouvernement devait garantir nourriture et abri aux individus les plus démunis, 62 % des personnes sondées répondirent par l'affirmative.

Il y avait à l'évidence quelque chose d'étrange dans ce système politique qui, tout en se prétendant démocratique, ignorait systématiquement la volonté des électeurs. En fait, dans un système dominé par deux partis, aussi liés l'un que l'autre aux intérêts privés des milieux d'affaires, ces électeurs pouvaient être impunément ignorés. Un électorat contraint de choisir entre Carter et Reagan, entre Reagan et Mondale ou entre Bush et Dukakis ne pouvait que désespérer ou décider de ne pas voter. En effet, aucun de ces candidats n'était capable de combattre l'infirmité économique congénitale du système dont les causes dépassaient largement les possibilités d'un président, quel qu'il soit.

Cette infirmité économique repose sur une réalité que l'on n'évoque pratiquement jamais : la société américaine est une société de classes, dans laquelle 1 % de la population possède 33 % de la richesse nationale. En outre, il y existe une sous-classe sociale composée de trente à quarante millions de gens vivant dans la plus totale pauvreté. Les programmes sociaux des années 1960 – Medicare, Medicaid, les tickets d'alimentation, etc. – ne réussirent qu'à maintenir cette inégalité historique de la répartition des ressources nationales.

Même si les démocrates semblaient plus enclins que les républicains à venir en aide aux plus pauvres, ils furent incapables (ou plutôt peu soucieux) de s'attaquer à un système économique fondé sur la préséance des intérêts privés sur les besoins fondamentaux de l'être humain.

S'il n'y eut pas de mouvement d'ampleur nationale en faveur du changement radical de type de société comme il pouvait en exister en Europe de l'Ouest, au Canada ou en Nouvelle-Zélande, on pouvait néanmoins observer de très nombreux signes de désaffection, entendre des voix protestataires et constater, partout dans le pays, l'existence de mouvements locaux qui exprimaient un profond ressentiment et exigeaient la disparition de certaines injustices.

La Citizen's Clearinghouse for Hazardous Waste de Washington DC, par exemple, fut fondée au début de l'administration Reagan par une militante – et femme au foyer –, Lois Gibbs, pour apporter de l'aide à huit mille mouvements locaux à travers les États-Unis. L'un de ces mouvements, dans l'Oregon, entama avec succès une série de poursuites judiciaires contre l'Agence de protection de l'environnement afin de la contraindre à se pencher sur la qualité plus que douteuse des eaux dans le bassin de retenue de Bull Run, aux environs de Portland.

À Seabrook (New Hampshire), de très nombreuses manifestations avaient été organisées durant plusieurs années contre une centrale nucléaire que les habitants des environs considéraient comme un danger pour eux-mêmes et leurs familles. Entre 1977 et 1989, plus de trois mille cinq cents manifestants avaient été arrêtés. Confrontée à de graves problèmes financiers et à toutes ces manifestations, la centrale finit par fermer ses portes.

La crainte des accidents nucléaires fut augmentée par les terribles événements de Three Mile Island (Pennsylvanie) en 1979 et par la catastrophe particulièrement effroyable de Tchernobyl en 1986. Tous ces événements frappèrent de plein fouet l'industrie atomique autrefois si florissante. En 1994, la Tennessee Valley Authority interrompit la construction de trois centrales nucléaires, événement que le *New York Times* qualifia de « notice nécrologique pour l'actuelle génération des réacteurs nucléaires américains ».

À Minneapolis (Minnesota), des milliers de gens manifestaient tous les ans contre les contrats militaires pharaoniques passés avec Honneywell Corporation. Plus de mille huit cents manifestants furent arrêtés entre 1982 et 1988.

Ceux qui comparaissaient devant les tribunaux pour désobéissance civile se retrouvaient bien souvent face à des jurys plutôt indulgents qui les acquittaient. Comme si ces citoyens ordinaires comprenaient parfaitement que ces accusés ayant bel et bien enfreint la loi l'avaient fait pour une bonne cause.

En 1984, des citoyens de l'État du Vermont (les « Quarante-Quatre de Winooski ») refusèrent de quitter l'antichambre du bureau d'un sénateur dont ils contestaient le vote en faveur des livraisons d'armes aux Contras du Nicaragua. Ils furent arrêtés. Lors de leur procès, le juge les traita avec bienveillance et le jury les acquitta.

Quelque temps après, un groupe d'individus, parmi lesquels l'activiste Abbie Hoffman et Amy Carter, la propre fille de l'ex-président Carter, comparurent pour avoir bloqué l'accès de l'université du Massachusetts aux recruteurs de la CIA. Ils appelèrent comme témoins de la défense d'anciens agents de la CIA qui confirmèrent que l'Agence était bien impliquée dans des opérations illégales et meurtrières un peu partout à travers le monde. Eux aussi furent acquittés.

L'un des jurés du procès, une infirmière, concéda plus tard qu'elle n'était auparavant « pas très au fait des activités de la CIA » : « J'ai été scandalisée. [...] En fait, j'étais fière de ces étudiants. » Un autre juré estima que « tout ça était très instructif ». Le procureur déclara : « S'il y a une leçon à en tirer, c'est que, ce jury étant composé de représentants de la classe moyenne, le verdict prouve que cette classe moyenne rejette les pratiques habituelles de la CIA. »

Dans le Sud, bien qu'il n'y eût plus de grands mouvements comparables à ceux des droits civiques dans les années 1960, on comptait néanmoins des centaines de groupes locaux rassemblant les pauvres, Blancs et Noirs confondus. En Caroline du Nord, Linda Stout, la fille d'un ouvrier mort d'avoir inhalé trop d'émanations toxiques, organisa un réseau multiracial rassemblant cinq cents travailleurs du textile, des agriculteurs et des domestiques – pour la plupart des femmes de couleur aux maigres revenus – dans le cadre du Piedmont Peace Project.

La fameuse Highlander Folk School du Tennessee, qui avait produit tant de militants noirs et blancs dans le Sud, était désormais imitée par d'autres écoles ou des centres d'éducation populaire.

Anne Braden, une figure sudiste des luttes sociales et antiracistes, continuait de militer activement à la tête du Southern Organizing Committee for Economic and Social Justice. Cette organisation apportait son aide à des militants locaux comme, par exemple, les trois cents Afro-Américains du comté de Tift (Géorgie) qui protestaient contre la présence d'une industrie chimique provoquant des maladies dans la population des environs, ou comme les Indiens du Cherokee County (Caroline du Nord) qui manifestaient contre la pollution d'une retenue d'eau.

Dans les années 1960, les ouvriers agricoles dont les ascendants mexicains étaient venus pour la plupart travailler en Californie et dans les États du Sud-Ouest s'étaient révoltés contre leurs conditions de vie quasi féodales. Ils s'étaient d'abord mis en grève puis, sous l'impulsion de Cesar Chavez, avaient organisé un boycott national du raisin. Rapidement, les autres ouvriers agricoles du pays s'étaient mobilisés à leur tour.

Durant les années 1970 et 1980, ils avaient continué de se battre contre la pauvreté et la discrimination. Mais les années Reagan les frappèrent durement, comme elles frappèrent durement tous les pauvres. En 1984, un quart des familles d'origine mexicaine et 42 % des enfants vivaient sous le seuil officiel de pauvreté.

Dans l'Arizona, en 1983, les mineurs du cuivre, pour la plupart mexicains, se mirent en grève contre la compagnie Phelps-Dodge après qu'elle eut diminué les salaires, les primes et les mesures de sécurité. Ils furent réprimés par la garde nationale et par la police de l'État au moyen d'hélicoptères et de gaz lacrymogènes. Leur combat dura encore trois ans jusqu'à ce qu'une alliance des autorités gouvernementales et des pouvoirs de l'argent finisse par en venir à bout.

Il y eut pourtant quelques victoires. En 1985, mille sept cents ouvrières des conserveries de Watsonville (Californie), des Mexicaines pour l'essentiel, se mirent en grève et réussirent à imposer une convention syndicale et des services de santé. En 1990, des ouvriers de San Antonio qui avaient été licenciés de l'usine fabriquant des jeans pour Levi-Strauss après sa délocalisation au Costa Rica appelèrent au boycott des produits Levi-Strauss, organisèrent une grève de la faim et obtinrent finalement des concessions de la part de la direction.

Les militants et militantes originaires d'Amérique latine luttèrent tout au long des années 1980 et 1990 pour obtenir de meilleures conditions de travail, le droit de représentation dans les gouvernements locaux, le droit au logement et le droit à un enseignement bilingue dans les écoles. Ignorés des médias, ils lancèrent une dynamique en faveur des radios bilingues : en 1991, il existait quatorze radios communautaires dans le pays, dont douze stations bilingues.

Au Nouveau-Mexique, les Latinos se battirent pour leurs terres et pour l'eau contre des spéculateurs fonciers qui voulaient les expulser des terrains sur lesquels ils vivaient depuis des décennies. En 1988, après quelques affrontements violents, les militants latinos organisèrent l'occupation armée des terrains. Ils édifièrent des abris pour se protéger des attaques et reçurent le soutien d'autres communautés du Sud-Ouest américain. La justice trancha finalement en leur faveur.

Le taux anormal des cancers chez les ouvriers agricoles de Californie inquiétait la communauté d'origine mexicaine. Cesar Chavez, dirigeant du syndicat United Farm Workers, fit en 1988 une grève de la faim de trente-cinq jours pour attirer l'attention sur cette situation anormale. À partir de cette date, le United Farm Workers s'étendit au Texas, à l'Arizona et à d'autres États.

L'importation d'ouvriers mexicains peu rémunérés et travaillant dans des conditions terribles s'étendit du Sud-Ouest américain vers les autres États du pays – en 1991, quatre-vingt mille Latinos vivaient en Caroline du Nord et trente mille au nord de la Géorgie. Après avoir remporté en 1979 des combats difficiles dans le secteur de la production de tomates dans l'Ohio à l'issue de la plus importante grève jamais vue dans le Midwest, le Farm Labor Organizing Committee réussit à mobiliser des milliers d'ouvriers agricoles dans plusieurs États de cette région.

Comme la population originaire d'Amérique latine continuait de croître régulièrement, elle égala bientôt les 12 % de la population afro-américaine et marqua de son empreinte la culture américaine. La musique, le théâtre, les arts latinos avaient une teinte beaucoup plus politique et satirique que la culture américaine ordinaire.

L'atelier Border Arts fut créé en 1984 par des artistes et écrivains de San Diego et de Tijuana. Sa production artistique abordait de front la question du racisme et celle de l'injustice. Nés dans le nord de la Californie, le Teatro Campesino et le Teatro de la Esperanza se produisaient devant des publics populaires partout à travers le pays, transformant les écoles, les églises et les champs en lieux de théâtre.

Particulièrement conscients de l'impérialisme nord-américain au Mexique et dans les Antilles, les Latinos critiquèrent énergiquement la politique étrangère américaine au Nicaragua, au Salvador et à Cuba.

En 1970, une grande manifestation avait eu lieu à Los Angeles contre la guerre du Vietnam. La réplique de la police avait fait trois morts dans la communauté mexicaine. Lorsque l'administration Bush se prépara à la guerre contre l'Irak à l'été 1990, des milliers de gens défilèrent sur le même parcours. Elizabeth Martinez écrivit dans *500 Years of Chicano History in Pictures* : « Avant et pendant la guerre du Golfe, de nombreuses personnes – dont la Raza [littéralement « la race », un terme adopté par les militants latinos] – avaient quelques doutes sur cette opération ou même s'y opposaient catégoriquement. Nous avions tiré une ou deux leçons des guerres menées au nom de la démocratie et qui avaient finalement tourné à l'avantage des riches et des puissants. La Raza s'organisa pour manifester contre cette guerre meurtrière plus rapidement qu'elle ne l'avait fait pour la guerre du Vietnam, tout en sachant que nous n'étions pas en mesure d'y mettre fin. »

En 1992, Resist, un groupe de collecte de fonds né au moment de la guerre du Vietnam, aida financièrement cent soixante-huit groupes militants du pays – communautés, groupes pacifistes, écologistes, Indiens, organisations pour les droits des prisonniers ou organisations médicales.

Une nouvelle génération d'avocats ayant obtenu leurs diplômes dans les années 1960 formait une petite minorité politiquement engagée au sein de cette profession. Ils prenaient en charge la défense des plus pauvres et des plus démunis ou poursuivaient de puissantes entreprises. Un cabinet juridique mit tous ses talents et toute son énergie au service des « *whistleblowers* », un groupe d'hommes et de femmes licenciés pour avoir dénoncé certaines entreprises corrompues qui nuisaient à l'intérêt public.

Le mouvement féministe, qui avait jadis interpellé la nation tout entière sur la question de l'égalité des sexes, connut un fort recul dans les années 1980. La confirmation du droit à l'avortement par la Cour suprême, en 1973, avait entraîné la naissance d'un mouvement « pro-vie » qui bénéficiait de puissants alliés à Washington. Le Congrès vota une loi, ratifiée par la Cour suprême, aux termes de laquelle on supprima l'aide fédérale accordée aux femmes sans ressources pour rembourser leur avortement. Malgré tout, la National Organization of Women et d'autres groupes féministes restaient influents. En 1989, près de trois cent mille personnes manifestèrent à Washington pour défendre le « droit de choisir ». La tension devint particulièrement forte en 1994 et 1995, lorsque les cliniques pratiquant l'interruption de grossesse furent attaquées et plusieurs militants favorables au droit à l'avortement assassinés.

Dans les années 1970, tandis que se produisait un changement radical dans la façon de penser la sexualité et la liberté sexuelle, les droits des gays et lesbiennes américains occupèrent le devant de la scène. Le mouvement gay devint particulièrement visible, avec parades, défilés, manifestations et campagnes pour l'abolition des politiques discriminatoires à l'encontre des homosexuels. De nombreux livres sur l'histoire secrète des homosexuels aux États-Unis et en Europe commencèrent également à paraître.

En 1994, un défilé commémorant le vingt-cinquième anniversaire de l'affaire « Stonewall » fut organisé à Manhattan. La communauté homosexuelle considérait cet événement comme un moment clef de son histoire : en 1969, des gays s'étaient vigoureusement défendus contre des policiers qui avaient fait irruption au *Stonewall*, un bar de Greenwich Village à New York. Au début des années 1990, les mouvements gay et lesbien luttèrent plus visiblement et plus fermement encore contre la discrimination sexuelle et pour que l'on s'intéresse véritablement à l'épidémie du SIDA, qu'ils estimaient totalement négligée par le gouvernement.

À Rochester (État de New York), le mouvement gay obtint des résultats spectaculaires en faisant interdire l'entrée d'une école de district aux recruteurs de l'armée parce que le département à la Défense menait une politique de discrimination à l'encontre des soldats homosexuels.

Dans les années 1980 et 1990, le mouvement ouvrier fut singulièrement affaibli par le déclin général de l'activité industrielle, par les délocalisations des entreprises vers d'autres pays et par l'hostilité de l'administration Reagan et de ses représentants au National Labor Relations Board. Pourtant, le militantisme syndical survivait, en particulier chez les employés de bureau, et l'influence de l'AFL-CIO s'accrut chez les travailleurs latinos, afro-américains et américano-asiatiques.

Dans les vieux syndicats figés, la base se mit à ruer dans les brancards. En 1991, la direction notoirement corrompue du syndicat des camionneurs fut proprement éjectée par un vote de censure. La nouvelle direction devint rapidement une force importante à Washington et tenta même d'organiser des coalitions politiques indépendantes des deux principaux partis. Mais, globalement, le mouvement syndical, extraordinairement diminué, luttait surtout pour sa survie.

Contre les pouvoirs écrasants des milieux d'affaires et des autorités gouvernementales, l'esprit de résistance s'exprimait essentiellement, en ce début des années 1990, par des actes de courage et de défi au niveau local. Sur la côte Ouest, un jeune militant nommé Keith McHenry et des centaines de ses camarades furent arrêtés à de nombreuses reprises pour distribution gratuite et sans autorisation administrative de nourriture aux populations pauvres. Ces militants participaient à un programme intitulé « De la nourriture, pas de bombes », qui essaima dans de nombreuses villes américaines.

En 1992, un groupe qui travaillait à revisiter les idées toutes faites concernant les États-Unis fut autorisé par le conseil municipal de New York à apposer une trentaine de plaques commémoratives sur les murs de la ville. L'une d'entre elles, installée en face du siège de la banque Morgan, présentait le fameux banquier J. P. Morgan comme un « réfractaire » de la guerre de Sécession. En fait, Morgan s'était arrangé pour échapper à la conscription et avait réalisé d'énormes profits pendant cette guerre en faisant affaire avec le gouvernement. Une autre de ces plaques, installée près de la Bourse de New York, représentait un homme en train de se suicider et était sous-titrée : « Bienfait du libre-échange sauvage ».

La méfiance généralisée vis-à-vis du gouvernement pendant la guerre du Vietnam, le scandale du Watergate, les révélations sur les activités antidémocratiques du FBI et de la CIA avaient entraîné certaines démissions et une critique ouverte de la part de fonctionnaires gouvernementaux.

Un certain nombre d'anciens responsables de la CIA la quittèrent et publièrent des livres très critiques sur ses agissements. John Stockwell, qui avait dirigé les opérations de l'Agence en Angola, démissionna puis écrivit un livre qui révélait certains aspects des activités de l'agence et donna des conférences à travers le pays sur son expérience personnelle. L'historien et ancien expert auprès de la CIA David MacMichael témoigna devant les tribunaux en faveur de gens qui avaient manifesté contre la politique des États-Unis en Amérique centrale.

Jack Ryan, agent du FBI pendant vingt et un ans, fut licencié après avoir refusé d'infiltrer les groupes pacifistes. Ses droits à la retraite furent supprimés et il dut même vivre quelque temps dans une structure d'accueil pour sans-abri.

Dans les années 1980 et 1990, la guerre du Vietnam, pourtant finie depuis 1975, revenait régulièrement sur le devant de la scène. Certains de ceux qui avaient été impliqués dans les troubles de l'époque opérèrent même des revirements spectaculaires. John

Wall, par exemple, le procureur qui avait poursuivi le docteur Benjamin Spock et quatre autres citoyens bostoniens pour s'être opposés à l'incorporation, apparut en 1994 à un dîner donné en mémoire des accusés et déclara que ce procès avait totalement changé sa façon de penser.

Plus stupéfiante encore fut la déclaration de Charles Hutto, l'un des soldats américains qui avaient participé au massacre de My Lai (au cours duquel une compagnie de soldats américains avait exécuté par centaines les femmes et les enfants d'un petit village vietnamien). Dans un entretien accordé dans les années 1980, Hutto déclara : « J'avais dix-neuf ans à l'époque et on m'avait toujours dit de faire ce que les adultes me disaient de faire. […] Aujourd'hui, je dirais à mes enfants d'y aller si le gouvernement le leur demandait. De servir leur pays, mais d'utiliser tout de même leur propre jugement quand il le faut. […] De rejeter l'autorité et d'en appeler à leur propre conscience. J'aurais voulu que quelqu'un m'ait dit ça avant que j'aille au Vietnam. Je ne savais pas. À présent, je pense qu'un truc comme la guerre ça ne devrait pas exister parce que ça chamboule tout dans la tête d'un homme. »

Cet héritage de la guerre du Vietnam – ce sentiment partagé par de très nombreux Américains qu'il s'agissait d'une terrible tragédie, d'une guerre qui n'aurait jamais dû avoir lieu – a empoisonné l'existence des administrations Reagan et Bush dans leur volonté d'accroître toujours plus la domination américaine sur l'ensemble du monde.

En 1985, alors que George Bush était vice-président, l'ancien secrétaire à la Défense, James Schlesinger, avait prévenu le comité sénatorial des Affaires étrangères que « la guerre du Vietnam [avait] complètement bouleversé le comportement des Américains […] et provoqué une fracture dans le classique consensus politique au sujet de affaires étrangères ».

Bush était bien décidé à venir à bout de ce que l'on appelle le « syndrome du Vietnam » – c'est-à-dire la réticence du peuple américain à partir en guerre au premier signal des décideurs. Aussi se lança-t-il dans cette attaque aérienne contre l'Irak à la mi-janvier 1991 avec des forces disproportionnées, de manière à ce que la guerre soit la plus courte possible et que les mouvements pacifistes nationaux n'aient pas le temps de s'organiser.

Les signes avant-coureurs de la résurgence de ces mouvements étaient déjà patents au cours des mois qui précédèrent la guerre. Pour la fête de Halloween, six cents étudiants avaient défilé dans les rues de Missoula (Montana) en criant : « Plutôt crever que d'y aller ! » La une du *Shreveport Journal* (Louisiane) annonçait que « les sondages étaient favorables à une opération militaire », mais le reste de l'article reconnaissait que, si 42 % des Américains interrogés souhaitaient que l'on se « prépare à l'usage de la force », 41 % proposaient pour leur part d'« attendre et de voir venir ».

Le 11 novembre 1990, à Boston, un défilé d'anciens combattants fut accompagné par un groupe appelé les « Vétérans pour la paix » brandissant des pancartes : « Plus jamais de Vietnam ! » ou « Pétrole et sang ne se mélangent pas. Vive la paix ! » Le *Boston Globe* indiquait que « les manifestants [avaient] été accueillis par des applaudissements respectueux et même, à certains moments, par des manifestations ostensibles de soutien de la part des spectateurs ».

Si la plupart des anciens du Vietnam étaient favorables à la guerre du Golfe, il existait néanmoins une importante minorité critique. Un sondage d'opinion indiquait que, si 53 % des ex-militaires auraient servi avec enthousiasme dans cette guerre, 37 % d'entre eux rejetaient cette idée.

Le plus célèbre des vétérans du Vietnam, Ron Kovic, l'auteur de *Né un 4 juillet*, fit un discours de trente secondes à la télévision à l'époque où Bush commençait à envisager une guerre. Au cours de cet appel, retransmis sur deux cents stations de télévision dans près de cent vingt villes américaines, il demandait aux citoyens de se « dresser et de hurler » contre la guerre. « Combien faudra-t-il encore de citoyens américains revenant chez eux dans un fauteuil roulant – comme moi – pour que nous comprenions enfin ? »

Au mois de novembre 1990, des élèves du collège de Saint Paul (Minnesota) manifestèrent contre la guerre. La presse locale rapporta les faits en ces termes : « Ce fut une manifestation pacifiste classique, avec des mères poussant leurs bébés dans des poussettes, des professeurs et des instituteurs portant des pancartes, des militants pacifistes couverts de symboles de paix et des centaines d'étudiants venus d'une dizaine d'écoles chantant, battant la mesure et scandant : "Hey, hey ! Ho, ho ! On s'battra pas pour Amoco !" »

Dix jours avant les premiers bombardements, lors d'un conseil municipal à Boulder (Colorado), en présence de huit cents personnes, la question fut posée : « Soutenez-vous la politique belliciste de Bush ? » Seules quatre personnes levèrent la main. À Santa Fe (Nouveau-Mexique), quelques jours avant le début de la guerre, quatre mille personnes bloquèrent une route à quatre voies pendant une heure pour exiger que la guerre n'ait pas lieu. Selon les témoins, cette manifestation dépassa de loin toutes celles qui avaient eu lieu dans la région à l'époque de la guerre du Vietnam.

À la veille du conflit, six mille personnes défilèrent pour la paix dans les rues d'Ann Harbor (Michigan). Le soir même de la déclaration de guerre, cinq mille personnes se rassemblèrent à San Francisco pour la dénoncer et former une chaîne humaine autour du bâtiment fédéral. La police dispersa les manifestants à coups de matraque, mais le conseil de la ville proclama que San Francisco serait un sanctuaire pour tous ceux qui, pour des « raisons morales, éthiques ou religieuses, ne voudraient pas participer à cette guerre ».

Après le début des bombardements sur l'Irak, au plus fort de l'embrigadement de l'opinion publique, les sondages révélaient un très large soutien à l'action de George Bush. Cela dura pendant les six semaines de guerre. Mais cela reflétait-il fidèlement le sentiment réel des Américains concernant la guerre sur le long terme ? Les sondages effectués avant le conflit indiquaient que l'opinion publique pouvait penser exercer une influence quelconque. Une fois la guerre commencée et manifestement irréversible, une fois créée l'atmosphère de ferveur patriotique (le dirigeant de l'Église unifiée du Christ ne parla-t-il pas du « rythme régulier des tambours de guerre » ?), est-il surprenant qu'une grande majorité d'Américains aient soutenu l'opération militaire ?

Quoi qu'il en soit, même avec si peu de temps pour se mobiliser et avec une guerre si rapidement gagnée, il y eut des réactions d'opposition – une minorité d'Américains, bien sûr, mais une minorité résolue et avec des capacités de mobilisation évidentes. Comparé aux premiers mois de l'escalade militaire au Vietnam, le mouvement contre la guerre du Golfe s'étendit avec une vigueur et une rapidité extraordinaires.

Pendant la première semaine de guerre, alors que la majorité des Américains soutenaient clairement l'action du président Bush, des dizaines de milliers de personnes descendirent un peu partout dans les rues pour protester. À Athenes (Ohio), plus de cent personnes furent arrêtées à la suite d'affrontements avec un groupe favorable à la guerre du Golfe. À Portland (Maine), cinq cents autres défilèrent, arborant des brassards blancs et brandissant des feuilles blanches sur lesquelles on pouvait lire le fameux « Why ? » peint en rouge.

À l'université de Géorgie, soixante-dix étudiants pacifistes veillèrent toute une nuit. Au parlement de cet État, la représentante Cynthia McKinnon critiqua les bombardements en Irak, provoquant la sortie, en signe de protestation, d'un certain nombre d'élus géorgiens. McKinnon tint bon, révélant ainsi qu'il y avait eu une certaine évolution dans les mentalités depuis l'époque où

Julian Bond avait été exclu de cette même chambre pour y avoir critiqué la guerre du Vietnam. À Newton (Massachusetts), trois cent cinquante élèves d'un établissement scolaire se rendirent à l'hôtel de ville pour remettre au maire une pétition par laquelle ils exprimaient leur opposition à la guerre du Golfe. Nombreux furent ceux qui tentèrent de concilier leur opposition à la guerre et leur soutien aux soldats présents sur le terrain. Chez les étudiants, Carly Baker déclara : « Nous ne pensons pas que verser le sang soit la bonne solution. Nous soutenons nos soldats et nous sommes fiers d'eux, mais nous ne voulons pas de cette guerre. »

À Ada (Oklahoma), le jour même où l'université du centre-est de l'État « parrainait » deux compagnies de la garde nationale, deux jeunes femmes s'installèrent tranquillement au-dessus du porche d'entrée avec des pancartes exigeant : « Enseignez la paix, pas la guerre ! » L'une d'elles, Patricia Biggs, déclarait : « Notre place n'est pas là-bas. Je ne pense pas qu'il s'agisse d'une question de justice ou de liberté. Je pense que tout cela est avant tout une question d'économie. Les grandes entreprises pétrolières ont beaucoup à voir avec ce qui se passe là-bas. [...] Nous risquons des vies humaines pour une histoire de fric. »

Quatre jours après le début des raids aériens, soixante-quinze mille personnes (selon la police) défilèrent à Washington et se rassemblèrent devant la Maison-Blanche pour dénoncer la guerre du Golfe. En Californie, Ron Kovic s'exprima devant six mille personnes qui exigeaient « La paix tout de suite ! ». À Fayetteville (Arkansas), des gens qui soutenaient la politique militariste du gouvernement provoquèrent un affrontement avec le mouvement Northwest Arkansas Citizens against War, qui défilait en portant un cercueil couvert d'un drapeau et une banderole réclamant : « Ramenez-les vivants ! »

Philip Avillo, autre ancien du Vietnam également handicapé, professeur d'histoire et de sciences politiques au York College (Pennsylvanie), écrivit dans un journal local : « Oui, il nous faut soutenir les hommes et les femmes qui portent nos armes. Mais soutenons-les en les ramenant chez eux, non en excusant cette politique barbare et violente. » À Salt Lake City, des centaines de manifestants défilèrent avec leurs enfants dans les rues de la ville en scandant des slogans pacifistes.

Dans le Vermont, qui venait d'élire la socialiste Bernie Sanders au Congrès, plus de deux mille manifestants interrompirent un discours du gouverneur au parlement de l'État. À Burlington, trois cents personnes défilèrent dans les rues de la ville en demandant aux commerçants de fermer leurs boutiques par solidarité.

Le 26 janvier, neuf jours après le début de la guerre, plus de quinze mille personnes défilèrent dans les rues de Washington DC et écoutèrent une poignée d'orateurs – parmi lesquels des vedettes de cinéma comme Susan Sarrandon et Tim Robbins – dénoncer la guerre. Brandissant le drapeau américain qu'elle avait reçu lorsque son mari avait été tué au Vietnam, une femme venue d'Oakland (Californie) déclarait : « J'ai appris à mes dépens qu'il n'y avait aucun honneur particulier à posséder un tel drapeau. »

La plupart des syndicats avaient soutenu la guerre au Vietnam. Après le début des bombardements dans le Golfe, onze syndicats affiliés à l'AFL-CIO, dont les plus puissants – comme la sidérurgie, l'automobile, les communications et la chimie –, prirent position contre la guerre.

La communauté noire était la moins favorable à cette guerre. Un sondage ABC News/*Washington Post* de février 1991 montrait que seuls 48 % des Afro-Américains soutenaient la guerre, contre 84 % des Blancs.

Après un mois de guerre et devant l'effet des bombardements sur l'Irak, Saddam Hussein proposa de retirer l'armée irakienne du Koweït à la condition que les bombardements cessent. Mais Bush refusa. Une assemblée réunissant les responsables de la communauté noire à New York critiqua vivement son attitude. Ils qualifièrent la guerre d'opération de « diversion parfaitement immorale et irrespectueuse. [...] Une tentative évidente d'échapper à nos responsabilités intérieures ».

À Selma, ville de l'Alabama qui avait été, trente-six ans auparavant, le théâtre d'opérations policières sanglantes contre les militants des droits civiques, une manifestation célébrant ce « Bloody Sunday » exigeait que « nos soldats [soient] ramenés vivants au pays pour combattre l'injustice à domicile ».

Alex Molnar, père d'un soldat de vingt et un ans, publia une lettre rageuse au président Bush dans le *New York Times* : « Où étiez-vous, Monsieur le Président, lorsque l'Irak gazait sa propre population ? Pourquoi, jusqu'à la crise récente, commercions-nous comme à l'ordinaire avec Saddam Hussein, cet homme que vous comparez aujourd'hui à Hitler ? L'"American Way of Life" pour lequel vous prétendez que mon fils se bat ne serait-il que le "droit" des Américains à consommer 25 à 30 % du pétrole mondial ? [...] J'entends bien soutenir mon fils et ses camarades en faisant tout ce qui est en mon pouvoir pour m'opposer à une offensive militaire américaine dans le Golfe. »

Certains citoyens entreprirent, malgré les menaces, des actes de courage individuels contre la guerre.

En dépit de menaces contre son domicile, Peg Mullen, de Brownsville (Texas), dont le fils était tombé au Vietnam sous les « balles alliées », loua un bus pour permettre à d'autres mères de venir manifester à Washington.

Un basketteur de l'université de Seton Hall (New Jersey) refusa d'arborer le drapeau américain sur son maillot. Il dut quitter son équipe et l'université pour retourner en Italie, son pays d'origine. Mais il y eut plus grave : l'immolation volontaire, à Los Angeles, d'un ancien du Vietnam en signe de protestation.

De même, à Amherst (Massachusetts), un jeune homme portant une pancarte avec le symbole de la paix s'agenouilla sur la place du centre-ville, s'aspergea de pétrole et s'immola. Deux heures plus tard, les étudiants de l'université locale se rassemblèrent sur les lieux pour une veillée funèbre et laissèrent sur place des symboles de paix et une inscription : « Faites cesser cette folie ! »

Contrairement à ce qu'il s'était passé pour la guerre du Vietnam, le temps manquait pour organiser un vaste mouvement au sein des troupes américaines elles-mêmes. Des hommes et des femmes refusèrent néanmoins d'obéir à leurs supérieurs et de participer au conflit.

Lorsque les premiers contingents furent acheminés, en août 1990, le caporal Jeff Patterson, un jeune soldat de vingt-deux ans cantonné à Hawaii, s'assit sur le tarmac de l'aéroport militaire et refusa d'embarquer à bord de l'avion en partance pour l'Arabie saoudite. Il demanda à être muté dans un autre corps : « J'ai compris qu'il n'existe pas de guerre juste. [...] Je me suis demandé ce que je faisais dans les *marines* quand j'ai commencé à lire des livres d'histoire. D'abord, j'ai beaucoup appris sur le soutien américain aux régimes assassins du Guatemala, du chah d'Iran et du Salvador. [...] Je refuse l'usage militaire de la force contre quelque peuple que ce soit, où que ce soit et à quelque moment que ce soit. »

Quatorze *marines* réservistes de Camp Lejeune (Caroline du Nord) revendiquèrent le statut d'objecteur de conscience malgré les menaces de cour martiale pour désertion. Un caporal des *marines*, Erik Larsen, déclarait : « Je me déclare objecteur de conscience. Voici mon paquetage avec mon équipement personnel. Voici mon masque à gaz. Je n'en ai plus besoin. Je n'appartiens plus désormais au corps des *marines*. [...] Il m'est personnellement impossible de me battre pour un mode de vie qui ne garantit pas, au cœur même de la capitale de notre pays, les besoins fondamentaux de l'être humain tels qu'un abri pour dormir, un repas quotidien et un minimum de soins médicaux. »

La caporale Yolanda Huet-Vaughn – médecin, capitaine dans le corps médical de l'armée de réserve, mère de trois enfants et membre du mouvement des Physicians for Social Responsability – fut rappelée en décembre 1990, un mois avant le début de la guerre. Pour toute réponse à cette convocation, elle déclara refuser de se « rendre complice d'un acte qu'[elle considérait] comme immoral, inhumain et inconstitutionnel, en d'autres termes : la mobilisation pour une intervention militaire au Moyen-Orient ». Traduite en cour martiale, elle fut jugée coupable et condamnée à deux ans et demi de prison.

Un autre soldat, Stéphanie Atkinson, de Murphysboro (Illinois), refusa de reprendre du service actif parce qu'elle jugeait que cette opération militaire américaine dans le Golfe n'obéissait qu'à des motifs économiques. Elle fut d'abord placée en maison d'arrêt puis démobilisée avec la mention « rien moins qu'honorable ».

Harlow Ballard, un médecin militaire cantonné à Fort Devens (Massachusetts), refusa de rejoindre l'Arabie saoudite : « Je préférerais aller en prison que participer à cette guerre. […] Pour moi, il n'y a pas de guerre juste. »

Plus d'un millier de réservistes se revendiquèrent objecteurs de conscience. Parmi eux, Rob Calabro, un réserviste âgé de vingt-trois ans. « Mon père m'a dit qu'il avait honte de moi. Il a crié que je le mettais dans une situation impossible. Mais je pense que tuer des gens est moralement condamnable. Je crois que je sers mieux mon pays en restant fidèle à ma conscience qu'en vivant dans le mensonge. »

Pendant la guerre du Golfe, un réseau d'information national se mit en place pour dire ce que taisaient les principaux médias. Des journaux alternatifs paraissaient dans de nombreuses villes. Plus d'une centaine de radios communautaires, qui ne touchaient qu'une petite part d'audience nationale, relayaient pourtant les seules analyses critiques de la guerre du Golfe. David Barsamian, astucieux journaliste d'une radio de Boulder (Colorado), enregistra un discours tenu par Noam Chomsky à Harvard – une critique dévastatrice de la guerre. Il expédia ensuite la cassette à toutes les stations de radio communautaires du réseau, avides de points de vue se démarquant du discours officiel. Deux jeunes du New Jersey reproduisirent ensuite ce discours sous forme de brochures destinées à être photocopiées et les distribuèrent dans de nombreuses librairies du pays.

Toute guerre « victorieuse » est immédiatement suivie d'un moment de doute au cours duquel, une fois la ferveur patriotique retombée, les citoyens font le point sur les pertes et les profits de l'opération. En février 1991, la fièvre belliqueuse atteignit son apogée. À ce moment-là, même confrontés au lourd bilan de la guerre, 17 % seulement des personnes interrogées estimèrent que cela n'en valait pas la peine. Quatre mois plus tard, en juin donc, ils étaient 30 %. Au cours des mois qui suivirent, la popularité de Bush s'effondra suite à la dégradation économique du pays. En 1992, l'esprit belliqueux de la nation s'étant en quelque sorte évaporé, Bush subit une défaite électorale.

Après la désintégration du bloc soviétique, en 1989, on discuta beaucoup aux États-Unis des « dividendes de la paix » et de l'opportunité de soustraire quelques milliards de dollars au budget militaire au bénéfice des programmes sociaux. La guerre du Golfe permit de clore ce débat. Un membre de l'administration Bush ne déclara-t-il pas au *New York Times*, le 2 mars 1991 : « Nous devons une fière chandelle à Saddam : il nous a évité le débat sur les "dividendes de la paix". »

Le débat ne pouvait néanmoins être étouffé tant la nécessité sociale se faisait ressentir aux États-Unis. Immédiatement après la guerre, l'historienne Marilyn Young remarquait que « les États-Unis [pouvaient] détruire les autoroutes irakiennes mais pas entretenir le réseau routier américain, provoquer de terribles conditions sanitaires en Irak mais sans garantir pour autant des soins médicaux à des millions d'Américains. Ils [pouvaient] également s'inquiéter du traitement réservé à la minorité kurde par les Irakiens mais pas faire face aux problèmes du racisme sur leur propre territoire, créer des sans-abri à l'étranger sans résoudre chez eux ce problème, engager cinq cent mille soldats dans une guerre contre la drogue à l'étranger et renoncer à chercher le moyen de venir en aide aux millions de drogués américains. [...] Finalement, il se pourrait que nous perdions la guerre après l'avoir gagnée. »

En 1992, avec la commémoration du cinq centième anniversaire de l'arrivée de Christophe Colomb, les limites de cette victoire militaire devinrent évidentes. Cinq cents ans s'étaient écoulés depuis que Colomb et ses acolytes avaient entraîné la disparition de la population indigène d'Hispaniola. Au cours des siècles qui suivirent, les gouvernements américains successifs s'étaient engagés dans une politique systématique d'élimination des tribus indiennes en progressant à travers le continent. Mais on assistait à présent à une réaction spectaculaire.

Les Indiens – premiers habitants du territoire américain – étaient réapparus depuis les années 1960-1970. En 1992, ils furent rejoints par d'autres Américains dans leur dénonciation des commémorations de la découverte du continent par les Européens. Pour la première fois, il y eut des manifestations nationales de protestation contre la célébration d'un homme qui avait enlevé de force, réduit à l'esclavage, mutilé et assassiné ces indigènes qui l'avaient accueilli en lui offrant des présents et leur amitié.

Les préparatifs commencèrent dans les deux camps. Des comités officiels nationaux et locaux avaient été mis sur pied avant même l'année de la commémoration.

Les Indiens réagirent vivement. À l'été 1990, trois cent cinquante d'entre eux, représentant toutes les ethnies du continent américain, se rencontrèrent à Quito, en Équateur, pour une première convention intercontinentale des peuples indigènes d'Amérique, afin de se mobiliser contre la célébration de la conquête menée par Colomb.

L'été suivant, à Davis (Californie), plus d'une centaine d'Indiens se réunirent pour donner suite à la conférence de Quito. Ils déclarèrent le 12 octobre 1992 « Journée internationale de solidarité avec les peuples indigènes » et décidèrent d'informer le roi d'Espagne que les répliques des trois navires de Christophe Colomb « ne seraient pas autorisées par les Nations indigènes à accoster dans l'hémisphère occidental tant qu'[il n'aurait] pas personnellement présenté [ses] excuses pour l'invasion qui [avait] eu lieu cinq cents ans plus tôt ».

Le mouvement prit de l'ampleur. La plus grande association œcuménique des États-Unis, le National Council of Churches, appela les chrétiens à une certaine modération pour la célébration de l'événement parce que « ce qui pour certains avait représenté une liberté nouvelle, l'espoir et l'occasion de saisir leur chance avait été pour d'autres une ère d'oppression, de pillage et de génocide ».

Le National Endowment for the Humanities organisa une exposition itinérante intitulée « Première Rencontre », qui magnifiait la conquête menée par Colomb. Lorsque l'exposition fut inaugurée au Florida Museum of National History, Michelle Diamond, étudiante de première année à l'université de Floride, se hissa à bord d'une réplique du navire de Colomb avec une pancarte proclamant : « Cette exposition est raciste. » Elle déclarait en outre que le « problème [concernait] l'humanité tout entière et pas seulement les Indiens ». Elle fut arrêtée et accusée de violation de propriété. Les manifestations contre l'exposition se poursuivirent néanmoins pendant seize jours.

Un journal intitulé *Indigenous Thought* commença à paraître au début de 1991 pour servir de lien entre tous ceux qui refusaient de célébrer Christophe Colomb. On y trouvait des articles rédigés par des Indiens sur la question toujours actuelle des terres indiennes confisquées par traité.

À Corpus Christi (Texas), les Indiens et les Chicanos (descendants des Mexicains) protestèrent ensemble contre les festivités prévues par la municipalité. Angelina Mendez s'exprima au nom des Chicanos : « La nation chicano, en solidarité avec nos sœurs et frères indiens du Nord, se joint à eux en ce jour pour dénoncer le crime que se propose de perpétrer le gouvernement américain en rejouant l'arrivée des Espagnols, et en particulier celle de Christophe Colomb, sur les rivages de ce pays. »

Cette controverse fut à l'origine d'une extraordinaire explosion d'activités culturelles et éducatives. À San Diego, une enseignante de l'université de Californie, Deborah Small, mit sur pied une exposition, intitulée « 1492 », rassemblant deux cents peintures sur bois. Elle y juxtaposait des extraits du journal de Colomb et des agrandissements de gravures du XVIe siècle pour mettre en relief les drames qui accompagnèrent l'arrivée des Espagnols en Amérique. Un critique écrivit : « Cela nous rappelle, de manière particulièrement vive, que l'arrivée de la civilisation occidentale au Nouveau Monde n'a rien eu d'un conte de fées. »

Lorsque le président Bush bombarda l'Irak en 1991 sous prétexte de faire cesser l'occupation du Koweït par les Irakiens, un groupe d'Indiens de l'Oregon fit circuler une lettre ouverte, aussi amère qu'ironique : « Cher président Bush. Pourriez-vous nous aider à libérer notre petite nation occupée ? Une force étrangère occupe nos terres pour s'emparer de nos formidables ressources naturelles. Ces étrangers ont menti et mené contre nous une guerre bactériologique, tuant des milliers de vieillards, d'enfants et de femmes. Après avoir envahi notre pays, ils ont renversé les chefs et les autorités de nos gouvernements et les ont remplacés par leur propre système de gouvernement qui aujourd'hui encore contrôle notre mode de vie de bien des manières. Selon vos propres termes, l'occupation et le renversement d'une petite nation [...] est une occupation de trop. Sincèrement vôtre. Un Indien d'Amérique. »

Le magazine *Rethinking Schools*, porte-parole de tous les enseignants engagés du pays, publia un livre d'une centaine de pages intitulé *Rethinking Columbus*. On y trouvait des articles rédigés par des Indiens et par bien d'autres, un tour d'horizon critique des livres pour enfants sur Christophe Colomb, des informations pour ceux qui désireraient en savoir – et en lire – plus sur le mouvement contre les célébrations du cinq centième anniversaire. Il fut vendu, en quelques mois, à plus de deux cent mille exemplaires.

Bill Bigelow, enseignant à Portland (Oregon) et collaborateur de *Rethinking Schools*, prit en 1992 une année sabbatique afin de parcourir le pays pour donner des séminaires devant d'autres enseignants, lesquels purent ainsi commencer à réattribuer à Christophe Colomb tout ce que les manuels scolaires et les programmes officiels omettaient le plus souvent.

Un étudiant de Bigelow écrivit également aux éditions Allyn and Bacon pour critiquer leur livre d'histoire, *The American Spirit* : « Pour faire simple, je ne prendrai qu'un problème. Par exemple sur Christophe Colomb. En vérité vous ne mentez pas, mais vous dites que "malgré leur intérêt sincère pour les peuples des Antilles, Colomb et son équipage ne réussirent jamais à vivre pacifiquement parmi eux". Il semble que, pour vous, Colomb n'en était pas responsable. En fait, la raison pour laquelle ils ne réussirent jamais à vivre pacifiquement avec les Indiens, c'est que Colomb et son équipage en firent des esclaves et en tuèrent des milliers pour la seule raison qu'ils ne ramenaient pas suffisamment d'or. »

Un autre étudiant écrivait : « C'est comme si les éditeurs avaient juste publié une "histoire héroïque" censée nous inoculer encore plus de chauvinisme. [...] Ils veulent nous faire penser que notre pays a toujours été grand, puissant et juste. »

Une certaine Rebecca écrivait pour sa part : « Bien entendu, les auteurs de ces livres pensent probablement que leurs propos sont inoffensifs – qui s'intéresse vraiment à celui qui a découvert l'Amérique ? [...] Mais la simple idée que l'on m'a menti toute ma vie à ce sujet, et Dieu sait sur quoi d'autre encore, me rend tout simplement furieuse. »

Sur la côte Ouest, une organisation appelée les « Italo-Américains contre Christophe Colomb » affirmait : « À chaque fois qu'un Italo-Américain s'identifie aux Indiens [...], nous sommes toujours plus près d'une possibilité de changement dans le monde. »

À Los Angeles, Blake Lindsey, une étudiante, se présenta devant le conseil municipal pour prendre position contre la célébration de la découverte de Colomb. Elle y évoqua le génocide des Arawaks sans provoquer la moindre réaction. Pourtant, lorsqu'elle s'exprima de nouveau lors d'un débat radiophonique, une Haïtienne téléphona pour déclarer : « Cette jeune fille a raison. Il n'y a plus d'Indiens ici. Lors du dernier soulèvement à Haïti, le peuple a détruit toutes les statues de Colomb. Érigeons plutôt des statues à la mémoire des indigènes. »

Il y eut des contre-célébrations à travers tout le pays. Les médias n'en parlèrent quasiment pas. Dans le seul Minnesota, on organisa en 1992 des dizaines d'ateliers, des rassemblements, des projections de films, des expositions. Au Lincoln Center de New York, le 12 octobre 1992, on présenta *New World : An Opera about what Columbus Did to the Indians*, un spectacle de Leonard Lehrmann. À Baltimore, il y eut une exposition multimédia sur Christophe Colomb. À Boston, puis en tournée nationale, l'Underground Railway Theater joua *The Christopher Columbus Follies* devant des salles combles.

En plus de ces manifestations, les dizaines de livres qui parurent à l'époque sur l'histoire des Indiens et les innombrables débats sur le sujet provoquèrent une évolution spectaculaire de l'attitude du monde enseignant. Pendant des générations, les mêmes sempiternelles histoires sur Colomb avaient été racontées aux écoliers américains : aventures admirables et romantiques. Désormais, des milliers d'enseignants de ce pays racontent l'histoire différemment.

Bien entendu, tout cela provoqua la colère des tenants de l'histoire classique, qui raillaient ce qu'ils qualifiaient d'histoire « politiquement correcte » et « multiculturaliste ». Ils s'offensaient du traitement radical de la question de l'expansion occidentale et de l'impérialisme, et de ce qu'ils considéraient comme une agression contre la civilisation occidentale. Le secrétaire à l'Enseignement de Ronald Reagan, William Bennett, avait parlé de la civilisation occidentale comme de « notre culture commune [...] avec ses idéaux et ses plus hautes aspirations ».

Dans un livre très médiatisé, *The Closing of the American Mind*, le philosophe Allan Bloom exprimait son effroi devant les changements que les mouvements sociaux des années 1960 avaient fait subir à l'enseignement dans les universités américaines. Selon lui, la civilisation occidentale était l'avant-garde du progrès humain et l'Amérique son meilleur représentant : « L'Amérique ne raconte qu'une seule histoire. Celle du progrès constant, inéluctable, de la liberté et de l'égalité. Depuis son premier colon jusqu'à son fondement politique, on n'a jamais pu contredire le fait que la liberté et l'égalité constituent pour nous l'essence même de la justice. »

Au travers du mouvement pour les droits civiques, la population noire avait contesté à l'Amérique cette prétention à se présenter comme la nation « de la liberté et de l'égalité ». Le mouvement féministe l'avait également contestée. En 1992, les Amérindiens dénoncèrent les crimes commis par la civilisation occidentale à l'encontre de leurs ancêtres. Ils rappelèrent l'esprit communautaire de ces Indiens que Colomb avait rencontrés et conquis. Ils essayèrent de dire l'histoire de ces millions de gens qui avaient vécu là avant l'arrivée de Christophe Colomb pour démentir ce qu'un historien de Harvard (Perry Miller) avait évoqué comme une « progression de la culture européenne dans les étendues sauvages et désertiques du continent américain ».

Pendant les années 1970-1980, les personnes handicapées s'organisèrent également et formèrent un groupe suffisamment puissant pour obliger le Congrès à voter l'Americans with Disabilities Act, première loi à permettre aux personnes handicapées de poursuivre en justice les discriminations à leur encontre et à garantir leur accès aux lieux que leur handicap leur interdisait auparavant.

Au début des années 1990, le système politique américain, dirigé par les démocrates ou par les républicains, restait aux mains des plus fortunés. Les principaux canaux d'information étaient également contrôlés par les intérêts privés. Bien qu'aucun responsable politique important n'osât y faire allusion, le pays se partageait toujours entre une classe de gens extraordinairement riches et une importante partie de la population vivant dans la plus extrême pauvreté, séparés par une classe moyenne toujours sur le point de sombrer.

Et pourtant, il existait toujours bel et bien – même si on n'en parlait jamais – ce que notre célèbre (mais fort inquiet) journaliste avait qualifié de « culture d'opposition permanente ». Cette culture qui refusait de renoncer à son combat pour une société plus humaine et plus juste. Si l'Amérique pouvait garder un espoir, c'était bien dans cette volonté de ne pas baisser les bras.

Chapitre XII

La présidence de Clinton et la crise démocratique

LES HUIT ANNÉES de la présidence de William Clinton, diplômé de la Law School de Yale et ancien sénateur de l'Arkansas, débutèrent dans l'espoir que ce jeune homme brillant apporterait au pays ce qu'il lui avait promis : le changement. Mais en l'espace de deux mandats, Clinton aura finalement gâché ses chances de passer, comme il l'aurait voulu, pour l'un des plus grands présidents de l'histoire des États-Unis.

Sa dernière année au pouvoir fut essentiellement marquée par les scandales entourant sa vie privée. Mais Clinton manqua surtout totalement d'audace dans son approche des affaires internes et se garda bien de toucher aux principes traditionnels de la politique étrangère américaine. En outre, il fit maintes fois preuve d'une prudence excessive et de conservatisme, ratifiant des lois qui satisfaisaient plus le parti républicain et le monde des affaires que les démocrates, dont une partie se souvenait encore des programmes audacieux de Franklin Roosevelt. Sur le terrain extérieur, ces huit années furent celles des fanfaronnades militaires et de la soumission au « complexe militaro-industriel » que le président Eisenhower avait dénoncé en son temps.

Clinton remporta deux fois de justesse les élections. En 1992, avec 45 % d'abstention, il n'obtint que 43 % des suffrages exprimés contre 38 % à George Bush père. De plus, 19 % des électeurs manifestèrent leur désintérêt pour les deux partis principaux en votant pour un troisième candidat : Ross Perot. En 1996, avec 50 % d'abstention, Clinton l'emporta avec 47 % des voix contre un candidat républicain particulièrement terne, Robert Dole. À l'évidence, les électeurs n'étaient guère enthousiastes. Un autocollant avait fleuri sur de nombreuses voitures : « Si Dieu avait voulu que nous votions, il nous aurait donné des candidats. »

Lors de son second discours d'investiture, Clinton évoqua une nation à l'orée d'« un nouveau siècle, un nouveau millénaire ». Il prônait « une nouvelle gouvernance pour un nouveau siècle ». Mais chez Clinton, les actes suivaient rarement les promesses.

La date de cette seconde investiture coïncidait avec la célébration nationale de la naissance de Martin Luther King. Clinton cita ainsi plusieurs fois dans son discours le nom du leader noir. Pourtant, les deux hommes représentaient des philosophies sociales diamétralement opposées.

Lorsqu'il fut assassiné en 1968, King en était arrivé à penser que le système économique américain était fondamentalement injuste et qu'il fallait le transformer en profondeur. Il dénonçait les « méfaits du capitalisme » et militait pour « une redistribution radicale des pouvoirs politique et économique ».

Quant à Clinton – étant donné que la contribution des plus grandes entreprises au financement du parti démocrate atteignait un niveau historique –, il fit clairement preuve, au cours des quatre années de son premier mandat, de sa confiance dans le « système de marché » et dans la « libre entreprise ». Pendant la campagne de 1992, le PDG de Martin Marietta Corporation fit cette confidence : « Je pense que les démocrates se rapprochent du monde des affaires et que celui-ci, en conséquence, se rapproche du parti démocrate. »

La position de Martin Luther King vis-à-vis de la consolidation du pouvoir militaire avait été la même que lors de la guerre du Vietnam : « Cette folie doit cesser. » Il rappelait également que « le racisme, l'exploitation économique et le militarisme sont intrinsèquement liés ».

Clinton invoqua le « rêve » d'égalité raciale de Martin Luther King mais il se garda bien d'invoquer son idée d'une société qui rejetterait la violence. Même si l'Union soviétique n'était plus une menace, il insista pour que les États-Unis conservent leur force de frappe dispersée un peu partout dans le monde pour se préparer à « deux conflits régionaux » simultanés, et pour qu'ils maintiennent leur budget militaire au niveau de celui de la guerre froide.

Malgré la noblesse de sa rhétorique, Clinton démontra au cours de ses huit années de présidence que, à l'instar des autres politiciens, il s'intéressait plus à la victoire électorale qu'au changement social. Pour obtenir plus de suffrages il décida que le parti démocrate devait se rapprocher du centre. C'est-à-dire faire juste ce qu'il faut pour les Noirs, les femmes et les travailleurs afin de conserver leurs votes tout en essayant de grignoter des voix chez les Blancs de la droite conservatrice avec un appareil militaire renforcé et des programmes plus musclés contre le crime mais plus timides en matière sociale.

Une fois élu, Clinton appliqua scrupuleusement cette stratégie. Il nomma quelques personnalités qui suggéraient un soutien aux forces du travail et au système social, parmi lesquelles, à la tête du National Labor Relations Board, un Afro-Américain proche des syndicats. Mais les postes clefs des départements du Commerce et du Trésor revinrent à de riches avocats d'affaires, et son équipe en politique étrangère – le secrétaire d'État, le directeur de la CIA, le conseiller à la Sécurité nationale – se composait des habituels adeptes du consensus bipartisan de l'époque de la guerre froide.

Il nomma certes plus de personnes de couleur au gouvernement que ses prédécesseurs républicains. Mais si l'un de ces individus nommés ou susceptibles de l'être se montrait trop audacieux, il était immédiatement lâché.

Son secrétaire au Commerce, Ronald Brown (qui mourut dans un accident d'avion), était un avocat d'affaires noir. Clinton le trouvait manifestement à son goût. En revanche, Lani Guinier, une Noire spécialiste du droit qui devait être nommée à la direction de la Civil Rights Division of the Justice Department, fut recalée quand les conservateurs firent des objections sur ses opinions affirmées en matière d'égalité raciale et de représentation électorale. De même, lorsque la directrice de la Santé Joycelin Elders, une Noire, exprima l'opinion controversée selon laquelle la masturbation devait être abordée dans le cadre de l'éducation sexuelle, Clinton lui demanda de démissionner (assez ironiquement, convenons-en, au vu de ses futures aventures sexuelles à la Maison-Blanche).

Il fit preuve d'une semblable faiblesse pour les deux nominations qu'il fit à la Cour suprême, s'assurant que Ruth Bader Ginsburg et Stephen Breyer seraient suffisamment modérés pour être acceptés aussi bien par les républicains que par les démocrates. Il ne souhaitait manifestement pas de libéraux convaincus, à l'instar de Thurgood Marshall ou de William Brenann, qui avaient quitté la Cour peu de temps auparavant. Les deux nouveaux membres de la Cour suprême défendaient la constitutionnalité de la peine de mort et étaient favorables à la limitation drastique du principe de l'*habeas corpus*. Tous les deux se joignirent aux juges les plus conservateurs de la Cour suprême pour confirmer le « droit constitutionnel » des organisateurs de la parade de la Saint-Patrick de Boston à en exclure les homosexuels.

Pour ses nominations aux postes de juges dans les tribunaux de moindre importance, Clinton se révéla aussi peu désireux de nommer des libéraux qu'aurait pu l'être le républicain Gerald Ford dans les années 1970. Selon une étude portant sur trois années d'exercice publiée dans la *Fordham Law Review* au début 1996, les juges que Clinton avait nommés rendirent des verdicts d'inspiration libérale dans moins de la moitié des cas qu'ils eurent à juger. Le *New York Times* remarquait que, si Reagan et Bush s'étaient battus pour imposer des juges reflétant leur philosophie politique, le président « Clinton, en revanche, [avait] rapidement abandonné toutes les nominations qui prêtaient le flanc à la moindre controverse ».

Clinton était soucieux de démontrer qu'il ne ferait aucune concession dans les domaines de « la loi et de l'ordre ». Pendant sa campagne présidentielle de 1992, alors qu'il n'était encore que gouverneur de l'Arkansas, il retourna brièvement dans cet État pour assister à l'exécution d'un malade mental qui attendait dans le couloir de la mort. Au début de son mandat, en avril 1993, lui et son ministre de la Justice, Janet Reno, donnèrent le feu vert à l'attaque menée par le FBI contre un groupe de fanatiques religieux qui s'étaient retranchés, armés jusqu'aux dents, dans des bâtiments à Waco (Texas). Cette attaque se conclut par l'incendie du bâtiment, dont il ne resta bientôt plus que des ruines, et fit quatre-vingt-six morts, parmi lesquels des femmes et des enfants.

David Thibodeau, l'un des rares survivants de la tragédie de Waco, donne dans son livre *A Place Called Waco* une précieuse description des conséquences humaines de l'assaut donné par les forces gouvernementales : « Bien que plus de trente femmes et enfants se soient entassés dans une petite pièce bétonnée au sous-sol de la tour résidentielle, le char a fait irruption dans la pièce du dessus, provoquant la chute de lourds blocs de béton sur les réfugiés. Six femmes et enfants furent immédiatement écrasés par ces blocs de béton, les autres périrent étouffés par la poussière et les vapeurs du gaz CS que le char propageait massivement dans cet abri dénué de fenêtres et sans aucune ventilation. Le corps carbonisé de la petite Star, six ans, la plus âgée des filles de David [David Koresh, le chef de la secte], fut retrouvé la colonne vertébrale brisée et présentant un angle incroyable, sa tête touchant presque ses talons. Ses muscles étaient contractés par les effets combinés de la chaleur des flammes et du cyanure retrouvé dans son corps et dû au gaz suffocant CS. »

Clinton et Reno firent de minables excuses pour cette agression militaire décidée bien légèrement contre un groupe composé d'hommes, de femmes et d'enfants. Reno se justifia en parlant des mauvais traitements subis par les enfants de la secte, ce qui n'était absolument pas prouvé. Mais s'ils avaient été avérés, les mauvais traitements pouvaient-ils justifier ce massacre ?

Comme cela se passe bien souvent lorsque le gouvernement se conduit en assassin, les survivants de la secte furent traînés en justice et le juge refusa de prendre en compte la demande de clémence émise par le jury. Certaines des peines infligées allaient jusqu'à quarante ans d'emprisonnement. À cette occasion, le professeur de droit pénal James Fyfe, de l'université de Temple, regretta qu'« il n'y [ait] pas de FBI pour enquêter sur le FBI et pas de département à la Justice pour enquêter sur le département à la Justice ».

L'un des survivants condamnés s'appelait Renos Avraam. Il fit ce commentaire : « Ce pays est censé respecter la loi et non réagir instinctivement. Lorsqu'on ignore la loi, on sème les graines du terrorisme. »

Cela allait s'avérer prophétique. Quelques années après la tragédie de Waco, Thimothy McVeigh fut condamné pour l'attentat contre le bâtiment fédéral d'Oklahoma City, qui fit cent soixante-huit morts. McVeigh avait visité deux fois le site de Waco. Selon le témoignage d'un agent du FBI, il s'était montré ensuite « extrêmement agité » à propos de l'assaut gouvernemental à Waco.

L'approche de type « la loi et l'ordre » assumée par Clinton l'entraîna à ratifier une loi qui réduisait le budget consacré aux centres de secours des États qui offraient une assistance juridique aux détenus les plus pauvres. Entre autres résultats, comme le notait Bob Herbert, journaliste au *New York Times*, on put bientôt voir en Géorgie un accusé risquant la peine de mort se présenter seul devant ses juges.

En 1996, Clinton ratifia également une loi qui compliquait la tâche des juges souhaitant placer certaines prisons sous l'autorité d'administrateurs spécialement chargés de s'assurer de l'amélioration des conditions effroyables d'incarcération. Il approuva également un nouveau règlement qui tendait à supprimer l'aide financière fédérale pour le conseil juridique lorsque les avocats défendaient des cas relevant des conflits sociaux (de tels procès étaient pourtant essentiels pour répondre aux attaques contre les libertés civiles).

Le décret sur le crime de 1996, que les républicains et les démocrates du Congrès votèrent à une écrasante majorité et que Clinton endossa avec enthousiasme, abordait la question du crime en insistant sur son châtiment plutôt que sur sa prévention. Il étendait la peine de mort à toute une série de crimes et affectait 8 milliards de dollars à la construction de nouvelles prisons.

Tout cela fut réalisé dans le seul objectif de convaincre les électeurs que les politiciens étaient « impitoyables envers le crime ». Pourtant, comme l'expliquait le criminologue Taud Clear au *New York Times*, dans un article intitulé « Toujours plus dur, toujours plus bête », le durcissement des sentences avait envoyé, depuis 1973, un million de personnes supplémentaires dans les prisons. C'est ainsi que les États-Unis peuvent se vanter d'avoir le plus fort taux d'incarcération au monde sans réussir pour autant à empêcher l'augmentation de la criminalité. Taud Clear s'interrogeait : « Pourquoi l'application de peines plus sévères a-t-elle si peu d'influence sur le taux de criminalité ? » Sans doute parce que « la police et les prisons n'ont aucun effet concret sur les conditions qui sont à l'origine du comportement criminel ». Clear rappelait que « 70 % des personnes emprisonnées dans les prisons de l'État de New York [étaient] originaires de huit quartiers de New York seulement. Ces quartiers souffrent de l'extrême pauvreté, de l'exclusion, de la marginalisation et du désespoir. Et c'est cela qui engendre le crime. »

Ceux qui détiennent le pouvoir – qu'il s'agisse de Clinton ou de ses prédécesseurs – possèdent tous quelque chose en commun. Ils tentent de se maintenir au pouvoir en dirigeant la colère des citoyens sur des groupes sans défense. Selon H. L. Mencken, observateur caustique de la société américaine des années 1920, « le principal objectif de la politique est d'effrayer la populace en la menaçant d'une batterie infinie de monstres tous plus imaginaires les uns que les autres ».

Parmi ces monstres figurent les criminels, mais aussi les immigrés, les gens qui vivent de l'aide sociale et certains régimes comme ceux de l'Irak, de la Corée du Nord ou de Cuba. En focalisant sur eux l'attention de la population, en inventant ou en exagérant les dangers encourus, on pouvait dissimuler les faillites du système américain.

Les immigrés étaient, en effet, une cible d'autant plus pratique que, ne votant pas, leurs intérêts pouvaient sans danger être parfaitement ignorés. Il fut toujours facile pour les politiciens de jouer de cette xénophobie qui éclata à plusieurs reprises au cours de l'histoire américaine : les préjugés anti-Irlandais du milieu du XIXᵉ siècle, les perpétuelles violences contre les Chinois importés pour travailler sur les chemins de fer, l'hostilité marquée à l'égard des émigrés d'Europe du Sud et de l'Est qui entraîna la mise en place de lois plus restrictives sur l'immigration dans les années 1920.

Si l'esprit de réforme des années 1960 avait entraîné des changements vers plus d'ouverture dans ces lois sur l'immigration, démocrates et républicains jouèrent à nouveau de l'insécurité économique

que connaissaient les travailleurs américains dans les années 1990. On sait que la disparition des emplois était la conséquence des « dégraissages » pratiqués par les entreprises pour faire des économies ou qui délocalisaient leurs usines dans des pays pratiquant des salaires beaucoup moins élevés. Ce furent cependant les immigrés, et en particulier ceux qui arrivaient massivement du Sud à travers la frontière mexicaine, qui furent accusés d'augmenter les impôts de l'Américain moyen en prenant le travail des citoyens américains et en recevant des aides gouvernementales.

Les deux principaux partis s'accordèrent pour voter des lois, approuvées ensuite par Clinton, visant à supprimer les avantages sociaux (bons d'alimentation, allocations pour les personnes âgées et pour les handicapés) non seulement aux immigrés clandestins mais également à ceux dont la situation était régulière. Au début de 1977, des courriers furent adressés à près d'un million d'immigrés « officiels » – pauvres, âgés ou handicapés – pour leur annoncer que, à moins qu'ils ne deviennent citoyens américains, les bons d'alimentation et les allocations leur seraient supprimés.

Toutefois, pour près de cinq cent mille immigrés réguliers, passer les tests requis pour obtenir la citoyenneté était pratiquement impossible. Dans leur grande majorité, ils ne savaient pas lire l'anglais, étaient malades, handicapés ou simplement trop vieux pour apprendre. Un immigré portugais vivant au Massachusetts déclara à un journaliste, par l'intermédiaire d'un interprète : « Chaque jour nous avons peur de recevoir cette lettre. Qu'est-ce qu'on va faire si on perd nos allocations ? On va mourir de faim. Ça ne vaudra plus la peine de vivre. »

Les immigrés clandestins fuyant le Mexique et la pauvreté se virent traiter plus brutalement encore au début des années 1990. On augmenta le nombre des gardes-frontières. Une dépêche Reuters en provenance de Mexico affirmait, le 3 avril 1997 : « Toute mesure contre l'immigration clandestine fait enrager les millions de Mexicains qui, à la recherche d'un travail, essaient de passer chaque année – légalement ou clandestinement – au travers des trois mille quatre cents kilomètres de frontière qui les séparent des États-Unis. »

Des centaines de milliers de personnes originaires d'Amérique centrale, qui avaient fui les Escadrons de la mort du Guatemala et du Salvador quand les gouvernements américains apportaient leur soutien à ces régimes, se voyaient à présent menacés d'expulsion parce qu'ils n'avaient jamais reçu le statut de réfugié politique. En effet, admettre que ces cas relevaient du politique aurait été incompatible avec les affirmations du gouvernement américain selon lesquelles ces régimes faisaient des efforts certains dans le domaine des droits de l'homme et méritaient donc que l'on continue de leur apporter une aide militaire.

Au début de 1996, le Congrès et le Président s'entendirent pour voter un Anti Terrorism and Effective Death Penalty Act, qui autorisait l'expulsion de tout immigré ayant été condamné au moins une fois pour crime, quelles que soient la date de la condamnation et la nature du crime. Les résidents permanents en situation régulière qui avaient épousé des citoyen(ne)s américain(e)s et avaient eu des enfants n'en étaient pas exemptés. Le *New York Times* révélait au mois de juillet de la même année que des « centaines de résidents étrangers avaient déjà été arrêtés depuis que la loi [avait] été votée ». Cette loi était parfaitement incohérente puisqu'elle répondait à l'attentat à la bombe contre le bâtiment fédéral d'Oklahoma City perpétré par Timothy McVeigh, un Américain de « pure souche ».

La nouvelle politique d'immigration du gouvernement, loin de remplir la promesse de Clinton d'instituer « une nouvelle gouvernance pour un nouveau siècle », était en fait un retour aux fameuses Alien and Seditious Laws du XVIIIᵉ siècle et au McCarran Act[1] de la période McCarthy. Bien entendu, elle était loin de répondre à la grande proclamation inscrite sur la statue de la Liberté : « Donne-moi tes pauvres, tes exténués / Qui en rangs pressés aspirent à vivre libres / Le rebut de tes rivages surpeuplés / Envoie-les-moi, les déshérités / Que la tempête me les rapporte / De ma lumière, j'éclaire la porte d'Or. »

À l'été 1996 (cherchant à l'évidence le soutien de l'électorat « centriste » pour la prochaine élection), Clinton approuva une loi qui mettait fin à la garantie fédérale, accordée à l'époque du New Deal, d'apporter une aide financière aux familles pauvres ayant des enfants à charge. On prétendit qu'il s'agissait d'une « réforme du système social » et la loi elle-même portait l'intitulé trompeur de Personal Responsability and Work Opportunity Reconciliation Act.

Par cette décision, Clinton s'aliénait nombre de ses anciens partisans libéraux. Peter Edelman démissionna de son poste au département de la Santé, de l'Enseignement et des Services sociaux en critiquant amèrement ce qu'il considérait comme la reddition de Clinton à la droite et aux républicains. Plus tard, Edelman écrivit : « Son objectif était d'être réélu à tout prix. [...] Sa politique n'était pas d'estimer les risques mais plutôt de ne pas en prendre. [...] Sa tendance à abandonner la proie pour l'ombre a nui aux enfants des

---

1. Le McCarran Act autorisait le gouvernement fédéral, sans nécessité d'en référer au Congrès, à placer en détention toute personne « susceptible de mettre en péril la sécurité intérieure ».

milieux défavorisés. » Son but était de contraindre les familles pauvres bénéficiant des allocations fédérales (le plus souvent des parents isolés) à trouver du travail en leur supprimant les allocations au bout de deux ans, en réduisant les allocations à vie à cinq ans et en interdisant aux personnes n'ayant pas charge d'enfant de bénéficier de bons d'alimentation plus de trois mois sur une période de trois ans.

Le *Los Angeles Times* annonçait que, « dans la mesure où les immigrés en situation régulière perdaient l'accès à Medicaid et où les familles se voyaient confrontées à une limitation à cinq ans de leurs allocations [...], les experts en santé publique prévoyaient une recrudescence de la tuberculose et des maladies sexuellement transmissibles ». Ces coupes dans le budget social visaient à économiser 50 milliards de dollars sur une période de cinq ans (c'est-à-dire moins que le coût de la fabrication envisagée d'une nouvelle génération d'avions de combat). Même le *New York Times*, qui avait apporté son soutien à Clinton pendant les élections, affirmait que le contenu de la nouvelle loi « n'avait rien à voir avec la création d'emplois mais bien plutôt avec l'équilibre du budget au détriment des programmes sociaux destinés aux pauvres ».

Cependant, l'idée de supprimer les allocations pour renvoyer les gens au travail était confrontée à un problème simple mais incontournable : le manque d'emplois pour accueillir la population visée. À New York, en 1990, lorsque deux mille emplois furent créés par le département à l'Hygiène publique de la ville pour un salaire de 23 000 dollars par an, quelque cent mille personnes y postulèrent. Deux années plus tard, à Chicago, sept mille personnes se présentèrent pour les cinq cent cinquante emplois proposés par la chaîne de restauration Stouffers. À Joliet (Illinois), deux mille personnes se présentèrent à la Commonwealth Edison à quatre heures du matin pour postuler à des emplois qui en fait n'existaient pas encore. Au début de 1997, quatre mille personnes faisaient la queue pour sept cents emplois au *Roosevelt Hotel* de Manhattan. On estimait qu'au regard du taux de création d'emploi de l'époque il faudrait vingt-quatre ans pour absorber tous ceux qui avaient été expulsés du système d'aide sociale.

L'administration Clinton s'obstina dans son refus de mettre en place des programmes fédéraux de création d'emplois du type de ceux qui, pendant le New Deal, avaient engagé des milliards de dollars pour donner du travail à plusieurs millions de personnes. « L'ère du "Big Government"[1] est passée », proclamait Clinton

---

1. Le couple Big Government-Big Business est central dans l'histoire politique américaine. Au mieux, le Big Government est censé modérer les excès du Big Business. Néanmoins,

pendant sa seconde campagne électorale. Il pensait ainsi récupérer les votes des Américains prétendument séduits par ce discours républicain selon lequel le gouvernement affectait trop d'argent aux programmes sociaux.

En l'occurrence, les deux partis se trompaient lourdement sur la position de l'opinion publique. La presse se rendait d'ailleurs souvent complice de cette erreur. En 1994, lorsqu'à l'occasion des élections intermédiaires 37 % seulement des électeurs se rendirent aux urnes (et à peine plus de la moitié d'entre eux votèrent pour les républicains), les médias annoncèrent « une révolution ». Un gros titre du *New York Times* affirmait que « l'opinion publique faisait confiance à un Congrès républicain », laissant entendre que les électeurs soutenaient les propositions républicaines en faveur d'une réduction du rôle du gouvernement.

Pourtant, dans le corps de ce même article, un sondage *New York Times*/CBS News révélait que 65 % des sondés estimaient qu'« il [était] de la responsabilité du gouvernement de s'occuper des gens les plus démunis ».

Quand Clinton et les républicains s'en prenaient au Big Government, ils ne visaient bien entendu que le système social. D'autres manifestations du Big Government, comme les formidables contrats passés avec les industries de l'armement et les généreuses subventions accordées aux entreprises, se poursuivaient sur une grande échelle.

Le Big Government avait en fait pris forme dès l'époque des Pères Fondateurs, qui avaient délibérément mis en place un fort gouvernement centralisé pour protéger les intérêts des détenteurs de bons du Trésor, des esclavagistes, des spéculateurs fonciers et des manufacturiers. Au cours des deux siècles suivants, le gouvernement américain continua de servir les intérêts des riches et des puissants, offrant des centaines de milliers d'hectares de terres aux compagnies ferroviaires, élevant des barrières douanières destinées à protéger les intérêts des producteurs américains, et accordant des réductions fiscales aux compagnies pétrolières tout en utilisant l'armée pour briser les grèves et réprimer les révoltes.

Ce ne fut qu'au XXᵉ siècle – en particulier quand, dans les années 1930 et 1960, le gouvernement, menacé de tous côtés par la contestation et craignant une déstabilisation du système en place, vota des lois sociales en faveur des pauvres – que les dirigeants politiques et économiques commencèrent à se plaindre du « Big Government ».

---

tandis qu'on ne remet presque jamais en cause la légitimité du second, le premier est continuellement la cible des attaques des partisans du « laissez-faire » économique.

Le président Clinton rétablit Alan Greenspan à la tête de la Réserve fédérale, chargée de réguler les taux d'intérêts. Le principal souci de Greenspan était d'éviter « l'inflation » qui déplaisait fort aux détenteurs de bons du Trésor parce qu'elle aurait réduit leurs profits. La philosophie financière de Greenspan le conduisait à penser que l'augmentation des salaires était inflationniste et à redouter qu'un chômage trop peu élevé ne produise justement cette augmentation des salaires.

La réduction du déficit annuel pour arriver à l'« équilibre budgétaire » devint une obsession de l'administration Clinton. Et comme Clinton ne voulait pas augmenter les impôts des plus riches ni tailler dans le budget militaire, il lui fallut sacrifier les pauvres, les enfants, les personnes âgées, et dépenser moins pour la santé, pour les bons d'alimentation, pour l'enseignement et pour les parents isolés.

Il existe au moins deux illustrations de cette politique dans la seconde administration Clinton, au printemps 1997. Comme l'indique le *New York Times* du 8 mai 1997 : « L'un des éléments essentiels du programme de Clinton pour l'éducation (5 milliards de dollars destinés à rénover un parc scolaire en piteux état) est vite passé à la trappe lors de l'accord de la semaine dernière sur l'équilibre budgétaire. »

Le *Boston Globe* du 22 mai 1997 remarque : « Suite à l'intervention de la Maison-Blanche, le Sénat a [...] rejeté hier la proposition d'étendre la couverture médicale aux dix millions et demi d'enfants qui n'en bénéficient pas encore. [...] Plusieurs députés ont décidé de changer d'avis après avoir été appelés par de hauts responsables de la Maison-Blanche qui leur ont affirmé que l'amendement en question mettrait en péril le difficile compromis sur le budget. »

Cette obsession autour de l'équilibre du budget ne concernait pourtant jamais le budget militaire. Juste après sa première élection à la présidence, Clinton n'avait-il pas déclaré : « Je tiens à réaffirmer la nécessaire continuité de la politique étrangère américaine » ?

Sous la présidence de Clinton, le gouvernement continua de dépenser au moins 250 milliards de dollars par an pour maintenir l'appareil militaire. Clinton pensait comme les républicains que la nation devait être prête à faire face à « deux conflits régionaux » simultanés, et cela malgré l'effondrement de l'Union soviétique en 1989. Cette année-là, le secrétaire à la Défense de Bush, Dick Cheney (qu'on peut difficilement ranger dans le camp des

« colombes ») reconnaissait que « les menaces se [faisaient] moins pressantes. Tellement moins pressantes qu'il [était] difficile de les identifier clairement ». Le général Colin Powell ajoutait dans *Defense News*, le 8 avril 1991 : « Je suis à court de démons, et à court d' traîtres. Je dois me contenter de Castro et de Kim Il Sung. »

Clinton avait été accusé durant la campagne électorale d'avoir échappé au service pendant la guerre du Vietnam parce qu'il y était apparemment opposé, comme bien d'autres jeunes Américains. Une fois installé à la Maison-Blanche, il sembla déterminé à effacer cette image d'« insoumis » et profita de toutes les occasions pour se présenter comme un farouche partisan de l'appareil militaire.

À l'automne 1993, le secrétaire à la Défense de Clinton, Les Aspin, rendit public le résultat de la « révision générale » du budget militaire qui envisageait d'affecter plus de mille milliards de dollars pour les cinq années suivantes. Il ne proposait pratiquement aucune réduction majeure des principaux systèmes d'armement. Anthony Cordesman, un expert conservateur du Woodrow Wilson International Center, en conclut qu'il n'y avait pas « de différences radicales avec les programmes militaires de Bush ni d'ailleurs avec la stratégie américaine antérieure ».

Après deux ans de présidence, confronté à une poussée des républicains lors des élections au Congrès en 1994, Clinton affecta encore plus de moyens financiers au budget militaire qu'on ne l'avait envisagé lors de la fameuse « révision générale ». Le 1er décembre 1994, une dépêche du *New York Times* en provenance de Washington affirmait que, « pour essayer de contrer la critique républicaine selon laquelle l'appareil militaire serait insuffisamment financé, le président Clinton a tenu une conférence de presse pour annoncer qu'il souhaitait trouver 25 milliards de dollars pour les dépenses militaires sur les six années à venir ».

Les exemples les plus souvent cités par le Pentagone pour illustrer les deux fameux « conflits régionaux simultanés » étaient l'Irak et la Corée du Nord.

La guerre du Golfe éclata en 1991 alors que les Américains avaient pourtant armé l'Irak tout au long des années 1980. On pouvait aussi penser raisonnablement que l'importante aide militaire américaine apportée à la Corée du Sud et la présence permanente de troupes américaines sur le territoire de ce pays avaient entraîné l'augmentation du budget militaire nord-coréen (qui restait malgré tout bien inférieur à celui de la Corée du Sud).

L'Amérique de Clinton poursuivit ses livraisons d'armes à de nombreux pays à travers le monde. En arrivant aux affaires, il approuva la vente d'avions de combat F-15 à l'Arabie saoudite et

de F-16 à Taïwan. Le *Baltimore Sun* du 30 mai 1994 annonçait :
« L'année prochaine, les États-Unis produiront pour la première
fois plus d'avions de combat pour les marchés extérieurs que pour
le Pentagone lui-même. À l'évidence, les États-Unis ont définitivement ravi à l'Union soviétique le titre de champion du monde
des ventes d'armes. Soutenue par l'administration Clinton, l'industrie américaine de l'armement a connu l'an dernier sa meilleure
année de toute son histoire en termes d'exportation. Elle a en effet
vendu pour 32 milliards de dollars d'armes à l'étranger – plus de
deux fois son résultat de 1995. »

Cette tendance se poursuivit pendant toute la durée de la présidence Clinton. À l'été 2000, le *New York Times* révélait que les
États-Unis avaient vendu en 1999 plus de 11 milliards de dollars
d'armes – un tiers de toutes les armes vendues à travers le monde.
Deux tiers de ces armes étaient destinées aux pays pauvres. En
1999, l'administration Clinton leva l'interdiction sur les armes de
haute technologie qui pesait sur l'Amérique latine. Le *Times* parla
à l'époque de « victoire pour les plus gros fabricants d'armes tels
que la Lockheed-Martin Corporation et la McDonnell Douglas
Corporation ».

Clinton semblait soucieux de faire la démonstration de sa force.
Il n'était en poste que depuis huit mois lorsqu'il donna l'ordre à
l'aviation américaine de bombarder Bagdad, en représailles d'une
prétendue tentative d'assassinat sur la personne de l'ancien président Bush à l'occasion de son passage au Koweït. Les preuves d'un
tel complot étaient particulièrement douteuses puisqu'elles provenaient de la police koweïtienne, notoirement corrompue. L'aviation américaine n'attendit pas les conclusions du procès qui devait
avoir lieu au Koweït pour bombarder ce que les États-Unis affirmaient être le « quartier général des services de renseignements »
irakiens, situé dans la banlieue de Bagdad. L'opération fit au moins
six morts, dont une artiste célèbre et son mari.

Le *Boston Globe* déclara ultérieurement que « depuis le raid
aérien, le président Clinton et d'autres responsables se vantaient
d'avoir anéanti les renseignements irakiens et d'avoir adressé un
message fort à Saddam Hussein afin qu'il change de comportement ». Il s'avéra par la suite que cette opération aérienne n'avait
pas causé de dommages importants – voire pas de dommages du
tout – aux services de renseignements irakiens, et le *New York
Times* jugea quelque temps plus tard que « les propos un peu hâtifs
du président Clinton [n'étaient] pas sans rappeler les affirmations
du président Bush et du général Schwartzkopf pendant la guerre
du Golfe, qui s'étaient elles aussi révélées totalement fausses ».

Les démocrates soutinrent ces bombardements et le *Boston Globe*, se référant à l'article 51 de la Charte des Nations unies pour les justifier légalement, affirma qu'il s'agissait là de « la réponse la mieux adaptée d'un point de vue diplomatique. [...] L'allusion faite par Clinton à la Charte des Nations unies [prouvant] la volonté américaine de respecter le droit international ».

En fait, cet article 51 de la Charte des Nations unies n'autorise de réplique militaire unilatérale qu'en réponse à une attaque armée et seulement quand il s'avère impossible de réunir le Conseil de sécurité. Aucun de ces deux critères n'était rempli à l'occasion des bombardements sur Bagdad.

L'éditorialiste Molly Ivins estima que ces bombardements destinés à « adresser un message fort » collaient à la définition même du terrorisme. « Le plus effrayant chez les terroristes, c'est qu'ils ne font aucune distinction dans leurs actes entre les représailles et le désir d'attirer l'attention sur eux. [...] Ce qui est vrai pour les individus [...] doit l'être également pour les États. »

Ces bombardements constituaient le signe que Clinton, qui fut confronté à plusieurs crises internationales au cours de ses deux mandats, réagirait de la façon la plus classique, c'est-à-dire en usant de la force armée tout en prétextant des objectifs humanitaires. Une démarche habituellement aussi désastreuse pour les peuples concernés que pour les États-Unis eux-mêmes.

En juin 1993, en Somalie, pays plongé dans une terrible guerre civile et où la population souffrait de famine, les États-Unis intervinrent mal à propos et trop tard. Selon le journaliste Scott Peterson, dans son article « Moi contre mon frère. En guerre en Somalie, au Soudan et au Rwanda », les « forces américaines et d'autres forces internationales – abritées derrière la bannière des Nations unies – ont commis en Somalie des actes d'une étonnante barbarie ».

L'administration Clinton commit l'erreur d'intervenir dans un conflit interne opposant différents chefs de guerre. Elle décida de pourchasser le plus important d'entre eux, le général Mohamed Aidid, au cours d'une opération militaire qui s'acheva, en octobre 1993, par la mort de dix-neuf soldats américains et d'environ deux mille Somaliens.

L'intérêt de l'opinion américaine se focalisa comme d'habitude sur les seuls morts américains. La vie des Somaliens semblait avoir moins de prix. Toujours selon Peterson, « les officiers américains et ceux des troupes onusiennes indiquèrent clairement que les morts Somaliens ne les intéressaient pas et ils n'en firent pas le compte ».

En fait, le meurtre de soldats américains par une foule de Somaliens en colère avait été précédé par la décision fort contestable, prise par les États-Unis quelques mois auparavant, de lancer une opération militaire contre un édifice dans lequel s'étaient réunis des anciens de différentes communautés. Ce fut une opération d'une rare violence. Des hélicoptères First Cobra envoyèrent des missiles antichars. Peterson relate que, « quelques minutes plus tard, des troupes au sol américaines débarquaient et achevaient les survivants – une accusation rejetée par le commandement américain ». Un témoin affirma : « Quand ils voyaient quelqu'un crier, ils le tuaient. »

Le général américain Thomas Montgomery affirma de son côté que l'opération était « légitime » parce que les victimes étaient « tous des sales types ». Finalement, l'amiral Jonathan Howe, qui rendit compte de cette opération aux Nations unies (les Américains ayant insisté pour que ce soit l'un des leurs qui s'en charge), la justifia en affirmant que le bâtiment était « un poste clef pour la planification d'actes terroristes » et nia qu'il y ait eu des morts civils (bien que les victimes fussent essentiellement les anciens de la communauté). On prétendit également qu'on avait trouvé ensuite des postes émetteurs dans le bâtiment. Mais Peterson affirmait pour sa part qu'il n'avait « jamais entendu dire ni observé la moindre preuve que cette attaque eût fourni un quelconque avantage militaire "direct". »

Peterson poursuivait : « Bien que nous ayons tous des yeux et que nous ayons été témoins de ce crime, les responsables de cette opération se sont obstinés à défendre l'indéfendable et à s'en tenir à l'illusion selon laquelle une intensification de la guerre pouvait, d'une manière ou d'une autre, ramener la paix. Ils pensaient, en outre, que les Somaliens pourraient oublier ce carnage et le sang versé par leurs pères et par leurs frères. »

Mais les Somaliens n'oublièrent pas : l'assassinat de soldats américains, en octobre 1993, en apporta la preuve.

Cette politique désastreuse en Somalie fut suivie l'année suivante par une expérience identique au Rwanda, où la famine et l'état de guerre permanent n'éveillaient aucun intérêt. Des casques bleus de l'ONU, qui auraient pu sauver des dizaines de milliers de vies, étaient en poste au Rwanda, mais les États-Unis insistèrent pour que ces troupes soient réduites au strict minimum. Il y eut finalement un génocide et au moins un million de Rwandais moururent. Comme Richard Heaps, consultant de la Fondation Ford en Afrique l'écrivit dans le *New York Times*, « l'administration Clinton s'opposa fermement à une intervention internationale ».

Quand, quelque temps plus tard, cette même administration intervint militairement en Bosnie, Scott Peterson, qui se trouvait à présent dans les Balkans, s'interrogea sur la différence de réaction selon que le génocide ait lieu en Europe ou en Afrique. « C'est comme si on avait décidé quelque part que l'Afrique et les Africains ne méritaient pas la justice », expliquait-il.

La politique étrangère de Clinton obéissait globalement au consensus bipartisan classique qui consiste à maintenir des relations amicales et des liens commerciaux rentables avec les gouvernements au pouvoir, quels qu'ils soient et quelle que soit leur attitude à l'égard des droits de l'homme. Ainsi, l'aide à l'Indonésie se poursuivit malgré le terrible palmarès de ce pays en ce domaine – en particulier le massacre qui eut lieu au cours de l'invasion et de l'occupation du Timor-Oriental (peut-être deux cent mille morts sur une population totale estimée à sept cent mille habitants).

Démocrates et républicains s'allièrent au Sénat pour empêcher le vote d'une résolution proposant d'interdire la vente d'armes au régime indonésien de Suharto. Le *Boston Globe* écrivit à cette occasion, dans son édition du 11 juillet 1994 : « Les arguments dont se sont servi les sénateurs pour soutenir le régime de Suharto – et par là même des industries de l'armement, des compagnies pétrolières et des intérêts miniers en relation avec Djakarta – vont faire passer les Américains pour un peuple désireux de nier le génocide dans l'intérêt bien compris de leur échanges commerciaux. Le secrétaire d'État Warren Christopher [...] s'est fendu de la trop classique déclaration selon laquelle le comportement de l'Indonésie en matière de droits de l'homme évoluait dans le bon sens. Justification de l'administration Clinton pour poursuivre les échanges avec Suharto et ses généraux. »

En 1996, le prix Nobel de la paix fut accordé au Timorais José Ramos-Horta. Lors d'un discours dans une église de Brooklyn, quelques jours avant de se voir accorder ce prix, Ramos-Horta racontait : « À l'été 1977, j'étais ici à New York lorsque j'ai reçu un message m'apprenant que l'une de mes sœurs, Maria, âgée de vingt et un ans, avait été victime d'un bombardement. L'avion, de type Bronco, avait été fourni aux Indonésiens par les États-Unis. [...] Quelques mois plus tard, une autre dépêche m'apprenait que mon frère, Guy, dix-sept ans, avait été assassiné en même temps que d'autres personnes de son village au cours d'une attaque d'hélicoptères de type Bell fournis par les États-Unis. La même année, un autre de mes frères, Nunu, fut capturé et exécuté avec un M-16 de fabrication américaine. »

À l'autre bout du monde, des hélicoptères Sikorski, fabriqués en Amérique, étaient utilisés par la Turquie pour mater les rebelles kurdes dans ce que John Tirman (*Spoils of War : The Human Cost of the Arms Trade*) qualifie de « campagne terroriste contre le peuple kurde ».

Au début de 1997, les États-Unis vendaient plus d'armes à travers le monde que toutes les autres nations réunies. Lawrence Korb – un responsable du département de la Défense sous Reagan, qui critiqua plus tard ces ventes d'armes – écrivait que tout cela n'était plus qu'« un simple jeu d'argent. Une spirale absurde dans laquelle nous exportons des armes dans le seul but de pouvoir en produire de plus sophistiquées encore afin de l'emporter sur toutes celles que nous avons distribuées à travers le monde ».

Finalement, lors de la dernière année de l'administration Clinton, après qu'un soulèvement de la population timoraise eut provoqué la tenue d'un référendum en faveur de l'indépendance, l'aide militaire américaine à l'Indonésie cessa et le régime de Suharto s'effondra. Le Timor-Oriental semblait pouvoir enfin jouir de l'autonomie[1].

Mais l'appareil militaire continua de dominer la politique américaine et les États-Unis restèrent le plus souvent isolés dans leur refus de réduire leur armement. Bien qu'une centaine de pays aient signé un accord visant à interdire les mines antipersonnel, qui tuent des dizaines de milliers de gens chaque année, les États-Unis refusèrent de se joindre à eux. Lorsque la Croix-Rouge insista pour que les gouvernements mettent fin à la production de bombes à fragmentation, les Américains, qui s'en étaient servi au Vietnam et pendant la guerre du Golfe, refusèrent d'obtempérer.

À la conférence des Nations unies qui se tint à Rome en 1999, les États-Unis s'opposèrent à la création d'une Cour pénale internationale contre les crimes de guerre. Ils craignaient sans doute que des politiciens et militaires américains responsables, à l'instar de Henry Kissinger[2], de politiques qui avaient entraîné la mort d'un très grand nombre de gens puissent être appelés à comparaître devant cette cour.

Les droits de l'homme venaient manifestement après les affaires dans le domaine de la politique étrangère américaine. Lorsque le mouvement international Human Rights Watch publia son rapport annuel en 1996, le *New York Times* du 5 décembre en résumait ainsi les conclusions : « Cet organisme a vertement critiqué de nombreuses nations de premier plan et en particulier les États-Unis, qu'il accuse de ne pas vouloir faire pression sur les gouvernements

---

1. Le Timor-Oriental est finalement devenu un État reconnu par les Nations unies en mai 2002.
2. Prix Nobel de la paix en 1973.

chinois, indonésien, mexicain, nigérian et saoudien afin de ne pas se fermer l'accès à leurs marchés lucratifs. »

Critique justifiée si l'on en juge par les divergences d'approche de l'administration Clinton vis-à-vis de deux pays, la Chine et Cuba, qui se revendiquent tous deux du communisme. Les autorités chinoises avaient massacré des étudiants à Pékin en 1991 et emprisonné leurs opposants. Pourtant, les États-Unis continuaient à apporter leur aide économique à la Chine et à lui accorder certains avantages commerciaux (suivant le principe de la « nation la plus favorisée »), dans l'intérêt du commerce national.

De son côté, si Cuba emprisonnait également certains dissidents, le régime cubain ne se livrait pas à de sanglants massacres comparables à ceux de la Chine communiste ou d'autres gouvernements dans le reste du monde qui bénéficiaient de l'aide économique américaine. Pourtant, l'administration Clinton poursuivit – et même renforça – son **bloc**us à l'encontre de Cuba, privant ainsi la population cubaine de nourriture et même de médicaments.

Dans ses relations avec la Russie, c'est le principe de « stabilité », au détriment de la moralité, qui semble avoir guidé la politique de Clinton. Il réitéra son ferme soutien à Boris Eltsine, même après que la Russie se fut lancée dans l'invasion et le bombardement intensif d'une Tchétchénie à la recherche de son indépendance.

À l'occasion de la mort de Richard Nixon, Clinton et Eltsine ne cachèrent pas leur admiration pour celui qui avait poursuivi la guerre du Vietnam, violé le serment présidentiel et échappé à la justice après avoir été gracié par son propre vice-président. Eltsine voyait en Nixon l'« un des plus grands hommes politiques de l'histoire du monde » et Clinton prétendit que Nixon était resté, durant toute sa carrière, « l'un des plus farouches défenseurs de la liberté et de la démocratie dans le monde ».

La politique étrangère de Clinton dans le domaine économique ne se distinguait pas de l'attitude traditionnelle américaine en la matière, qui voulait que les deux principaux partis se préoccupent plus des intérêts des entreprises américaines que des droits des travailleurs, en Amérique comme à l'étranger, et considèrent l'aide économique plus comme un outil politico-économique que comme un principe humanitaire.

En novembre 1993, une dépêche de l'Associated Press annonça l'exclusion des programmes d'aide économique de trente-cinq pays. L'administrateur de l'Agence pour le développement international, J. Brian Atwood, expliqua que nous n'avions « plus besoin de ces programmes d'aides pour confirmer notre influence ».

Une organisation humanitaire, Bread for the World, annonça que la plupart de ces coupes frapperaient les pays les plus pauvres et que, manifestement, la faim, la pauvreté et les questions environnementales n'intéressaient pas l'administration Clinton.

La Banque mondiale et le Fonds monétaire international (FMI), tous deux contrôlés par les États-Unis, se comportèrent comme de vulgaires banquiers sourcilleux à l'égard des pays endettés du tiersmonde. Ces deux organismes insistèrent pour que les nations les plus pauvres consacrent une bonne part de leurs maigres ressources à rembourser les prêts concédés par les pays riches, remboursement impliquant des coupes radicales dans les budgets sociaux destinés aux populations déjà misérables de ces pays.

Les priorités de la politique économique extérieure étaient l'« économie de marché » et la « privatisation ». Ainsi les populations des pays de l'ancien bloc soviétique durent-elles se débrouiller seules au sein d'une économie prétendument « libre », sans toutefois bénéficier des avantages sociaux que leur avaient jusque-là garantis les défunts régimes, réputés inefficaces et répressifs. Le capitalisme des marchés non régulés frappa durement la population de l'ex-Union soviétique, où se bâtirent des fortunes individuelles colossales.

Le leitmotiv du « libre-échange » était au cœur même de la politique de l'administration Clinton. Avec le concours des démocrates et des républicains au Congrès, on mit sur pied l'ALENA (Accord de libre-échange nord-américain), qui permit de lever les obstacles régulant la circulation des biens et des capitaux entre le Mexique, le Canada et les États-Unis.

Il y eut aux États-Unis de graves désaccords sur les conséquences de l'ALENA. Certains économistes affirmaient que cela ne pouvait que bénéficier à l'économie américaine en ouvrant encore plus largement le marché mexicain aux produits américains. Mais les opposants à cet accord – parmi lesquels les principaux syndicats – affirmaient que cela provoquerait une augmentation du chômage pour les travailleurs américains puisque les entreprises seraient libres de délocaliser leur activité au Mexique pour y chercher une main-d'œuvre à moindre coût.

Après avoir examiné l'ALENA au début 1995, un an après sa mise en place, deux économistes de l'Institut d'études politiques découvrirent qu'il avait entraîné la disparition de quelque dix mille emplois aux États-Unis. En outre, un nombre accru de Mexicains travaillaient désormais, avec des salaires très bas, pour des entreprises américaines qui s'étaient installées au Mexique ; ce processus s'accompagna d'un « relâchement certain dans l'application du droit du travail et des règles environnementales ».

Il était cependant bien difficile de croire à cet engouement pour le libre-échange tant les gouvernements américains se permettaient d'intervenir dans les affaires commerciales lorsque cela bénéficiait à la politique ou à l'économie du pays (c'est-à-dire au prétendu « intérêt national »). Ainsi, par exemple, les États-Unis allèrent-ils jusqu'à interdire aux producteurs mexicains de tomates de pénétrer le marché américain.

Exemple encore plus frappant de violation du sacro-saint principe du libre-échange, les États-Unis interdisaient les livraisons de nourriture et de médicaments à l'Irak ou à Cuba, provoquant la mort de dizaines de milliers d'enfants dans ces deux pays. En 1996, au cours de l'émission de télévision « 60 Minutes », l'ambassadrice auprès des Nations unies, Madeleine Albright, se vit poser la question suivante : « Cinq cent mille enfants sont morts à la suite des sanctions édictées contre l'Irak [...] C'est plus d'enfants qu'il n'en est mort à Hiroshima. [...] Cela en valait-il la peine ? » Albright répondit : « Je pense que c'était un choix très difficile, mais... oui, nous pensons que c'était le prix à payer. »

Le gouvernement américain semblait se refuser à envisager que sa politique extérieure de rétorsion vis-à-vis de certains pays ou son implantation militaire dans de nombreux pays du monde puissent provoquer un ressentiment certain à l'étranger et que ce ressentiment pourrait s'exprimer par la violence. Lorsque cela arrivait, la réponse américaine était invariablement de riposter par plus de violence encore.

Ainsi, lorsque les ambassades américaines en Tanzanie au Kenya furent la cible d'attentats en 1998, l'administration Clinton réagit-elle en bombardant l'Afghanistan et le Soudan. On affirma que l'Afghanistan était la base d'activités terroristes, bien qu'il n'y ait encore eu, alors, aucune preuve de cela. Quant au Soudan, les Américains déclarèrent avoir bombardé une usine produisant des armes chimiques. On découvrit ultérieurement qu'il s'agissait en réalité d'une usine fabriquant des médicaments pour la moitié de la population soudanaise. Les conséquences humaines de cette destruction sont impossibles à évaluer.

La même année, Clinton fut confronté à la plus importante crise de sa présidence. Le pays apprit qu'une jeune stagiaire de la Maison-Blanche, Monica Lewinsky, avait eu une liaison secrète avec le Président. Cela provoqua un énorme scandale et les journaux ne parlèrent plus que de cela pendant des mois. Un comité indépendant fut chargé de mener l'enquête et recueillit le témoignage scabreux et détaillé de Monica Lewinsky (qui avait été dénoncée par une amie ayant enregistré leurs conversations) sur ses relations sexuelles avec le président Clinton.

Clinton mentit sur ses relations avec Monica Lewinsky et la Chambre des représentants demanda la mise en route d'une procédure d'*impeachment* contre le Président, sous prétexte qu'il avait menti en niant avoir eu des « relations sexuelles » avec la jeune femme et qu'il avait tenté de faire obstacle à la justice en dissimulant des informations sur leurs relations. C'était la deuxième fois dans l'histoire des États-Unis que cette procédure d'*impeachment* était lancée. Mais à nouveau, comme dans le cas d'Andrew Johnson après la guerre de Sécession, elle n'alla pas jusqu'à son terme, le Sénat n'ayant pas voté la destitution.

L'événement témoignait surtout du fait que des questions de comportement individuel étaient capables de détourner l'attention de l'opinion publique de sujets bien plus sérieux et de questions ayant pour enjeu la vie et la mort d'individus. La Chambre des représentants, qui aurait souhaité destituer le Président pour des questions de comportement sexuel, ne l'aurait certainement pas fait pour avoir mis en danger la vie de milliers d'enfants par ses « réformes » du système social, ou pour avoir violé la loi internationale en bombardant d'autres pays (comme l'Irak, l'Afghanistan ou le Soudan), ni pour avoir provoqué la mort de centaines de milliers d'enfants par le biais de sa politique de sanctions économiques à l'encontre de l'Irak.

En 1999, pendant la dernière année de la présidence de Clinton, une crise éclata dans les Balkans qui prouva une fois de plus que le gouvernement américain était toujours mieux disposé à user de la force qu'à s'engager dans la voie diplomatique lorsqu'il s'agissait de régler les questions de politique internationale. Cette crise avait pour origine l'effondrement, quelque dix ans plus tôt, de la République yougoslave et les conflits qui s'en étaient suivis entre les différents éléments qui la composaient auparavant.

En Bosnie-Herzégovine, les Croates massacraient les Serbes et les Serbes massacraient Croates et Musulmans. Après une attaque serbe particulièrement violente sur la ville de Srebrenica, les États-Unis bombardèrent les positions serbes. Les accords d'Oslo de 1995 mirent fin au combat et partagèrent la Bosnie-Herzégovine en deux entités, serbe et croate.

Mais les accords d'Oslo avaient négligé le problème que posait une autre région de l'ex-Yougoslavie. Le Kosovo, avec sa population composée d'une majorité d'Albanais et d'une minorité de Serbes, exigeait son indépendance vis-à-vis de la Serbie. Le président serbe, Milosevic, qui avait déjà montré la violence dont il était capable en Bosnie, s'en prit au Kosovo, faisant peut-être deux mille morts et entraînant le déplacement de plusieurs centaines de milliers de réfugiés.

Une rencontre internationale se tint en France, à Rambouillet, qui était supposée régler diplomatiquement le problème. Mais on y proposa à la Yougoslavie des conditions qui semblent bien avoir été élaborées de façon à ce qu'elles soient rejetées à coup sûr : le contrôle par les forces de l'OTAN de l'ensemble du territoire kosovar et l'occupation militaire de toute la Yougoslavie. Le 23 mars 1999, l'Assemblée nationale yougoslave répondit en faisant une contre-proposition qui rejetait l'idée d'une occupation par l'OTAN et réclamait que l'on négocie pour « parvenir à un accord politique autour d'une large autonomie du Kosovo ».

La proposition serbe fut parfaitement ignorée des principaux médias américains. Le jour suivant, les forces de l'OTAN (c'est-à-dire essentiellement les forces américaines) commencèrent à bombarder la Yougoslavie. Ces bombardements étaient censés faire cesser le « nettoyage ethnique » au Kosovo, c'est-à-dire l'expulsion par le meurtre ou l'intimidation de la population albanaise de la province. Mais après deux semaines de bombardements, le *New York Times* fit remarquer, le 5 avril 1999, que « plus de trois cent cinquante mille personnes [avaient] quitté le Kosovo depuis le 24 mars ». Deux mois plus tard, les bombardements s'étant poursuivis, ce nombre s'élevait à plus de huit cent mille.

Les bombardements sur la Yougoslavie et sur sa capitale Belgrade, censés mettre Milosevic en difficulté, provoquèrent un grand nombre de morts parmi la population civile. Un e-mail parvint aux États-Unis, envoyé par un professeur de l'université de Nis : « La petite ville d'Aleksinac, à trente kilomètres de chez moi, a été durement frappée hier soir. L'hôpital local a été touché et toute une rue a purement et simplement été rayée de la carte. Ce dont je suis sûr, c'est qu'il y a eu six morts et une cinquantaine de personnes gravement blessées. Pourtant, il n'y avait aucune cible militaire de quelque nature que ce soit dans les environs. »

Un journaliste du *New York Times*, Steven Erlanger, décrivit « les ruines qui bordaient la rue Zmaj Jovina, où Aleksandar Milic, trente-sept ans, [avait été tué] avec sa femme Vesna, trente-cinq ans. Sa mère et ses deux enfants de quinze et onze ans [étaient] morts [quelques jours plus tard], lorsqu'une bombe de l'OTAN [était] venue raser leur nouvelle maison et la cave dans laquelle ils se protégeaient des bombardements ».

Lorsqu'un accord de paix fut finalement signé, le 3 juin 1999, il s'agissait en réalité d'un compromis entre l'accord de Rambouillet que la Yougoslavie avait rejeté et les propositions faites par l'Assemblée nationale yougoslave qui n'avaient jamais été vraiment prises au sérieux. Dans son livre *The New Military Humanism*, Noam Chomsky étudie dans le détail les événements du printemps 1999 et conclut : « Les résultats du 3 juin laissent penser que des initiatives diplomatiques auraient pu se poursuivre après le 23 mars et éviter cette terrible tragédie humaine. »

Mais il semble que l'administration Clinton, comme bien d'autres avant elle (Truman en Corée, Johnson au Vietnam, Bush dans le Golfe), préférait choisir les solutions militaires même lorsque la diplomatie restait possible.

La militarisation de la nation – les budgets formidables de la Défense, la présence des forces armées américaines partout dans le monde et l'usage répété des armes contre d'autres pays – impliquait inévitablement que les fonds affectés aux problèmes sociaux soient réduits à la portion congrue. Dans l'un de ses bons jours, le président Eisenhower avait déclaré : « Chaque fusil fabriqué, chaque bateau de guerre lancé à la mer, chaque missile tiré, est au bout du compte un vol commis à l'encontre de ceux qui ont faim et n'ont rien à manger, de ceux qui ont froid et n'ont rien à se mettre. »

Le programme économique de Clinton, présenté au départ comme un programme destiné à favoriser la création d'emplois, changea bientôt d'objectif et se concentra sur la réduction du déficit qui, sous Reagan et Bush, avait augmenté jusqu'à atteindre quatre mille milliards de dollars. Cette priorité empêchait bien sûr tout programme audacieux en faveur de la couverture médicale universelle, de l'enseignement, de l'enfance, des logements, de l'environnement, de la culture ou des emplois.

Les petits gestes que Clinton fit dans ce sens n'approchaient même pas du minimum nécessaire dans un pays où le quart des enfants vivent en dessous du seuil de pauvreté, où l'on trouve, dans toutes les grandes villes, un grand nombre de sans-abri et de femmes qui ne peuvent pas chercher de travail faute de système approprié pour accueillir leurs enfants, où la qualité de l'air et de l'eau est dangereusement dégradée.

Les États-Unis restaient bien sûr le pays le plus riche du monde, avec 5 % de la population mondiale consommant 30 % de ce qui se produisait à travers le monde. Mais seule une petite partie de la population américaine en bénéficiait. Les 1 % les plus riches virent à partir de la fin des années 1970 leur fortune s'accroître de façon phénoménale. À la suite des changements apportés dans le système fiscal américain en 1991, ces 1 % les plus riches avaient engrangé plus de mille milliards de dollars et possédaient désormais un peu plus de 40 % du revenu national.

Selon le magazine économique *Forbes*, les quatre cents familles les plus riches d'Amérique possédaient 92 milliards en 1982. Treize ans plus tard, la somme atteignait 480 milliards de dollars. Dans les années 1990, les avoirs des cinq cents entreprises classées dans le *Standard and Poor Index* avaient augmenté de 335 % et la valeur moyenne du Dow Jones de 400 % entre 1980 et 1995, alors que le pouvoir d'achat moyen des travailleurs avait diminué de 15 %.

En ne considérant que la fraction la plus riche de la population, on pouvait donc prétendre sans mentir que l'économie américaine était « saine ». Et pourtant, quarante millions de personnes n'avaient pas d'assurance médicale (ce nombre ayant augmenté de 33 % dans les années 1990) et des enfants mouraient de malnutrition ou de maladie à un taux plus élevé que dans n'importe quel autre pays industrialisé. Il semble qu'il y ait eu des ressources illimitées pour l'armée mais que les gens qui travaillaient dans les secteurs de la santé et de l'éducation dussent se battre pour survivre.

Une jeune femme de vingt-sept ans, Kim Lee Jacobson, interviewée par le *Boston Globe*, résumait parfaitement la situation. Elle avait été nommée « meilleure éducatrice pour jeunes enfants de l'année 1999 » mais, comme elle le disait elle-même : « Je touche 20 000 dollars par an après cinq années passées dans ce travail. Ça marche comme ça. Je n'ai pas fait ça pour faire fortune alors je ne m'attends pas à gagner beaucoup d'argent. »

Selon le département des statistiques sociales du Bureau du recensement, un travailleur américain sur trois touchait, en 1998, un salaire inférieur ou égal au seuil officiel de pauvreté. L'écrivain Barbara Ehrenreich passa une année à faire divers métiers : femme de ménage, serveuse, ouvrière. Elle témoigna dans son livre *Nickel and Dimed* que de telles activités ne permettent pas aux travailleurs de se procurer un logement et des soins médicaux décents, ni même de la nourriture.

Pour les gens de couleur, les statistiques étaient particulièrement effrayantes : le taux de mortalité infantile de la population noire était deux fois supérieur à celui de la population blanche et l'espérance de vie moyenne d'un Noir de Harlem, si l'on en croit un rapport des Nations unies, était de quarante-six ans, c'est-à-dire moins élevé qu'au Cambodge ou au Soudan.

Ces écarts étaient analysés par certains en termes d'infériorité raciale. Un défaut « génétique » en quelque sorte. Il est pourtant parfaitement clair qu'évoluer dans un environnement terriblement défavorisé, quels que soient les atouts naturels d'un individu, constitue un handicap insurmontable pour des millions d'Américains, qu'ils soient noirs ou blancs.

Une étude de la Fondation Carnegie indiquait que deux jeunes d'un niveau égal dans les tests d'intelligence (si l'on admet la valeur pourtant douteuse de ce genre de tests pour des enfants élevés dans des conditions différentes) ont des parcours différents selon la catégorie socioprofessionnelle de leurs parents. L'enfant d'un avocat ayant le même résultat au test que l'enfant d'un gardien d'immeuble avait tout de même quatre fois plus de chances d'aller au collège, douze fois plus d'aller jusqu'au bout du collège et vingt-sept fois plus de terminer dans la tranche des 10 % de salaires les plus élevés.

Pour remédier à cette situation et créer ne serait-ce qu'une égalité approximative des chances, il aurait fallu une redistribution drastique des richesses et une augmentation considérable des fonds publics destinés à la création d'emplois, à la santé, à l'éducation et à l'environnement.

Au lieu de cela, le gouvernement (oubliant ou préférant oublier les conséquences désastreuses de ce type de politique, déjà appliquée dans les années 1920) abandonnait la population à la loi du « libre marché ». Mais le « marché » se moquait bien de l'environnement ou des arts, et il laissait sur le bord de la route de nombreux Américains dénués du minimum nécessaire – pas même un logement décent. Sous Reagan, le gouvernement avait réduit le nombre de logements sociaux de quatre cent mille à quarante mille ; sous Clinton, on les supprima totalement.

Malgré les promesses de « nouvelle gouvernance » faites par Clinton lors de son discours d'investiture, il n'y eut aucun programme audacieux destiné à pallier les déficits sociaux. Par exemple, bien que des sondages d'opinion dans les années 1980-1990 aient indiqué que le peuple américain était favorable à un système de santé gratuit et universel financé par le Trésor, Clinton ne semblait pas souhaiter défendre cette idée. Il se contenta de confier à sa femme la charge de présider une commission dont le rapport final (un millier de pages incroyablement denses et compliquées) n'offrait aucune solution au véritable problème : comment garantir le droit à la santé de tous les Américains sans que l'avidité des compagnies d'assurances ne vienne s'en mêler.

En dehors de la solution qui consistait à augmenter le déficit public (et on trouvait des économistes pour penser qu'il n'était pas nécessaire de réduire ce déficit tant que les besoins vitaux n'étaient pas tous satisfaits), il existait deux sources de financement possibles pour un programme audacieux de reconstruction sociale. Mais l'administration Clinton ne souhaitait les appliquer ni l'une ni l'autre.

L'une de ces sources était bien entendu la réduction du budget militaire. Au cours de la campagne présidentielle de 1992, Randall Forsberg, un spécialiste des dépenses militaires, proposait « un budget de la Défense ramené à 60 milliards de dollars en quelques années, qui permettrait la démilitarisation de la politique étrangère des États-Unis et serait mieux adapté au monde de l'après-guerre froide ». Au contraire, rappelons-le, ce budget continua d'augmenter après la chute de la cible prétendue de l'appareil militaire américain. À la fin du mandat de Clinton, le budget annuel de la Défense atteignait les 300 milliards de dollars.

La réduction radicale de ce budget demanderait que l'on renonce officiellement à la guerre, que l'on démantèle les bases militaires implantées à l'étranger et que l'on accepte, pour finir, le principe énoncé dans le préambule de la Charte des Nations unies selon lequel le monde doit renoncer au « fléau de la guerre ». Cela devrait correspondre au souhait le plus profond de l'humanité (trop souvent réduit au silence par les slogans patriotiques) : vivre en paix les uns avec les autres.

La justification de ce spectaculaire changement de politique se trouverait dans le puissant argument moral qui tient compte du fait que, étant donné la nature même des guerres modernes, les populations civiles en sont les premières victimes. En d'autres termes, la guerre est aujourd'hui toujours une guerre contre les enfants. Et si on reconnaît à tous les enfants du monde un égal droit à la vie, il nous faut trouver les solutions pacifiques aux problèmes du monde.

L'autre solution était d'imposer les grandes fortunes. Les 1 % les plus riches de la population américaine avaient gagné plus de mille milliards de dollars au cours des années 1980-1990 à la suite de réductions fiscales. Cet « impôt sur les grandes fortunes » qui n'a jamais été sérieusement envisagé aux États-Unis pourrait parfaitement permettre de récupérer ces mille milliards de dollars au rythme de cent milliards par an sur une période de dix ans... sans pour autant changer les milliardaires en miséreux.

En outre, un véritable impôt progressif sur le revenu – en revenant au niveau d'imposition des grandes fortunes qui existait à l'issue de la Seconde Guerre mondiale (entre 70 et 90 %) – aurait permis de gagner encore une centaine de milliards de dollars par an. Or, si Clinton augmenta effectivement le taux d'imposition des revenus les plus élevés, il ne s'agit que de quelques points seulement (de 31 à 37 % pour les particuliers, de 34 à 35 % pour les entreprises) : cela constituait une concession pitoyable au regard des véritables besoins de l'ensemble de la population.

Avec les quatre à cinq cents milliards de dollars récoltés chaque année par l'imposition et la démilitarisation progressive du système américain, on aurait pu affecter des fonds publics à la mise en place d'une couverture universelle de santé gérée par le gouvernement, à l'instar de Medicare ou du système de santé canadien, qui ne laisserait aucune place à l'avidité des compagnies d'assurances. Ces fonds auraient également pu profiter à un programme de retour au plein-emploi qui aurait enfin appliqué la loi votée à cet effet en 1946. Par cette loi, le gouvernement s'engageait à donner « l'opportunité de trouver un emploi utile » à tous les gens à la fois capables et désireux de travailler.

Au lieu de financer la construction d'avions meurtriers et de sous-marins nucléaires, des contrats publics pourraient être passés avec des entreprises à but non lucratif pour employer des travailleurs à la construction de logements, de réseaux de transports publics, ou pour nettoyer les rivières et les lacs, pour transformer enfin les villes en lieux de vie décents.

L'alternative à ce programme audacieux était de continuer à faire comme avant. Laisser les villes devenir des foyers d'épidémies. Contraindre les populations rurales à supporter l'endettement et la saisie de leurs biens. N'offrir aucun travail utile aux jeunes et pousser ainsi une population désœuvrée composée de gens désespérés (pour la plupart des jeunes et des gens de couleur) à se tourner vers le crime et la drogue, constituant dès lors une menace pour le reste de la population.

Confrontées au désespoir, à la colère ou à la désaffection de la population, les autorités ont toujours eu la même réponse prévisible : construire de nouvelles prisons, enfermer plus de gens, exécuter plus de prisonniers. Et poursuivre ces politiques qui sont justement à l'origine du désespoir. De fait, à la fin de l'ère Clinton, l'Amérique pouvait se vanter d'avoir statistiquement la plus importante population carcérale du monde – un total de deux millions de détenus –, à l'exception sans doute de la Chine.

Clinton prétendait mener une politique modérée répondant aux attentes de l'opinion publique. Pourtant, les sondages d'opinion effectués dans les années 1980 et au début des années 1990 montraient que les Américains souhaitaient ces politiques audacieuses que démocrates et républicains se gardaient bien de mettre en œuvre : un système de santé gratuit pour tous, la garantie de l'emploi, des aides gouvernementales aux pauvres et aux sans-abri, l'imposition des grandes fortunes et la réduction du budget militaire pour financer les programmes sociaux.

Ce fossé entre la politique du gouvernement fédéral et les attentes de la majorité des Américains laissait entrevoir la possibilité d'un autre scénario. Un scénario dans lequel les gens, à l'aube du nouveau millénaire, exigeraient que l'on tienne les promesses de la Déclaration d'indépendance : un gouvernement qui protège le droit égal pour tous à la vie, à la liberté et à la recherche du bonheur. Cela exigerait des dispositions économiques capables de distribuer la richesse du pays de manière rationnelle et humaine. Cela impliquerait la naissance d'une nouvelle culture dans laquelle on n'inculquerait pas aux plus jeunes qu'il faut « se battre » pour réussir (masque derrière lequel se dissimule l'avidité la plus brutale).

Tout au long des années 1990, quand les républicains et les démocrates modérés étaient aux commandes, un très grand nombre de citoyens américains non représentés à Washington, parfaitement ignorés par la presse, contestèrent la politique gouvernementale de bien des manières et exigèrent une société plus juste et plus pacifique.

Cette vitalité des citoyens évoluant hors des cercles du pouvoir n'attira jamais vraiment l'attention des principaux médias nationaux, excepté lorsqu'un phénomène prenait trop d'ampleur pour être ignoré. Même lorsque cinq cent mille adultes et enfants de toutes les communautés se rassemblèrent à Washington pour « Défendre les enfants », les journaux et les télévisions en parlèrent à peine.

Les expressions de cette méfiance et de la résistance étaient pourtant nombreuses et variées. À Minneapolis, on menait une campagne incessante contre une entreprise qui fabriquait des mines antipersonnel. Un ancien GI qui avait été mutilé par une de ces mines américaines se rendit à Minneapolis pour se joindre à cette campagne, accompagné d'une jeune femme qui voyageait à travers le monde pour parler des enfants de tous les continents qui mouraient à cause des millions de mines antipersonnel fabriquées par les États-Unis et par d'autres. Quatre religieuses, les « sœurs McDonald », participèrent à cette manifestation et furent arrêtées.

En 1994, à Los Angeles, deux cent cinquante mille personnes descendirent dans la rue pour protester contre une nouvelle loi californienne qui ne reconnaissait plus les droits fondamentaux à la santé et à l'enseignement aux enfants des immigrés clandestins.

Lorsque les États-Unis affirmèrent clairement leur intention de bombarder l'Irak sous prétexte que ce pays refusait toute enquête sur ce que les dirigeants américains qualifiaient d'« armes de destruction massive », la secrétaire d'État Madeleine Albright et d'autres responsables s'exprimèrent en public à l'occasion d'un *town meeting* à Colombus (Ohio) pour tenter d'obtenir le soutien de la population pour cette entreprise. Mais le scénario parfaitement huilé fut interrompu par un jeune homme qui, malgré un contrôle très strict des questions, s'arrangea pour atteindre l'estrade et interroger Madeleine Albright sur les nations alliées des États-Unis qui possédaient également des « armes de destruction massive ». La secrétaire d'État fut visiblement surprise et s'empêtra dans sa réponse, ce que tous les téléspectateurs de l'État purent facilement constater. Les projets de bombardement furent immédiatement reportés et les bombardements réguliers sur l'Irak ne reprirent que quelque temps plus tard, dans un silence médiatique quasi total.

Lorsque Madeleine Albright se vit remettre un diplôme *honoris causa* par la California University de Berkeley en l'an 2000, il y eut quelques manifestations de protestation dans l'assistance et une banderole gigantesque fut déployée sur laquelle on pouvait lire « Madeleine Albright est une criminelle de guerre ». On expulsa rapidement les manifestants avec leur banderole. En outre, l'étudiante désignée pour recevoir la prestigieuse médaille de l'université et pour faire le discours d'inauguration pour la cérémonie de remise des diplômes était une jeune Palestinienne nommée Fadia Rafeedie. Elle avait été placée en fin de programme de façon à ce que Madeleine Albright puisse faire son discours et s'en aller tout de suite après. Mais la jeune fille était résolue à s'exprimer sur la politique américaine de sanctions contre l'Irak. Elle évoqua le blocus sur les médicaments à destination de l'Irak et les centaines de milliers d'enfants irakiens qui en étaient victimes. Elle reconnaissait que Saddam Hussein était un dictateur sans scrupule. « Mais, ajoutait-elle, lorsqu'il a gazé les Kurdes, il l'a fait avec des armes chimiques fabriquées à Rochester, dans l'État de New York. Et c'est la CIA qui finançait son interminable guerre contre l'Iran, au cours de laquelle un million de personnes sont mortes. C'est la politique américaine qui a fabriqué ce dictateur et, lorsqu'ils n'en ont plus eu besoin, les Américains ont imposé des sanctions à son peuple. Les sanctions devraient être dirigées contre les dirigeants, non contre les peuples. »

En 1998, sept mille personnes venant de tout le pays convergèrent à Fort Benning (Géorgie) pour manifester contre l'École des Amériques, dont les diplômés, entraînés par les États-Unis, avaient ensuite perpétré de nombreux crimes dans divers pays d'Amérique latine. Les manifestants portaient huit cercueils représentant les six religieux, le cuisinier et la jeune fille qui avaient été assassinés peu de temps auparavant par des soldats ayant fait irruption chez eux.

En août 1999, à la date anniversaire du bombardement de Nagasaki, huit militants pacifistes décidèrent de bloquer les voies d'accès à la base de sous-marins nucléaires de Bangor (Maine). Cette base abritait huit sous-marins Trident armés, à eux tous, de plus d'un millier de têtes nucléaires. Les manifestants furent arrêtés. Ils expliquèrent au jury les raisons de leur opposition aux armes nucléaires et furent finalement acquittés. La présidente du jury déclara ensuite qu'elle était « fière d'avoir rencontré ces gens ».

Les mouvements des années 1960 avaient changé la culture américaine de manière irréversible. Une nouvelle prise de conscience s'exprimait à travers le cinéma, la télévision et dans le monde de la musique – la conscience que les femmes avaient des droits égaux à ceux des hommes, que la préférence sexuelle des hommes et des femmes était d'ordre strictement privé, et que le fossé grandissant entre les pauvres et les riches jurait avec le mot « démocratie ».

Le racisme restait profondément ancré dans la société américaine. Preuve en était les continuelles violences policières à l'encontre des gens de couleur, les taux plus élevés de mortalité infantile chez les Noirs, le chômage des jeunes Noirs et l'augmentation conséquente du crime et des incarcérations au sein de cette population. Mais le pays devenait également plus divers – plus de Latinos, plus d'Asiatiques et plus de mariages mixtes. Aux environs de l'année 2050, la population de couleur devrait être équivalente en nombre à la population blanche.

Il y eut des tentatives ponctuelles pour organiser le mécontentement qui agitait l'ensemble de la communauté afro-américaine. À la fin des années 1980, on avait pu avoir quelque espoir lorsque le responsable politique noir Jesse Jackson, au nom des pauvres et des démunis de toutes les origines – la Rainbow Coalition –, avait remporté des millions de suffrages lors des primaires aux présidentielles et offert à la nation l'un de ces trop rares et trop brefs moments de renouveau politique.

En 1995, un million de personnes convergèrent de tous les coins du pays vers Washington (dans ce qu'on appela la « Marche des un million ») pour faire savoir aux responsables du pays qu'ils entendaient bien devenir une force de changement. Si leur programme n'était pas très clair, il s'agissait néanmoins d'une extraordinaire expression de solidarité. À l'été 1998, deux mille Afro-Américains se retrouvèrent à Chicago pour fonder le Black Radical Congress.

L'année suivante, le syndicat des Débardeurs de la côte Ouest organisa une grève de huit heures pour protester contre l'incarcération et la condamnation à mort de Mumia Abu Jamal. Journaliste noir respecté, Abu Jamal avait été jugé et condamné dans de telles conditions que l'on pouvait suspecter que la couleur de sa peau, son radicalisme et ses attaques continuelles contre la police de Philadelphie n'étaient pas pour rien dans sa présence dans le couloir de la mort.

Dans les années 1990, le mouvement syndical montra les signes d'une nouvelle vigueur, et ce malgré le déclin progressif du nombre des syndiqués à mesure que les entreprises américaines étaient délocalisées à l'étranger et que l'effectif des ouvriers diminuait au profit de celui des travailleurs du tertiaire et des services, plus difficile à mobiliser.

On assista à une nouvelle poussée du militantisme lorsqu'il devint parfaitement clair que le fossé entre les riches et les pauvres s'agrandissait. Dans les années 1990, le revenu des 5 % les plus riches augmenta de 20 % alors que celui des classes moyenne et pauvre – en tenant compte de l'augmentation du coût de la vie – chuta ou resta au même niveau.

En 1990, le salaire moyen des dirigeants des cinq cents plus grandes entreprises américaines était quatre-vingt-quatre fois supérieur à celui d'un ouvrier. En 1999, il lui était quatre cent soixante-quinze fois supérieur.

Le nouveau président de l'AFL-CIO, John Sweeney, issu du syndicat international des Services – signe d'une évolution indéniable du paysage social – parut se démarquer franchement du conservatisme de ses prédécesseurs. Il lança l'idée d'un « Été du syndicalisme » (en référence à l'« Été de la liberté » qui avait eu lieu au Mississippi en 1964), faisant appel à l'idéalisme des jeunes pour aider à mobiliser les travailleurs des nouveaux services, les employés de bureau, les ouvriers agricoles et les travailleurs immigrés.

Les syndicats perdirent bien quelques combats, par exemple à Decatur (Illinois), contre des méga-compagnies, telles la Caterpillar Tractor Company, Firestone Tires et Staley Corporation. Mais il y eut également des victoires : les salariés de la United Parcel se mirent en grève pendant quinze jours ; cet événement attira l'attention de l'opinion publique américaine et les grévistes imposèrent que les emplois à temps partiel, sans sécurité sociale ni aucun autre avantage social, soient transformés en dix mille emplois à temps plein. Le syndicat des Mécaniciens l'emporta également chez Boeing et chez McDonnell Douglas. Les employés de l'hôtellerie imposèrent aussi leurs revendications à Minneapolis et à San Francisco. Les femmes de ménage, pour la plupart des immigrées, l'emportèrent à Los Angeles lors d'une grève contre les propriétaires des gratte-ciel dans lesquels les travailleurs les plus pauvres de la ville nettoyaient les bureaux des hommes d'affaires les plus prospères. En 2000, la plus grande grève du tertiaire de l'histoire du pays se conclut victorieusement pour les dix-neuf mille ingénieurs et ouvriers qualifiés de la Boeing Corporation qui exigeaient que leurs salaires soient alignés sur ceux des travailleurs des autres usines Boeing.

L'une des plus grandes victoires syndicales des dernières décennies eut lieu dans le comté de Los Angeles en 1999 quand, après onze ans de campagne, le syndicat international des Services se vit accorder le droit de représenter les soixante-quatorze mille travailleurs du secteur de l'aide médicale à domicile. Cette même année, le tout nouveau syndicat réunissant les travailleurs de la confection et ceux du textile sous le nom de UNITE (Union of Needletrades, Industrial and Textile Employees), qui tentait depuis vingt-cinq ans de mobiliser les travailleurs des Canon Mills en Caroline du Nord, remporta les élections syndicales dans deux usines de Kannapolis.

Les femmes se mirent à jouer un rôle primordial dans la nouvelle direction de l'AFL-CIO. Karen Nussbaum, qui avait été présidente de la 9 to 5 National Association of Working Women, devint directrice du département des femmes au travail de l'AFL-CIO, et, en 1998, dix des vingt et un départements du syndicat étaient dirigés par des femmes.

Une alliance entre les étudiants et le mouvement ouvrier fut mise en place pour la campagne du « *living wage* » en faveur des employés des universités. Cette campagne s'étendit rapidement à près de cent cinquante collèges. À la Harvard University, par exemple, les étudiants se mobilisèrent pour exiger de l'administration de l'université, qui était assise sur un trésor de 20 milliards de dollars, qu'elle paie à ses surveillants et autres employés un salaire qui leur permette de nourrir leurs familles. Nombre de ces employés étaient obligés d'avoir deux emplois – et travaillaient donc quatre-vingts heures par semaine – pour payer leur loyer, leur nourriture et les soins médicaux.

Les étudiants de Harvard organisèrent des manifestations au cours desquelles les surveillants et les employés d'autres campus universitaires purent également exprimer leurs revendications. Les membres du conseil municipal de Cambridge et les dirigeants syndicaux, dont John Sweeney, prirent la parole pour leur apporter leur soutien. La venue de deux jeunes stars du cinéma, Matt

Damon et Ben Affleck, pour soutenir cette campagne du *living wage*, attira une foule impressionnante. Tous les deux avaient vécu et suivi leur scolarité à Cambridge. Matt Damon avait passé quelques années à Harvard avant de partir pour Hollywood et Ben Affleck parla avec émotion de son père, qui avait travaillé pour un salaire de misère à Harvard.

Comme la direction de l'université s'obstinait à refuser de négocier, quarante étudiants s'emparèrent de l'un des bâtiments de l'administration de Harvard et y demeurèrent jour et nuit pendant plusieurs semaines, encouragés à l'extérieur par des centaines de personnes qui campaient dans des tentes sur le gazon de l'université. Des messages de soutien aux occupants du bâtiment arrivèrent de partout et Harvard finit par accepter des négociations. L'administration de l'université alla jusqu'à augmenter certains salaires à 14 dollars de l'heure et à accorder le droit à la sécurité sociale tout en exigeant des contractants extérieurs qu'ils en fassent de même.

Au printemps 2000, les étudiants de la Wesleyan University, au Connecticut, occupèrent eux aussi le bureau des admissions de l'université pour exiger que le président de l'établissement assure le *living wage*, une assurance médicale, une pension de retraite et la sécurité de l'emploi aux surveillants et autres employés de l'établissement. Après plusieurs jours d'occupation, l'université céda à leurs revendications.

Des étudiants venus de tous les coins du pays organisèrent une convention sur les droits des travailleurs. Dans les universités de Yale, de l'Arizona, de Syracuse, du Kentucky et sur bien d'autres campus, les étudiants firent campagne pour soutenir les revendications des travailleurs.

À une époque où les riches devenaient de plus en plus riches, la campagne pour le *living wage* gagna la sympathie de l'opinion publique. À Duluth (Minnesota), cinquante-six organisations s'allièrent pour exiger du conseil municipal qu'il ne passe de contrats publics qu'avec les entreprises qui garantissaient le *living wage* à leurs employés, c'est-à-dire quelques dollars au-dessus du salaire minimum officiel.

La limitation à cinq ans de l'aide fédérale accordée aux familles ayant des enfants à charge, décidée dans le cadre de la législation sur la « réforme du système social », signifiait que des millions de gens allaient être confrontés à la misère quand ces allocations leur seraient retirées.

La mobilisation s'organisa sérieusement en vue de cette échéance, appelant tous les Américains à faire campagne pour l'éradication de la pauvreté. Une militante aguerrie de la lutte pour les droits sociaux, Diane Dijon, déclara à cette occasion : « En l'an 2000, dans le plus riche pays du monde, personne ne devrait avoir faim, être sans abri et dans l'angoisse de ne pas pouvoir nourrir ses enfants et payer son loyer. »

La Poor People's Economic Human Rights Campaign (PPEHRC) de 1998 organisa une tournée dans trente-cinq villes pour rassembler les témoignages de gens qui ne pouvaient même pas nourrir leur famille, dont l'électricité avait été coupée, qui avaient été expulsés de leur domicile parce qu'ils ne pouvaient plus payer leur loyer. L'année suivante, certains membres de cette PPEHRC se rendirent à Genève pour témoigner devant la Commission des droits de l'homme des Nations unies. Ils en appelèrent à la Déclaration universelle des droits de l'homme des Nations unies qu'Eleanor Roosevelt avait contribué à mettre sur pied et qui déclarait que tous les êtres humains avaient droit à des salaires décents, à l'alimentation, au logement, aux soins médicaux et à l'éducation.

Les autorités religieuses, qui s'étaient plutôt tenues en retrait depuis leur engagement en faveur des droits civiques et contre la guerre du Vietnam, prirent position contre les inégalités économiques. À l'été 1996, le *New York Times* écrivait : « Plus qu'à aucun autre moment de ces dernières décennies, les autorités religieuses font cause commune avec les syndicats, en engageant leur autorité morale dans la dénonciation des ateliers clandestins et en soutenant l'idée d'une augmentation du salaire minimum. Le clergé ne s'était pas aligné sur les syndicats de cette manière depuis l'époque de Cesar Chavez, leader charismatique des ouvriers agricoles des années 1970, voire depuis la Dépression. »

Tous ces groupes et les gens qu'ils représentaient – les sans-abri, les parents isolés, les familles ne pouvant plus payer leurs factures, les quarante millions de personnes dépourvues d'assurance sociale et toutes celles dont l'assurance n'est pas suffisante – étaient confrontés à un incroyable mur du silence de la part des principaux médias nationaux. Leurs vies comme leurs inquiétudes en étaient totalement absentes, permettant au mythe d'une Amérique prospère forgé par Washington et Wall Street de perdurer.

Il y eut pourtant des tentatives courageuses pour contrecarrer cette domination des médias, en particulier après le vote de la loi sur la communication de 1996, qui autorisait la poignée d'entreprises dominant les ondes à étendre encore plus leur pouvoir. Une politique de fusion permit également de renforcer le contrôle sur l'information. Deux gigantesques entreprises de communication, CBS et Viacom, fusionnèrent en une énorme opération portant sur 37 milliards de dollars. L'écrivain latino-américain Eduardo

Galeano affirma à ce propos qu'il n'y avait « jamais eu autant de moyens de communication entre si peu de mains ».

Des médias alternatifs fournirent un effort désespéré pour ouvrir une brèche dans cette omniprésence. Il y avait aux États-Unis plusieurs centaines de stations de radio communautaires – dont le célèbre réseau Pacifica – qui apportaient des informations et proposaient des débats alternatifs à leurs auditeurs. À lui seul, David Barsamian offrait, à travers la diffusion par satellite de son Alternative Radio, des points de vue différents – interviews, conférences, etc. – aux stations de tout le pays.

Les journaux communautaires locaux, malgré leur faible tirage, essayaient de faire parler les gens ordinaires. À Boston, des sans-abri se regroupèrent pour lancer un journal, le *Spare Change*, afin de se raconter, de publier leurs poèmes et de vendre le journal dans les rues de Boston et de Cambridge. Ils affirmaient que leur objectif était de « donner la parole aux sans-voix » et que leur journal était « un instrument de mobilisation pour la communauté des sans-abri ». En l'an 2000, le journal entrait dans sa neuvième année.

Cette idée s'étendit à d'autres villes américaines et il y eut bientôt dans quarante d'entre elles des journaux de rue qui formèrent la North American Street Newspaper Association. La National Coalition for the Homeless publiait pour sa part un mensuel d'information.

Mais l'expression la plus spectaculaire de cette volonté d'informer le peuple américain sur la domination imposée par le monde des affaires aux gens ordinaires fut sans aucun doute la grande manifestation qui eut lieu à Seattle (État de Washington) fin 1999. Seattle avait été choisie pour recevoir l'Organisation mondiale du commerce (OMC). Les représentants des institutions les plus riches et les plus puissantes du monde y étaient présents afin de conforter leur fortune et leur pouvoir et de faire en sorte que les principes du capitalisme s'appliquent à la planète entière.

Des dizaines de milliers de gens convergèrent vers Seattle pour manifester contre le projet de l'OMC d'étendre les accords de libre-échange. Les manifestants affirmaient que cela signifiait la liberté pour les entreprises de partir à la recherche des mains-d'œuvre les moins chères et des réglementations industrielles les moins soucieuses de l'environnement et des droits sociaux.

Si les problèmes posés par le « libre-échange » étaient complexes, une idée simple semblait réunir tous les manifestants venus pour critiquer l'OMC : la santé et la liberté des simples citoyens du monde ne devaient pas être sacrifiées aux intérêts commerciaux.

Plus d'un millier d'organisations venues de quatre-vingt-dix pays – syndicalistes, écologistes, groupements de consommateurs, groupes religieux, paysans, représentants des peuples indigènes, féministes, et bien d'autres encore – signèrent une déclaration exigeant que les gouvernements freinent l'extension de l'OMC. À Seattle, on assista à d'étranges alliances : les sidérurgistes rejoignaient les écologistes et les mécaniciens se joignaient aux défenseurs des droits des animaux. Le 30 novembre, les paysans participèrent à une manifestation syndicale réunissant environ quarante mille personnes, et les syndicats participèrent quelques jours plus tard à une manifestation de paysans.

La presse porta une attention disproportionnée à un petit nombre de manifestants qui brisèrent des vitrines, alors que l'immense majorité des manifestants étaient non violents. Ce sont pourtant ces derniers que la police décida d'attaquer aux gaz lacrymogènes et d'arrêter. Des centaines de personnes furent emprisonnées, mais les manifestations se poursuivirent. Des nouvelles de ce qu'il se passait à Seattle se propagèrent partout dans le pays et à travers le monde.

La réunion officielle de l'OMC fut sérieusement perturbée par l'ampleur de la contestation et il y eut des signes de désaccord entre les pays industrialisés et ceux du tiers-monde. John Nichols écrivit dans le *Progressive* : « Tandis que les discussions officielles de l'OMC révélaient de profonds désaccords entre les délégations de l'hémisphère Nord et celles du Sud, la rue était le théâtre d'une unité jusqu'alors inconnue entre Nord et Sud. Les paysans du monde entier manifestaient ensemble. [...] La grande rencontre organisée par l'AFL-CIO donna la parole à des orateurs venus d'une douzaine de pays. Et après les réunions organisées pour mettre en lumière les effets dévastateurs de la mondialisation sur la condition des femmes dans le tiers-monde, des multitudes de femmes venues d'Afrique, d'Amérique latine, d'Inde, d'Europe et des États-Unis formèrent une formidable chaîne humaine dans les rues de Seattle. »

Tout cela troubla au plus haut point la tenue du sommet de l'OMC et les discussions finirent par s'interrompre. Seattle permit donc de faire la démonstration de la remarquable capacité des citoyens à défier les entreprises les plus puissantes du monde. Mike Brannan écrivit dans le journal des camionneurs : « Le genre de solidarité dont nous rêvons tous était bel et bien présente quand les gens chantaient, jouaient de la musique et se tenaient debout devant les flics et les gens de l'OMC. Le peuple occupait la rue ce jour-là et nous en avons autant appris à cette occasion que l'Amérique des affaires. »

Les manifestations de Seattle coïncidaient avec l'essor d'un mouvement sur les campus et dans les différentes communautés américaines contre les terribles conditions d'exploitation imposées aux travailleurs – hommes, femmes et même enfants – du tiers-monde travaillant pour les entreprises américaines.

Un mois après Seattle, on pouvait lire dans le *New York Times* : « Au dire même des dirigeants d'entreprise, la pression des étudiants et d'autres opposants aux conditions d'exploitation des travailleurs a conduit certaines usines qui fabriquent des produits pour les géants de l'industrie tels que Nike ou Gap à revenir sur le travail des enfants, à réduire l'utilisation de produits chimiques nocifs et à faire en sorte que les ouvriers ne soient plus tenus de travailler plus de quatre-vingts heures par semaine. Lors des événements de Seattle le mois dernier, les conditions de travail dans de telles usines avaient été l'une des questions centrales du mouvement, et les manifestants avaient exigé que les traités commerciaux pénalisent les pays qui autorisent de telles violations des réglementations sociales. De nombreux dirigeants d'entreprise reconnaissent donc que ce mouvement anti-exploitation a payé. »

Seattle fut la première d'une série de rassemblements internationaux réunissant syndicalistes, étudiants, écologistes, bref les opposants au contrôle grandissant exercé par les grandes multinationales sur l'économie mondiale. Après Seattle, les contestataires se rendirent systématiquement dans les lieux où se tenaient les sommets organisés par les milieux d'affaires : Washington, Philadelphie, Davos, Los Angeles et Prague.

Les responsables de la Banque mondiale et du FMI ne pouvaient se permettre d'ignorer un tel mouvement. Ils se mirent à affirmer leur intérêt pour l'environnement et pour les conditions de travail des salariés. Si l'on ne peut être certain que cela se concrétisera par des changements substantiels dans ces domaines, les chefs d'entreprise du monde entier ne peuvent plus désormais balayer d'un revers de main les critiques qui leur sont adressées.

L'existence de ces différents courants de protestation et de résistance dans les domaines politique, social et culturel permettra-t-elle au siècle prochain – au millénaire prochain – de remplir la promesse de la Déclaration d'indépendance, c'est-à-dire le droit pour tous à la vie, à la liberté et à la recherche du bonheur ? Personne ne peut le dire. Tout ce que l'on peut faire, c'est travailler dans ce sens. Car l'immobilisme ne réussit qu'à aggraver la situation.

Si la démocratie possède un quelconque sens, si elle dépasse les limites du capitalisme et du nationalisme et si l'histoire a jamais pu nous enseigner quelque chose, cela ne tombera pas du ciel. Cela se fera par le travail des citoyens, organisés et mobilisés, dans la grève, par le boycott et les manifestations. Cela se fera en menaçant ceux qui détiennent le pouvoir de mettre en danger la stabilité dont ils ont absolument besoin pour se maintenir.

Chapitre XIII
L'imminente révolte de la Garde

L E TITRE DE CE CHAPITRE ne se veut pas prophétique : il exprime
simplement un espoir.

De même, le titre de ce livre n'est pas tout à fait pertinent :
d'abord parce qu'une « histoire populaire » promet plus que ce
qu'un seul individu peut accomplir, ensuite parce qu'il s'agit du
type d'histoire la plus difficile à saisir. Toutefois, il a le mérite de
souligner qu'il s'agit d'une histoire irrespectueuse à l'égard des gouvernements et attentive aux mouvements de résistance populaire.
Une histoire qui penche clairement dans une certaine direction, ce
qui ne me dérange guère tant les montagnes de livres d'histoire sous
lesquelles nous croulons penchent clairement dans l'autre sens. Ces
ouvrages font preuve d'un si grand respect envers les États et les
hommes d'État et sont si peu attentifs – sans doute par inadver-
tance – aux mouvements populaires qu'il nous faut faire contre-
poids pour éviter de sombrer dans la soumission.

Tous ces livres d'histoire américaine qui se focalisent sur les Pères
Fondateurs et sur les présidents successifs pèsent lourdement sur
la capacité d'action du citoyen ordinaire. Ils suggèrent qu'en temps
de crise il nous faut chercher un sauveur : les Pères Fondateurs pour
la Révolution, Lincoln pour la sortie de l'esclavage, Roosevelt pour
la Grande Dépression, Carter pour la guerre du Vietnam et le scandale du Watergate. En revanche, entre les crises, tout va pour le
mieux et il faut nous contenter du retour à la normale. Les livres
d'histoire classiques nous apprennent encore que l'acte suprême
du citoyen est de désigner son sauveur en allant voter tous les
quatre ans pour choisir entre deux Blancs relativement riches,
anglo-saxons de surcroît et mâles par-dessus tout, à la personnalité
terne et aux opinions parfaitement orthodoxes.

La notion de sauveur traverse toute notre culture, bien au-delà de la seule politique. Nous avons appris à nous en remettre aux stars, aux dirigeants et aux experts en tous genres, négligeant de ce fait nos propres ressources, notre propre force et pour finir notre personnalité même. Mais il arrive de temps en temps que les Américains rejettent cette idée et qu'ils se révoltent.

Ces rébellions ont toutes, jusqu'à présent, été maîtrisées. Le système américain est le plus ingénieux des systèmes de maintien de l'ordre social que l'humanité ait imaginés. Dans un pays aussi riche en ressources naturelles, en talents de toutes sortes et en force de travail, le système peut se permettre de distribuer juste ce qu'il faut de richesses à juste ce qu'il faut de citoyens pour limiter l'expression du mécontentement à une minorité « turbulente ». Ce pays est si puissant, si vaste et si apprécié par tant de citoyens qu'il peut se permettre d'accorder la liberté de contester à une petite minorité insatisfaite.

Il n'existe pas d'autres systèmes de contrôle capables d'offrir autant d'opportunités, de possibilités, de latitude, de souplesse et de récompenses aux heureux gagnants de la loterie sociale. Il n'en est pas non plus qui répartisse ses outils de contrôle de manière aussi sophistiquée – par le vote, la hiérarchie du travail, l'Église, la famille, l'enseignement, les mass-médias –, ni aucun qui ne sache aussi bien endormir son opposition en faisant quelques réformes, en isolant les individus, en mettant l'accent sur la loyauté patriotique.

Un pour cent de la population américaine détient un tiers de la richesse nationale. Le reste est réparti de telle manière que les 99 % de la population restante sont montés les uns contre les autres : les petits propriétaires contre les plus démunis, les Noirs contre les Blancs, les « natifs » américains contre les citoyens d'origine étrangère, les intellectuels et les professions libérales contre les travailleurs non qualifiés et non diplômés. Ces groupes se sont opposés et ont lutté les uns contre les autres avec une telle violence qu'ils en ont oublié qu'ils étaient tous réduits à se partager les maigres restes de la richesse nationale.

Malgré la réalité de cette lutte amère et désespérée autour des rares ressources épargnées par les élites dominantes, je prends la liberté de réunir ces 99 % d'Américains sous l'appellation de « peuple ». L'histoire que j'ai écrite tente de rendre compte de leur intérêt commun, même lorsque ce dernier a été détourné, voire dissimulé. Mettre l'accent sur l'unité de ces 99 % de la population américaine et affirmer que leurs intérêts sont parfaitement contradictoires avec ceux des plus riches revient à faire exactement ce que les gouvernements américains et l'élite fortunée qui les soutient – des Pères Fondateurs à nos jours – ont toujours essayé d'empêcher. Madison craignait une « faction majoritaire » et espérait que la nouvelle Constitution réussirait à la contrôler. Avec ses collègues, il décida que le Préambule de la Constitution commencerait par l'expression : « Nous, le peuple. » C'était prétendre que le nouveau régime américain représenterait tout le monde et imaginer que ce mythe, accepté comme réalité, pourrait garantir la « stabilité dans les affaires intérieures ».

Cette prétention s'est maintenue à travers les générations, confortée par l'invention de symboles matériels ou rhétoriques d'unité, tels le drapeau, le patriotisme, la démocratie, l'intérêt national, la défense nationale ou la sécurité nationale. Ces slogans étaient enfouis au cœur même de la culture américaine. On songe à des chariots formant un cercle au beau milieu des plaines de l'Ouest, de l'intérieur duquel les Américains blancs relativement aisés pourraient tirer sur les ennemis extérieurs – les Indiens, les Noirs et les autres Blancs trop misérables pour être autorisés à pénétrer dans le cercle. Quant aux responsables du convoi, ils observent à bonne distance et, une fois le combat terminé et le terrain jonché de morts et de blessés des deux camps, ils prennent possession de la terre et préparent de nouvelles expéditions pour conquérir de nouveaux territoires.

Pourtant, ce plan n'a jamais vraiment fonctionné à la perfection. Si l'on en juge par les soulèvements de fermiers, les révoltes d'esclaves, le mouvement abolitionniste, la naissance du féminisme et l'état de guerre permanent avec les Indiens au cours des années qui précédèrent la guerre de Sécession, ni la Révolution ni la Constitution ne semblent avoir réussi à garantir la stabilité du système, et ce malgré la maîtrise des ressentiments sociaux hérités de la période coloniale. Dans le même temps, on réduisait les Noirs en esclavage, on massacrait et déportait les Indiens. Après la guerre de Sécession, une nouvelle alliance des élites du Sud et du Nord vit le jour, tandis que Noirs et Blancs des classes défavorisées étaient pris dans les conflits raciaux, que les travailleurs américains du Nord se voyaient opposés aux immigrés et que les fermiers se trouvaient éparpillés sur le vaste territoire national. Quant au système capitaliste, il s'imposait dans l'industrie et au gouvernement. Pourtant, c'est à cette époque qu'éclatèrent des révoltes dans les milieux ouvriers et que prit naissance un vaste mouvement d'opposition chez les fermiers du pays.

Au tournant du siècle, la pacification par la violence des Noirs et des Indiens ainsi que l'usage du vote et de la guerre pour distraire l'attention des opposants blancs et les intégrer au système ne suffirent pas, dans le cadre de l'industrialisation moderne, à empêcher le soudain essor du socialisme ni les conflits sociaux. Ensuite, ni la Première Guerre mondiale, ni la relative prospérité des années 1920, ni l'apparent effondrement du mouvement socialiste ne purent, en cette période de crise économique, empêcher l'essor d'une nouvelle prise de conscience radicale et les autres conflits sociaux qui éclatèrent dans les années 1930.

La Seconde Guerre mondiale créa un nouveau sentiment d'unité qui fit croire, dans le contexte de la guerre froide, à l'extinction du puissant courant radical des années de guerre. Ce fut alors qu'apparurent, à la surprise générale, les mouvements des années 1960, issus de milieux que l'on pensait depuis longtemps soumis ou tenus à distance – les Noirs, les Indiens, les femmes, les prisonniers, les soldats –, ainsi qu'un nouveau radicalisme qui menaçait de se propager largement dans une population que la guerre du Vietnam et le scandale du Watergate avaient sensiblement éloignée de la politique.

Le renvoi de Nixon, la célébration du bicentenaire de l'Indépendance et la présidence de Carter, tout tendait à la restauration d'une certaine stabilité. Mais cette restauration de l'ordre ancien n'était certainement pas la solution à l'incertitude et à la désaffection vis-à-vis du politique qui s'aggravèrent finalement sous Reagan puis sous Bush. L'élection de Clinton en 1992, portée par une vague promesse de changement, ne correspondait pas aux attentes de ceux qui espéraient autre chose.

Devant la permanence d'un tel malaise, il est très important pour l'appareil en place – ce petit club toujours inquiet de dirigeants d'entreprise, de généraux et de politiciens – de maintenir l'illusion historique d'une unité nationale par laquelle le gouvernement est censé représenter le peuple dans son ensemble et l'ennemi commun venir toujours de l'extérieur ; de maintenir un système où les déroutes économiques et les guerres sont toujours supposées être des erreurs malencontreuses – ou de tragiques accidents – qui seront réparées par ce même petit club qui, en réalité, les a provoquées. Il est également important pour lui de s'assurer que la seule véritable unité soit l'unité artificielle des élites privilégiées avec les citoyens qui le sont à peine moins, tandis que les 99 % de la population restante doivent demeurer divisés par tous les moyens et opposés les uns aux autres afin de détourner leur colère.

N'est-ce pas une formidable idée que de faire payer par la classe moyenne les impôts qui garantiront l'aide sociale apportée aux pauvres? – ajoutant ainsi la rancœur des premiers à l'humiliation des seconds. Et que dire de la politique qui consiste à déplacer, par l'intermédiaire du ramassage scolaire, les écoliers noirs des milieux défavorisés vers les écoles des quartiers blancs défavorisés en une sorte d'échange cynique entre écoles de pauvres? Pendant ce temps-là, les écoles réservées aux riches étaient protégées, et les fonds publics distribués avec tant de parcimonie aux enfants nécessiteux étaient engloutis dans la construction d'avions de combat coûtant des milliards de dollars. Ingénieux, également, de répondre aux revendications d'égalité des femmes et des Noirs en leur accordant de maigres privilèges spécifiques et en les mettant en compétition avec tous les autres pour la recherche de ces emplois qu'un système irrationnel et incohérent rendait extrêmement rares. Pas mal non plus, cette idée de focaliser les craintes et la colère de la majorité silencieuse sur une classe de criminels, fruits de l'injustice économique toujours produits en plus grand nombre qu'il n'est possible d'en emprisonner, permettant ainsi de mieux dissimuler le gigantesque pillage des ressources nationales entrepris en toute légalité par de nombreux dirigeants.

Pourtant, malgré la maîtrise de tous les instruments de la loi et de l'ordre, de la prévarication et des concessions, des diversions et des fraudes auxquels elle a pu faire appel tout au long de l'histoire du pays, l'élite au pouvoir n'a jamais réussi à se garantir des révoltes populaires. À chaque fois qu'elle semblait y être parvenue, ceux-là mêmes qu'elle pensait avoir corrompus, trompés, achetés, réprimés, se réveillaient et se soulevaient. Les Noirs apparemment pacifiés par les décisions de la Cour suprême et du Congrès se révoltaient. Les femmes, courtisées et rejetées, idéalisées et maltraitées, se révoltaient. Les Indiens, que l'on pensait disparus, renaissaient pour reprendre la lutte. Les jeunes, malgré les promesses de confort et de carrière, faisaient défaut. Les travailleurs, que l'on pensait avoir séduits par des réformes, maîtrisés par la loi et contrôlés par l'intermédiaire de leurs propres syndicats, reprenaient les grèves. Les intellectuels employés à des postes officiels et censés être contraints au devoir de discrétion se mettaient à révéler tout ce qu'ils savaient. Et les prêtres troquaient la méditation pour le militantisme.

Rappeler cela, c'est dévoiler au peuple ce que le gouvernement souhaiterait pourtant qu'il oublie – cette capacité considérable des gens apparemment désarmés à résister, des gens apparemment satisfaits à exiger des changements. Faire cette histoire, c'est retrouver chez l'homme ce formidable besoin d'affirmer sa propre humanité. C'est également affirmer, même dans les périodes de profond pessimisme, la possibilité de changement surprenants.

Bien sûr, il ne faudrait pas surestimer la conscience de classe, exagérer l'importance et les victoires de ces rébellions populaires. Ce serait oublier que le monde – et pas seulement les États-Unis – reste aux mains des élites et que les mouvements populaires, même s'ils ont démontré leur fantastique capacité à renaître régulièrement, ont jusqu'ici toujours été réprimés, absorbés ou pervertis. Sans compter que les révolutionnaires « socialistes » ont finalement trahi le socialisme et que les révolutions nationalistes ont fini en dictatures.

Néanmoins, la plupart des historiens sous-estiment les mouvements de révolte et accordent trop d'importance aux hommes d'État, nourrissant ainsi le sentiment d'incapacité général chez les citoyens. Lorsqu'on étudie attentivement les mouvements de résistance et même les formes isolées de révolte, on découvre que la conscience de classe, comme toutes les autres formes de prise de conscience des injustices, se fait à plusieurs niveaux. Elles s'expriment sur différents modes et montrent différentes manières de se révéler à elles-mêmes – ouvertes, subtiles, directes ou sinueuses. Dans un système d'intimidation et de maintien de l'ordre, les gens ne montrent pas forcément tout ce qu'ils savent, tout ce qu'ils ressentent profondément, sauf quand ils réalisent qu'ils peuvent le faire sans risquer d'être totalement détruits.

L'histoire qui maintient en vie la mémoire des mouvements populaires suggère de nouvelles définitions du pouvoir. Traditionnellement, on considère que quiconque possède la puissance militaire, la fortune, la maîtrise de l'idéologie officielle et la suprématie culturelle détient le pouvoir. Mesurée à cette aune, la résistance populaire ne paraît jamais assez forte pour survivre. Pourtant, les victoires inattendues des rebelles – même les victoires momentanées – démontrent la vulnérabilité des soi-disant puissants. Dans un système extraordinairement sophistiqué, les élites au pouvoir ne peuvent se maintenir sans la soumission et la loyauté des millions de gens à qui l'on accorde, en échange de ce service, de bien maigres récompenses : les soldats, la police, les enseignants, les hommes d'Église, les fonctionnaires et les travailleurs sociaux, les techniciens et les ouvriers, les médecins, les hommes de loi, les infirmières, les travailleurs des transports et des communications, les éboueurs et les pompiers. Ces gens – les catégories dotées de quelques privilèges mineurs – sont pris dans une alliance avec les élites. Ils forment, en quelque sorte, la « garde prétorienne » du système, véritable digue entre les classes les plus favorisées et les classes les plus pauvres. S'ils cessent d'obéir, le système s'effondre.

Cela ne pourra arriver, me semble-t-il, que lorsque tous ceux d'entre nous qui sont un tant soit peu privilégiés et vaguement à l'aise financièrement réaliseront que nous sommes comme les gardiens de la prison d'Attica pendant l'émeute des prisonniers : éminemment sacrifiables. C'est-à-dire que le système, quelle que soit la manière dont il nous récompense, est parfaitement capable en cas de nécessité et pour conserver le contrôle de la situation de se débarrasser de nous.

Aujourd'hui, certaines données nouvelles sont si évidentes qu'elles pourraient entraîner de notre part le renoncement total à notre loyauté envers le système. À l'ère atomique, les nouvelles conditions technologiques, économiques et militaires rendent de plus en plus difficile pour les gardiens du système que sont les intellectuels, les propriétaires, les contribuables, les travailleurs qualifiés, les professions libérales et les fonctionnaires d'échapper à la violence (aussi bien physique que psychologique) infligée aux pauvres, aux Noirs, aux criminels ou à l'ennemi extérieur. La mondialisation de l'économie comme les mouvements de réfugiés et de travailleurs immigrés à travers les frontières font qu'il devient plus difficile pour les populations des pays industrialisés d'ignorer la faim et la maladie qui frappent les pays pauvres.

Dans ces nouvelles conditions de technologies meurtrières, nous devenons tous les otages de la marche forcée économique, de la pollution généralisée et des guerres incontrôlables. Les armes atomiques, les radiations, l'anarchie économique ne font pas de distinction entre les prisonniers et les gardiens du système, et ceux qui sont aux commandes ne seront pas plus scrupuleux au moment de prendre une décision. On ne peut oublier la réponse de l'état-major américain lorsqu'on l'informa qu'il y avait sans doute des prisonniers de guerre dans les environs de Nagasaki : « Les cibles initialement prévues pour l'opération demeurent inchangées. »

On constate des signes d'un mécontentement croissant au sein de la garde prétorienne du système. On nous déclarait régulièrement que les pauvres et les ignorants formaient le gros des bataillons de ceux qui ne votaient pas, exclus d'un système politique qui, pensaient-ils, se moquait bien d'eux et sur lequel ils n'avaient pas beaucoup d'influence. Aujourd'hui, cette désaffection s'étend aux familles qui vivent au-dessus du seuil de pauvreté. Ce sont les travailleurs blancs, ni riches ni pauvres mais insatisfaits de l'insécurité économique, mécontents de leur travail, inquiets pour leur environnement et hostiles au gouvernement – en une combinaison de racisme et de conscience de classe, de mépris pour les pauvres et de méfiance vis-à-vis des élites et, de ce fait, ouverts à toutes les solutions qui se présenteraient, à gauche comme à droite.

Les années 1920 avaient connu une désaffection similaire des classes moyennes vis-à-vis du politique qui aurait pu s'exprimer de différentes manières – rappelons que le Ku Klux Klan comptait à l'époque des millions de membres – mais, dans les années 1930, le travail d'une gauche dynamique dirigea ce sentiment de désarroi vers les syndicats ouvriers et paysans et vers les mouvements socialistes. Il se pourrait que l'on assiste, dans les années à venir, à une course pour la captation politique du mécontentement de la classe moyenne américaine.

Ce mécontentement est évident. Depuis le début des années 1970, les sondages indiquent que 70 à 80 % des Américains n'ont pas confiance dans leur gouvernement, dans le monde des affaires et dans l'armée. Cette méfiance va donc bien au-delà des Noirs, des pauvres et des radicaux. Elle s'est étendue aux ouvriers qualifiés, aux salariés du tertiaire et aux professions libérales. Pour la première fois peut-être dans l'histoire des États-Unis, les classes les plus pauvres et la classe moyenne, les prisonniers aussi bien que les gardiens du système n'ont plus confiance en lui.

D'autres signes ne trompent pas : le taux élevé d'alcoolisme, le taux élevé des divorces, la consommation et l'abus de drogues, les dépressions nerveuses. Des millions de gens recherchent désespérément des solutions à leur sentiment d'impuissance, de solitude, de frustration, d'étrangeté vis-à-vis des autres, de leur travail et, pour finir, d'eux-mêmes. Ils adoptent parfois de nouvelles religions ou rejoignent des groupes d'entraide en tous genres. C'est comme si toute une nation en arrivait à un point critique au milieu de son parcours, une crise de croissance avec retour sur soi et doutes existentiels à l'appui.

Tout cela advient de surcroît dans une période où la classe moyenne elle-même est confrontée à une véritable insécurité économique. Le système en est arrivé, dans son irrationalité et par soif de profit, à bâtir de gigantesques gratte-ciel pour les compagnies d'assurances alors que les villes tombent en décrépitude, à dépenser des milliards de dollars pour fabriquer des armes de destruction et presque rien pour les enfants, à accorder de fabuleux salaires à des gens qui produisent des choses aussi dangereuses qu'inutiles et rien aux artistes, aux musiciens, aux écrivains, aux comédiens. Le capitalisme a toujours joué contre les classes les plus défavorisées. Il joue maintenant contre la classe moyenne.

La menace du chômage qui plane toujours sur les pauvres concerne à présent les salariés du tertiaire et les professions libérales.

Un diplôme universitaire n'est plus une garantie de travail, et un système ne proposant plus d'avenir aux jeunes qui sortent de l'école est sérieusement en danger. Si ce phénomène ne concernait que les enfants des pauvres, le problème serait gérable. Il y a toujours les prisons pour les recevoir. Mais s'il touche les enfants des classes moyennes, les choses pourraient finalement tourner mal. Les pauvres ont l'habitude d'être constamment exploités et à court d'argent, les classes moyennes ont désormais elles aussi commencé à subir la pression de l'augmentation du coût de la vie et des impôts.

Les années 1970, 1980 et le début des années 1990 ont été marquées par l'envolée spectaculaire de la criminalité. On pouvait en comprendre aisément les raisons lorsqu'on se déplaçait dans les grandes villes. On y observait la violente confrontation de la richesse et de la pauvreté, la société de consommation, les publicités tapageuses. Il y avait également la terrible compétition économique où l'on retrouvait, côte à côte, la violence légale de l'État, le pillage légal des ressources par les grandes entreprises et la criminalité illégale des pauvres. L'écrasante majorité des détenus américains étaient pauvres, non-blancs et peu instruits. La moitié des prisonniers avaient été au chômage avant leur incarcération.

Les crimes violents les plus courants et les plus commentés étaient ceux que commettaient les jeunes et les pauvres qui, désespérés ou accros à la drogue, s'en prenaient aux classes moyennes, voire aux autres pauvres. Une société si rigoureusement construite sur la richesse et l'instruction ne peut que donner naissance au ressentiment et à la violence de classe.

De nos jours, la question essentielle est de savoir si les classes moyennes, jusqu'ici disposées à penser que la solution à de tels crimes se trouve dans l'augmentation du nombre des prisons et dans l'allongement des peines, vont commencer à réaliser, devant l'inefficacité de telles mesures, que cela ne peut que perpétuer le cycle sans fin du crime et du châtiment. Elles pourraient en conclure que la sécurité physique de celui qui travaille dans une ville ne peut être garantie que si tous les habitants de cette ville ont un travail. Cela exigerait un bouleversement des priorités nationales et surtout un changement de système.

Au cours des dernières décennies, la peur de la criminalité a été rejointe par une peur encore plus grande. Les décès dus au cancer se sont multipliés et la recherche médicale semblait incapable d'en déterminer la cause. Il devint vite évident que de plus en plus de ces cancers étaient dus à un environnement dégradé par les expériences militaires et la cupidité des industriels. L'eau que buvaient les gens, l'air qu'ils respiraient, les particules de poussière qu'ils inhalaient sur leur lieu de travail avaient été contaminés pendant des années par un système si obsédé par la croissance et le profit que la sécurité et la santé des êtres humains avaient été totalement négligées. Une nouvelle épidémie meurtrière apparut, le SIDA, qui se répandait notamment chez les homosexuels et les consommateurs de drogues.

Au début des années 1990, le faux socialisme du système soviétique s'effondrait et le système américain semblait incontrôlable – une course en avant capitaliste, technologique, militariste, et un gouvernement s'éloignant de plus en plus d'un peuple qu'il prétendait pourtant représenter. La criminalité était incontrôlable, le cancer et le SIDA également, de même que les prix, les impôts, le chômage, la décrépitude des villes et la crise de la famille. Et les gens semblaient comprendre tout cela.

Sans doute la méfiance générale envers le gouvernement, particulièrement manifeste ces dernières années, provient-elle d'une prise de conscience accrue de la vérité des propos tenus par le pilote de la US Air Force, Yossarian, dans le roman *Catch 22*, à un camarade qui lui reproche d'apporter aide et réconfort à un ennemi : « L'ennemi, c'est celui qui est sur le point de te tuer, quel que soit son camp. Et n'oublie jamais ça, parce que plus longtemps tu t'en souviendras, plus longtemps tu vivras. » « Mais Clevinger l'oublia, et maintenant il est mort », ajoute aussitôt le narrateur.

Imaginons que, pour la première fois dans l'histoire des États-Unis, la population soit unie dans sa volonté d'opérer de vrais changements. L'élite n'utilisera-t-elle pas, comme à chaque fois, son arme ultime – une intervention militaire à l'étranger pour unifier le peuple et l'appareil d'État dans et autour de la guerre ? C'est bien ce qui eut lieu en 1991 avec la guerre du Golfe. Mais, comme le disait June Jordan, c'était « juste un flash. Exactement comme le crack. Ça ne dure jamais longtemps ».

Étant donné l'impuissance des élites à résoudre les problèmes économiques ou à faire de la politique extérieure une soupape de sécurité pour le mécontentement des Américains, ces derniers devraient se préparer à exiger plus que de simples rafistolages, « réformettes », énième New Deal ou autres pièges du même calibre. Il faut des changements radicaux. Permettons-nous un moment d'utopie pour que, une fois revenus au réalisme, il ne s'agisse pas de ce « réalisme » cher aux dirigeants dans leurs entreprises de démobilisation des citoyens, ce « réalisme » que l'on trouve dans tant de livres d'histoire sans surprise. Imaginons ce que des changements véritablement radicaux exigeraient de chacun d'entre nous.

Les leviers du pouvoir devraient être confisqués à ceux à qui l'on doit l'état dans lequel se trouve la société actuelle – les grandes entreprises, l'appareil militaire et leurs alliés politiques. Il faudrait, par un effort coordonné de toutes les communautés locales du pays, reconstruire une économie à la fois efficace et juste, produisant en coopération ce dont les gens ont le plus besoin. Nous commencerions au niveau des quartiers, des villes, des lieux de travail. Tout le monde devrait avoir une tâche, quel qu'il soit, même ceux qui sont actuellement exclus de la force de travail – les enfants, les personnes âgées, les « handicapés ». La société pourrait ainsi bénéficier de cette énergie aujourd'hui gaspillée, de ces qualifications et de ces talents inexploités. Tout le monde devrait participer quelques heures par jour aux tâches certes routinières mais néanmoins nécessaires, consacrer la majeure partie de son temps libre au plaisir, à la création, à sa vocation, tout en produisant suffisamment pour garantir une répartition équitable. Certains biens de première nécessité devront être assez abondants pour être sortis du système d'échange monétaire et être disponibles gratuitement pour tout le monde : la nourriture, le logement, les soins de santé, l'éducation et les transports.

Le plus difficile serait d'accomplir tout cela sans avoir recours à une bureaucratie centralisée, aux menaces d'emprisonnement ou de châtiments, mais au contraire en faisant appel à cet esprit de coopération que l'État a régulièrement utilisé par le passé pour mener ses guerres. Cet esprit qui fait partie de la nature humaine et qui est également à l'origine des mouvements sociaux. Cet esprit donne une idée de ce que pourrait être le comportement des individus dans des conditions différentes. Les décisions seraient prises par des groupes restreints sur les lieux de travail, dans les quartiers – un réseau de coopératives connectées les unes aux autres, un socialisme de voisinage échappant aux hiérarchies de classes du capitalisme et aux dictatures autoritaires qui ont usurpé le nom de « socialistes ».

Avec le temps, au sein de communautés conviviales, les gens devraient être en mesure de créer une nouvelle culture, plus diversifiée, non violente, dans laquelle toutes les formes d'expression personnelle et collective pourraient s'exprimer. Hommes et femmes, Noirs et Blancs, vieux et jeunes pourraient alors considérer leurs différences comme autant de caractères positifs et non comme des instruments de domination. Alors, les nouvelles valeurs de coopération et de liberté devraient transformer les relations entre les gens et l'éducation des enfants.

Pour accomplir tout cela en dépit des instruments de contrôle social qui régissent actuellement les États-Unis, il faudrait ajouter aux ressources des mouvements de résistance qui se sont illustrés dans l'histoire des États-Unis – ouvriers révoltés, rebelles noirs, Indiens, femmes, jeunes – celles engendrées par le mécontentement récent des classes moyennes. Les gens devront sans doute transformer en premier lieu leur environnement immédiat – lieux de travail, famille, école, communauté – par une série de luttes contre l'inefficacité des autorités dans ces domaines et pour en confier l'organisation à ceux qui y vivent et y travaillent.

Ces combats feront appel à toutes les stratégies employées en leur temps par les mouvements populaires qui ont marqué l'histoire américaine : manifestations, défilés, désobéissance civile, grèves, boycotts et insurrections générales ; actions directes pour la redistribution des richesses, pour transformer les institutions, pour réinventer les rapports sociaux ; création – dans la musique, la littérature, le théâtre, dans tous les arts et tous les lieux de travail et de loisirs – d'une nouvelle culture du partage, du respect, d'un nouveau plaisir de travailler ensemble pour s'entraider.

Il y aurait bien sûr de nombreux échecs. Mais si un tel mouvement prenait racine dans des centaines de milliers d'endroits à travers le pays, il serait impossible de l'arrêter parce que les gardiens sur lesquels s'appuie le système pour assurer sa survie seraient eux-mêmes parmi les rebelles. Ce serait un nouveau genre de révolution et, me semble-t-il, la seule qui puisse advenir dans un pays comme les États-Unis. Elle exigerait une énorme dépense d'énergie, de nombreux sacrifices, un sérieux engagement et de la patience. Mais comme la mobilisation pourrait commencer tout de suite, il y aurait également cette satisfaction immédiate que les gens ont toujours éprouvée dans les relations amicales tissées au sein des mouvements regroupés autour d'un but commun.

Tout cela, qui nous entraîne bien loin de l'histoire des États-Unis, dans le domaine de l'imaginaire, n'est pas totalement déconnecté, néanmoins, de la réalité. Par le passé, il y a déjà eu des expériences fugitives de tels projets. Au cours des années 1960 et 1970, l'appareil du pouvoir échoua, pour la première fois, à créer l'unité nationale et la ferveur patriotique autour d'un objectif guerrier. À cette époque se produisit un bouleversement culturel comme le pays n'en avait jamais connu – dans les domaines de la sexualité, de la famille, des relations personnelles –, justement dans tous ces secteurs que les organes du pouvoir ont généralement tant de mal à contrôler. Cette époque fut également marquée par un manque de confiance sans précédent envers la plupart des éléments du système politico-économique. À toutes les époques, les gens ont trouvé le moyen de se venir en aide les uns aux autres, même sur de brèves périodes – et même au cœur d'une civilisation de compétition et de violence –, pour se réaliser dans le travail, dans la lutte, l'amitié et la nature.

L'avenir sera fait de luttes et de moments troublés mais également d'inspiration. Il est possible qu'un tel mouvement parvienne à réaliser ce que le système lui-même n'a jamais pu faire, c'est-à-dire provoquer un gigantesque changement avec un minimum de violences. C'est possible parce que la majorité des hommes et des femmes qui composent les fameux 99 % de la population commencent à se rendre compte qu'ils partagent les mêmes intérêts et les mêmes besoins. Plus les gardiens et les prisonniers du système en auront conscience, plus l'appareil du pouvoir sera isolé et inefficace. Les armes, l'argent et la maîtrise de l'information par les élites ne seront d'aucune utilité face à une population parfaitement déterminée. Les serviteurs du système refuseront de continuer de travailler pour maintenir le vieil ordre agonisant et profiteront de leur temps et de leur espace (qui leur avaient été accordés en échange de leurs services) pour démanteler l'ancien système et participer à l'élaboration d'une nouvelle société.

Les prisonniers du système continueront, eux, de se révolter, comme auparavant, de manière imprévisible et à des moments qu'on ne saurait prédire. La nouvelle donne de notre époque est cette possibilité qu'ils ont désormais d'être rejoints par les gardiens du système. Nous, lecteurs et auteurs de livres, avons toujours été, dans notre grande majorité, dans le camp des gardiens. Si nous comprenons cela et que nous agissons en conséquence, non seulement la vie pourra être immédiatement améliorée mais nos petits-enfants et les enfants de nos petits-enfants connaîtront probablement un monde différent et meilleur.

Post-scriptum sur les élections de 2000 et la « guerre contre le terrorisme »

À L'ISSUE DES DEUX MANDATS de Clinton (le Vingt-Deuxième Amendement de la Constitution ne permet pas plus de deux mandats), il était évident que le candidat démocrate à l'élection présidentielle serait l'homme qui l'avait servi loyalement au poste de vice-président, Albert Gore. Le candidat choisi par le parti républicain fut le gouverneur du Texas, George W. Bush, connu pour ses liens avec les intérêts pétroliers et pour son record du nombre de détenus exécutés au cours de son mandat de gouverneur.

Bien que, pendant la campagne, Bush ait accusé Gore d'en appeler à « la guerre de classes », la candidature de Gore et de son vice-président, le sénateur Joseph Lieberman, ne menaçait pas réellement les grandes fortunes. À la une du *New York Times* on put même lire : « Le sénateur Lieberman se vante d'être pro-business. » L'article précisait : « Lieberman est fort apprécié des industries de hautes technologies de la Silicon Valley et du complexe militaro-industriel du Connecticut, qui lui est reconnaissant pour les 7,5 milliards de dollars de contrats qu'il leur a fait obtenir pour la construction du sous-marin le *Sea Wolf* ».

Quoi qu'il en soit, la différence dans le soutien apporté par le monde des affaires aux deux candidats à la présidence peut s'évaluer à l'aune des 220 millions de dollars récoltés pour la campagne de Bush contre 170 millions de dollars pour celle de Gore. Ni l'un ni l'autre n'avaient de réels projets en faveur d'un système de santé gratuit, de la construction de logements sociaux, de changements spectaculaires dans la politique environnementale. Tous les deux étaient partisans de la peine de mort et de l'augmentation du nombre des prisons. Et tous les deux étaient favorables au maintien d'un appareil militaire important, à la poursuite de l'usage et de la fabrication des bombes antipersonnel et à la reconduction des sanctions contre Cuba et l'Irak.

Il y avait un troisième candidat à la présidence, Ralph Nader, dont la réputation nationale était due à plusieurs décennies de critiques continuelles exprimées à l'encontre de la mainmise du monde des affaires sur l'économie américaine. Son programme était radicalement différent de celui des **deux** autres candidats. Il mettait l'accent sur le système de santé, l'enseignement et l'environnement. Mais il fut écarté des plateaux de télévision lors des débats de la campagne et ne bénéficia pas, bien entendu, du soutien financier des grandes entreprises. Il dut donc se contenter des modestes contributions de ceux qui appréciaient son programme.

Étant donné le consensus des deux principaux partis autour des questions sociales et les obstacles mis sur la route du troisième candidat, il était prévisible que la moitié des électeurs du pays, en grande majorité issus des populations à bas revenus et n'ayant aucune confiance dans les principaux partis, ne se déplacent même pas pour voter.

Un journaliste interviewa une caissière de station-service, épouse d'un travailleur du bâtiment, qui affirmait qu'elle ne croyait pas que les candidats « s'intéressent à des gens comme nous. […] Peut-être que s'ils vivaient dans un deux-pièces ce serait différent ». Une Afro-Américaine, manager dans un McDonald's pour un salaire dépassant à peine le minimum légal de 5,5 dollars de l'heure, déclara à propos de Bush et de Gore : « Ces deux-là ne m'intéressent pas du tout et tous mes amis pensent comme moi. Ces types ne changeront pas ma vie. »

Ce furent finalement les plus étranges élections de toute l'histoire du pays. Al Gore recueillit sur son nom des centaines de milliers de voix de plus que Bush. Mais la Constitution américaine prévoit que le vainqueur soit désigné par de grands électeurs, eux-mêmes désignés par chaque État. L'élection fut si serrée que la décision finale dépendit au bout du compte des électeurs désignés par la Floride. Cette écart entre le suffrage populaire et le vote des électeurs de chaque État ne s'était produit qu'à deux reprises dans le passé : en 1876 et en 1888.

Le candidat qui remporterait le plus de suffrages en Floride aurait tous les électeurs de l'État en sa faveur et deviendrait donc président. Mais il y eut une controverse furieuse sur l'identité même de celui qui avait remporté le suffrage populaire en Floride : Gore ou Bush. Il apparut que de nombreux votes n'avaient pas été comptabilisés, en particulier dans les circonscriptions où vivaient beaucoup d'Afro-Américains, que des bulletins avaient été annulés pour des raisons techniques et que d'autres avaient été mal lus par les machines qui les traitaient.

Mais Bush avait un net avantage : son frère, Jeb Bush, était gouverneur de Floride, et il revenait à la secrétaire d'État de Floride, Katherine Harris, de désigner le vainqueur – et donc, *in fine*, le Président. Accusée de fraude électorale, Harris se lança dans un recomptage partiel des bulletins qui confirma la victoire de Bush.

Un recours en appel auprès de la Cour suprême de Floride, dominée par le parti démocrate, aboutit à une injonction interdisant à Harris de désigner un vainqueur et ordonnant que l'on termine le décompte de tous les bulletins. Harris fixa une date limite à ce recomptage et, tandis qu'il restait encore des milliers de bulletins en suspens, elle s'autorisa à déclarer Bush vainqueur par cinq cent trente-sept voix d'avance. Il s'agissait sans aucun doute du résultat le plus serré de l'histoire des élections présidentielles américaines. Mais Gore était résolu à contester cette décision et demanda que le comptage se poursuive comme l'avait ordonné la Cour suprême de Floride. De son côté, le parti républicain fit appel auprès de la Cour suprême des États-Unis.

La Cour suprême était partagée selon les courants idéologiques. Les cinq juges conservateurs (Rehnquist, Scalia, Thomas, Kennedy, O'Connor), malgré le traditionnel principe conservateur de non-intervention dans les affaires de l'État, rejetèrent la décision de la Cour suprême de Floride et interdirent la poursuite du dépouillement des bulletins de vote. Ils affirmaient que ce recomptage violait une clause de la Constitution qui exigeait une « égale application des lois » alors que le mode de dépouillement des bulletins variait en Floride selon les comtés.

Les quatre juges libéraux (Stevens, Ginsburg, Breyer et Souter) déclaraient pour leur part que la Cour suprême des États-Unis n'avait pas le droit d'intervenir dans l'interprétation faite par la Cour suprême de Floride des lois de cet État. Breyer et Souter affirmaient même que, s'il y avait un problème avec ces différents modes de comptage des bulletins, il ne restait qu'à procéder à une nouvelle élection accompagnée d'un mode unique de dépouillement.

Mais le fait que la Cour suprême refuse de remettre en cause la proclamation des résultats faite par Harris signifiait qu'elle était bien décidée à voir son favori, George W. Bush, devenir président des États-Unis. Le juge Stevens insista sur ce fait, avec une certaine amertume, dans le rapport rédigé par la minorité libérale de la Cour : « Si nous ne connaîtrons jamais avec certitude l'identité du vainqueur des élections présidentielles de cette année, celle du perdant est parfaitement évidente : c'est la confiance placée par la nation dans la personne du juge comme gardien impartial de l'autorité de la loi. »

En prenant ses fonctions, Bush entreprit de réaliser avec une arrogance absolue son programme au bénéfice du monde des affaires – comme s'il avait effectivement reçu le soutien massif de la nation pour ce faire. Et le parti démocrate ne lui opposa que de timides critiques, tant démocrates et républicains sont toujours sur la même ligne en politique étrangère et ne diffèrent que très peu en matière de politique intérieure.

Le programme de Bush était simple. Il se déclara en faveur de réductions d'impôts pour les plus riches, s'opposa nettement aux strictes réglementations environnementales et projeta d'engager la « privatisation » du système social en liant les fonds de retraite des citoyens américains aux fluctuations du marché boursier. Il augmenta le budget de la Défense et s'engagea à poursuivre le projet « Guerre des étoiles » malgré les réticences de nombreux scientifiques affirmant que les missiles de l'espace ne fonctionneraient pas et que, même dans le cas contraire, cela ne ferait que relancer la course aux armements partout à travers le monde.

Après neuf mois de présidence, le 11 septembre 2001, un événement terrible eut lieu qui rejeta tous les autres problèmes à l'arrière-plan. Des pirates de l'air s'emparèrent des commandes de trois avions bourrés de carburant, qu'ils lancèrent sur les Twin Towers du World Trade Center de Manhattan et sur un bâtiment du Pentagone à Washington. Horrifiés, les Américains purent assister, en direct à la télévision, à l'effondrement des deux tours dans un enfer de béton et de métal qui ensevelit des milliers d'employés et des centaines de pompiers et de policiers venus leur porter secours.

On n'avait jamais vu une telle attaque portée contre les formidables symboles de la richesse et du pouvoir américains. Ces attentats furent commis par dix-neuf individus originaires du Moyen-Orient – et pour la plupart d'Arabie saoudite. Ils avaient choisi de mourir en portant un coup mortel à ce qu'ils considéraient clairement comme leur pire ennemi, une superpuissance qui se pensait invulnérable.

Bush déclara immédiatement la « guerre au terrorisme » et affirma que « nous ne [devions] pas faire de différence entre les terroristes et les pays qui abritent les terroristes ». Le Congrès s'empressa de voter un décret autorisant le Président à engager des opérations militaires sans être tenu de lui demander l'autorisation légale de faire la guerre, comme la Constitution américaine l'exige pourtant. Ce décret fut voté à l'unanimité par le Sénat et seul un membre de la Chambre des représentants s'y opposa – Barbara Lee, représentante afro-américaine de Californie.

Sur la simple présomption que le responsable des attentats était l'activiste musulman Oussama Ben Laden et qu'il se cachait quelque part en Afghanistan, Bush ordonna que l'on bombarde ce pays.

Le président se fixa pour objectif la capture (mort ou vif) de Ben Laden et la destruction totale du mouvement islamiste Al-Qaida. Mais après cinq mois de bombardements sur l'Afghanistan, quand Bush fit son discours sur l'état de l'Union devant le Congrès, il dut admettre – tout en affirmant que « nous [étions] en train de gagner notre guerre contre le terrorisme » – que des « dizaines de milliers de terroristes [étaient] encore dans la nature » et que « des dizaines de pays » continuaient de les accueillir.

Bush et ses conseillers auraient dû savoir que les terroristes ne pouvaient être détruits par la force. Les précédents historiques le démontrent suffisamment. Les Britanniques n'ont-ils pas systématiquement répondu aux actes terroristes de l'IRA (Irish Republican Army) par la force armée, ne parvenant qu'à renforcer le terrorisme en Irlande du Nord? Depuis des décennies, les Israéliens répondent par les armes au terrorisme palestinien, ne faisant qu'entraîner l'intensification des attentats terroristes palestiniens. Après les attentats de 1998 contre les ambassades américaines en Tanzanie et au Kenya, William Clinton avait fait bombarder le Soudan et l'Afghanistan. Au regard de événements du 11 septembre 2001, il est clair que cela n'a pas suffi à éradiquer le terrorisme.

Ces mois de bombardements furent dévastateurs pour un Afghanistan déjà miné par des décennies de guerre et de destruction. Le Pentagone prétendit qu'il ne visait que des « cibles militaires » et que les pertes civiles étaient « malencontreuses » et constituaient « des accidents regrettables ». Pourtant, selon les organisations humanitaires et les témoignages recueillis par les presses américaine et européenne, entre mille et quatre mille civils afghans ont trouvé la mort sous les bombes américaines.

Un peu comme si les États-Unis réagissaient au crime atroce perpétré par des terroristes contre des New-Yorkais innocents en tuant des Afghans innocents. Quotidiennement, le *New York Times* publiait des photos émouvantes des victimes de la tragédie des Twin Towers, accompagnées de portraits et de propos sur ce qu'ils aimaient, sur leur travail et sur leurs familles.

Il était bien entendu impensable de recueillir le même genre de renseignements sur les victimes afghanes. Il y eut pourtant quelques récits émouvants de la part de journalistes qui, après la visite des hôpitaux ou des villages, purent témoigner des effets dévastateurs des bombardements américains. Ayant visité un hôpital à Jalalabad, un journaliste du *Boston Globe* écrivit : « Dans un lit se trouve Noor Mohammad, dix ans, enfoui sous les bandages. Il a perdu les yeux et les mains dans l'explosion de la bombe qui a frappé sa maison dans la soirée de dimanche. Le directeur de l'hôpital, Guloja Shimwari, secoue la tête devant l'état du gamin. "Les États-Unis doivent penser que c'est Ben Laden, dit Shimwari. Mais ce n'est pas Oussama Ben Laden, alors pourquoi font-ils cela?" [...] La morgue de l'hôpital a accueilli quatorze cadavres le week-end dernier et les responsables, ici, estiment qu'au moins quatre-vingt-neuf civils ont été tués dans différents villages. Hier, à l'hôpital, on a pu se rendre compte des dommages causés par les bombardements au travers de ce qui est arrivé à toute une famille. Une bombe a tué le père, Faisal Karim. Dans un lit de l'hôpital est étendue la mère, Mustafa Jama, qui est gravement blessée, et autour d'elle six de ses enfants dans un état pitoyable. [...] L'un d'entre eux, âgé de huit ans, est toujours dans le coma. »

Depuis la catastrophe du 11 septembre, l'opinion publique américaine soutenait, en grande majorité, le président Bush dans sa « guerre contre le terrorisme ». Démocrates et républicains rivalisaient d'invectives contre le terrorisme. Le *New York Times*, opposé à Bush pendant les élections, écrivit dans un de ses éditoriaux de décembre 2001 : « Bush a su démontrer qu'il était ferme en temps de guerre et donner à la nation un sentiment de sécurité en cette période de crise. »

Mais l'étendue de la catastrophe humanitaire provoquée par les bombardements américains en Afghanistan prenait peu de place dans les principaux médias – télévision ou presse écrite – qui avaient semble-t-il tous décidé de démontrer leur ferveur « patriotique ».

Le président de CNN, Walter Isaacson, adressa une note à toute son équipe pour que les images montrant des victimes civiles afghanes soient obligatoirement accompagnées d'un commentaire rappelant qu'il s'agissait de représailles pour avoir abrité les terroristes. « Ce serait tout de même un peu bizarre d'accorder trop d'attention aux pertes civiles ou à la violence des événements en Afghanistan », déclara-t-il. Quant au présentateur Dan Rather, il n'hésita pas à affirmer : « George Bush est le Président. [...] S'il a besoin de moi quelque part, il n'a qu'à me dire où. »

Le gouvernement américain alla extrêmement loin dans sa volonté de contrôler le flot d'informations en provenance d'Afghanistan. Il fit bombarder le bâtiment qui abritait la plus importante télévision du Moyen-Orient, Al-Jazeera, et mit la main sur une organisation qui diffusait des photos prises par satellite des effets des bombardements américains.

Les plus fameux magazines se sont plu à entretenir une atmosphère de revanche. *Time* appelait, dans un article titré « Défense de la colère et de la revanche », à mener une politique de « violence ciblée ». Bill O'Reilly, un commentateur de télévision très populaire, demandait aux autorités américaines de « bombarder les infrastructures afghanes jusqu'à ce qu'il n'en reste plus rien – les aéroports, les usines produisant l'énergie, les réseaux d'eau potable et les voies de communication ».

Le drapeau américain fit son apparition dans les maisons, sur les voitures, dans les vitrines, expression d'un chauvinisme exacerbé qui rendait très difficile pour les citoyens ordinaires la moindre critique de la politique gouvernementale. En Californie, un retraité qui, lors d'une interview, avait critiqué le président Bush reçut la visite du FBI et fut interrogé. Une jeune femme trouva à sa porte deux agents du FBI qui affirmèrent avoir été prévenus qu'elle affichait chez elle des posters hostiles au président.

Le Congrès vota le USA Patriot Act, qui donnait au département à la Justice le droit de détenir des résidents étrangers sur simple présomption et sans qu'aucune véritable charge soit retenue contre eux. On leur déniait également les droits juridiques accordés par la Constitution. Le USA Patriot Act prévoyait que le secrétaire d'État pourrait qualifier n'importe quel groupe de « terroriste » et que toute personne qui en serait membre ou aurait récolté des fonds pour cette organisation pourrait être arrêtée et détenue jusqu'à son expulsion.

Le président Bush demanda au pays de ne pas commettre d'actes hostiles à l'encontre des Américains d'origine arabe mais, dans les faits le gouvernement se mit à convoquer certaines personnes pour les interroger. Il s'agissait la plupart du temps de musulmans. Un millier ou plus d'entre eux furent maintenus en détention sans preuve. Anthony Lewis, journaliste au *New York Times,* raconta l'histoire d'un homme arrêté sur des accusations restées confidentielles. Lorsque le juge fédéral décréta finalement qu'on ne pouvait affirmer que cet homme représentait une menace pour la sécurité nationale, il fut relâché. Mais après le 11 septembre, le département à la Justice, ignorant la décision du juge, arrêta de nouveau cet homme, le maintint dans l'isolement le plus complet – vingt-trois heures par jour – et interdit les visites de sa famille.

Quelques voix relativement minoritaires critiquèrent pourtant cette guerre. Des rassemblements pour la paix et des conférences eurent lieu partout dans le pays. Les slogans les plus répandus dans ces réunions demandaient « La justice, pas la guerre » ou affirmaient que « Notre chagrin ne réclame pas vengeance ». En Arizona – un État qui n'est pas particulièrement réputé pour son esprit contestataire –, six cents citoyens rédigèrent un appel qui parut dans la presse, rappelant la Déclaration universelle des droits de l'homme. Ils invitaient les États-Unis et la communauté internationale à « utiliser les moyens engagés dans la destruction de l'Afghanistan pour lever les obstacles qui empêchent la livraison de nourritures suffisantes aux populations qui en ont le plus urgent besoin ».

Certains membres de familles de victimes des attentats contre les Twin Towers ou le Pentagone écrivirent au président Bush, l'implorant de ne pas répondre à la violence par la violence et de faire cesser le bombardement des populations afghanes. Amber Amundson – dont le mari, pilote de l'aviation américaine, était mort dans l'attentat contre le Pentagone – déclara : « J'ai pu entendre des discours haineux de la part de certains Américains et de certains de nos dirigeants qui envisagent des représailles et des violences inspirées par la volonté de revanche. J'entends clairement faire comprendre à ces dirigeants que ma famille et moi-même ne trouvons aucun réconfort à ces discours de haine. Si vous décidez de répondre à cette violence incompréhensible par la même violence contre des êtres humains innocents, vous ne devez pas le faire au nom de mon mari. »

Certaines familles de victimes se rendirent même en Afghanistan en janvier 2002 pour rencontrer des familles afghanes qui avaient également perdu des proches dans les bombardements américains. Elles rencontrèrent Abdul et Shakila Amin, dont la fille de cinq ans, Nazila, avait été tuée par une bombe américaine. L'une de ces Américaines s'appelait Rita Lasar. Son frère avait été cité par le président Bush comme un exemple d'héroïsme (il avait choisi de demeurer auprès d'un ami handicapé plutôt que de chercher à s'échapper seul du bâtiment en train de s'effondrer). Rita Lasar déclara qu'elle vouerait le reste de son existence à défendre la paix.

Ceux qui critiquaient les bombardements affirmaient que le terrorisme s'enracinait dans le ressentiment profond éprouvé à l'égard des États-Unis. L'origine de ce ressentiment n'était pas difficile à identifier : la présence de troupes américaines en Arabie saoudite, terre sacrée de l'islam, les dix années de sanctions économiques infligées à l'Irak – sanctions qui, selon les Nations unies, avaient entraîné des centaines de milliers de morts chez les enfants de ce pays –, l'indéfectible soutien américain à l'occupation des territoires palestiniens par Israël et les milliards de dollars d'aide militaire apportée à ce pays.

Mais ces problèmes ne peuvent être résolus sans que se produisent des changements fondamentaux dans la politique étrangère américaine. De tels changements seraient inadmissibles aux yeux du complexe militaro-industriel, qui influence les deux principaux partis. En effet, ils impliqueraient que nous retirions les troupes américaines disséminées à travers le monde, que nous abdiquions notre volonté de domination politico-économique sur les autres pays du monde – bref, que nous fassions notre deuil du rôle tant prisé de superpuissance mondiale.

De tels changements fondamentaux exigeraient également un renversement dans l'ordre des priorités politiques : faire passer par exemple les trois à quatre cents milliards de dollars annuels affectés au budget de la Défense vers des projets qui permettraient d'améliorer les conditions de vie des Américains et des autres peuples du monde. L'Organisation mondiale de la santé affirme par exemple qu'une infime portion du budget militaire américain suffirait à sauver des millions de vies humaines si elle était affectée au traitement de la tuberculose.

Les États-Unis, après de tels changements drastiques dans leur politique, ne seraient certes plus *la* superpuissance militaire mais pourraient devenir une superpuissance humanitaire, utilisant leurs incroyables ressources pour venir en aide aux nations les plus démunies.

Trois ans avant les terribles événements du 11 septembre 2001, un ancien lieutenant-colonel de l'aviation américaine, Robert Bowman, qui avait mené cent une missions de combat au Vietnam avant de devenir évêque de l'Église catholique américaine, déclarait dans *The National Catholic Reporter*, à propos des attentats à la bombe contre les ambassades américaines de Tanzanie et du Kenya : « Nous ne sommes pas haïs parce que nous pratiquons la démocratie, aimons la liberté ou défendons les droits de l'homme. Nous sommes détestés parce que notre gouvernement refuse tout cela aux pays du tiers-monde dont les ressources naturelles sont convoitées par nos multinationales. Cette haine que nous avons semée est revenue nous hanter sous la forme du terrorisme. [...] Au lieu d'envoyer nos fils et nos filles à travers le monde pour tuer des Arabes afin que nous puissions nous emparer du pétrole qui dort sous les sables de leurs déserts, nous devrions les y envoyer pour les aider à reconstruire leurs infrastructures, leur fournir de l'eau potable et nourrir leurs enfants affamés. [...] En bref, nous devrions faire le bien au lieu du mal. Qui voudrait nous en empêcher? Qui pourrait nous haïr pour cela? Qui voudrait nous bombarder? C'est cette vérité-là que le peuple américain devrait entendre. »

Après les attentats du 11 septembre, de telles voix ont été la plupart du temps tenues à l'écart des principaux médias américains. Mais les propos de Bowman étaient prophétiques, et il devrait y avoir une chance pour que son formidable message moral soit entendu quand l'inutilité de répondre à la violence par la violence aura une nouvelle fois été démontrée.

À coup sûr, si l'histoire nous apprend quelque chose, c'est que l'avenir de paix et de justice en Amérique ne dépendra pas de la bonne volonté du gouvernement.

Le principe démocratique, énoncé dans le texte même de la Déclaration d'indépendance, affirmait que le gouvernement est subordonné au peuple qui l'a institué. Ainsi l'avenir de la démocratie repose-t-il sur le peuple et sur l'émergence de sa prise de conscience des moyens les plus appropriés de s'accorder avec le reste de la communauté humaine partout à travers le monde.

Bibliographie

Bibliographie établie par l'auteur; nous avons fait précéder d'un astérisque les titres traduits en français.

I. L'empire et le peuple

Aptheker, Herbert (ed.) [1973] *A Documentary History of the Negro People in the United States*, Citadel, New York

Beale, Howard K. [1962] *Theodore Roosevelt and the Rise of America to World Power*, Macmillan, New York

Beisner, Robert [1968] *Twelve Against Empire: The Anti-Imperialists, 1898-1902*, McGraw-Hill, New York

Foner, Philip [1947-1964] *A History of the Labor Movement in the United States*, 4 vols, International Publishers, New York

_____ [1972] *The Spanish-Cuban-American War and the Birth of American Imperialism*, 2 vols, Monthly Review Press, New York

Francisco, Luzviminda [1973] « The First Vietnam: The Philippine-American War 1899-1902 », *in Bulletin of Concerned Asian Scholars*

Gatewood, Willard B. [1971] « *Smoked Yankees* » *and the Struggle for Empire: Letters from Negro Soldiers, 1898-1902*, University of Illinois Press, Urbana

Lafeber, Walter [1963] *The New Empire: An Interpretation of American Expansion*, Cornell University Press, Ithaca (N.Y.)

Pratt, Julius [1934] « American Business and the Spanish-American War », *in Hispanic-American Historical Review*

Schirmer, Daniel Boone [1972] *Republic or Empire: American Resistance to the Philippine War*, Schenkman, Cambridge (Mass.)

Williams, William Appleman [1969] *The Roots of the Modern American Empire*, Random House, New York

_____ [1972] *The Tragedy of American Diplomacy*, Dell, New York

Wolff, Leon [1961] *Little Brown Brother*, Doubleday, Garden City

Young, Marilyn [1968] *The Rhetoric of Empire*, Harvard University Press, Cambridge (Mass.)

II. Le défi socialiste

Aptheker, Herbert [1974] *A Documentary History of the Negro People in the United States*, Citadel, New York

Baxandall, Rosalyn, and Gordon, Linda, and Reverby, Susan (eds) [1976] *America's Working Women*, Random House, New York

Braverman, Harry [1975] *Labor and Monopoly Capital: The Degradation of Work in the Twentieth Century*, Monthly Review, New York

Brody, David [1960] *Steelworkers in America: The Non-Union Era*, Harvard University Press, Cambridge (Mass.)

Chafe, William [1977] *Women and Equality: Changing Patterns in American Culture*, Oxford University Press, New York

Cochran, Thomas, and Miller, William [1942] *The Age of Enterprise*, Macmillan, New York

Dancis, Bruce [1976] « Socialism and Women », *in Socialist Revolution*

Dubofsky, Melvyn [1974] *We Shall Be All: A History of the Industrial Workers of the World*, Quadrangle, New York

Du Bois, W. E. B. [1961] *The Souls of Black Folk*, Fawcett, New York

Faulkner, Harold [1977] *The Decline of Laissez Faire 1897-1917*, M. E. Sharpe, White Plains

Flexner, Eleanor [1975] *A Century of Struggle*, Harvard University Press, Cambridge (Mass.)

Flynn, Elizabeth Gurley [1973] *The Rebel Girl*, International Publishers, New York

Foner, Philip (ed.) [1967] *Helen Keller: Her Socialist Years*, International Publishers, New York

_____ [1947-1964] *A History of the Labor Movement in the United States*, 4 vols, International Publishers, New York

Gilman, Charlotte Perkins [1966] *Women and Economics*, Harper & Row, New York

Ginger, Ray [1969] *The Bending Cross: A Biography of Eugene Victor Debs*, Rutgers University Press, New Brunswick

Goldman, Emma [1970] *Anarchism and Other Essays*, Dover, New York

Green, James [1978] *Grass-Roots Socialism: Radical Movements in the Southwest, 1895-1943*, Louisiana State University Press, Baton Rouge

Hays, Samuel [1964] « The Politics of Reform in Municipal Government in the Progressive Era », *in Pacific Northwest Quarterly* - reprinted by New England Free Press

Haywood, Bill [1929] *The Autobiography of Big Bill Haywood*, International Publishers, New York

* Hofstadter, Richard [1954] *The American Political Tradition*, Random House, New York [*Bâtisseurs d'une tradition*, 1988, Economica, Paris]

* James, Henry [1968] *The American Scene*, Indiana University Press, Bloomington [*La Scène américaine*, 1993, La Différence, Paris – épuisé]

* Jones, Mary [1925] *The Autobiography of Mother Jones*, Charles Kerr, Chicago [*Maman Jones*, 1977, La Découverte, Paris – épuisé]

Kaplan, Justin [1966] *Mr Clemens and Mark Twain: A Biograpby*, Simon & Schuster, New York

Kolko, Gabriel [1977] *The Triumph of Conservatism*, Free Press, New York

Kornbluh, Joyce (ed.) [1964] *Rebel Voices: An I.W.W. Anthology*, University of Michigan Press, Ann Arbor

Lerner, Gerda (ed.) [1973] *Black Women in White America*, Random House, New York

_____ [1977] *The Female Experience: An American Documentary*, Bobbs-Merrill, Indianapolis

* London, Jack [1971] *The Iron Heel*, Bantam, New York [*Le Talon de fer*, 1999, Le Temps des cerises, Pantin]

Naden, Corinne J. [1971] *The Triangle Shirtwaist Fire, March 25, 1911*, Franklin Watts, New York

Sanger, Margaret [1920] *Woman and the New Race*, Brentano's, New York

Schoener, Allon (ed.) [1967] *Portal to America: The Lower East Side, 1870-1925*, Holt, Rinehart & Winston, New York

Sinclair, Upton [1951] *The Jungle*, Harper & Row, New York

Sochen, June [1974] *Movers and Shakers: American Women Thinkers and Activists 1900-1970*, Quadrangle, New York

Stein, Leon [1965] *The Triangle Fire*, Lippincott, Philadelphia

Wasserman, Harvey [1972] *Harvey Wasserman's History of the United States*, Harper & Row, New York

Weinstein, James [1968] *The Corporate Ideal in the Liberal State, 1900-1918*, Beacon Press, Boston

Wertheimer, Barbara [1977] *We Were There: The Story of Working Women in America*, Pantheon, New York

Wiebe, Robert H [1966] *The Search for Order, 1877-1920*, Hill & Wang, New York

Yellen, Samuel [1974] *American Labor Struggles*, Pathfinder, New York

Zinn, Howard [1970] *The Politics of History*, Beacon Press, Boston

III. La guerre est la santé de l'État

Baritz, Loren (ed.) [1971] *The American Left*, Basic Books, New York

Chafee, Zechariah Jr. [1969] *Free Speech in the United States* Atheneum, New York

Dos Passos, John [1969] *1919*, Signet, New York [*L'An premier du siècle : 1919*, 1993, Gallimard Folio, Paris]

Du Bois, W.E.B. [1915] « The African Roots of War », *in Atlantic Monthly*

Fleming, D. F. [1968] *The Origins and Legacies Of World War I*, Doubleday, Garden City

* Fussell, Paul [1975] *The Great War and Modern Memory*, Oxford University Press, New York [*À la guerre : psychologie et comportement pendant la Seconde Guerre mondiale*, 1992, Seuil, Paris]

Ginger, Ray [1969] *The Bending Cross: A Biography of Eugene Victor Debs*, Rutgers University Press, New Brunswick

Goldman, Eric [1956] *Rendez-vous with Destiny*, Random House, New York

Gruber, Carol S. [1975] *Mars and Minerva: World War I and the Uses of Higher Learning in America*, Louisiana State University Press, Baton Rouge

Joughin, Louis, and Morgan, Edmund [1964] *The Legacy of Sacco and Vanzetti*, Quadrangle, New York

* Knightley, Philip [1975] *The First Casualty: The War Correspondent as Hero, Propagandist, and Myth Maker*, Harcourt Brace Jovanovich, New York [*Le Correspondant de guerre de la Crimée au Vietnam : héros ou propagandiste*, 1976, Flammarion, Paris]

Kornbluh, Joyce (ed.) [1964] *Rebel Voices: An I. W. W. Anthology*, University of Michigan Press, Ann Arbor

Levin, Murray [1971] *Political Hysteria in America*, Basic Books, New York

Mayer, Arno J. [1967] *The Politics and Diplomacy of Peace-Making 1918-1919*, Knopf, New York

Peterson, H. C., and Fite, Gilbert C. [1968] *Opponents of War, 1917-1918*, University of Washington Press, Seattle

Simpson, Colin [1973] *Lusitania*, Little, Brown, Boston

Sinclair, Upton [1978] *Boston*, Robert Bentley, Cambridge, (Mass.)

Weinstein, James [1969] *The Corporate Ideal in the United States 1900-1918*, Beacon Press, Boston

IV. De l'entraide par gros temps

Adamic, Louis [1938] *My America, 1928-1938*, Harper & Row, New York

Baxandall, Rosalyn, and Gordon, Linda, and Reverby, Susan (eds) [1976] *America's Working women*, Random House, New York

Bellush, Bernard [1976] *The Failure of the N.R.A*, W. W. Norton, New York

Bernstein, Barton J. (ed.) [1968] *Towards a New Past: Dissenting Essays in American History*, Pantheon, New York

Bernstein, Irving [1960] *The Lean Years: A History of the American Worker, 1920-1933*, Houghton Mifflin, Boston

_____ [1969] *The Turbulent Years: A History of the American Worker, 1933-1941*, Houghton Mifflin, Boston

Borden, Morton (ed.) [1972] *Voices of the American Past: Readings in American History*, D. C. Heath, Lexington (Mass.)

Boyer, Richard, and Morais, Herbert, [1955] *Labor's Untold Story*, United Front

Brecher, Jeremy [1979] *Strike!*, South End Press, Boston

Buhle, Paul [1978] « An Interview with Luigi Nardella », n *Riadical History Review*, Spring

Cloward, Richard A., and Piven, Frances F. [1977] *Poor People's Movements*, Pantheon, New York

Conkin, Paul [1967] *F.D.R. and the Origins of the Welfare State*, Crowell, New York

Cook, Blanche Wiesen [1992] *Eleanor Roosevelt*, vol. 1, Penguin Books, New York

Cook, Blanche Wiesen [1999] *Eleanor Roosevelt*, vol. 2, Viking Penguin, New York

Curti, Merle [1943] *The Growth of American Thought*, Harper & Row, New York

Fine, Sidney [1969] *Sit-Down: The General Motors Strike of 1936-1937*, University of Michigan Press, Ann Arbor

* Galbraith, John Kenneth [1972] *The Great Crash: 1929*, Houghton Mifflin, Boston [*La Crise économique de 1929 : anatomie d'une catastrophe financière*, 1989, Payot, Paris]

General Strike Committee [1972] *The Seattle General Strike*, Gum press, Charlestown

Hallgren, Mauritz [1934] *Seeds of Revolt*, Knopf, New York

Lerner, Gerda (ed.) [1977] *Black Women in White America: A Documentary History*, Random House, New York

* Lewis, Sinclair [1949] *Babbitt*, Harcourt Brace Jovanovich, New York [*Babbitt*, 1984 LGF-Le Livre de poche, Paris – épuisé]

Lynd, Alice and Staughton (eds) [1974] *Rank and File: Personal Histories by Working-Class Organizers*, Beacon Press, Boston

Lynd, Robert and Helen [1959] *Middletown*, Harcourt Brace Jovanovich, New York

Mangione, Jerre [1972] *The Dream and the Deal: The Federal Writers Project, 1935-1943*, Little, Brown, Boston

Mills, Frederick C. [1932] *Economic Tendencies in the United States: Aspects of Pre-War and Post-War Changes*, National Bureau of Economic Research, New York

Ottley, Roi, and Weatherby, William J. [1970] « The Negro in New York: An Informal History », *in Justice Denied: The Black Man in White America*, William Chace and Peter Collier (ed.). Harcourt Brace Jovanovich, New York

Painter, Nell, and Hudson, Hosea [1977] « A Negro Communist in the Deep South », *in Radical America*

Renshaw, Patrick [1968] *The Wobblies*, Anchor, New York

Rosengarten, Theodore [1974] *All God's Dangers: The Life of Nate Shaw*, Knopf, New York

* Steinbeck, John [1939] *The Grapes of Wrath*, Viking, New York [*Les Raisins de la colère*, 1982, Gallimard Folio, Paris]

Swados, Harvey (ed.) [1966] *The American Writer and the Great Depression*, Bobbs-Merrill, Indianapolis

Terkel, Studs [1970] *Hard Times: An Oral History of the Great Depression in America*, Pantheon, New York

* Wright, Richard [1937] *Black Boy*, Harper & Row, New York [*Black Boy*, 1977, Gallimard Folio, Paris]

Zinn, Howard [1959] *La Guardia in Congress*, Cornell University Press, Ithaca (N.Y.)

V. Une guerre populaire ?

Alperovitz, Gar [1967] *Atomic Diplomacy*, Vintage, New York

Aronson, James [1970] *The Press and the Cold War*, Bobbs-Merrill, Indianapolis

Barnet, Richard J. [1969] *Intervention and Revolution: The U.S. and the Third World*, New American Library, New York

Blackett, P. M. S. [1948] *Fear, War and the Bomb: Military and Political Consequences of Atomic Energy*, McGraw-Hill, New York

Bottome, Edgar [1972] *The Balance of Terror: A Guide to the Arms Race*, Beacon Press, Boston

Butow, Robert [1954] *Japan's Decision to Surrender*, Stanford University Press, Stanford

Catton, Bruce [1948] *The War Lords of Washington*, Harcourt Brace, New York

* Chomsky, Noam [1969] *American Power and the New Mandarins*, Pantheon, New York [*L'Amérique et ses nouveaux mandarins*, 1970, Seuil, Paris – épuisé]

Cook, Blanche Wiesen [1981] *The Declassified Eisenhower*, Doubleday, New York

Davidson, Basil [1978] *Let Freedom Come: Africa in Modern History*, Little, Brown, Boston

Feingold, Henry L. [1970] *The Politics of Rescue: The Roosevelt Administration and the Holocaust*, Rutgers University Press, New Brunswick

Freeland, Richard M. [1971] *The Truman Doctrine and the Origins of McCarthyism*, Knopf, New York

Gardner, Lloyd [1964] *Economic Aspects of New Deal Diplomacy*, University of Wisconsin Press, Madison

Griffith, Robert W. [1971] *The Politics of Fear: Joseph R. McCarthy and the Senate*, Hayden, Rochelle Park

Hamby, Alonzo L. [1953] *Beyond the New Deal: Harry S. Truman and American Liberalism*, Columbia University Press, New York

* Irving, David [1965] *The Destruction of Dresden*, Ballantine, New York [*La Destruction de Dresde*, 1987, Art et histoire d'Europe, Paris]

Kahn, Herman [1969] *On Thermonuclear War*, Free Press, New York

Kolko, Gabriel [1968] *The Politics of War: The World and United States Foreign Policy 1943-1945*, Random House, New York

Lemisch, Jesse [1975] *On Active Service in War and Peace: Politics and Ideology in the American Historical Profession*, New Hogtown Press, Toronto

* Mailer, Norman [1948] *The Naked and the Dead*, Holt, Rinehart and Winston, New York [*Les Nus et les morts*, 1985, LGF-Le Livre de poche, Paris]

Miller, Douglas, and Nowak, Marion [1977] *The Fifties: The Way We Really Were*, Doubleday, New York

Miller, Marc [1977] « The Irony of Victory: Lowell During World War II », unpublished doctoral dissertation, Boston University

Mills, C. Wright. [1970] *The Power Elite*, Oxford University Press, New York

Minear, Richard H. [1973] *Victor's Justice: The Tokyo War Crimes Trial*, Princeton University Press, Princeton

Offner, Arnold [1976] *American Appeasement: U.S. Foreign Policy and Germany 1933-1938*, W. W. Norton, New York

Rostow, Eugene V. [1945] « Our Worst Wartime Mistake », *in Harper's*

Russett, Bruce [1972] *No Clear and Present Danger*, Harper & Row, New York

Sampson, Anthony [1975] *The Seven Sisters: The Great Oil Companies and the World They Shaped*, Viking, New York [*Les Sept Sœurs : les grandes compagnies pétrolières et le monde qu'elles ont créé*, 1978, A. Moreau]

Schneir, Walter and Miriam [1965] *Invitation to an Inquest*, Doubleday, New York

Sherwin, Martin [1975] *A World Destroyed: The Atom Bomb and the Grand Alliance* Knopf, New York

Stone, I. F. [1969] *The Hidden History of the Korean War*, Monthly Review Press, New York

United States Strategic Bombing Survey [1946] *Japan's Struggle to End the War*, Government Printing Office, Washington

Weglyn, Michi [1976] *Years of Infamy: The Untold Story of America's Concentration Camps*, William Morrow, New York

Wittner, Lawrence S. [1969] *Rebels Against War: The American Peace Movement 1941-1960*, Columbia University Press, New York

Zinn, Howard [1973] *Postwar America: 1945-1971*, Bobbs-Merrill, Indianapolis

VI. « Ou bien explose-t-il ? »

Allen, Robert [1969] *Black Awakening in Capitalist America*, Doubleday, Garden City, New York

Bontemps, Arna (ed.) [1974] *American Negro Poetry*, Hill & Wang, New York

Broderick, Francis, and Meier, August [1971] *Black Protest Thought in the Twentieth Century*, Bobbs-Merrill, Indianapolis

Cloward, Richard A., and Piven, Frances F. [1977] *Poor People's Movements*, Pantheon, New York

Conot, Robert [1968] *Rivers of Blood, Years of Darkness*, Morrow, New York

Cullen, Countee [1947] *On These I Stand*, Harper & Row, New York

Herndon, Angelo [1975] « You Cannot Kill the Working Class », *in Black Protest*, Joanne Grant (ed.), Fawcett, New York

Huggins, Nathan I. [1971] *Harlem Renaissance*, Oxford University Press, New York

Hughes, Langston [1959] *Selected Poems of Langston Hughes*, Knopf, New York

Lerner, Gerda (ed.) [1977] *Black Women in White America: A Documentary History*, Random House, New York

Malcolm X [1965] *Malcolm X Speaks*, Meret, New York

Navasky, Victor [1977] *Kennedy Justice*, Atheneum, New York

Perkus, Cathy (ed.) [1976] *Cointelpro: The FBI's Secret War on Political lFreedom*, Monad Press, New York

* Wright, Richard [1937] *Black Boy*, Harper & Row, New York [*Black Boy*, 1977, Gallimard Folio, Paris]

Zinn, Howard [1973] *Postwar America: 1945-1971*, Bobbs-Merrill, Indianapolis

_____ [1964] *SNCC: The New Abolitionists*, Beacon Press, Boston

VII. Vietnam : l'impossible victoire

Branfman, Fred [1972] *Voices from the Plain of Jars*, Harper & Row, New York

Green, Philip, and Levinson, Sanford [1970] *Power and Community: Dissenting Essays in Political Science*, Pantheon, New York

Hersch, Seymour [1970] *My Lai 4: A Report on the Massacre and Its Aftermath*, Random House, New York

* Kovic, Ron [1976] *Born on the Fourth of July*, McGraw-Hill, New York [*Né un 4 juillet*, 1990, Calmann-Lévy, Paris – épuisé]

Lipsitz, Lewis [1970] « On Political Belief: The Grievances of the Poor », *in Power and Community: Dissenting Essays in Political Science*, Philip Green and Sanford Levinson (eds) Pantheon, New York

Modigliani, Andrew [1972] « Hawks and Doves, Isolationism and Political Distrust: An Analysis of Public Opinion on Military Policy », *in American Political Science Review*

Pentagon Papers [1971] 4 vols, Beacon Press, Boston

Pike, Douglas [1966] *Viet Cong*, MIT Press, Cambridge (Mass.)

Schell, Jonathan [1967] *The Village of Ben Suc*, Knopf, New York

Zinn, Howard [1967] *Vietnam: The Logic of Withdrawal*, Beacon Press, Boston

VIII. Surprises

Akwesasne Notes [1974] *Voices from Wounded Knee, 1973*, Akwesasne Notes, Mohawk Nation, Rooseveltown

Baxandall, Rosalyn, and Gordon, Linda, and Reverby, Susan (eds) [1976] *America's Working Women*, Random House, New York

Benston, Margaret [1969] « The Political Economy of Women's Liberation », in *Monthly Review*

* Boston Women's Health Book Collective [1976] *Our Bodies, Ourselves*, Simon & Schuster, New York [*Notre corps, nous même*, 1977, Albin Michel, Paris]

Brandon, William [1974] *The Last Americans*, McGraw-Hill, New York

* Brown, Dee [1971] *Bury My Heart at Wounded Knee*, Holt, Rinehart and Winston, New York [*Enterre mon cœur à Wounded Knee*, 1995, 10/18, Paris]

* Brownmiller, Susan [1975] *Against Our Will: Men, Women and Rape*, Simon & Schuster, New York [*Le Viol*, 1980, Étincelle, Westmount (Québec) – épuisé]

Coles, Robert [1967] *Children of Crisis*, Little, Brown, Boston

Cottle, Thomas J. [1977] *Children in Jail*, Beacon Press, Boston

The Council on Interracial Books for Children (ed.) [1971] *Chronicles of American Indian Protest*, Fawcett, New York

Deloria, Vine Jr. [1969] *Custer Died for Your Sins*, Macmillan, New York

_____ [1970] *We Talk, You Listen*, Macmillan, New York

Firestone, Shulamith [1970] *The Dialectics of Sex*, Bantam, New York

IX. Années 1970 : tout va bien ?

Blair, John M. [1977] *The Control of Oil*, Pantheon, New York

Dommergues, Pierre [1978] « L'essor du conservatisme Américain », *in Le Monde Diplomatique*

Evans, Les, and Myers, Allen [1974] *Watergate and the Myth of American Democracy*, Pathfinder Press, New York

Frieden, Jess [1977] « The Trilateral Commission », *in Monthly Review*

Gardner, Richard [1976] *Alternative America: A Directory of 5000 Alternative Lifestyle Groups and Organizations*, Richard Gardner, Cambridge (Mass.)

Glazer, Nathan, and Kristol, Irving [1976] *The American Commonwealth 1976*, Basic Books, New York

New York Times [1973] *The Watergate Hearings*, Bantam

U.S. Congress, Senate Committee to Study Governmental Operations with Respect to Intelligence Activities [1976] *Hearings*, 94th Congress

X. Carter-Reagan-Bush : le consensus bipartisan

Barlett, Donald, and Steele, James [1992] *America: What Went Wrong?* Andrews & McMeel, Kansas City

Barlett, Donald, and Steele, James [1994] *America: Who Really Pays the Taxes?* Simon & Schuster, New York

Chomsky, Noam [1994] *World Orders Old and New*, Columbia University Press, New York

Croteau, David, and Hoynes, William [1994] *By Invitation Only: How the Media Limit the Political Debate*, Common Courage Press, Monroe

* Danaher, Kevin (ed.) [1994] *50 Years Is Enough: The Case Against the World Bank*, South End Press, Boston

Derber, Charles [1992] *Money, Murder and the American Dream*, Faber & Faber, Boston

Edsall, Thomas and Mary [1992] *Chain Reaction*, W. W. Norton, New York

Ehrenreich, Barbara [1990] *The Worst Years of Our Lives*, HarperCollins, New York

Greider, William [1992] *Who Will Tell the People?* Simon & Schuster, New York

Grover, William F. [1989] *The President as Prisoner*, State University of New York, Albany

Hellinger, Daniel, and Judd, Dennis [1991] *The Democratic Facade*, Brooks/Cole Publishing Company, Pacific Grove

* Hofstadter, Richard [1974] *The American Political Tradition*, Vintage, New York [*Bâtisseurs d'une tradition*, 1989, Economica, Paris]

Kozol, Jonathan [1991] *Savage Inequalities: Children in America's Schools*, Crown Publishers, New York

Piven, Frances Fox, and Cloward, Richard [1993] *Regulating the Poor*, Vintage Books, New York

Rosenberg, Gerald N. [1992] *The Hollow Hope*, University of Chicago Press, Chicago

Savage, David [1992] *Turning Right: The Making of the Rehnquist Supreme Court*, John Wiley & Sons, New York

Sexton, Patricia Cayo [1991] *The War on Labor and the Left*, Westview Press, Boulder

Shalom, Stephen [1993] *Imperial Alibis*, South End Press, Boston

XI. La résistance ignorée

Ewen, Alexander (ed.) [1994] *Voice of Indigenous Peoples*, Clear Light Publishers, Santa Fe, New Mexico

Grover, William, and Peschek, Joseph (ed.) [1993] *Voices of Dissent*, HarperCollins, New York

Loeb, Paul [1994] *Generations at the Crossroads*, Rutgers University Press, New Brunswick

Lofland, John [1993] *Polite Protesters: The American Peace Movement of the 1980s*, Syracuse University Press, Syracuse

Lynd, Staughton and Alice [1995] *Nonviolence in America: A Documentary History*, Orbis Books, Maryknoll, New York

Martinez, Elizabeth (ed.) [1991] *500 Years of Chicago History*, Southwest Organizing Project, Albuquerque

Piven, Frances, and Cloward, Richard [1988] *Why Americans Don't Vote*, Pantheon Books, New York

Vanneman, Reeve, and Cannon Lynn [1987] *The American Perception of Class*, Temple University Press, Philadelphia

XII. La présidence de Clinton et la crise démocratique

Bagdikian, Ben [1992] *The Media Monopoly*, Beacon Press, Boston

Chomsky, Noam [1994] *World Orders Old and New*, Columbia University Press, New York

Dowd, Doug [1997] *Blues for America*, Monthly Review Press, New York

Garrow, David [1986] *Bearing the Cross*, Morrow, New York

Greider, William [1997] *One World or Not*, Simon & Schuster, New York

Kuttner, Robert [1997] *Everything for Sale*, Knopf, New York

Smith, Sam [1994] *Shadows of Hope: A Freethinker's Guide to Politics in the Time of Clinton*, Indiana University Press, Bloomington

Solomon, Norman [1994] *False Hope: The Politics of Illusion in the Clinton Era*, Common Courage Press, Monroe

The State of America's Children, [1994] Children's Defense Fund, Washington, D.C.

Tirman, John [1997] *Spoils of War: The Human Cost of the Arms Trade*, Free Press, New York

XIII. L'imminente révolte de la Garde

Bryan, C. D. B. [1976] *Friendly Fire*, Putnam, New York

Levin, Murray B. [1971] *The Alienated Voter*, Irvington, New York

Warren, Donald I. [1976] *The Radical Center: Middle America and the Politics of Alienation*, University of Notre Dame Press, Notre Dame

* Weizenbaum, Joseph [1976] *Computer Power and Human Reason*, Freeman, San Francisco [*Puissance de l'ordinateur et raison de l'homme : du jugement au calcul*, 1981, Éditions de l'informatique, Boulogne – épuisé]

Index

Sont mentionnés : domaine religieux, événements, firmes, groupes sociaux et ethniques, médias, nationalités, notions clefs, noms propres, organisations, territoires et titres d'œuvres.

Table des matières

Éditions Agone
BP 70072, F-13192 Marseille cedex 20

Éditions Lux
c.p. 129, succ. de Lorimier
Montréal, Québec H2H 1V0

Achevé d'imprimer en octobre 2003
sur les presses de Brodard & Taupin

Distribution en France : Les Belles Lettres
25, rue du Général Leclerc
F-94270 Le Kremlin-Bicêtre
Fax 01 45 15 19 80 - Tél 01 45 15 19 70

Diffusion en France : Athélès
Fax Administration 04 91 64 52 13
Fax Commande 01 43 01 16 70

Diffusion-distribution au Québec : Prologue
1650, boul. Lionel-Bertrand
Boisbriand (Québec), Canada J7H 1N7
Tél. (450) 434 0306 - Fax (450) 434 2627

Diffusion-distribution en Belgique : Aden
165, rue de Mérode, B-1060 Bruxelles
Tél. (322) 534 46 62 Fax (322) 343 42 91

Dépôt légal 4ᵉ trimestre 2003
Bibliothèque nationale de France

Dépôt légal 1ᵉʳ trimestre 2004
Bibliothèque nationale du Québec
Bibliothèque nationale du Canada